JUSSI ADLER-OLSEN

FLASKPOST FRÅN P

Översättning
Leif Jacobsen

Bonnier Pocket

www.bonnierpocket.se

ISBN 978-91-7429-319-7
Originalets titel: Flaskepost fra P
Copyright © 2009 Jussi Adler-Olsen
All rights reserved
Copyright © JP/Politikens Forlagshus A/S, København 2009
Första svenska utgåva Bra Böcker AB 2011
UAB PRINT-IT, Litauen 2014

Till min son, Kes.

Prolog

Det var den tredje morgonen och doften av tjära och tång hade börjat sätta sig i kläderna. Under båthusets golv skvalpade issörjan stilla mot bottenpålarna och väckte minnen om dagar då allt varit bra.

Han reste överkroppen från bädden av pappersskräp och lutade sig fram så pass mycket att han skymtade sin lillebrors ansikte, som till och med i sömnen såg plågat och stelfruset ut.

Snart skulle han vakna och vilset se sig omkring. Känna läderremmarna som stramade om handleder och midja. Höra rasslet från kedjan som fjättrade honom. Se snö och sol försöka ta sig in mellan de tjärade brädorna. Sedan skulle han börja be.

Hur många gånger hade inte desperationen fyllt broderns ögon? Om och om igen dessa halvkvävda böner om Jehovas nåd genom den kraftiga tejpen över munnen.

Men de visste bägge att Jehova inte längre såg åt deras håll. De hade nämligen druckit blod. Blod som deras fångvaktare droppat i vattenglasen. Han hade berättat vad de innehöll först efter att de druckit ur dem.

De hade druckit vatten med det förbjudna blodet och nu var de för evigt fördömda. Därför brände skammen djupare i dem än själva törsten.

Vad tänker han göra med oss? hade hans lillebrors skräckslagna ögon vädjande frågat.

Men hur skulle han kunna veta det? Han kände bara instinktivt att allt snart var över.

Han lutade sig bakåt och studerade ännu en gång rummet i det svaga ljuset. Lät blicken följa takbjälkarna bakom all spindelväv. Noterade alla utsprång och knastar. De murkna paddlarna och årorna som hängde i nocken. Det ruttnande fisknätet, som för länge sedan vittjats på sin sista fisk.

Sedan såg han flaskan. Under en kort sekund träffade solen det blå-aktiga glaset och bländade honom.

Så nära, men ändå så långt ifrån. Den satt inkilad mellan de grova golvbrädorna strax bakom honom.

Han stack in fingrarna i sprickan mellan brädorna och lirkade med flaskans hals medan luften frös till omkring honom. När han fick loss den skulle han krossa den och med en av skärvorna skära av remmen som bakband honom. Om remmen gav med sig skulle han lokalisera spännet på ryggen med sina avdomnade fingrar. Han skulle öppna det, slita tejpen av munnen, kränga sig ur remmarna om midjan och låren, och i samma sekund som kedjan, som var fastgjord i läderremmen, inte längre hindrade honom, skulle han kasta sig bort till sin lillebror och befria honom. Ta honom i famnen och krama honom hårt, tills deras kroppar slutade att skaka.

Sedan skulle han, så hårt det bara gick, börja karva med glasskärvan i trävirket runt dörren. Försöka gröpa ur brädorna där gångjärnen satt. Om det värsta sedan inträffade, att bilen kom innan han blev färdig, skulle han invänta mannen. Vänta på honom bakom dörren med den avslagna flaskhalsen i handen.

Just så ska jag göra, intalade han sig själv.

Han lutade sig framåt, knäppte sina stelfrusna fingrar bakom ryggen och bad till Gud om förlåtelse för sin onda tanke.

Sedan fortsatte han att krafsa i sprickan för att få loss flaskan. Krafsa-de och krafsade tills flaskhalsen lutade så pass mycket att han kunde få grepp om den.

Han lyssnade spänt.

Var det en motor? Ja, det var det. Det lät som en kraftig motor från en stor bil. Men kom den närmare eller passerade den bara någonstans där uppe? En kort stund tilltog det dova ljudet i styrka. Han drog hys-teriskt i flaskhalsen så att det knakade i fingerlederna. Men så avtog lju-det igen. Var det vindmöllor som susade och väsnades där ute? Eller var det något annat? Han visste inte.

Han andades ut genom näsborrarna och lät den varma andedräkten svepa in ansiktet likt ånga. Just för tillfället var han inte så rädd. Så länge han tänkte på Jehova och hans nådegåvor kändes det bättre.

Han pressade ihop läpparna och fortsatte. När flaskan äntligen loss-nade började han slå den så hårt mot golvet att brodern lyfte huvudet med ett ryck och skrämt såg sig omkring.

Han fortsatte att drämma flaskan mot golvbrädorna. Det var svårt att få ordentlig sving i rörelsen med händerna på ryggen. Alldeles för svårt.

Till sist, när fingrarna inte längre mäktade med, släppte han flaskan, vände sig om och stirrade på den med tom blick. Dammet i det trånga utrymmet dalade från takbjälkarna.

Han förmådde inte krossa den. Det gick helt enkelt inte. En ynka liten flaska. Var det för att de druckit blodet? Då hade alltså Jehova övergett dem. Han såg på brodern, som sakta rullade in sig i filten och lade sig tillrätta på bädden. Han sa inget. Försökte inte ens mumla något bakom den klistriga munkavlen.

*

Det tog ett tag att hitta det han behövde. Det svåraste var att nå tjäran mellan takbrädorna på grund av kedjan. Allt det andra hade han inom räckhåll: flaskan, träflisan från en golvbräda och papperet han satt på.

Han sparkade av sig ena skon och stack sig så hårt i handloven med flisan att ögonen tårades. Under en minut eller två lät han blodet droppa på sin blanka sko. Sedan rev han av en stor pappersbit från underlaget och doppade flisan i blodet. Han vred kroppen och drog i kedjan, så att han precis kunde se vad han skrev bakom ryggen. Efter bästa förmåga och med små bokstäver berättade han om deras nöd. Han skrev under, rullade ihop papperet och stoppade det i flaskan.

Han tog god tid på sig när han tryckte ner tjärklumpen i flaskhalsen och satte sig sedan tillrätta för att noga kontrollera att den satt där den skulle.

När han äntligen var klar hörde han det dova ljudet från en bilmotor. Den här gången gick ljudet inte att ta miste på. Efter en kort, plågad blick mot sin bror sträckte han sig allt vad han orkade mot ljuset som silade in genom en större spricka i väggen – den enda öppningen som flaskan överhuvudtaget kunde pressas igenom.

Sedan slogs dörren upp och en kompakt skugga klev in i ett moln av yrande snöflingor.

Tystnad.

Därefter ett plums.

Flaskan var fri.

1

Carl hade utan tvekan vaknat upp till bättre dagar.

Det första han registrerade var magsyran som vällde upp genom strupen. När han sedan slog upp ögonen för att se om det fanns något inom räckhåll att dämpa obehaget med, möttes han av synen av en kvinnas kletiga, lätt dreglande ansikte på kudden bredvid.

Skit! Sysser, tänkte han och försökte erinra sig misstagen från gårdagskvällen. Sysser av alla! Hans kedjerökande granne. Det pladdrande och pensionsmogna alltiallot från rådhuset i Allerød.

En hemsk tanke slog honom. Långsamt lyfte han täcket, innan han med en lättnadens suck kunde konstatera att han trots allt fortfarande hade kalsingarna på sig.

"För helvete", sa han och föste undan Syssers seniga hand från sin bröstkorg. Maken till huvudvärk hade han inte haft sedan Vigga bodde där.

*

"Inga detaljer, tack!" sa han när han sprang på Morten och Jesper i köket. "Förklara bara vad tanten där uppe har på min huvudkudde att göra."

"Kärringen väger ett ton", sa plastsonen och satte en nyöppnad juicekartong till munnen. Inte ens Nostradamus kunde förutspå dagen då Jesper skulle lära sig dricka ur ett vanligt jävla glas.

"Ja, förlåt, Carl", sa Morten. "Men hon hittade inte sin nyckel, och du hade ju redan slocknat som ett ljus, så jag tänkte ..."

Det är sista gången jag är med på en av Mortens grillfester, lovade Carl sig själv och kastade en blick in mot Hardys säng i vardagsrummet.

Sedan hans gamle kollega hade funnit sig tillrätta i huset fjorton dagar tidigare hade den hemtrevliga känslan fått sig en knäck. Inte för att den höj- och sänkbara sängen, som upptog en fjärdedel av rummet, delvis skymde utsikten ut mot trädgården. Inte för att droppstativ och fulla kisspåsar gjorde Carl illa till mods. Inte heller för att Hardys totalförlamade kropp konstant gav ifrån sig en strid ström av illaluktande gaser. Nej, det som hade förändrat allt var det dåliga samvetet. Att Carl hade fullt fungerande ben, att han kunde sticka iväg när det passade honom. Och den ständiga känslan av att han måste kompensera för det. Att han måste vara där för Hardy. Att han måste uträtta saker för denne förlamade man.

"Ta det lugnt", förekom Hardy honom, när de för ett par månader sedan diskuterade fördelarna och nackdelarna med att flytta honom från specialkliniken i Hornbæk. "Det går ibland en vecka här uppe utan att jag ser dig. Jag fixar nog att vara utan din tillsyn lite då och då, om jag flyttar hem till dig."

Men saken var den att även om Hardy låg och slumrade, som för tillfället, var han ju ändå där. I tankarna, i dagsplaneringen och i alla ord som så noga måste övervägas innan de uttalades. Det var påfrestande. Det borde inte kännas påfrestande att vara i sitt eget hem.

Och sedan allt det praktiska. Tvätt, renbäddning, Hardys enorma kroppshydda som skulle lyftas, inköp, kontakt med sjuksköterskor och myndigheter, matlagning. Visserligen var det Morten som stod för allt det där. Men resten då?

"Har du sovit gott, din gamle get?" frågade han vänligt på väg bort mot Hardys säng.

Den gamle kollegan öppnade ögonen med ett försök till leende. "Jaha, då är det slut på semestern. Tillbaka till bruket, va? Den rusade fanimej förbi, två veckor bara sådär. Men Morten och jag klarar oss. Hälsa nu grabbarna från mig."

Carl nickade. Det var så synd om Hardy. Han skulle vilja byta plats med honom, om så bara för en dag.

En enda dag för Hardy.

*

Bortsett från killarna i vaktkuren i slussen såg Carl inte en själ. Polishuset var öde. Pelargången vintergrå och avvisande.

"Vad fan är det som pågår?" ropade han när han kom ner i källarkorridoren.

Han hade förväntat sig en hejdundrande mottagning, eller åtminstone oset från Assads pepparmyntssörja. Eller varför inte Roses panflöjtsversioner av de stora klassikerna. Men allt var dött.

Här tar man ut två veckors semester för att ordna med Hardys flytt, tänkte han, och så passar de andra på att lämna skutan.

Han steg in i Assads skrubb och såg sig förvirrat omkring. Inga foton av gamla fastrar, ingen bönematta, inga lådor med sliskiga småkakor. Till och med lysrören i taket var släckta.

Han tände ljuset på sitt eget kontor tvärs över korridoren. Den trygga sfären där han löst tre fall och gett upp två. Platsen dit rökförbudet ännu inte nått och där alla de gamla fallen – avdelning Q:s territorium – tryggt legat på skrivbordet i tre prydliga högar, allt enligt Carls osvikliga system.

Han stannade upp vid åsynen av ett mer eller mindre oigenkännligt, blankpolerat skrivbord. Inte ett dammkorn. Inte en pappersflik. Inte ett enda fullklottrat A4-papper, som man kunde lägga upp sina trötta ben på, för att sedan kasta i papperskorgen. Inga akter. Här var kort och gott tomt.

"Rose!" skrek han så högt han kunde.

Rösten ekade förgäves i korridoren.

Han var ensam kvar i världen. Den enda människan kvar på jorden. En tupp utan hönsgård. En kung som gladeligen skulle ge sitt kungarike för en häst.

Han tog telefonen och slog numret till Lis i receptionen uppe på tredje våningen.

Det gick tjugofem sekunder innan någon svarade.

"Våldsroteln, avdelning A", sa rösten. Det var fru Sørensen, den mest fientligt sinnade av Carls kolleger. Lägerkommendanten Ilsa i egen hög person.

"Fru Sørensen", sa han med len röst. "Det är Carl Mørck. Jag sitter här nere helt ensam. Vad är det som händer? Vet du möjligtvis var Assad och Rose är?"

Det tog inte en millisekund innan hon hade kastat luren i örat på honom. Jävla kossa!

Han reste sig och satte kurs mot Roses kontor längre ner i korridoren. Kanske fanns svaret på mysteriet med de försvunna akterna där. En fullt logisk tanke fram till det pinsamma ögonblick när han upptäckte att det på väggen i korridoren mellan Assads och Roses kontor nu satt minst tio mjuka masonitskivor fullsmockade av alla de fall som för två veckor sedan legat inne på hans skrivbord.

En trappstege i skinande gult lärkträ markerade var det senaste fallet satts upp. Ett fall de tvingats lägga ner. Det andra olösta fallet i rad.

Carl tog ett kliv bakåt för att få full överblick över detta pappershelvete. Vad fan gjorde hans akter uppe på den där väggen? Hade Rose och Assad blivit fullkomligt galna? Var det därför klantskallarna gått upp i rök?

De vågade väl helt enkelt inte annat.

*

Uppe på tredje våningen var det likadant. Inga människor. Till och med fru Sørensens plats bakom disken gapade tom. Kommissariens kontor, biträdande avdelningschefens kontor, lunchrummet, utsättningsrummet. Allt stod övergivet.

Vad är det frågan om? tänkte han. Har vi blivit bombhotade? Eller har den nya polisreformen slutligen satt personalen på gatan, så att byggnaden måste säljas? Har den nya så kallade justitieministern tappat förståndet? Håller allt på att gå åt skogen?

Han kliade sig i nacken, tog luren och ringde ner till vakten.

"Carl Mørck här. Var fan är alla?"

"De flesta har samlats i minnesgården."

Minnesgården? Det var för tusan mer än ett halvår kvar till den nittonde september!

"Varför? Det är ju hur länge som helst till årsdagen." Han tänkte på tyskarnas internering av de danska polismännen under kriget. "Vad är det här?"

"Polismästaren ville informera några av avdelningarna om de kommande reformerna. Du får ursäkta, Carl, men det trodde jag du visste."

"Men jag pratade ju nyss med fru Sørensen."

"Hon måste ha kopplat om telefonen till sin mobil."

Carl skakade på huvudet. De var från vettet hela bunten. Innan han hunnit ner på minnesgården hade justitieministeriet säkerligen ändrat på ordningen igen.

Blicken fastnade på den mjuka, intagande fåtöljen inne hos kommissarien för våldsroteln. Där kunde man kanske få sig en blund utan en massa åskådare.

Tio minuter senare vaknade han av den biträdande avdelningschefens näve på sin axel och Assads runda, glada ögon dansande en decimeter från ansiktet.

Då var det slut på lugnet.

"Kom, Assad", sa han och kämpade sig upp ur stolen. "Nu ska du och jag ner i källaren och riva ner papper från väggen i en jäkla fart. Förstått? Var är Rose?"

Assad skakade på huvudet. "Det kan vi faktiskt inte, Carl."

Väl uppe ur stolen stoppade Carl in skjortan i byxorna. Vad fan menade karln? Naturligtvis kunde de det. Var det kanske inte han som bestämde?

"Kom nu bara. Och få med dig Rose. Nu!"

"Källaren är avstängd", sa Lars Bjørn, den biträdande avdelningschefen. "Det dammar asbest från rörisoleringen. Arbetsmiljöverket har varit här. Så är det bara."

Assad nickade. "Ja. Vi har fått flytta upp våra saker hit, men det är inte särskilt bekvämt i vårt rum. Fast vi har i alla fall hittat en bra stol åt dig", tillade han, som om det vore någon tröst. "Ja, det är bara vi två. Rose vägrade sitta här uppe, så hon tog en förlängd helg. Men hon kommer in senare idag."

Varför sparkade de honom inte bara i skrevet direkt?

2

Hon stirrade in i de levande ljusen tills de brunnit ut och mörkret omslöt henne. Det var inte första gången han lämnat henne ensam, fast aldrig på deras bröllopsdag.

Hon tog ett djupt andetag och reste sig. Den senaste tiden hade hon slutat vänta på honom vid fönstret. Slutat skriva hans namn på rutan i imman från sin andedräkt.

Det hade knappast rått någon brist på varningar när de träffade var-andra. Väninnan hyste sina tvivel och hennes mamma hade sagt det rent ut. Han var för gammal för henne. Det fanns något ondskefullt i hans blick. Han var en man som inte gick att lita på. En man som inte kunde avläsas.

Av den anledningen hade hon inte träffat vare sig väninnan eller mamman på väldigt länge. Det var också skälet till att desperationen tilltog, så att hennes kontaktbehov nu var större än någonsin. Vem skul-le hon prata med? Hon hade ju ingen.

Hon vände blicken mot de tomma, välstädade rummen och pressade samman läpparna medan tårarna steg i ögonen.

När hon hörde barnet röra sig gaskade hon upp sig. Hon torkade näsan med pekfingret och tog två djupa andetag.

Om han bedrog henne kunde han glömma henne.

Det måste väl finnas mer i livet än det här?

*

Maken smög in i sovrummet så ljudlöst att endast skuggan på väggen avslöjade honom. Breda axlar och öppen famn. Sedan kröp han ner i sängen och drog henne till sig utan ett ord. Varm och naken.

Hon förväntade sig kärleksfulla ord, men också utspekulerade ursäkter.

Kanske fruktade hon en svag doft av en främmande kvinna och skuld-tyngd tvekan vid fel tillfällen, men istället grep han bara tag i henne, vände hårdhänt runt på henne och slet lidelsefullt av henne nattlinnet. Månskenet lyste upp hans ansikte, vilket gjorde henne ännu mer tänd. All väntan, frustration, oro och tvivel var med ens borta.

Det var ett halvår sedan han senast varit så här.

Tack gode gud att det var dags igen.

*

"Jag kommer att vara borta ett bra tag, älskling", sa han utan förvarning vid frukostbordet samtidigt som han klappade pojkens kind. I förbigående, som om det inte var så viktigt.

Hon rynkade pannan och snörpte på munnen för att tvinga tillbaka den oundvikliga frågan en stund, sedan lade hon gaffeln ifrån sig på tallriken och satt kvar med blicken fäst på äggröran och baconsmulorna. Natten hade varit lång. Den gjorde sig påmind som ömhet i underlivet, men också som avslutande smekningar och varma blickar. Den hade fått henne att glömma tid och rum. Fram till nu. För i detta nu tog sig den bleka marssolen in i rummet som en objuden gäst och lyste tydligt upp fakta: hennes man skulle resa iväg. Igen.

"Varför kan du inte berätta vad du gör? Jag är din fru. Jag berättar det inte för någon", sa hon.

Besticken stannade i luften. Redan nu var han mörkare i blicken.

"Jag menar allvar", fortsatte hon. "Hur länge måste jag vänta på att det blir som inatt igen? Är vi där nu igen, att jag inte ska ha den blekaste aning om vad du sysslar med och att du knappt är närvarande när du väl är hemma?"

Han såg obehagligt rakt på henne. "Har jag inte redan från början varit ärlig med att jag inte kan prata om mitt jobb?"

"Jo, men …"

"Då pratar vi inte mer om det." Han släppte gaffeln och kniven på tallriken och vände sig mot sonen med något som skulle föreställa ett leende.

Hon andades med djupa, lugna andetag, men förtvivlan uppfyllde hela hennes inre. Det var ju sant. Långt före bröllopet gjorde han klart för henne att han fått arbetsuppgifter som han inte kunde diskutera. Han hade kanske antytt att det hade med hemliga underrättelser att göra, hon kom inte ihåg. Fast vad hon visste levde folk i underrättelse-tjänsten någorlunda normala liv vid sidan av jobbet, men deras eget liv var allt annat än normalt. Det vill säga om inte folk i underrättelsetjäns-ten också flitigt sysslade med mer alternativa uppdrag, som otrohet, för i hennes värld kunde det helt enkelt inte röra sig om annat.

Medan hon dukade av övervägde hon om hon skulle ställa sitt ulti-matum redan nu. Riskera hans vrede, som hon fasade för, men som hon ännu inte fått känna på i dess fulla omfattning.

"När får jag se dig igen då?" frågade hon.

Han log mot henne. "Med lite tur är jag hemma nästa onsdag. Den här sortens jobb brukar ta en åtta, tio dagar."

"Jaha. Du hinner alltså hem till bowlingturneringen", konstaterade hon syrligt.

Han reste sig och omfamnade henne bakifrån med sin stora kropp samtidigt som han knäppte händerna under hennes bröst. Känslan av hans huvud mot hennes axel hade tidigare alltid sänt behagliga rysning-ar genom henne. Men inte nu.

"Ja", sa han. "Jag är säkert tillbaka i god tid före turneringen. Dessut-om kan det ju inte gå hur länge som helst innan vi upprepar nattens bravader, eller hur?"

*

När han hade gett sig av och ljudet av bilen tonat bort stod hon kvar länge med armarna i kors och ofokuserad blick. En sak var ett liv i ensamhet. En annan att inte veta vad man betalade detta pris för. Chan-serna att avslöja en man som hennes med någon som helst form av bedrägeri var minimala, det visste hon, trots att hon aldrig försökt. Hans revir var stort och han var en försiktig människa, vilket det mesta i deras liv var ett bevis för: pensioner, försäkringar, dubbelkoll av föns-ter och dörrar, för att inte tala om resväskor och bagage. Alltid städat på bordet. Aldrig lappar, papper eller kvitton som glömts kvar i fickor eller lådor. Han var en man som inte lämnade särskilt många spår efter sig. Inte ens doften av honom hängde kvar i mer än några få minuter. Hur skulle hon någonsin kunna avslöja en affär, såvida hon inte anlitade en privatdetektiv? Och varifrån skulle hon få pengar till det?

Hon sköt fram underläppen och blåste med en suck sakta upp den varma andedräkten i ansiktet. Något hon alltid gjorde innan ett viktigt beslut måste fattas. Innan det högsta hindret i hästhoppningen, innan valet av konfirmationsklänning, ja, faktiskt också innan hon sa ja till sin man. Och nu, innan hon gick ut på gatan för att se om livet avtecknade sig annorlunda ute i det behagliga dagsljuset.

3

Det kunde inte sägas tydligare än så här: Den store, godmodige polisinspektören David Bell älskade att sitta och slöa och glo på vågorna som slog mot klipporna. Här i John O'Groats, längst uppe på Skottlands yttersta spets, där solen sken hälften så länge och dubbelt så vackert. Här var David född och här tänkte han dö, när tiden var inne.

David var helt enkelt ett med det ursinniga havet. Varför måste han då tillbringa all tid sexton miles längre söderut på Bankhead Roads polisstation i Wick? Nej, den sömniga hamnstaden gav honom noll, något han sällan var sen att påpeka heller.

Det var också därför att hans överordnade skickade honom till de nordliga byhålorna när det uppstod bråk. Då körde David upp dit i tjänstebilen och hotade hetsporrarna med att tillkalla någon konstapel från Inverness. Då blev de genast lugna igen. Där uppe ville man inte ha storstadsbor springandes på bakgårdarna. Då drack man hellre en pint Orkney Skull Splitter utblandat med hästpiss. Det räckte min själ att de tog färjan till Orkney och yrade omkring där.

När sedan oroligheterna lagt sig väntade vågorna, och om det var något som polisinspektör Bell tog sig tid med, så var det just vågorna.

Vore det inte för den ökänt sölige David Bell skulle flaskan ha hivats så långt bort som möjligt. Men nu när polisinspektören ändå satt där på klippan med vinden i håret, i sin nystrukna uniform och skärmmössan vid sin sida, fanns det faktiskt någon att överlämna den till.

Och så blev det.

Flaskan, som fastnat i trålarens nät, blänkte lite, trots att vattnet under tidens gång slipat den matt. Den yngste besättningsmannen på *BrewDog* såg genast att det var något speciellt med flaskan.

"Ut med den i havet igen, Seamus", ropade kaptenen när han upptäckte lappen i flaskan. "De där flaskorna för otur med sig. Flaskpest, kallar vi dem. Djävulen gömmer sig i bläcket och väntar bara på att bli frisläppt. Har du inte hört historierna?"

Men eftersom den unge Seamus inte hört de där historierna beslutade han sig för att ge flaskan till David Bell.

*

Polisinspektören kunde slutligen återvända till stationen i Wick. Då hade en av de lokala fylltrattarna slagit sönder två kontor och personalen tröttnat på att hålla ner idioten. När Bell kom dit och kastade av sig jackan föll Seamus flaska ur fickan. Bell plockade upp den igen, men eftersom han behövde fokusera på att sätta sig på den berusade idiotens bröstkorg och pressa andan ur honom, satte han den ifrån sig i ett fönster så länge. Men ibland möter man sin överman, i synnerhet om det råkar röra sig om en tvättäkta avkomling till Caithness vikingar. Fylltratten fick in en så grundlig spark i David Bells klockspel att alla tankar på flaskan försvann med de skarpa, blå blixtar som hans gisslade nervsystem sände ut.

Därför stod flaskan undangömd och orörd i ett solbelyst hörn av fönstret ganska länge. Ingen tog någon notis om den och ingen bekymrade sig om att papperet i flaskan inte mådde bra av för mycket solljus, för att inte tala om all den kondens som efter hand bildades på insidan.

Ingen tog sig tid att läsa de översta bokstäverna i det halvt utsuddade meddelandet, och därför funderade inte heller någon över vad ordet *HJÄLP* kunde betyda.

*

Flaskan hamnade åter i människohänder först när en skitstövel, som kände sig illa behandlad på grund av en enkel parkeringsbot, smittade Wicks polisstations intranät med en syndaflod av virus. I den situationen ringde man nämligen alltid efter dataexperten Miranda McCulloch.

När pedofilerna krypterade sina svinaktigheter, när hackarna sopade igen spåren efter sina banktransaktioner, när företagsplundrarna raderade sina hårddiskar, var det henne man låg på knä inför.

De skickade in henne på ett kontor där personalen var gråtfärdig och passade upp på henne som om hon vore en drottning. Med vidöppna fönster och Radio Scotland på full volym fyllde de oavlåtligt på termosar med hett kaffe. Jo, Miranda McCulloch var uppskattad överallt där hon dök upp.

Det var de öppna fönstren och de fladdrande gardinerna som fick henne att upptäcka flaskan redan första dagen.

En fin liten flaska, tänkte hon och grubblade över skuggan i den medan hon plöjde igenom kolumnerna av illasinnade koder. När hon den tredje dagen belåtet reste sig med en god bild om vilka virustyper man kunde förvänta sig framöver, gick hon bort till fönstret och tog flaskan. Den var betydligt tyngre än hon förväntat sig. Dessutom var den varm.

"Vad är det inuti?" frågade hon kvinnan vid skrivbordet intill. "Ett brev, eller?"

"Jag vet inte", svarade kvinnan. "David Bell ställde den där en gång, mest på skoj, tror jag."

Miranda höll upp den mot ljuset. Var det bokstäver på lappen? Svårt att se för all kondensen på insidan.

Hon vred och vände den ett tag. "Var är denne David Bell? Jobbar han idag?"

Sekreteraren skakade på huvudet. "Nej, tyvärr. David dödades strax utanför staden för ett par år sedan. De jagade en smitare när det skedde en olycka. En riktigt otäck historia. David var en väldigt rar kille."

Miranda nickade. Hon hade inte riktigt lyssnat. Hon var plötsligt övertygad om att det stod något på lappen. Ändå var det inte det som fångade hennes intresse. Det var det som fanns i botten av flaskan.

Om man tittade närmare genom det sandblästrade glaset var den stelnade massan mycket lik blod.

"Tror du det är okej om jag tar med mig flaskan? Finns här någon man kan fråga?"

"Hör med Emerson. Han var Davids partner under några år. Han har säkert inget emot det." Kvinnan tittade ut i korridoren. "Du, Emerson!" skrek hon så att rutorna skallrade. "Kan du komma in hit ett tag?"

Miranda hälsade på honom. Han var en satt, godmodig man med ledsna ögonbryn.

"Om du får ta den? Ja ja, för guds skull. Jag vill i varje fall inte veta av den."

"Hur så?"

"Tja, det är säkert bara trams, men strax innan David dog hittade han flaskan och undrade om det inte snart var dags att öppna den. Han hade fått den av en fiskargrabb uppe i hembyn. Grabben, manskapet och alla möss följde trålaren i djupet för några år sedan, så David tyckte att han var skyldig grabben att se efter vad som fanns i den. Men så förolyckades David själv, innan han hann med det. Knappast ett gott omen, eller hur?" Emerson skakade på huvudet. "Ta den, för allt i världen. Inget gott kommer ur den flaskan."

*

Samma kväll satt Miranda i sitt radhus i Edinburghförorten Granton och stirrade på flaskan. Cirka femton centimeter hög, blåaktig, aningen deformerad och med relativt lång hals. Kunde ha varit en parfymflaska, om den inte varit så stor. Säkert en eau de cologne-flaska och förmodligen ganska gammal också. Hon knackade fingret mot den. Hur som helst var den av solitt glas.

Miranda log. "Vilken hemlighet bär du på, lilla vän?" sa hon, smuttade på rödvinet och började sedan peta bort det som täppte till flaskhalsen med korköppnaren. Klumpen luktade tjära, men tiden i vattnet gjorde det omöjligt att bedöma vilket slags material det egentligen rörde sig om.

Hon försökte fiska upp lappen, men den var skör och fuktig. Sedan vände hon runt flaskan och knackade i botten, men lappen rörde sig inte en millimeter. Då tog hon med flaskan ut i köket och bankade köttklubban mot den några gånger.

Det löste problemet. Flaskan gick i tusen blå bitar som spred sig över köksbänken likt krossad is.

Miranda stirrade på lappen på skärbrädan och märkte själv hur ögonbrynen drogs ihop. Hon lät blicken glida över det krossade glaset och drog ett djupt andetag.

Det var kanske inte så smart gjort, tänkte hon.

*

"Ja", bekräftade kollegan Douglas på tekniska roteln. "Det är blod. Inget tvivel om det. Du såg rätt. Sättet på vilket papperet sugit åt sig blod och kondens är karaktäristiskt. Speciellt här nere där signaturen helt suddats ut. Jodå, när det gäller färg och uppsugningsförmåga är det

23

mycket typiskt." Han vecklade försiktigt ut lappen med pincetten och höll den ännu en gång under det blå ljuset. Det fanns blodspår över hela lappen och det lyste diffust från alla bokstäverna.

"Tror du det är skrivet med blod?"

"Garanterat."

"Och du tror också att översta ordet är ett rop på hjälp? Det ser i alla fall ut så."

"Ja, det tror jag", svarade han. "Men jag tvivlar på att mycket mer än överskriften går att rädda. Brevet är ganska medfaret. Det kan dessutom ha många år på nacken. Först måste vi preparera och konservera det, sedan får vi se om det går att datera. Vi måste naturligtvis också låta någon språkkunnig titta på det. Förhoppningsvis får vi veta vilket språk vi har att göra med."

Miranda nickade. Hon hade åtminstone en gissning.

Isländska.

4

"Då är arbetsmiljöinspektören här, Carl." Rose stod i dörren utan att göra en ansats till att flytta sig. Kanske hoppades hon att parterna skulle råka i luven på varandra.

Det var en liten man i välpressad kostym som presenterade sig som John Studsgaard. Liten och myndig. Bortsett från den bruna dokumentportföljen under armen verkade han rätt harmlös – vänligt leende och framsträckt hand – ett intryck som försvann så fort han öppnade munnen.

"Man har konstaterat asbestdamm här i korridoren och i krypgrunden vid senaste inspektionen. Därför måste rörisoleringen ses över, så att lokalerna blir säkra att vistas i."

Carl tittade upp i taket. Ett jävla rör. Det enda i källaren och ändå så mycket besvär.

"Jag ser att ni har kontor här nere", fortsatte portföljmuppen. "Är det i enlighet med besiktningsprotokoll och brandföreskrifter för polishuset?" Eftersom han började öppna portföljen hade han med största sannolikhet redan en bunt papper som svarade på frågan.

"Vilket kontor?" frågade Carl. "Menar du rummet för arkivframställan?"

"Arkivframställan?" Under en sekund verkade mannen osäker, men så tog byråkraten i honom över. "Jag är inte bekant med just den termen, men det är tydligt att en stor del av arbetsdagen tillbringas här nere med uppgifter som jag vill beskriva som traditionellt arbetsrelaterade."

"Syftar du på kaffemaskinen? Den kan vi flytta om du vill."

"Absolut inte. Jag tänker på allt. Skrivbord, anslagstavlor, bokhyllor, klädhängare, arkivlådor, kontorsartiklar, kopieringsmaskiner."

"Jaha! Vet du hur många trappor det är upp till tredje våningen?"

"Nej."

"Jag förstår. Då vet du kanske inte heller att vi är underbemannade och att halva dagen skulle gå åt att springa upp och ner mellan våningarna varje gång vi måste kopiera något till arkivet. Du kanske hellre ser att det springer runt en massa mördare för att vi inte kan utföra vårt jobb ordentligt?"

Studsgaard tänkte protestera, men Carl höll avvärjande upp en hand. "Var är den där asbesten du pratar om?"

Mannen glodde surt. "Det här är inte en diskussion om hur och varför. Vi har konstaterat asbestkontaminationer, och asbest är cancerframkallande. Det är inget man bara torkar upp med en golvmopp."

"Var du här när inspektionen skedde, Rose?" frågade Carl.

Hon pekade in i korridoren. "De hittade lite damm där nere."

"Assad!" ropade Carl så högt att mannen ryggade tillbaka ett steg.

"Kom, Rose. Visa mig var", sa han när Assad dök upp.

"Du följer också med, Assad. Ta fram hink, mopp och dina fina, gröna gummihandskar. Vi har en del att stå i."

De gick femton steg in i korridoren, där Rose pekade på ett vitt, pulveraktigt damm mellan sina svarta stövlar. "Där!" sa hon.

Mannen från Arbetsmiljöverket protesterade och försökte förklara att de bara slösade med tiden. Problemet gick inte att lösa på det sättet, det gjorde man enbart med sunt förnuft och de förordningar som stipulerade en reglementsenlig hantering.

Det sista ignorerade Carl. "När du har torkat upp skiten, Assad, ringer du efter en snickare. Vi ska ha upp en vägg som spärrar av Arbetsmiljöverkets förorenade zon från vårt rum för arkivframställan. Vi vill inte ha giftet inne hos oss, eller hur?"

Assad skakade sakta på huvudet. "Vilket rum tänker du på? Arkiv…?"

"Torka bara upp det, Assad. Mannen här har bråttom."

Ämbetsmannen blängde på Carl. "Vi hör av oss", sa han innan han försvann bort längs korridoren med sin portfölj under armen.

Jaså, det gör ni? tänkte Carl. Inte om jag får bestämma.

*

"Nu vill jag att du förklarar vad mina fall gör där uppe på väggen, Assad", sa Carl. "För din egen skull hoppas jag att det är kopior."

"Kopior? Om det är kopior du vill ha, så plockar jag bara ner dem igen, Carl. Jag kan göra hur många kopior som helst, jag lovar."

Carl svalde. "Menar du på fullaste allvar att det är originalakterna du hängt upp på tork?"

"Visst! Kolla in mitt system, Carl. Och säg bara till om du inte gillar det. Det är helt okej. Jag blir inte sur."

Carl ryckte till. Sur, tänkte han. Man är borta två veckor och plötsligt har ens medarbetare blivit rubbade av all asbest.

"Titta här, Carl." En strålande Assad höll fram två rullar med avspärrningsband.

"Nämen, ser man på. Du har visst lyckats lägga beslag på en rulle blått band och en rulle rött band med vita ränder. Då är du sannerligen ute i god tid. Det är nio månader tills alla julklappar ska vara inpackade och klara."

Assad klappade honom på axeln. "Ha, ha, Carl. Den var bra. Nu känner man igen dig."

Carl skakade på huvudet. Han tänkte på sin egen pensionering och hur oerhört långt det var kvar till den.

"Titta här." Assad rullade ut det blå bandet och rev av ett stycke tejp. Sedan häftade han fast ena änden av bandet på en akt från sextiotalet, drog rullen tvärs över en mängd andra akter, klippte av bandet och häftade fast den andra änden på en akt från åttiotalet. "Smart, va?"

Carl lade händerna om nacken, som för att förhindra att huvudet ramlade av. "Ett mästerverk, Assad. Andy Warhol levde inte förgäves."

"Andy vem?"

"Vad håller du på med, Assad? Försöker du koppla ihop de två fallen?"

"Precis! Tänk om de nu faktiskt hade haft med varandra att göra. Då hade man sett det hur enkelt som helst." Han pekade på det blå bandet igen. "Titta! Blått band!" Han knäppte med fingrarna. "Det betyder att fallen kanske hör ihop."

Carl drog en djup suck. "Aha! Då vet jag vad det rödvita bandet betyder."

"Exakt! Det betyder att vi *vet* att fallen hör ihop. Bra system, va?"

Carl suckade igen. "Ja, Assad. Men nu är det faktiskt så att inga av fallen hör ihop, och då är det bättre att de ligger kvar inne på mitt skrivbord. Då kan vi åtminstone bläddra lite i dem, okej?" Det var ingen fråga, men icke desto mindre kom ett svar.

"Ja, det är helt okej, chefen." Assad stod och gungade på tårna i sina slitna Eccoskor. "Men då börjar jag kopiera dem om säg tio minuter. Du får tillbaka originalen och jag hänger upp kopiorna."

*

Kommissarie Marcus Jacobsen såg genast mycket äldre ut. Han hade haft många saker på sitt bord på sistone. Först och främst gängkriget och skottlossningarna på Nørrebro och där omkring, men också några otäcka bränder. Anlagda bränder som kostat mycket pengar och tyvärr också liv. Alltid nattetid dessutom. Om Marcus sovit tre timmar per dygn i snitt den senaste veckan kunde han skatta sig lycklig. Kanske borde man vara tillmötesgående, oavsett vad fan han hade på hjärtat.

"Vad står på, chefen? Varför har du kallat upp mig?" frågade Carl.

Marcus fumlade med sitt snart tomma cigarettpaket. Den stackaren skulle aldrig få bukt med röksuget. "Ja, jag vet att din avdelning inte fått mycket plats här uppe, Carl. Men allvarligt talat kan jag inte låta dig hålla till i källaren. Arbetsmiljöverket har ringt och påstår att du vägrar samarbeta med en av deras gubbar."

"Vi har koll på läget, Marcus. Vi spärrar av korridoren med en vägg. Med dörr och allt. Isolerar skiten."

Marcus rynkor kring ögonen blev plötsligt djupare. "Det är just precis sådant jag inte vill veta av, Carl", sa han. "Det är också därför du, Rose och Assad ska upp hit igen. Jag orkar inte bråka med myndigheterna. Vi har redan så det räcker. Du vet hur pressad jag är för tillfället. Kolla där." Han pekade mot den nya, pyttelilla plattskärmen på väggen, där TV2 News diskuterade följderna av det pågående gängkriget. Kravet på en likfärd genom Köpenhamns gator för ett av offren hade fått den infekterade diskussionen att blossa upp igen. Nu fick polisen faktiskt hitta de skyldiga och få bort den här skiten från våra gator, löd kraven.

Jo, Marcus Jacobsen var en pressad man.

"Visst, men om du flyttar upp oss nu lägger du i princip ner avdelning Q med omedelbar verkan."

"Fresta mig inte, Carl."

"Och går miste om åtta miljoner om året i bidrag. Visst var det åtta miljoner som avsattes till Q-avdelningen? Tänk att det verkligen kostar så mycket att dra runt det gamla maskineriet vi sköter där nere. Å andra sidan, pengarna ska ju täcka Roses, Assads och min lön. Men ändå, åtta miljoner. Svårt att tro."

Kommissarien suckade. Han var fast. Utan anslaget skulle det saknas minst fem miljoner om året till de egna avdelningarna. Kreativ omfördelning. Närmast som det kommunala utjämningssystemet. Ett slags legal plundring.

"Förslag till lösning önskas, tack", sa han sedan.

"Var hade du tänkt att vi ska sitta här uppe?" frågade Carl. "På dasset? Inne vid fönstret där Assad satt igår? Eller rentav här inne på ditt kontor?"

"Det finns plats ute i korridoren." Det var tydligt att det grämde Marcus Jacobsen att behöva säga det. "Vi hittar nog snart en annan plats. Det har ju hela tiden varit målet, Carl."

"Okej, bra lösning. Då säger vi så. Men vi vill ha tre nya skrivbord." Utan förvarning reste sig Carl och sträckte fram handen. Då var väl problemet ur världen?

Kommissarien tvekade. "Vänta nu lite", sa han. "Det är något lurt med det här."

"Lurt? Ni får tre nya skrivbord och när Arbetsmiljöverket kommer skickar jag bara upp Rose för att fylla ut en av de tomma stolarna."

"Det kommer inte att sluta bra det här, Carl", sa kommissarien. Han gjorde en liten paus. Han var av allt att döma på väg att nappa. "Men *time will show*, som min gamla mor alltid sa. Sätt dig igen, Carl. Jag vill att du tittar på en sak. Minns du våra skotska kolleger, som vi assisterade för tre, fyra år sedan?"

Carl nickade misstänksamt. Vad var det här nu? Tänkte han tvinga alla på Q-avdelningen att käka haggis till tonerna av skärande säckpipor? Det skulle de nog bli två om. Det var illa nog med alla norrmän. Men skottar?

"Du kanske kommer ihåg att vi skickade dem några DNA-prov från en skotte vi fängslat på Vestre. Det var Baks fall. De löste ett mordfall tack vare det. Nu har de betalat tillbaka. En kriminaltekniker i Edinburgh, Gilliam Douglas heter han visst, har skickat det här paketet. Det innehåller ett brev som de hittat i en flaska. De konsulterade en lingvist, som har konstaterat att det måste härstamma från Danmark." Han tog en brun papperskasse från golvet. "De vill gärna veta hur det går, om vi kommer någon vart med fallet. Så varsågod, Carl."

Han sträckte fram kassen och gjorde ett tecken som betydde att Carl kunde ta den och gå.

"Vad ska jag göra med den?" frågade Carl. "Är det inte bättre att ge den till Posten?"

Jacobsen log. "Mycket roligt, Carl. Men nu är det så att Postverket inte är specialister på att lösa mysterier. Snarare är det så att de skapar dem."

"Vi har redan hur mycket som helst nere hos oss", sa Carl.

"Ja ja, Carl, det betvivlar jag inte. Men kika bara på det, det är säkert ingenting. Fallet uppfyller alla kriterier för avdelning Q – det är gammalt, ouppklarat och inga andra vill ha med det att göra."

Nu får jag ännu mindre tid att lägga upp skånkarna på skrivbordslådan, tänkte Carl och vägde kassen i handen på väg nerför trappan.

Å andra sidan.

En tupplur mer eller mindre skulle väl knappast försämra de skotsk-danska vänskapsrelationerna.

*

"Jag har det klart imorgon. Rose hjälper mig", sa Assad medan han funderade på vilken av de tre högarna i Carls system fallet han nu stod med i handen ursprungligen kunde ha legat i.

Carl muttrade. Den skotska kassen stod framför honom på skrivbordet. Obehagskänslor gav sällan med sig, och den aura som omgav papperskassen med Tullverkets tejp på var definitivt allt annat än behaglig.

"Är det ett nytt fall?" frågade Assad intresserat med blicken fäst på den bruna kassen. "Var kom det ifrån?"

Carl pekade upp i taket med tummen.

"Rose, kom in hit", ropade Carl ut i korridoren.

Det tog fem minuter innan hon dök upp. Det var ett noga avvägt tidsintervall, som i hennes värld gav uttryck för vem som bestämde, vad som skulle göras och i synnerhet när. Men man vande sig.

"Vad sägs om att få ditt första egna fall, Rose?" Han sköt försiktigt kassen mot henne.

Han såg inte hennes blick under den gothsvarta luggen, men road var den knappast. "Det har garanterat med barnporr eller trafficking att göra, va? Något som du själv inte vill ta i med tång. Så nej tack! Låt vår lilla kamelförare rota med det i sin lilla manege, om du själv inte pallar. Jag har annat att göra."

Carl log. Inga svordomar eller sparkar mot dörrar? Hon lät nästan på gott humör. Han knuffade till kassen igen. "Det är ett flaskpostbrev. Jag har inte läst det än. Vi kan väl titta på det tillsammans."

Hon rynkade på näsan. Misstro var hennes ständiga följeslagare.

Carl öppnade den av frigolitchips fyllda kassen och lyckades hitta en pappersmapp, som han lade på bordet. Han rotade runt lite till bland chipsen och fann även en plastpåse.

"Vad finns i den?" frågade hon.

"Glasskärvorna från flaskan, antar jag."

"Krossade de flaskan?"

"Nej, de monterade isär den. Anvisningarna om hur man sätter ihop den igen finns i den här mappen. En barnlek för en fingerfärdig, praktiskt lagd kvinna som du."

Hon räckte ut tungan åt honom medan hon vägde påsen i handen. "Inte särskilt tung. Hur stor var flaskan?"

Carl sköt bort mappen till henne. "Läs själv."

Hon lät papperskassen stå och försvann ut i korridoren. Lugn och ro. Om en timme var arbetsdagen slut och då skulle han ta tåget upp till Allerød och köpa en flaska whisky, som han tänkte droga Hardy och sig själv med. Ett sugrör i ena glaset och is i det andra. Han hade en lugn kväll att se fram emot.

Han blundade och satt så i mindre än tio sekunder, innan han märkte att Assad stod kvar.

"Jag har hittat något, Carl. Kom och titta. Här ute på väggen."

Balansnerven är inte riktigt med på noterna när man försvinner så från omvärlden, om så bara för några sekunder, konstaterade Carl när han omtumlad lutade sig mot korridorväggen. Assad pekade stolt på en av de upphängda akterna.

Carl tvingade sig tillbaka till verkligheten. "Upprepa det där, Assad. Jag tänkte på annat."

"Vad jag sa var att tycker du inte att det är dags att kommissarien ägnar en liten tanke åt fallet med alla bränderna i Köpenhamn?"

Carl försäkrade sig om att benen inte skulle ge vika och makade sig sedan närmare Assad, som stod och pekade på väggen. Det där fallet var fjorton år gammalt – en brand med likfynd, möjligtvis mordbrand, i området intill Damhussjön. Fallet rörde fyndet av en människokropp som var så illa åtgången av elden att varken tidpunkt för döden, kön eller DNA kunde fastställas. Det blev inte mindre komplicerat av att det inte fanns några saknade personer som matchade liket. Till sist hade fallet lagts ner. Carl kom mycket väl ihåg det. Det var ett av Antonsens fall.

"Varför tror du att det har att göra med bränderna som rasar nu, Assad?"

"Rasar?"

"Pågår."

"Därför!" sa Assad och pekade på ett detaljfoto av skelettresterna. "Ser du den där runda försänkningen, nedanför knogen på det lilla fingret. Det finns en anteckning om den på baksidan." Han plockade ner mappen från anslagstavlan och letade fram rapporten. "Här är beskrivningen: Som om en ring suttit där i många år, står det. En försänkning hela vägen runt."

"Och?"

"Men på lilla fingret, Carl."

"Ja, och?"

"När jag jobbade uppe på A-avdelningen hade vi ett lik i den första branden som helt saknade lilla fingret."

"Visst, men det heter faktiskt lillfingret, Assad. Ett ord."

"Ja, och i nästa brand hade mannen som man hittade också en försänkning på lilla fingret. Precis som här."

Carl kände själv hur hans ögonbryn höjdes.

"Jag tycker du ska gå upp på tredje våningen och berätta för kommissarien vad du just berättat för mig, Assad."

Han log med hela ansiktet. "Jag hade inte ens sett det om det inte vore för att fotot hela tiden hängde här på väggen i ögonhöjd. Lustigt, va?"

*

Det var som om Roses ogenomträngliga pansar av gothsvart arrogans börjat krackelera med den nya uppgiften. Åtminstone kastade hon inte bara dokumentet på hans skrivbord. Istället flyttade hon undan askfatet och placerade försiktigt, närmast ärevördigt, brevet på bordsskivan.

"Det går inte uttyda särskilt mycket", sa hon. "Brevet är uppenbarligen skrivet med blod, som sakta luckrats upp av kondensen och sugits in i papperet. Det är skrivet med versaler och ganska klumpigt dessutom. Men man kan fortfarande läsa översta raden. Titta själv! Hur tydligt som helst. *HJÄLP*, står det."

Carl lutade sig motvilligt fram och studerade resterna av bokstäverna. Kanhända hade papperet en gång varit vitt, men nu var det brunt. På flera ställen i kanterna fanns hål. Förmodligen hade brevet gått sönder när det vecklades ut igen, efter den långa färden ute till havs.

"Står det vilka undersökningar som gjorts? Var den upphittades?

När?"

"Flaskan hittades nästan ända uppe vid Orkneyöarna. Hade fastnat i ett fisknät. 2002, står det."

"2002? Då har de ta mig fan inte haft bråttom att skicka hit den."

"Flaskan stod bortglömd i ett fönster. Det är säkert därför det har bildats så mycket kondens. Den har stått i solen."

"Fulla jävla skottar", muttrade Carl.

"De har skickat med en mer eller mindre oanvändbar DNA-profil. Och så några foton i ultraviolett ljus. De har preparerat brevet så gott de kunnat. Titta! Där har man gjort ett försök att rekonstruera orden. Det är den biten som går att läsa."

Carl studerade fotokopian och ångrade så smått det där med de fulla skottarna. Jämförde man originalet med det bearbetade, belysta och preparerade rekonstruktionsförsöket av texten, var det nämligen trots allt imponerande.

Han ögnade genom lappen. I alla tider har folk fascinerats av tanken på att skicka iväg en flaskpost, som någon sedan fiskar upp och läser på andra sidan jordklotet. Nya och helt oväntade äventyr som kanske lurar runt hörnet.

Men det var inte svårt att se att det inte var fallet med den här flaskposten.

Det här var på allvar. Inga pojkstreck, inga scouter ute på någon spännande utflykt, inga idyller och blå himlar. Det här brevet var precis vad det såg ut att vara.

Ett förtvivlat rop på hjälp.

5

I samma stund som han lämnade henne lade han också familjelivet bakom sig. Körde de två milen från Roskilde upp till den ensliga gården, som låg ungefär halvvägs mellan deras hem och huset vid fjorden. Där backade han ut skåpbilen ur ladan för att kunna parkera Mercedesen i den och låste porten. Sedan tog han ett snabbt bad, tonade håret, bytte kläder, stod i tio minuter framför spegeln och gjorde sig klar, letade fram vad han behövde ur skåpen och bar därefter ut bagaget till den ljusblå Peugeot Partner som han använde när han var ute på sina turer. Bilen saknade kännemärken, var varken för stor eller för liten och hade oläsliga nummerplåtar, utan att de var alltför smutsiga. Ett helt anonymt fordon registrerat i namnet han lade beslag på när han skaffade sig den lilla gården. Perfekt med tanke på syftet.

När han kommit så här långt var han fullkomligt förberedd. Efter en del omsorgsfullt efterforskande i offentliga register på internet, som han genom åren skaffat sig lösenord till, hade han nu alla de upplysningar om sina potentiella offer som han behövde. Han hade massor av kontanter på sig, betalade med mellanstora sedlar på bensinmackar och vid betalstationer, såg alltid bort från kamerorna och höll sig alltid långt borta från sådant som kunde väcka uppmärksamhet.

Den här gången skulle Midtjylland utgöra hans jaktmarker. Här var koncentrationen av religiösa sekter hög, och det var några år sedan han senast slog till i området. Jodå, han var omsorgsfull när han spred död omkring sig.

Han hade hållit på med spaningsarbetet under en längre tid, men oftast bara ett par dagar åt gången. Första gången hade han bott hos en kvinna i Haderslev och de nästföljande gångerna hos en i en liten by vid namn Lønne. Risken att bli igenkänd i Viborgtrakten, som låg långt därifrån, var därför mikroskopiskt liten.

Valet stod mellan fem familjer. Två som tillhörde Jehovas vittnen, en familj som var med i Evangelistkyrkan, en i Syndens väktare och en i Moderkyrkan. Som det var nu lutade det mest åt den sistnämnda.

Han kom fram till Viborg runt åtta på kvällen, kanske lite väl tidigt för det han skulle göra, speciellt i en stad av den här storleken. Men man visste ju aldrig vad som kunde hända.

Kriterierna för krogarna, där han valde ut kvinnorna som bäst lämpade sig för värdinnerollen, var alltid desamma. Stället fick inte vara för litet, det fick inte ligga i ett område där alla kända varandra, inte ha för många stamgäster och inte vara för sjaskigt för att locka till sig en ensam kvinna av en viss typ i åldern trettiofem till femtiofem.

Rundans första ställe, Julles Bar, var för trångt och dystert, med på tok för många ölfatstavlor och spelmaskiner. Då gick det bättre på nästa ställe – litet dansgolv, lagom variation på gästerna, bortsett från bögen som genast placerade sig på millimeteravstånd från hans stol. Om han hittade en kvinna där skulle bögen tveklöst komma ihåg honom, trots hans hövliga avvisning. Så det dög inte.

Först vid femte försöket hittade han vad han sökte. Enbart skyltarna över bardisken var övertygande nog: *Tala är silver, men botten upp är guld* och *Borta bra, Terminalen bäst* angav tonen, för att inte tala om *Här hittar ni bygdens bästa bröst.*

I och för sig stängde krogen Terminalen, med gatuadress Gravene, redan klockan elva, men folk var på gott humör, mycket tack vare ölet Hancock Høker Bajer och det lokala rockbandet. Med det klientelet skulle han få napp före stängningsdags.

Han valde ut den inte helt purunga kvinnan som satt vid ingången till kasinodelen. Hon hade dansat ensam med armarna i vädret på det pyttelilla dansgolvet när han klev in. Hon såg bra ut och skulle inte bli ett helt lätt byte. En seriös lycksökerska. En som sökte en man som hon kunde lita på, en man som var värd att vakna upp med resten av livet, och hon räknade inte med att hitta honom där. Hon var helt enkelt ute med tjejerna från jobbet efter en lång arbetsdag. Det såg man på långt håll. Allt var precis som det skulle vara.

Två av hennes välsvarvade men vingliga kolleger stod i rökburen och fnissade, resten hade delat upp sig på en massa olika bord. Förmodligen hade sällskapet kört på högvarv en stund. I alla fall bedömde han att de övriga skulle ha svårt att beskriva honom särskilt väl bara några timmar senare.

Han bjöd upp henne efter att de haft ögonkontakt i fem minuter. Hon var inte särskilt berusad. Ett gott tecken.

"Så du är alltså inte härifrån", sa hon med blicken fäst på hans ögonbryn. "Vad gör du i Viborg?"

Hon luktade gott och hade en stadig blick. Det var lätt att se vad hon ville att han skulle svara. Han fick gärna säga att han besökte staden med jämna mellanrum. Att han gillade Viborg. Att han var välutbildad och singel. Så det sa han. Lugnt och försiktigt och i sinom tid. Han sa vad som helst, bara det fungerade.

Två timmar senare låg de hemma hos henne, i hennes säng. Hon tillfredsställd och han i vetskapen om att här kunde han bo i ett par veckor utan att hon ställde några ingående frågor, bortsett från de sedvanliga: Tycker du verkligen om mig? Menar du verkligen allvar?

Han var noga med att inte skruva upp hennes förväntningar. Spelade generad, så att hon inte blev misstänksam om han gav tvekande svar.

Klockan halv sex morgonen därpå vaknade han planenligt, gjorde sig i ordning, letade diskret igenom hennes gömmor och hann luska ut en hel del om henne innan hon började sträcka på sig i sängen. Frånskild, vilket han redan visste. Som han väntat sig hade hon ett någorlunda bra jobb inom kommunförvaltningen, som förstås också förbrukade all hennes energi. Hon var femtiotvå år och hur redo som helst att kasta sig in i ett nytt äventyr.

Innan han placerade brickan med kaffe och rostat bröd på sängen intill henne drog han isär gardinerna, så att hon skulle kunna se hans leende och friska utseende.

Sedan kröp hon upp tätt intill honom. Ömt eftergiven och med ännu djupare smilgropar än tidigare. Hon strök ett finger över hans kind och ville kyssa hans ärr, men hann inte innan han satte handen under hennes haka och ställde frågan: "Ska jag checka in på Hotell Palads eller komma tillbaka hit ikväll?"

Svaret var givet. I alla fall tryckte hon sig ännu hårdare mot honom och berättade var nyckeln låg, innan han tog sig ut till skåpbilen och lämnade radhusidyllen.

*

Familjen han valt ut hade möjlighet att snabbt betala den miljon som han brukade kräva i lösesumma. Kanske skulle de bli tvungna att sälja några aktier, och tiderna var inte de allra bästa för det just nu, men trots detta hade familjen det mycket gott ställt. Helt klart hade lågkonjunkturen gjort det svårare att begå brott som var rimligt lönsamma, men valde man bara ut sina offer med omsorg ordnade det sig alltid. Åtminstone var hans bedömning att den här familjen hade både förmågan och viljan att tillmötesgå hans krav, och att göra det diskret.

Numera kände han familjen väl genom sina observationer. Han hade besökt deras församling och fått föräldrarnas förtroende i samtal efter gudstjänsterna. Han visste hur länge de varit medlemmar i sekten, hur de skapat sin förmögenhet, hur många barn de hade, vad barnen hette och i stora drag också hur deras vardag såg ut.

Familjen bodde i utkanten av Frederiks. Fem barn i åldern tio till arton år. Alla hemmavarande och aktiva medlemmar i Moderkyrkan. De två äldsta gick på gymnasiet i Viborg och resten fick hemundervisning av mamman, en före detta Tvind-lärare i fyrtiofemårsåldern, som i brist på annat att fylla sitt liv med tagit Gud till sig. Det var hon som bestämde var skåpet skulle stå i hemmet, hon som dirigerade trupperna och religionen. Mannen var tjugo år äldre och en av traktens mest välbärgade företagsledare. Trots att han donerade hälften av sin inkomst till Moderkyrkan, vilket alla medlemmar ombads göra, fanns det gott om pengar kvar. Det gick aldrig någon nöd på ett företag som hans, en maskinstation för uthyrning av jordbruksmaskiner.

Spannmål gror även när bankerna går omkull.

Det enda problemet med familjen var att den näst äldste sonen, som annars var en synnerligen passande måltavla, hade börjat på karate. Inte för att han behövde oroa sig över att den klena grabben utgjorde ett hot, däremot kunde han sabba tajmingen.

För när det väl hettade till var tajming A och O. Inget kunde vara viktigare.

Bortsett från det hade den näst äldste sonen och hans mellersta lillasyster, nummer fyra i flocken, just precis vad som krävdes för att det skulle gå vägen. De var företagsamma, de var de två vackraste barnen och också de mest tongivande. Garanterat mammas ögonstenar. De var flitiga besökare i Moderkyrkan, men samtidigt också något oregerliga. Sådana som förr eller senare antingen blev överstepräster eller utstötta. Troende men också livsbejakare. Den helt perfekta kombinationen.

Ungefär som han själv varit en gång i tiden.

*

Han parkerade skåpbilen en bit därifrån, mellan träden i allén, och satt länge och följde de hemmavarande barnen med kikaren, när de lekte i trädgården intill bondgården under rasterna. Flickan han valt ut hade tydligen något för sig under några träd nere i ena änden. Något som de andra inte skulle se. Länge låg hon på knä i det höga gräset och smusslade med något. Ännu en sak som visade hur passande hans val var.

Hon gör något som mamman och Moderkyrkan knappast uppskattar, tänkte han och nickade för sig själv. Gud prövar alltid de bästa fåren i flocken, och tolvåriga Magdalena, så sakteliga på väg in i vuxenvärlden, var inget undantag.

Tillbakalutad satt han kvar ännu ett par timmar i skåpbilen och betraktade den vindpinade bondgården i svängen i lilla Stanghede. Han såg ett tydligt mönster i flickans uppförande när han betraktade henne i kikaren. På rasterna satt hon för det mesta för sig själv nere i trädgårdens ena ände, och när mamman kallade in dem täckte hon över något.

Det fanns mycket för en flicka i hennes ålder att akta sig för i en familj som bekände sig till Moderkyrkan och alla dess trossatser. Dans, musik, alla former av tryckta utgåvor utöver Moderkyrkans egna, sprit, umgänge med människor utanför kyrkan, husdjur, teve, internet – allt var förbjudet, och straffet för överträdelser var hårt. Utstötning ur familj och församling.

Han körde iväg innan de stora pojkarna kom hem, med en känsla av att detta var den rätta familjen. Nu skulle han bara gå igenom mannens bokföring och självdeklarationer en sista gång, sedan bar det ut dit morgonen därpå för att följa barnens förehavanden, så gott det nu gick.

Snart fanns det ingen återvändo, vilket gjorde honom upphetsad.

*

Hon hette Isabel, kvinnan som han bodde hos, men hon var inte riktigt lika exotisk som sitt namn – svenska deckare i bokhyllan och Anne Linnet i cd-spelaren. Hon var med andra ord inte den som improviserade och tog ut svängarna.

Han såg på klockan. Hon kunde vara hemma om en halvtimme. Med andra ord fanns det tid att kolla om det väntade obehagliga överraskningar framöver. Han satte sig vid hennes skrivbord, slog på hennes bärbara dator, svor lite när han ombads skriva in ett lösenord, försökte förgäves sex, sju gånger, innan han lyfte på skrivbordsunderlägget och hittade en papperslapp med alla möjliga lösenord, från nätdejting till internetbanken och mejlkonto. Det slog sällan fel. Kvinnor som hon använde sig helst av födelsedagar, namn på barn eller hundar, telefonnummer eller helt enkelt sifferserier, oftast nedåtgående, och om inte garderade de sig med att skriva ner lösenorden. Mycket sällan låg lapparna mer än en halv meter från tangentbordet. Man vill ju slippa resa sig.

Han loggade in på hennes dejtingkorrespondens och konstaterade nöjt att hon i honom hade hittat mannen hon sökt efter ett bra tag. Kanske ett par år yngre än hon tänkt, men vilken kvinna tackade nej till det?

Han bläddrade genom mejladresserna i Outlook. En återkom ofta i inkorgen. Karsten Jønsson. Kanske en bror, kanske en exman, det kunde kvitta. Problemet var att hans mejladress slutade på politi.dk. Han var alltså polis.

Osis, tänkte han. När tiden var inne fick han undvika våldsamheter och istället säga elaka saker till henne eller lämna smutstvätt överallt, något hon fann avtändande enligt sin dejtingprofil på nätet.

Han fiskade upp sitt lilla USB-minne och stoppade in det i en ledig port. Skypekonto, headset, tillhörande telefonbok, allt i ett. Sedan skrev han in sin hustrus mobilnummer.

Så här dags var hon on och handlade. Alltid vid den här tiden. Han tänkte föreslå att hon köpte en flaska champagne att lägga på kylning. Vid tionde signalen såg han bekymrad ut. Det hade aldrig hänt tidigare att hon inte svarade. Om det var något hans fru aldrig lämnade utom räckhåll så var det mobilen.

Han provade att ringa igen. Inget svar nu heller.

Han lutade sig fram och stirrade på tangentbordet medan han kände hur det hettade till om kinderna.

Bäst att hon hade en bra förklaring till detta. Om hon uppvisade tidigare okända sidor av sin personlighet var risken stor att han måste visa henne helt nya sidor av sin.

Och det ville hon definitivt inte.

6

"Ja, jag får medge att Assads observation har gett oss något att fundera på här uppe, Carl", sa kommissarien för våldsroteln medan han drog på sig skinnjackan. Om tio minuter skulle han befinna sig i ett gathörn i stadsdelen Nordvestkvarteret och studera blodfläcken från nattens skottdrama. Carl var inte avundsjuk.

Carl nickade. "Du tror alltså liksom Assad att det kan finnas ett samband mellan bränderna?"

"Samma försänkningar i lillfingret i två utav tre av brandoffren. Jo, det väcker helt klart en del tankar. Men låt oss vänta och se. För tillfället väntar materialet på att gås igenom på rättsmedicin, så vi får se vad de svarar. Men näsan, Carl .,." Han knackade fingret mot den välkända utväxten. Inte många näsor hade stuckits i så mycket skit genom åren som den. Jodå, Assad och Jacobsen hade säkert rätt. Det fanns ett samband. Det insåg han själv.

Carl lade lite myndighet bakom stämman. Inte helt lätt på fel sida av tioslaget. "Då utgår jag från att ni tar över fallet."

"Tillsvidare, ja. Tillsvidare."

Carl nickade. Han skulle gå raka vägen ner i källaren och markera det gamla brandfallet som avslutat vad beträffade avdelning Q.

Allt för att snygga till statistiken.

*

"Kom, Carl. Rose har något hon vill visa dig", ekade det i korridoren, som om Borneos vrålapor flyttat in i de nedre regionerna. En sak var säker – Assad led knappast av stämbandskatarr.

Han stod med ett brett leende och en bunt fotostatkopior i handen. Inga journaler, vad Carl kunde se. Snarare förstoringar av fragment av något man i bästa fall kunde kalla otydligt.

"Titta vad hon har kommit på." Assad pekade in i korridoren mot skiljeväggen som snickaren satt upp för att skärma av asbesten. Eller rättare sagt pekade han mot den plats där man borde ha sett den, för både vägg och dörr var helt täckt av fotostatkopior, som omsorgsfullt tejpats samman till en bild. Om man ville ta sig igenom fick man göra det med sax.

Redan på tio meters avstånd såg man att det var frågan om en enormt stor förstoring av flaskpostbrevet.

HJÄLP stod det tvärs över källarkorridoren.

"Snyggt, va? Sextiofyra A4-ark totalt. De sista fem har jag här. Tvåhundrafyrtio hög och hundrasjuttio bred. Stor, va? Visst är hon klok i huvudet?"

Carl tog ett par kliv närmare. Rose låg med ändan i vädret och höll på att tejpa fast Assads kopior nere i ett hörn.

Carl betraktade först ändan, sedan mästerverket. Den våldsamma förstoringen hade både för- och nackdelar, det såg man genast. Områdena där bokstäverna helt sugits upp av papperet var otroligt suddiga, medan andra områden med mer eller mindre otydliga och skeva bokstäver, som de skotska konservatorerna försökt dra fram, plötsligt fick en innebörd.

Summan av kardemummman var att man plötsligt hade minst tjugo bokstäver ytterligare som gick att uttyda.

Rose såg kort på honom, ignorerade den hälsande handrörelsen och drog med sig en stege in mot korridorens mitt.

"Upp med dig, Assad. Jag berättar var du ska rita in prickarna, förstått?"

Hon knuffade undan Carl och ställde sig precis där han just stått.

"Inte för hårt, Assad. De ska kunna suddas ut igen." Han nickade uppifrån stegen med blyertspennan i högsta hugg.

"Börja under *HJÄLP* framför *en*. Jag tycker mig kunna se tre separata fläckar. Håller du med?"

Assad och Carl studerade plumparna, som stod ut som svartgrå böljemoln vid sidan av de framvaskade bokstäverna *e* och *n*.

Assad nickade och ritade in prickar över de tre fläckarna.

Carl drog sig något åt sidan. Det verkade stämma. Under den tydliga överskriften *HJÄLP* fanns det mycket riktigt tre otydliga fläckar framför de två efterföljande bokstäverna. Havsvatten och kondens hade gjort sitt. De tre blodbokstäverna var för länge sedan upplösta och upptagna av pappersmassan. Tänk om man vetat vilka.

Han följde uppträdet en stund när Rose dirigerade Assad. Det var en tidsödande historia. Och när allt kom omkring – vad skulle det tjäna till? Ändlösa timmar av gissningar. Till vilken nytta? Flaskan kunde vara decennier gammal. Dessutom fanns ju möjligheten fortfarande att det bara rörde sig om ett dåligt skämt. Bokstäverna var så klumpigt skrivna att man kunde tro att ett barn plitat ner dem. Några scouter, ett litet stick i fingret och sedan var det klart. Fast …

"Jag är inte säker, Rose", sa han trevande. "Kanske borde vi bara glömma det. Vi har trots allt en hel del annat att stå i."

Det var inte svårt att se hur det beskedet mottogs. Hennes kropp började skaka. Ryggen liksom förvandlades till darrande gelé. Hade man inte vetat bättre kunde man tro att ett skrattanfall var under uppsegling. Men Carl kände Rose och drog sig därför också undan, bara ett steg, men tillräckligt för att inte träffas av hennes explosiva svada av stänkande, spottande skällsord.

Carl fattade. Hon gillade alltså inte hans kommentar.

Han nickade. Som sagt, han hade ju en hel del annat att stå i. Så här på rak arm kunde han i alla fall räkna upp ett par viktiga fall, som korrekt placerade skulle dölja hans ansikte medan han stillade sitt just för tillfället enorma sömnbehov. De andra kunde leka scouter bäst de ville.

Rose genomskådade hans fega reträtt. Hon vände sig sakta om och stirrade på honom med sin blängande blick.

"Men det är bra jobbat, det här, Rose. Mycket bra", skyndade han sig att tillägga.

Men det betet svalde hon inte. "Jag ger dig två val, Carl", väste hon. Uppe på stegen stod Assad och himlade med ögonen. "Antingen håller du käften eller så sticker jag hem. Sedan skickar jag hit min tvillingsyster istället, och vet du vad som händer då?"

Carl skakade sakta på huvudet. Han var inte ens säker på att han ville veta. "Tja, då kommer hon väl hit med sina tre ungar, fyra katter, fyra inackorderade och sin skitstövel till man, vad vet jag? Om inget annat blir det ganska trångt inne på ditt kontor. Var det rätt svar?" frågade han.

Hon satte knytnävarna i sidorna och lutade sig närmare honom. "Jag vet inte vem som inbillat dig det där skitsnacket. Yrsa bor hemma hos mig och hon har fanimej varken katt eller någon inackorderad." Hennes svartmålade ögon utstrålade tillmälet "idiot".

Han höll värjande upp händerna framför sig.

Stolen inne på kontoret kallade förföriskt på honom.

"Vad är det där med Roses tvillingsyster, Assad?" sa Carl i trapphuset. "Har hon hotat med det tidigare?"

Bredvid honom studsade Assad med lätta kliv. Carls egna blyskor hade redan gett sig till känna.

"Äsch, ta det inte så allvarligt, Carl, du vet. Rose är som sand på en kamelrygg. Ibland kliar den i röven och ibland inte. Det handlar bara om hur tjockhudad man är." Han vände sig mot Carl och blottade två rader tandemalj. Om någons rövhål förhärdats av tjock hud genom åren, så var det min själ hans.

"Hon har berättat om systern. Yrsa heter hon. Det minns jag för att det rimmar på Irma. De verkar inte vara särskilt goda vänner", tillfogade Assad.

Yrsa? Heter folk verkligen det fortfarande? tänkte Carl när de nådde tredje våningen och hans hjärta var inne på ett extra långt trumsolo.

"Hej, pojkar", löd den märkligt bekanta rösten från andra sidan båset. Lis ruvade med andra ord på sin pinne igen. Lis, fyrtio år av välbevarade kroppsdelar, för att inte tala om hjärnceller. En högvinst för alla sinnen, i motsats till fru Sørensen, som log sött mot Assad och höjde huvudet mot Carl likt en upprelad kobra.

"Berätta för herr Mørck hur härligt du och Frank hade det i USA, Lis." Kärringen log olycksbådande.

"Det får bli en annan gång", svarade Carl snabbt. "Marcus väntar." Han drog förgäves Assad i ärmen.

För helvete, Assad, tänkte Carl medan Lis infraröda läppar glädjestrålande berättade om en hel månad av kryssande genom Amerika med en halvvissen man, som plötsligt blev en bisonoxe i husbilens dubbelsäng. Bilder som Carl av hela sitt hjärta försökte stänga ute, för att inte tala om tankarna på sitt eget påtvingade celibat.

Fan ta fru Sørensen, tänkte han. Fan ta Assad och fan ta snubben som brynade Lis. Och inte minst, fan ta Läkare utan gränser som lockat med sig Mona, epicentret för hans lusta, ner till mörkaste Afrika.

"När kommer hon psykologen hem igen, Carl?" frågade Assad vid dörren till utsättningsrummet. "Vad var det hon hette mer än Mona?"

Carl ignorerade Assads retsamma leende och öppnade dörren till kommissariens kontor. Där inne satt de flesta på A-avdelningen och gned sina ögon. Det hade varit ett par hårda dagar ute i samhällets kvicksand, men nu hade Assads upptäckt dragit upp dem igen.

Det tog Marcus Jacobsen tio minuter att briefa sina gruppbefäl, men varken han eller Lars Bjørn verkade särskilt entusiastiska. Flera gånger nämnde de Assads namn och flera gånger möttes Assads glada nuna av avsmalnande blickar och funderingar om hur en blatte och son till en städare plötsligt kunde stå i centrum.

Men ingen orkade ställa frågor. När allt kom omkring hade Assad hittat ett samband mellan gamla och nya mordbrandsfall, som dessutom verkade hålla. Alla liken på brottsplatserna hade haft en försänkning bakom vänstra lillfingrets innersta knoge, bortsett från fallet där lillfingret helt saknades. Rättsmedicinarna hade gjort noteringar om det i alla akterna, visade det sig, man hade bara inte gjort kopplingen mellan fallen.

Enligt obduktionsprotokollen tydde allt på att två av offren haft en ring på lillfingret. Det var inte eldsvådans upphettning av ringarna som orsakat försänkningarna bakom knogarna, menade rättsmedicinarna. En mer sannolik slutsats var att de döda burit ringarna sedan ungdomsåren och att de därför till och med deformerat benvävnaden. Kanske hade ringarna en kulturell betydelse i stil med inlindningar av kinesiska flickors fötter, löd ett förslag, medan någon trodde på en rituell innebörd.

Marcus Jacobsen nickade. Något i den stilen. Man kunde inte heller utesluta någon form av brödraskap. När ringen väl satt på fingret togs den inte av igen.

Att fingrarna sedan inte var intakta på alla liken var en annan femma. Det kunde det ju finnas flera orsaker till. Att någon kapat dem, till exempel.

"Nu är det bara att se till att lösa varför och vem", avrundade biträdande avdelningschef Lars Bjørn.

Nästan alla nickade och några få suckade. Ja, nu var det bara att se till att lösa fallet. Det kunde väl inte vara så svårt?

"Q-avdelningen låter meddela om man hittar fler parallellfall", sa kommissarien.

Assad fick en klapp på axeln av en av utredarna, som var säker på att slippa fallet. Sedan stod de ute i korridoren igen.

"Nå, hur blir det nu med hon den där Mona Ibsen, Carl?" fortsatte Assad där han slutat. "Är det inte snart dags att få hem henne igen, innan pungen hänger nere vid knäna, du vet?"

Nere i källaren var allt i stort sett som vanligt. Rose hade släpat fram en pall framför flaskpostbrevet på väggen och satt i så djupa funderingar att man nästan såg pannvecken bakifrån.

Uppenbarligen hade hon kört fast.

Carl studerade jättekopian. Det var minsann inte den lättaste av uppgifter. Långt ifrån.

Hon hade omsorgsfullt fyllt i bokstäverna med en spritpenna. Förmodligen inte så klyftigt, men visst såg han att det gav en bättre överblick.

Med ett kokett ryck drog hon fingrarna, där samtliga naglar mer eller mindre var nerkladdade av tuschstreck, genom det svarta kråkboet till hår. Matchade varandra riktigt bra.

Hon skulle ju ändå snart måla naglarna svarta. Det brukade hon ju.

"Hur ska man uttyda det? Går det ens att få någon rätsida på det," frågade hon medan Carl försökte läsa.

Det stod:

> ### HJÄLP
> .en .. ...roari .... k...apad
> .. .le. tag.a ... ..ussh.lp...... vid ..ut.op.... .
> Bal..... – Mann.. .. 18. l... ... . hår
> .... – Han har ... . .ögge. ... k..
> . .. bla .....il pappa ... . .nne. honom – Fr.d.. o..
> ..... med B – ... hut. ... . – .. sl.. ijäl o.. –
> ... .ry... ... . .rst ... .
> bror – Vi körde . ... 1 timme ... . v.. vatt... ...
> ..... vi........ .... H.. ..kt.. ..... go. – ..... e. ...
> ... ...r .. .ry.g.. – .. ..
> år
> P... .....

Som sagt ett rop på hjälp och dessutom referenser till en man, en pappa och en åktur. Och så undertecknat P. Det var allt. Nej, det såg sannerligen inte begripligt ut.

Vad hade hänt? Var, när och hur?

"Jag är säker på att det här är avsändaren", sa Rose och pekade på P:et längst ner med spritpennan. Helt korkad var hon ju inte.

"Jag är också säker på att vederbörandes namn är på två ord, vart och ett på fyra bokstäver", tillade hon och knackade på Assads markeringar.

Carl lät blicken glida från hennes naglar med tuschstrecken till blyertsprickarna på flaskpostbrevet. Han fick nog snart gå och testa synen. Hur tusan kunde hon vara så säker på att det var två gånger fyra bokstäver? För att Assad ritat in ett antal prickar på några fläckar? Han såg själv många andra lösningar.

"Jag har kollat med originalet", sa hon. "Och jag har pratat med teknikern i Skottland om det. Vi är helt överens. Två gånger fyra bokstäver."

Carl nickade. Teknikern i Skottland, sa hon. Jaha? För hans vidkommande kunde hon lika gärna prata med en pepitarutig spåkärring i Reykjavik. I hans ögon var det mesta av brevet rena grekiskan, oavsett vad någon påstod.

"Jag är övertygad om att det måste vara skrivet av en person av manligt kön. Om man utgår från att man i den situationen inte skriver under ett liknande brev med ett smeknamn, så har jag inte lyckats hitta några danska flicknamn som börjar på P och har fyra bokstäver. De flicknamn jag hittat är bara Paca, Pala, Papa, Pele, Peta, Piia, Pili, Pina, Ping, Piri, Posy, Pris, Prue."

Hon rabblade snabbt upp dem utan att ens titta i sina anteckningar. Hon var fanimej konstig, den där Rose.

"Papa? Det var ett märkligt namn på en flicka", grymtade Assad.

Hon ryckte på axlarna.

Det var som fan. Inga danska flicknamn med fyra bokstäver som börjar på P, hade hon sagt. Omöjligt.

Carl såg på Assad, som stod med pannan i djupa vecka. Ingen kunde tänka så fängslande synligt som denne kantige man.

"Å andra sidan är det inte heller ett muslimskt namn", sa det hopskrynklade ansiktet sedan. "Det enda jag kan komma på är Pari och det är ju iranskt."

Carl spelade överraskad. "Jaha! Och det finns inte några iranier i Danmark, eller? Men då så, då måste ju mannen heta antingen Poul eller Paul. Det var ju skönt att vi redde ut det. Då hittar vi honom på två röda."

Nu blev Assads pannveck ännu djupare. "På två röda vad? Hur?"

Carl tog ett djupt andetag. Han fick skicka sin lille medhjälpare till exfrun. Där skulle han bli matad med så många talesätt att hans jätteögon aldrig slutade himla.

Carl tittade på sitt armbandsur. "Alltså heter han Poul. Kan vi vara överens om det? Om jag tar en kvarts rast, så hittar ni säkert brevskrivaren under tiden."

Rose försökte ignorera tonfallet, men näsborrarna blev märkbart bredare. "Ja, Poul är säkert en bra gissning. Eller Piet, eller Peer med två e, Pehr med h eller Petr. Det skulle också kunna vara Pete, Piet och Phil. Det finns hur många alternativ som helst, Carl. Vi är ett mångkulturellt samhälle nu, med många nya namn: Paco, Paki, Pall, Page, Pasi, Pedr, Pepe, Pere, Pero, Peru ..."

"Sluta nu för fan, Rose. Det här är inget jävla namnregister. Och förresten, vadå Peru? Det är för fan ett land och inte ett namn ..."

"... Peti, Ping, Pino, Pius ..."

"Pius? Javisst, in med påvarna också. De är ju ..."

"Pons, Pran, Ptah, Puck, Pyry."

"Är du klar?"

Hon svarade inte.

Carl studerade underskriften uppe på väggen igen. Hur det än förhöll sig måste slutsatsen vara att brevet var skrivet av någon med ett namn som började på P. Men vem var då denne P? Knappast Piet Hein. Men vem i så fall?

"Det kan också vara ett sammansatt förnamn, Rose. Är du säker på att det inte finns ett bindestreck emellan?" Han pekade på det utsuddade området. "Det kan till exempel stå Poul-Erik eller Paco-Paki eller Pili-Ping." Han försökte att häfta fast sitt leende i Roses ansikte, men hon var inte mottaglig för den sortens övergrepp. Skit samma.

"Alltså borde vi låta det här jättebrevet vila och komma igång med mer konkreta uppgifter. Då får ju Rose också tid till att måla sina misshandlade naglar helt svarta", avslutade Carl. "Vi kan ju kila ut här och titta på skiten med jämna mellanrum. Kanske slås vi av några ljusa idéer längs vägen. Som ett korsord som ligger och väntar på en på toaletten."

Rose och Assad såg frågande på honom. Korsord på toa? Tydligen satt de inte lika länge på skithuset.

"Nej, förresten. Vi kan nog inte låta brevet hänga kvar på väggen. Folk måste ju förbi. Delar av arkivet finns på andra sidan dörren. Ni vet, gamla fall. Dem har ni väl hört talas om?" Han vände sig om och tog sikte mot sitt kontor och den bekväma stolen som väntade på honom. Han hann nästan två meter innan Roses sylvassa stämma högg honom i ryggen.

"Vänd dig om, Carl."

Han vände sig långsamt och såg henne stå och peka bakåt mot sitt konstverk.

"Om du tycker att mina naglar är fula tror jag att jag struntar i att fixa till dem. Nöjd? Ser du förresten ordet högst upp?"

"Ja, Rose. Det är faktiskt det enda jag med säkerhet kan uttyda. Det står ganska tydligt HJÄLP."

Varnande höll hon upp sina svartmålade fingrar mot honom. "Bra. Det är nämligen det ordet du kommer att vråla högre än något annat om du avlägsnar så mycket som ett enda papper från väggen, förstått?"

Han släppte hennes upproriska blick och vinkade med sig Assad.

Nu måste jag snart sätta ner foten, tänkte han.

7

När hon såg sig själv i spegeln tyckte hon att hon hade förtjänat bättre här i livet. Smeknamn som Persikohud och Thyregodskolans Törnrosa bidrog än idag till hennes självbild. När hon klädde av sig och såg sin kropp kunde hon fortfarande bli positivt överraskad. Men hur uppmuntrande var det att vara ensam om denna insikt?

Avståndet mellan dem hade blivit för stort. Han såg henne inte längre. När han kom hem tänkte hon kräva att han inte lämnade henne igen. Det måste väl finnas andra jobbmöjligheter? Hon tänkte lära känna honom och förstå vad han sysslade med, och insistera på att han vaknade upp vid hennes sida varje dag.

Det tänkte hon kräva.

*

Förr i tiden låg det en liten soptipp som tillhörde mentalsjukhuset längst ute på Toftebakken. Nu var de ruttnande träullsmadrasserna och rostiga sänggavlarna för länge sedan borta, och en oas med fri sikt över fjorden och stadens praktfullaste paradvåningar hade växt upp istället.

Här älskade hon att stå och låta sin ofokuserade blick glida över den blå fjorden med marinan och alla naturhägnen.

På ett ställe som det här, i ett sådant tillstånd, är det inte lätt att värja sig mot livets alla nyckfullheter. Det var kanske därför hon sa ja när den unge mannen klev av cykeln och föreslog att de skulle ta en fika.

Han bodde i samma kvarter. De hade nickat igenkännande mot varandra flera gånger i snabbköpet. Nu stod de där.

Hon såg på klockan. Hennes son skulle inte hämtas förrän om två timmar, så det var gott om tid. Inte kunde det väl skada med en liten fika.

Ett stort misstag.

*

På kvällen satt hon i sin gungstol som en gammal tant. Tryckte armarna hårt mot mellangärdet och försökte få muskelkramperna att stilla sig. Det hon hade gjort var fullständigt obegripligt. Hade det verkligen gått så långt? Det var som om den snygge mannen hypnotiserat henne. Efter tio minuter hade hon stängt av mobilen och börjat berätta om sig själv. Och han hade lyssnat.

"Mia! Vilket vackert namn", hade han sagt.

Det var så länge sedan hon hört sitt eget namn att det lät helt främmande. Hennes man använde det aldrig. Aldrig någonsin.

Den här killen hade varit så avslappnad. Han frågade henne och svarade utan att tveka när hon frågade honom. Han var soldat, hette Kenneth och hade fina ögon, och utan att det kändes konstigt hade han lagt sin hand på hennes inför ögonen på tjugo andra gäster. Dragit den ömt till sig över kafébordet och kramat den.

Och hon lät honom göra det.

Efteråt hade hon sprungit ner till dagiset med känslan av att vara insvept i honom.

Nu fick varken tid eller mörker hennes andhämtning att lugna sig. Hon bet sig fortfarande i läppen. Den avstängda mobilen låg på soffbordet och stirrade anklagande på henne. Hon var strandad på en öde ö, från vilken det inte fanns någon utsikt. Ingen hon kunde rådfråga. Ingen hon kunde be om förlåtelse.

Hur gick man vidare?

*

När morgonen kom satt hon förvirrad kvar på samma plats. Igår, medan hon pratat med Kenneth, hade hennes man ringt till mobilen. Det hade hon just konstaterat. Tre obesvarade samtal som hon skulle bli avkrävd en förklaring på. Han skulle ringa och fråga varför hon inte svarat, och hon var rädd att han skulle genomskåda henne när hon drog sin lögn, hur trovärdig den än var. Han var smartare, äldre och mer erfaren än hon. Han skulle uppfatta hennes svek, och det fick henne att skaka i hela kroppen.

Vanligtvis ringde han tre minuter i åtta, strax innan hon skulle ge sig av med Benjamin. Upp på cykeln och iväg. Idag tänkte hon göra det annorlunda och sticka iväg ett par minuter tidigare. Han skulle få chansen, men hon fick inte låta honom stressa henne. Då kunde det gå riktigt illa.

Hon stod redan med sonen i famnen när den diaboliska mobilen började snurra av sig själv på bordet. Denna lilla sak som gjorde människan ständigt tillgänglig.

"Hej, älskling!" sa hon kontrollerat medan trumhinnorna bultade av pulsslagen.

"Jag har försökt ringa dig flera gånger. Varför ringer du inte tillbaka?"

"Jag skulle precis göra det", for det ur henne. Åh, där hade han henne redan.

"Men är du inte på väg med Benjamin? Klockan är en minut i åtta. Jag känner dig."

Hon höll andan medan hon försiktigt satte ner pojken på golvet. "Han är lite krasslig idag. Du vet, grönt snor och så, och då vill de inte ha barnen till dagiset. Undrar om han inte också har lite feber." Hon drog sakta efter andan trots att hela kroppen skrek efter syre.

"Jaha."

Hon gillade inte pausen som uppstod. Förväntade han sig att hon skulle säga något? Hade hon glömt något? Hon försökte fokusera på annat. Något utanför dubbelfönstren, kanske? Den svingande grinden mitt emot? De kala grenarna? Folk på väg till jobbet?

"Jag ringde flera gånger igår. Hörde du inte att jag sa det?" frågade han.

"Jovisst. Förlåt, älskling, men mobilen dog. Jag får nog byta batteri."

"Men jag laddade den i tisdags."

"Ja, precis. Den här gången har den laddat ur hur snabbt som helst. Två dagar och sedan dör den. Är inte det konstigt?"

"Då har du själv laddat den nu? Fixade du det själv?"

"Ja." Hon försökte sig på ett obekymrat leende, vilket inte var det lättaste. "Det är väl inte så svårt. Jag har ju sett hur du gör hur många gånger som helst."

"Jag trodde inte du visste var laddaren ligger."

"Jodå." Nu darrade händerna. Han visste att något inte stod rätt till. Om en sekund skulle han fråga var hon hittat den förbannade laddaren, och hon hade ingen aning om var den brukade ligga.

Tänk! Tänk snabbt! tänkte hon hysteriskt.

"Jag …", började hon och höjde sedan rösten: "Nej, nej, Benjamin.

Så får du inte göra." Hon knuffade till ungen med foten, så att han gav ett ljud från sig. Sedan såg hon ilsket på pojken och knuffade till honom igen.

Då kom frågan: "Så var låg laddaren då?" Då började pojken äntligen gråta.

"Vi får pratas vid senare", sa hon bekymrat. "Benjamin slog sig." Hon slog ihop mobilen, satte sig på huk och drog overallen av pojken samtidigt som hon överöste honom med pussar och lugnande ord. "Så, så, Benjamin. Förlåt, förlåt, förlåt. Mamma råkade bara stöta till dig lite. Vill du ha en liten kaka?"

Med en snyftning och sorgsna, nickande ögon fick hon hans förlåtelse. Hon satte en bilderbok i händerna på honom samtidigt som katastrofens omfång sakta började gå upp för henne – huset var trehundra kvadratmeter stort. Den knytnävsstora mobilladdaren kunde ju ligga var som helst.

*

En timme senare fanns det inte en låda, inte en möbel, inte en hylla på bottenvåningen som hon inte hade kollat.

Då slog det henne: Tänk om de bara hade en laddare? Tänk om han tagit den med sig? Hade han samma märke på mobilen som hon? Det visste hon inte ens.

När hon senare matade pojken tvingades hon till sist inse fakta. Maken hade tagit laddaren med sig.

Hon skrapade bort lite mat från barnets läppar med skeden och skakade sedan på huvudet. Nej förresten, när man köpte en mobiltelefon följde det alltid med en laddare. Såklart. Därför låg den antagligen oanvända laddaren garanterat i någon kartong som tillhörde hennes mobil, tillsammans med manualen. Det måste den. Fast inte på bottenvåningen.

Hon spanade ut mot trappan upp till andra våningen.

Det fanns ställen i huset dit hon nästan aldrig tog sig. Inte för att han förbjöd henne utan för att det bara blev så. Å andra sidan var han aldrig i hennes syrum. De hade sina egna intressen och sina egna sfärer. Sin egentid. Han hade bara mer än hon.

Hon tog barnet på armen, gick uppför trappan och ställde sig framför dörren till hans kontor. Frågan var bara hur hon skulle förklara att hon hittat lådan med laddaren i någon av hans lådor eller i något skåp.

Hon sköt upp dörren.

I motsats till sitt eget rum, som låg mitt emot, var det fullkomligt tömt på livslust. Tömt på den odefinierbara utstrålning av färger och kreativa tankar som hon själv älskade. Här fanns bara beige och grå ytor. Inget annat.

Hon öppnade samtliga de inbyggda skåpen på vid gavel och stirrade in i en nästan total tomhet. Hade det varit hennes skåp skulle tårdränkta dagböcker och krimskrams från hundratals härliga träffar med väninnorna ramlat ut.

På hans hyllor fanns bara enstaka boktravar. Arbetsrelaterade böcker om skjutvapen, polisarbete och dylikt. Och en hög med böcker om religiösa sekter. Om Jehovas vittnen, Guds barn, mormonerna och en massa andra som hon inte ens hört talas om. Märkligt, tänkte hon i förbigående, innan hon ställde sig på tå för att se vad som låg på de översta hyllorna.

Inte heller där fanns det mycket att se.

Hon lyfte upp sonen och öppnade en efter en skrivbordslådorna med sin lediga hand. Bortsett från en grå brynsten, liknande den hennes pappa brukade slipa sin fiskkniv med, fanns där inget iögonfallande. Bara papper, stämplar och ett par oöppnade kartonger med disketter av den typen som ingen längre använde.

Fullkomligt tom på känslor drog hon igen dörren till rummet. Just nu kände hon varken sig själv eller sin man. Det var skrämmande och bisarrt. Hon hade aldrig varit med om något liknande.

Pojkens huvud rörde vid hennes axel och hon kände honom andas mot halsen.

"Åh, lille vän! Har du somnat?" viskade hon och gick sedan och lade honom i spjälsängen. Nu fick hon inte tappa kontrollen. Allt måste fortsätta precis som vanligt.

Hon tog telefonen och ringde dagis. "Benjamin är så snorig att det vore oförsvarligt av mig att komma med honom idag. Det var bara det jag ville säga – ursäkta att jag ringer så sent", sa hon mekaniskt och glömde säga tack när personen i andra änden önskade pojken god bättring.

Sedan ställde hon sig i korridoren och stirrade på den smala dörren mellan hennes mans kontor och deras sovrum. Dit in hade hon hjälpt honom att bära hur många av hans flyttlådor som helst. Skillnaden mellan hans och hennes liv var bagaget. Hon kom med ett par lätta Ikeamöbler från studentrummet, han med allt som han samlat på sig under tjugo år, det vill säga åldersskillnaden mellan dem. Därför fanns det möbler från alla årtionden i rummen och därför var rummet innanför dörren fyllt med kartonger, som hon inte hade den blekaste aning om vad de innehöll.

Hon tappade genast modet när hon öppnade dörren och såg in i rummet. Det var inte mer än en och en halv meter brett, men precis så stort att det rymde fyra flyttlådor i bredd och fyra på höjden. Man såg nätt och jämnt takfönstret på andra sidan. Det måste röra sig om minst femtio lådor.

Det är mest mina föräldrars och deras föräldrars saker, hade han sagt. Så småningom skulle de kunna kastas. Han hade inga syskon att bråka med om arvegodset.

Hon tittade på kartongmuren och gav upp. Varför stoppa undan emballaget till en mobiltelefon där? Det var ett rum där det förflutna liksom stängt in sig självt.

Men vem vet, tänkte hon och fixerade blicken på några rockar med jättekragar, som låg i en hög på de bakersta lådorna. Fanns det något gömt där under?

Hon sträckte sig in över lådorna, men nådde inte. Då hävde hon sig upp på kartongberget och kröp försiktigt fram. Hon flyttade undan kapporna, men kunde bara besviket konstatera att det var tomt under dem. Då gick ena knäet genom en låda.

Tusan också! tänkte hon. Nu skulle han se att hon varit här.

Hon backade något, drog upp lådfliken och kunde konstatera att ingen större skada var skedd.

Det var då hon fick syn på tidningsurklippen i kartongen. De var inte så gamla, knappast något som hennes mans föräldrar samlat. Lite märkligt då att maken sparat på dem, men kanske handlade de om ett jobb eller eller ett intresse som numera var bortglömt.

"Tack och lov för det", mumlade hon. Varför i hela friden intressera sig för artiklar om Jehovas vittnen? Hon bläddrade bland urklippen. Materialet var förvånansvärt varierande. Bland artiklarna om olika sekter fanns också urklipp om aktiekurser och börsanalyser, DNA-spårning och till och med femton år gamla annonser om sommarstugor och fritidshus till salu i Hornsherred. Knappast något han hade användning för idag. Kanske borde hon vid tillfälle fråga honom om inte rummet snart borde tömmas. Det kunde ju bli en walk-in closet. Vem ville inte ha en sådan?

Hon gled ner från lådorna med en känsla av lättnad. En ny idé hade tagit form i hennes huvud.

För säkerhets skull lät hon blicken glida en extra gång över kartonglandskapet. Inte syntes väl märket i den mittersta lådan? Nej, han skulle inte se det.

Hon stängde dörren.

*

Idén var att hon skulle köpa en ny laddare. Meddetsamma. Hon fick betala med de överblivna pengarna från hushållskassan, som hon sparat och som han inte kände till. Hon kunde cykla upp till elektronikaffären på Algade. När hon kom hem skulle hon repa den i Benjamins sandlåda, så att den såg gammal och sliten ut, och sedan lägga den i korgen ute i hallen, där Benjamins mössa och vantar brukade förvaras. När hennes man kom hem kunde hon bara peka på den, om han frågade igen.

Naturligtvis skulle han undra var den kom från, vilket hon självfallet också tänkte undra. Sedan skulle hon föreslå att den kanske glömts kvar av någon, om den nu alltså inte var deras egen.

Därefter skulle hon försöka komma ihåg när de senast haft gäster. Visserligen var det ett tag sedan, men det hände faktiskt. Mötet i villaföreningen? Distriktssköterskan? Jodå, hypotetiskt sett kunde faktiskt någon ha glömt den, även om det var en smula långsökt. Vem tog med en laddare när man besökte andra?

När Benjamin sov middag hann hon cykla upp och köpa den. Hon log försiktigt vid tanken på sin mans överraskade min när han krävde att få se laddaren och hon bara fiskade upp den ur klädkorgen. Hon uttalade meningen om och om igen för sig själv, för att hitta rätt volym och betoning.

"Vad? Är den inte vår? Det var ju konstigt. Då måste någon ha glömt den här. Kan det vara från barndopet?"

Jodå, förklaringen var vattentät. Enkel, utan att vara helt rak.

8

Om Carl någonsin tvivlat på Roses uppriktighet, gjorde han det definitivt inte längre. Knappt hann hans trötta röst opponera sig mot Roses utsiktslösa projekt att dechiffrera flaskpostbrevet, förrän hon spände ögonen i honom och proklamerade att han i så fall jävlar i det kunde dra åt helvete. Men inte innan han först kört upp glasskärvorna från den förbannade flaskan i röven på sig själv.

Han hann inte protestera förrän hon kastat sin sladdriga väska över axeln och försvunnit. Till och med Assad, med tänderna i en grapefruktklyfta, var chockad och stod för ett ögonblick som fastfrusen.

Ingen av dem rörde sig på en lång stund.

"Tror du hon skickar sin syster nu?", sa Assad fundersamt och lät klyftan falla ner i handen.

"Var är din bönematta?" muttrade Carl. "Lägg dig på den och be att det inte händer, så är du en hedersprick."

"Hederspr…?"

"En riktigt sjyst kille, Assad."

Carl bad honom följa med bort till det gigantiska brevet. "Vi passar på att flytta bort brevet från dörren, nu när hon inte är här."

"Vi?"

Carl nickade. "Du har rätt, Assad. *Du* tar ner det här och hänger upp det på väggen intill din fina anordning med fallen och plastbanden. Ett par meter emellan räcker. Okej?"

*

Han satt en stund och betraktade det ursprungliga flaskpostbrevet med viss andakt. Trots att många händer vid det här laget hållit i det – inte alla hade haft samma inställning till materialets beviskraft – hade han inte för en sekund övervägt att hantera det utan bomullsvantarna.

Papperet var så skört, och när man satt med det så här i enrum, som han gjorde, slogs man av en speciell känsla. Marcus kallade det för väderkornskänsla, gamle Bak kallade det *spitzgefühl*, hans nästan före detta fru kallade det intuition med betoning på u:et. Men oavsett vad fan man kallade det orsakade denna lilla lapp en klåda inombords. Autenticiteten lyste om den. Nerplitad i all hast. Givetvis på ett dåligt underlag. Skrivet med blod och okänt skrivdon. Kunde det vara en penna som doppats i blodet? Nej, det kunde det inte. Strecken var okontrollerade. Ibland var det som om personen tryckt för hårt och ibland inte. Han tog fram förstoringsglaset och försökte få en känsla för fördjupningarna och ojämnheterna, men dokumentet var för illa medfaret. Kanske hade fukten slätat ut tidigare fördjupningar, och tvärtom, skapat nya.

Han såg Roses grubblande ansikte framför sig och lade brevet åt sidan. När hon kom tillbaka dagen därpå skulle han säga till henne att hon fick veckan ut på sig. Efter det måste de gå vidare.

Han övervägde om han skulle be Assad brygga en omgång sockerlag, men att döma av grymtningarna utifrån korridoren beklagade han sig fortfarande över hur mödosamt det ändlösa jobbet med att fara upp- och nerför stegen var. För att inte tala om när han måste flytta den med sig. Carl skulle kanske ha berättat för honom att det stod en likadan stege i skåpet borta vid begravningsföreningen, men i ärlighetens namn orkade han inte. Killen var ju ändå klar om en timme eller så.

Carl tittade på den gamla mappen om Rødovrebranden. När han läst igenom den en gång till måste han skicka upp skiten till kommissarien, så att han kunde gå vidare med berget av fall som redan tyngde ner hans skrivbord.

Fallet rörde en brand i Rødovre år 1995. Hela övervåningen på en vit patriciervilla i Damhusdalen var övertänd inom loppet av några sekunder, så att det nyrenoverade tegeltaket till sist sprack mitt itu. När branden släckts fann man ett lik. Ägaren till egendomen visste inte vem mannen var, men några grannar kunde berätta att det varit tänt i ett av takfönstren hela natten. När mannen inte kunde identifieras drog man slutsatsen att det var en hemlös och att han hade slarvat med gasen i kokvrån. Det var först när gasleverantören, HNG, meddelade att huvudventilen på husets gasledning hela tiden varit avstängd som fallet fick lämnas över till våldsroteln hos Rødovrepolisen. Där hade fallet samlat damm tills avdelning Q upprättades. Också hos Q-avdelningen kunde fallet ha fört en mycket undanskymd tillvaro, om det inte vore för att Assad uppmärksammat fåran i likets vänstra lillfinger.

Carl tog telefonen, slog numret till kommissarien och fick oturligt nog den dödsångestframkallande fru Sørensen på tråden istället.

"En kort fråga bara, Sørensen", sa han. "Hur många fall …?"

"Är det Mörkmannen? Jag kopplar om dig till en som du inte får det att krypa i kroppen på."

En vacker dag skulle han presentera henne för ett mycket giftigt djur.

"I egen hög person", hördes Lis ljuva stämma.

Tack och lov. Fru Sørensen var alltså inte helt känslokall.

"Vet du i hur många fall vi känner till offrens identitet, när det gäller den senaste tidens bränder? Hur många fall rör det sig egentligen om totalt?"

"Den senaste tiden, sa du? Tre, och vi vet bara namnet på ett av offren, och då är vi inte ens säkra."

"Inte säkra?"

"Jo, vi har ett förnamn från en medaljong han bar, men vi vet inte vem han är. Det kan vara fel."

"Hm. Dra platserna för bränderna igen, är du snäll."

"Har du inte läst akterna?"

"Jo, i grova drag." Han suckade lätt. "Vi har hittat en i Rødovre år 1995. Och ni har …?"

"En förra lördagen på Stockholmsgade, en dagen efter i Emdrup och så den senaste i Nordvest."

"Stockholmsgade låter fint. Vet du vilken av egendomarna som är minst åtgången?"

"Nordvest, tror jag. Ute på Dortheavej."

"Har man funnit något samband mellan bränderna? Ägare? Renoveringar? Grannar som sett att det är tänt på natten? Terroranknytning?"

"Inte vad jag vet. Men det är många som jobbar med fallet, så fråga någon av dem."

"Tack, Lis. Men det är ju inte mitt fall."

Han tackade med djup röst i hopp om att det gjorde lite intryck och lade sedan tillbaka mappen i högen. De har tydligen koll på läget, tänkte han samtidigt som han hörde röster ute i korridoren. Säkert den där äcklige paragrafryttaren från Arbetsmiljöverket, som kommit för att gnälla lite till om säkerhetsförhållandena.

"Ja, han sitter där inne", hörde han den svekfulle Assad kläcka ur sig.

Carl siktade in sig på en fluga som flög runt i rummet. Med rätt tajming kunde han smälla till den, så att han träffade mannen rätt i nian.

Han ställde sig strax innanför dörren med Rødovreakten i högsta hugg.

Plötsligt dök ett obekant ansikte upp i dörren.

"Hej!" Han sträckte fram näven. "Jag är Yding. Vice poliskommissarie. Vestegnpolisen. Albertslund, du vet."

Carl nickade. "Yding? För- eller efternamn?"

Mannen log. Det kanske han inte ens visste själv.

"Jag är här på grund av de senaste dagarnas bränder. Det var jag som bistod Antonsen under utredningen i Rødovre 1995. Marcus Jacobsen ville gärna ha en muntlig redogörelse och sa att jag skulle snacka med dig, så att du kan presentera mig för din assistent."

Carl andades ut. "Du har just snackat med honom. Det är han ute på stegen."

Yding knep ihop ögonen. "Han där ute?"

"Ja, är det något fel på honom? Han är faktiskt utbildad polisassistent vid polisen i New York och har genomgått specialutbildningar som DNA- och bildanalytiker vid Scotland Yard."

Yding lät sig luras och nickade respektfullt.

"Assad, kom hit", ropade Carl och slog efter flugan med akten.

Han presenterade Yding och Assad för varandra.

"Är du färdig med upphängningen?" frågade han.

Assads ögonlock såg rysligt tunga ut. Det var svar nog.

"Marcus Jacobsen berättade att ni har originalakten för Rødovrefallet här nere", sa Yding och sträckte fram handen. "Du vet visst var."

Assad pekade på Carls hand samtidigt som Carl höll upp mappen. "Det är den", sa han. "Var det allt?" Det var sannerligen inte hans dag idag. Kanske var det grejen med Rose som fått honom att tackla av.

"Kommissarie Jacobsen frågade mig just om en detalj som jag inte längre minns. Får jag bara ögna igenom sidorna?"

"Javisst, varsågod", sa Carl. "Vi har mycket att stå i, så jag hoppas att du ursäktar oss under tiden."

Han drog med sig Assad in på hans rum, där han satte sig vid skrivbordet under en vacker reproduktion av sandfärgade ruiner. *Rasafa*, stod det på den, vad nu det var.

"Är tekokaren igång, Assad?" sa han och pekade på samovaren.

"Du kan få den sista slurken, Carl. Jag lagar en färsk kopp till mig själv." Han log. Tack för senast, sa ögonen.

"När snubben har gått ska du och jag ut på en tur, Assad."

"Vart?"

"Till Nordvest och kolla in ett av husen som brunnit."

"Men det är inte vårt fall, Carl. Du vet att de andra blir arga."

"Ja ja, till en början kanske. Men sådant går över."

Assad verkade inte övertygad. Plötsligt ändrades hans min. "Jag har hittat ännu en bokstav på väggen", sa han. "Och jag har slagits av en riktigt ond aning också."

"Jaha! Och ...?"

"Jag säger inte mer nu. Annars skrattar du bara."

Det lät som dagens glada nyhet.

"Tack", sa Yding i dörren med blicken fäst på koppen med de dansande elefanterna, som Carl drack ur. "Är det okej om jag tar med de här upp till Jacobsen?" Han höll upp några sidor ur akten.

De nickade bägge.

"Jag ska förresten hälsa från en gemensam bekant. Jag träffade honom alldeles nyss uppe i personalmatsalen. Laursen från tekniska."

"Tomas Laursen?"

"Ja."

Carl såg frågande ut. "Men vann inte han tio miljoner på Lotto och sa upp sig? Han var alltid så jävla trött på alla döda, sa han. Vad gör han här? Har han dragit på sig skyddskläderna igen?"

"Tyvärr inte, det skulle tekniska roteln annars kunna behöva. Det enda han fått på sig var ett förkläde. Han arbetar uppe i matsalen."

"Det var som fan." Carl såg den massive rugbyspelaren framför sig. Om det inte fanns ett naket fruntimmer eller något liknande på förklädet var det närmast omöjligt att föreställa sig. "Vad har hänt? Han investerade ju i alla möjliga företag."

Yding nickade. "Just precis. Och nu är allt borta. Osis, får man ju säga."

Carl skakade på huvudet. Där fick man för att man var duktig. Tur att man själv inte ägde ett nickel.

"Hur länge har han varit här?"

"En månad, påstår han. Är du aldrig uppe i matsalen?"

"Är du galen? Med tio miljoner trappor upp till det där fältköket. Du märkte väl att hissen inte funkar?"

*

Det var stört omöjligt att räkna upp alla företag och institutioner som genom åren legat längs den sexhundra meter långa Dortheavej. Nuförtiden fanns där kriscenter, inspelningsstudio, körskola, kulturhus, etniska föreningar och allt möjligt annat. Ett gammalt fabrikskvarter, som inget tycktes kunna utplåna, såvida man inte tuttade eld på det, som man gjort med K. Frandsens grossistlager.

Det värsta hade röjts undan från gårdsplanen, men utredarnas jobb var långt ifrån färdigt. Flera kolleger undvek att hälsa på honom, och det var inte bara inbillning. Carl tolkade det som ren avundsjuka, vilket han förmodligen var ensam om. Fast vem fan brydde sig?

Han ställde sig mitt på gården framför entrén till K. Frandsen Engros och lät blicken svepa över förstörelsen. Knappast någon idé att försöka återställa byggnaden till sitt ursprungliga skick. Men det galvaniserade staketet såg nytt ut.

"Så kunde husen se ut i Syrien, Carl. När fotogenugnen blev för varm. *Boom* …" Assad slog ut med armarna för att illustrera explosionen.

Carl spanade upp mot ovanvåningen. Det såg ut som om taket lyft och sedan fallit på plats igen. Breda sotstreck stack ut från takskägget och gick halvvägs upp över takplattorna av eternit. Takfönstren var fullkomligt urblåsta.

"Ja, det måste ha varit ett otroligt snabbt förlopp", sa han och funderade över varför människor frivilligt ville vistas på en sådan gudsförgäten och charmlös plats. Men kanske var det just grejen. Kanske hade det inte skett frivilligt.

"Carl Mørck, avdelning Q", sa han när en av de yngre utredarna passerade. "Är teknikerna färdiga? Kan vi gå upp och kolla?"

Killen ryckte på axlarna. "Här är vi färdiga först när skiten rivs", sa han. "Men var försiktiga. Vi har lagt ut skivor på golvet för att man inte ska ramla igenom, men man vet aldrig."

"K. Frandsen Engros? Vad importerade de?" frågade Assad.

"Allt möjligt till tryckerier. En helt laglig verksamhet, tydligen", sa kriminalaren. "Men ingen visste att det bodde folk på vinden, så alla anställda är mycket chockade. Tur att inte hela fanstyget gick upp i rök."

Carl nickade. Företag av den här sorten borde få ligga max sexhundra meter från en brandstation, som i det här fallet. Vilken jäkla tur att den lokala brandkåren klarat sig igenom alla avregleringar och EU-direktiv.

Som väntat var andra våningen helt utbränd. Snedtakets masonitskivor hängde i strimlor och de söndriga skiljeväggarna påminde om järn-skeletten på Ground Zero. En sotsvärtad värld av förstörelse.

"Var låg liket?" frågade Carl en äldre man som presenterade sig som försäkringsbolagets brandutredare.

Mannen pekade på en fläck på golvet, som tydligt vittnade om var fyndet gjorts.

"Explosionen var våldsam och kom i två omgångar med mycket kort mellanrum", sa han. "Den första antände huset och den andra tömde rummet på syre, så att elden självslocknade."

"Det var alltså inte fråga om en pyrande brand, där koloxiden döda-de offret?" frågade Carl.

"Nej."

"Tror du att mannen slogs omkull vid första smällen, för att sedan lugnt och stilla brinna ihjäl?"

"Jag vet inte. Här är så lite kvar att det inte går att säga. Vi hittar knappast resterna efter hans luftvägar, så därför kan vi inte säga något om sotkoncentrationen i lungor och luftrör." Han skakade på huvudet. "Det är svårt att tro att liket skulle hinna bli så illa medfaret på så kort tid vid detta brandtillfälle. Det sa jag också till dina kolleger ute i Emdrup häromdagen."

"Att …?"

"Att jag trodde att branden anlagts för att dölja att offret egentligen dog i en helt annan brand."

"Du menar alltså att liket flyttats. Vad svarade de?"

"Det verkade som om de höll med mig."

"Så vi pratar om mord? En man mördas och bränns, för att sedan flyttas till en annan brand."

"Ja, nu vet vi i och för sig inte om offret mördades i första skedet. Men ja, enligt min mening är det högst troligt att han flyttades. Jag har svårt att se att en så kortvarig, om än otroligt våldsam brand, skulle hinna förbränna ett lik ända in på skelettet."

"Har du besökt alla tre brandplatserna?" frågade Assad.

"Det skulle jag kunna ha gjort, för jag arbetar för flera olika försäk-ringsbolag, men det var en kollega som var på Stockholmsgade."

"Rörde det sig om samma typ av lokal på de andra olycksplatserna?" frågade Carl.

"Nej, men de stod alla tomma. Därför ligger teorin om att offren var hemlösa nära till hands."

"Så du tror att bränderna är likartade? Att man har placerat alla döda i en tom lokal och satt fyr på dem igen?" frågade Assad.

Försäkringsmannen såg med lugn blick på den något ovanlige utredaren. "Det tycker jag att man av många olika anledningar måste utgå från, ja."

Carl såg upp mot de svarta takbjälkarna. "Jag har två frågor till, sedan ska vi lämna dig ifred."

"Kör på."

"Varför två explosioner? Varför inte bara låta skiten snabbt brinna ner?"

"Den enda anledningen jag kan komma på är att mordbrännaren ville ha kontroll på skadorna."

"Tack! Den andra frågan är om vi kan ringa dig om fler frågor dyker upp?"

Han log och gav dem sitt visitkort. "Naturligtvis. Mitt namn är Torben Christensen."

Carl letade efter ett visitkort i sina fickor, väl medveten om att han inga ägde. Ännu en uppgift åt Rose, när hon kom tillbaka.

"Jag förstår inte." Assad stod intill dem och ritade streck i soten på snedväggen. Han var den typen som kunde få en ytterst liten klick målarfärg att smetas ut på samtliga klädesplagg och alla andra saker i närheten. Just nu hade han i alla fall tillräckligt med sot på kläderna och i ansiktet för att täcka ett mellanstort matsalsbord. "Jag förstår inte vad det betyder, det ni pratar om. Allt måste ju hänga ihop. Ringen på fingret eller fingret som inte längre finns, och de döda och bränderna och allt." Han vände sig plötsligt mot försäkringsbolagets utredare. "Hur mycket pengar ska företaget ha av er för det här? Det är ju ett gammalt, skitigt hus."

Assad hade därmed väckt tanken om försäkringsbedrägeri, men frågan var om försäkringsmannen höll med. Mannen lade i alla fall pannan i djupa veck."Tja, byggnaden är i uselt skick, men det betyder ju inte att företaget inte ska få ersättning för det. Vi pratar om en brandförsäkring. Inte en mögel- och fuktförsäkring."

"Hur mycket?"

"Tja, en sju-, åttahundratusen kronor, skulle jag gissa."

Assad visslade. "Tänker man då bygga nytt ovanpå den dåliga bottenvåningen?"

"Det är helt och hållet upp till det försäkrade företaget."

"De kan alltså riva hela rasket, om de känner för det."

"Det kan de, ja."

Carl såg på Assad. Jodå, han var och nosade på något där.

På väg ner till bilen slogs Carl av känslan att de var på väg att köra om sin motståndare på insidan i en kurva, och att motståndaren den här gången inte var skurkarna utan våldsroteln.

Vilken seger om de kunde knäcka dem på det sättet.

Carl nickade reserverat mot kollegerna, som stod kvar på gården. Han orkade inte prata med dem.

Om de ville veta något fick de väl själva fråga.

Assad stannade upp för en sekund vid bilen och läste graffitin med gröna, vita, svarta och röda bokstäver, som prydde den annars så välputsade muren.

Israel bort från Gazaremmsan. Palestina åt palestinierna, stod det.

"Lär er stava", sa han och klev in i bilen.

Det borde väl du också? tänkte Carl, men var trots allt imponerad.

Carl startade bilen och såg på assistenten, som satt med blicken fäst på instrumentbrädan framför sig. Han var långt borta.

"Hallå, jorden till Assad! Var är du?"

"Jag sitter ju här, Carl", sa han utan att ta blicken från instrumentbrädan

Därefter yttrades inte ord ett på vägen tillbaka till polishuset.

9

Fönstren i det lilla församlingshuset lyste som glödande metallplattor. Då hade idioterna alltså redan börjat.

Han krängde av sig rocken i farstun, hälsade på de så kallade orena kvinnorna, de som hade mens, som stod utanför och lyssnade till jubelsången, och smög sedan in genom dubbeldörren.

Gudstjänsten hade på allvar tagit fart. Han hade varit där flera gånger tidigare och ritualen var ständigt densamma. Just nu stod prästen i sin hemmagjorda ornat vid altaret och förberedde "livströsten", som nattvarden kallades. Alldeles strax skulle alla, barn såväl som vuxna i sina oskuldsfulla vita särkar, på hans signal resa sig och närma sig varandra med trippande steg och sänkta huvuden.

Nattvardsgången på torsdagskvällarna var veckans höjdpunkt. Här överräckte självaste Gudsmodern, i prästens skepnad, kalken till församlingen och bjöd dem brödet. Inom kort skulle samtliga i Modersalen bryta ut i glädjedans och ändlösa kaskader av ord till lovprisning av Gudsmodern, som med Den heliga andens hjälp gett Jesus Kristus livet. De skulle börja rabbla, tala i tungor, be för alla ofödda barn, omfamna varandra och erinra sig den sinnlighet med vilken Gudsmodern gav sig hän åt Herren, och en massa annat i samma stil.

Liksom så mycket annat som försiggick här inne var det bara nonsens.

Försiktigt smög han längst in i lokalen och ställde sig vid väggen. Människor log andaktsfullt mot honom. Alla är välkomna, sa leendena. Och när skaran snart hängav sig åt extasen skulle de tacka för att han kommit till dem i sitt sökande efter Gudsmodern.

Under tiden betraktade han den utvalda familjen. Mamma, pappa och fem barn. Det var sällsynt att antalet barn var mindre i dessa kretsar.

Bakom de två stora pojkarna stod den delvis dolda, gråsprängde pappan och framför de tre flickorna, som med utslaget, svängande hår rytmiskt gungade i sidled. Främst i kretsen, bland andra vuxna kvinnor, stod mamman med särade läppar, slutna ögon och händerna i ett löst grepp om brösten. Alla kvinnorna stod så. Fjärran från omvärlden, införlivade i den kollektiva medvetenheten och skälvande inför Gudsmoderns närvaro.

De flesta av de unga kvinnorna var gravida. Några få, så nära inpå förlossningen som det överhuvudtaget var möjligt, hade våta fläckar i brösthöjd på särkarna från de läckande brösten.

Männen betraktade dessa frodiga kvinnor i hänryckt underkastelse. För om man bortsåg från mensperioden var kvinnokroppen det allra heligaste för Moderkyrkans lärjungar.

I denna fruktbarhetsdyrkande församling stod alla vuxna män med händerna knäppta framför skrevet, och de minsta pojkarna log och försökte efterlikna dem utan någon som helst vetskap om varför man skulle göra så. De bara sjöng och gjorde som föräldrarna. De trettiofem människorna var ett. Detta var samhörigheten som så utförligt var beskriven i Moderdekretet.

Samhörigheten i tron på Gudsmodern, som hela livet byggde på. Han hade hört om det till leda.

Alla sekter hade sin oantastliga, obegripliga sanning.

Han studerade den mellersta av familjens flickor, Magdalena, medan prästen kastade ut bröd till de närmaste och talade i tungor.

Hon var långt borta. Tänkte hon på nattvardens budskap? På det som låg gömt i hålet i gräsmattan hemma i trädgården? På dagen då också hon skulle inviga och bli Gudsmoderns tjänarinna, då man klädde av henne och smorde in henne i färskt fårblod? På dagen då de skulle välja ut en man till henne och lovprisa hennes sköte, så att också det skulle bära frukt? Det var inte lätt att veta. Vad försiggår egentligen i huvudet på tolvåriga flickor? Det visste bara de själva. Kanske var hon rädd, men så var det också en skrämmande föreställning.

Där han kom från var det pojkarna som fick genomlida ritualerna. Där var det de som skulle överlämna sin vilja och sina drömmar till församlingen. Deras kroppar som skulle användas. Han mindes det blott alltför väl. Alltför väl.

Men här var det alltså flickorna det handlade om.

Han försökte fånga Magdalenas blick. Var det ändå inte hålet i trädgården hon tänkte på? Att detta onämnbara retade starkare krafter i henne än tron? Förmodligen skulle hon bli svårare att knäcka än brodern, som stod bredvid henne. Därför var det på förhand heller inte givet vem av de två han skulle komma att välja.

Vem av dem han tänkte döda.

*

Han hade fått vänta en dryg timme med att bryta sig in i familjens hus, tills de kört iväg till andakten och marssolen borrat sig ner i horisonten. Endast två minuter hade det tagit honom att haspa av ett av fönstren på bottenvåningen och krypa in i ett av barnens rum.

Rummet han brutit sig in i tillhörde den yngsta av flickorna, det såg han med en gång. Inte för att allt var rosa eller för att soffan var fullsmockad av hjärtprydda kuddar. Här fanns det inga barbiedockor, pennor med nallebjörnar på eller skor med smala ankelremmar under sängen. I det här rummet fanns nämligen inget som avslöjade en normal tioårig dansk flickas syn på världen och sig själv. Nej, han visste att det var den yngsta flickans rum eftersom dopklänningen ännu var upphängd på väggen. Så gick det nämligen till i Moderkyrkan. Dopklänningen var Gudsmoderns svepning och denna svepning, som man var mycket rädd om, gick i arv i familjen. Den var den yngstas uppgift att skydda dopklänningen till varje pris. Försiktigt borsta av den varje lördag före vilotimmen. Stryka krage och spets när påsken stod för dörren.

Och lyckligt lottad· var den sistfödda i familjen, som fick värna om detta heliga kläde längst. Lyckligt lottad och därmed synnerlig lycklig, sa man.

Han gick in i mannens arbetsrum och hittade snabbt vad han letat efter. Papper som bekräftade familjens välstånd och de årliga vitsorden, som kartlade hur högt Moderkyrkan värderade den enskilda individen i kyrkan. Slutligen hittade han också telefonlistorna, som gav honom en förnyad inblick i sektens geografiska utbredning i såväl Danmark som övriga världen.

Sedan senast han slog till mot denna sekt hade det tillkommit cirka hundra nya får i fållan, enbart i Midtjylland.

Det gav lite smolk i glädjebägaren.

*

När han hade skaffat sig en överblick över alla rummen kröp han ut genom fönstret igen och stängde det. Han blickade ner mot hörnet i trädgården. Det var ingen dålig lekplats som Magdalena skaffat sig. Nästan omöjlig att upptäcka från huset och resten av trädgården.

Han blickade uppåt och såg hur molntäcket börjat svartna. Han fick skynda sig. Snart skulle det vara mörkt.

Han visste precis var han skulle leta, annars hade han aldrig hittat det. Magdalenas gömställe utmärktes nämligen enbart av en uppstickande kvist vid en grästuva. Han log när han upptäckte den och drog försiktigt upp kvisten. En bit av grästuvan, stor som en hand, följde med.

Undertill hade hålet fodrats med en gul plastpåse och på den låg en liten, hopvikt och färgad papperslapp.

Han log när han vecklade ut den.

Sedan stoppade han den i fickan.

*

Inne i församlingshuset betraktade han länge flickan med det långa håret och hennes bror Samuel med sitt trotsiga leende. Här stod de trygga tillsammans med alla andra i församlingen. De som skulle leva vidare i ovisshet och de som mycket snart måste leva med en vetskap som passerade gränsen för vad som var uthärdligt.

En fasansfull vetskap som han skulle belasta dem med.

Efter psalmen omringade flocken honom och rörde vid hans ansikte och överkropp. Så här uttryckte de sin hänförelse över hans sökande efter Gudsmodern. Så här förvissade de sig om hans tillit, och alla var i extas, eftersom de tilläts visa honom vägen till den eviga sanningen.

Efteråt tog alla ett steg tillbaka och sträckte upp händerna mot himlen. Inom kort skulle de börja röra vid varandra med öppna händer.

Smekningarna skulle fortsätta tills en av dem föll till golvet, redo att låta Modern inta hennes skälvande kropp. Han visste vem av dem det skulle bli. Extasen strålade redan ut ur kvinnans pupiller. En ung, spenslig hustru, vars största bedrift var de tre tjocka barnen som studsade intill henne.

I likhet med de övriga skrek han mot taket när det hände. Skillnaden var bara att han inombords höll kvar det som alla andra för sitt liv försökte frigöra. Djävulen i sig.

*

När församlingen tog farväl av varandra ute på trappan tog han obe-
märkt ett kliv fram och satte krokben för Samuel. Pojken snavade på
det översta trappsteget och tog ett kliv ut i ingenting.

Smällen från Samuels knä när han träffade marken var förlösande.
Som en nacke som knäcks under en hängning.

Allt var precis som det skulle vara.

Från och med nu var det han som hade kontrollen. Han som bestäm-
de.

10

När han kom hem till Rønneholtparken en kväll som denna, när teve-flimmer strömmade ut från betongklossarna och konturerna av alla hemmafruar syntes i alla köksfönster, kändes det som att vara en tondöv musiker i en symfoniorkester utan noter.

Fortfarande förstod han inte hur det hade kunnat gå så här. Varför han i så hög grad kände sig utanför.

Varför var det så svårt att bilda familj? En bokförare med ett midje-mått på hundrafemtiofyra centimeter och en datanörd med överarmar som tandpetare klarade ju för fan av det. Han vinkade snabbt tillbaka mot grannen Sysser, som lagade mat i den kalla köksbelysningen. Tack och lov att hon letat sig tillbaka till sin egen lägenhet efter den dåliga starten på måndagsmorgonen. Han visste inte vad han skulle ha gjort annars.

Han såg trött på namnskylten på dörren, där hans och Viggas namn med tiden knappt syntes på grund av alla korrigeringar. Inte för att han kände sig ensam med Morten Holland, Jesper och Hardy innanför väg-garna. Just nu möttes han i alla fall av liv från andra sidan häcken, och det var ju också ett slags familjeliv.

Bara inte den sorten han drömde om.

*

Vanligtvis kunde han redan ute i hallen lukta sig till vad som stod på menyn, men det som idag trängde sig in i näsborrarna var inte doften av Mortens kulinariska utsvävningar. Det fick man i varje fall inte hoppas.

"Hallå!" ropade han in i vardagsrummet, där Morten och Hardy bru-kade slöa. Inte en själ. Däremot var det full aktivitet utanför på terras-sen. I mitten där ute, under terrassvärmaren, skymtade han Hardys säng med droppstativ och allt, och runt om stod en massa grannar i täckjackor och åt grillade korvar och drack öl ur flaska. Att döma av de fjolliga minerna hade de varit igång ett par timmar.

Carl försökte lokalisera den fräna lukten inomhus och letade sig fram till en kastrull på köksbordet, där innehållet mest påminde om gammal, förkolnad burkmat. En högst sorglig syn. Även med tanke på den hädangångna kastrullen.

"Vad är det som pågår?" frågade Carl ute på terrassen och såg på Hardy, som med en förnöjd min låg under fyra lager täcken.

"Du vet att Hardy har en liten fläck högst upp på överarmen, där han upplever känsel?" sa Morten.

"Ja, påstår han i alla fall."

Morten liknade en pojke som för allra första gången slog upp en porrtidning. "Och du vet att han har en tillstymmelse till reflex i långfingret och pekfingret på ena handen?"

Carl skakade på huvudet och tittade på Hardy. "Vad är detta? Neurologiska utgåvan av TP? I så fall, sluta med det nu, innan vi når de nedre regionerna, okej?"

Med ett flin blottade Morten sina rödvinsfärgade tänder. "Och för två timmar sedan ryckte det i Hardys handled, Carl. Det är faktiskt sant. Jag glömde till och med bort maten på spisen." Han slog förtjust ut med armarna, så att man hann få sig en glimt av hans korpulenta figur, och såg ut att vara på väg att kasta sig i armarna på Carl. Han skulle bara våga.

"Låt mig se, Hardy", sa Carl torrt.

Morten drog bort täckena och blottade Hardys kritvita hud.

"Seså, gamle vän, visa mig nu", sa Carl medan Hardy blundade och bet ihop, så att käkmusklerna spelade. Det var som om samtliga kroppens impulser beordrades genom nervbanorna ner till denna mycket uttittade handled. Det började rycka i Hardys ansiktsmuskler, något som pågick länge innan han till sist tvingades pusta ut och ge upp.

"Ååå!" hördes det besviket omkring honom, åtföljt av alla möjliga tröstande ord. Handleden förblev orörlig.

Carl blinkade uppmuntrande till Hardy och drog med sig Morten bort till häcken.

"Det här får du förklara, Morten. Varför denna uppståndelse? Du har för helvete ansvaret för honom, det är ditt jobb. Låt bli att ge den stackars mannen en massa förhoppningar och ge fan i att göra honom till ett cirkusnummer. Nu går jag och tar på mig mina joggingkläder. Under tiden skickar du hem folket och rullar in Hardy igen, förstått? Vi pratar mer om detta sedan."

Han vägrade lyssna till Mortens bortförklaringar. Dem kunde han dra för de övriga åskådarna.

*

"Vad sa du?" utbrast Carl en halvtimme senare.

Hardy såg lugnt på sin gamle partner. Han behöll sin värdighet, trots att han låg där, raklång som en evighet.

"Det är sant, Carl. Morten såg det inte, men han stod bredvid. Det ryckte i handleden. Dessutom har jag lite ont nedanför axeln."

"Men varför kan du då inte göra det igen?"

"Jag vet inte exakt hur jag gjorde, men det var kontrollerat. Inte bara en spasm."

Carl lade en hand på sin förlamade partners panna. "Om jag inte har helt fel är det mer eller mindre en omöjlighet. Men jag tror dig, okej? Jag vet bara inte vad vi ska göra åt det."

"Det vet jag", sa Morten. "Hardy har ju känseln kvar på fläcken uppe vid axeln. Det är den som gör ont. Jag tror vi ska stimulera den punkten."

Carl skakade på huvudet. "Hardy, tror du verkligen att det är så lyckat? Det låter som rena kvacksalveriet."

"Ja, än sen då?" sa Morten. "Jag är ju ändå här. Vad kan hända?"

"Att du förstör alla våra kastruller."

Carl tittade ut i hallen. Jackan saknades på kroken, för vilken gång i ordningen visste han inte. "Skulle Jesper inte äta?"

"Han är i Brønshöj hos Vigga."

Det lät inte bra. Vad hade han där att göra, i den iskalla kolonistugan? Dessutom hatade han ju Viggas senaste pojkvän. Inte så mycket för att killen skrev dikter och gick omkring i stora brillor utan snarare för att han läste upp dikterna och krävde en massa uppmärksamhet.

"Vad gör han där? Fan ta honom om han skolkar igen." Carl skakade på huvudet. Två månader kvar till studenten. Med det idiotiska betygssystemet och den usla gymnasiereformen var han helt enkelt tvungen att lägga manken till och låtsas som om han lärde sig något. Annars …

Hardy avbröt hans tankekedja. "Ta det lugnt, Carl. Jesper och jag läser tillsammans varje dag efter skolan. Jag förhör honom på läxorna, innan han åker in till Vigga. Han ligger bra till."

Ligger bra till? Det lät verkligen absurt. "Vad gör han då hos sin mamma?"

"Hon ringde efter honom", svarade Hardy. "Hon är ledsen, Carl. Hon är trött på livet hon lever och vill flytta hem igen."

"Vadå hem? Menar du hem hit?"

Hardy nickade. Närmare en chockframkallad kollaps kunde Carl inte komma.

Morten fick hämta whisky två gånger.

*

Det blev en sömnlös natt och en orkeslös morgon.

Faktum var att Carl var tröttare när han satte sig vid skrivbordet igen än när han hade gått och lagt sig kvällen före.

"Har Rose hört av sig?" frågade han Assad, som placerade en tallrik med obestämbara klumpar framför honom. Var det så tydligt att han behövde piggas upp?

"Jag ringde henne igår kväll, men hon var inte hemma. Enligt hennes syster."

"Jaha." Carl viftade bort den gamla hederliga och ständigt närvarande spyflugan och försökte skrapa en sirapsklump av tallriken, men den var ytterst motsträvig. "Sa systern om hon skulle komma idag?"

"Ja, syster Yrsa kommer, men inte Rose. Hon har rest iväg."

"Vad säger du? Har hon rest iväg? Och hennes syster kommer alltså hit? Menar du allvar?" Efter stort besvär fick han till sist loss flugfångarklicken.

"Yrsa sa att Rose ibland reser iväg några dagar, men att det inte betyder något. Hon kommer tillbaka. Rose kommer alltid tillbaka, sa Yrsa. Under tiden kommer Yrsa hit och gör hennes jobb. De kan inte undvara pengarna, sa hon."

Carl knyckte på nacken. "Jaha! Det var som fan! Nu står det alltså fast anställda fritt att skolka från jobbet när de har lust. Rose måste ju vara knäpp." Det skulle han nog också göra klart för henne när hon kom tillbaka. "Och den där Yrsa! Hon kommer ta mig fan inte förbi vakten nere i kuren, det ska jag se till."

"Öh, jaha. Fast det har jag redan ordnat med vakten och Lars Bjørn,

Carl. Det är okej med Lars Bjørn. Han skiter i vilket, bara lönen fortsatt utbetalas till Rose. Yrsa är vikarie så länge Rose är sjuk. Bjørn är bara glad att vi skaffade en annan."

"Okej med Bjørn? Sa du sjuk?"

"Ja, det kan vi väl kalla det?"

Det här var ju rena rama myteriet.

Carl tog telefonen och slog Lars Bjørns nummer.

"Hallooo!" löd Lis stämma.

Vad nu?

"Hej, Lis. Jag tyckte jag slog Bjørns nummer?"

"Jag passar hans telefon. Polismästaren, Jacobsen och Bjørn sitter i möte om den rådande personalsituationen."

"Kan du inte koppla in mig? Jag behöver bara fem sekunder."

"Är det om Roses syster?"

Musklerna i hans ansikte drogs samman. "Det har väl knappast du med att göra."

"Carl, du vet mycket väl att det är jag som har hand om vikarielistorna."

Hur fan skulle han kunna veta det?

"Försöker du säga att Bjørn har godkänt en vikarie för Rose utan att tillfråga mig?"

"Du, Carl, tagga ner lite." Hon knäppte med fingrarna i andra änden, som för att ruska om honom. "Vi har ont om folk. För tillfället godkänner Bjørn allt. Du skulle bara se vilka som jobbar på de andra avdelningarna."

Hennes skratt gjorde inte direkt saker och ting mindre frustrerande.

*

Firma K. Frandsen Engros var ett aktiebolag med ett eget kapital på futtiga tvåhundrafemtiotusen kronor, men med ett uppskattat värde på sexton miljoner. Enbart papperslagret det senaste räkenskapsåret, som löpte från september till september, taxerades till åtta miljoner, så det kunde inte råda någon omedelbar ekonomisk kris där. Problemet var bara att K. Frandsens kunder var veckotidskrifter och gratistidningar, och dessa hade finanskrisen inte varit snäll mot. Enligt Carls beräkningar kunde detta mycket väl ha drabbat K. Frandsens pengabörs osedvanligt plötsligt och hårt.

Men riktigt intressant blev det först när liknande bilder tecknades av företagen som ägde de nerbrända lokalerna i Emdrup och på Stockholmsgade. Emdrupföretaget JPP Beslag A/S hade en årsomsättning på tjugofem miljoner och riktade sig i första hand till byggindustrin och större brädgårdar. Förmodligen en blomstrande verksamhet förra året, men knappast nu. Samma sak med företaget på Østerbro, Public Consult, som livnärde sig på att skapa kontraktsprojekt till stora arkitektbyråer, som säkerligen också blivit avskurna av den skoningslösa betongmur som gick under namnet lågkonjunktur.

Utöver denna sårbarhet i det rådande finansiella läget fanns det inga andra samband mellan de tre otursförföljda företagen. Inga gemensamma ägare, inga gemensamma kunder.

Carl trummade på bordet. Hur var det nu med branden i Rødovre 1995? Var det också ett företag som plötsligt hamnade i blåsväder? Var fanns Rose när han behövde henne?

"Knack, knack", hördes en viskande röst från dörren.

Yrsa, tänkte Carl och såg på klockan. Den var kvart över nio. Det var fanimej också på tiden.

"Vad är det för en tid att komma?" sa han med ryggen till. Så mycket hade han lärt sig. Chefer med ryggen till hade koll på allt. Dem kunde man minsann inte dra några valser med.

"Hade vi bestämt möte?" hördes en nasal mansröst.

Carl snodde runt i kontorsstolen så att den snurrade ett kvarts varv för mycket.

Laursen. Gamle käre Tomas Laursen, kriminalteknikern och rugbyspelaren, som vann en förmögenhet och förlorade den igen, och som numera jobbade i personalmatsalen högst upp i huset.

"Vad fan gör du här nere, Tomas?"

"Tja. Din trevlige assistent frågade om jag inte hade lust att hälsa på."

Assad dök upp i dörren med en underfundig min. Vad hade han nu för lurt på gång? Skulle han ha satt sin fot uppe i matsalen? Räckte det inte med de kryddade specialiteterna och de hemlagade magsugarna?

"Jag skulle bara ha en banan, Carl", sa Assad och viftade med den gula frukten. Upp till översta våningen för en banan?

Carl nickade. Han visste det. Assad var egentligen en förklädd apa.

Han och Laursen gav varandra näven och tryckte till. Samma smärtsamma skämt som förr i tiden.

"Lustigt, Laursen. Yding från Albertslund nämnde dig häromdagen.

Vad jag förstod återvände du inte frivilligt till Huset."

Laursen ryckte på axlarna. "Tja. Självförvållat, antar jag. Banken lurade mig att ta lån till investeringar, vilket ju gick bra eftersom jag ägde kapital. Och nu så äger jag inte ett piss."

"De borde fanimej själva fått stå för kalaset", sa Carl. Det hade han hört någon säga på nyheterna.

Laursen nickade. Naturligtvis höll han med. Så nu var han här igen. Sist anställd i matsalen. Smörgåsar och disk. En av Danmarks skickligaste kriminaltekniker. Vilket slöseri!

"Men jag klagar inte", sa han. "Man träffar en massa gamla kompisar från tiden ute på fältet, men jag slipper åka med dem igen." Han log sitt gamla hederliga, sneda leende. "Jag var trött på jobbet, Carl, speciellt på att ligga och rota bland en massa likdelar till långt in på natten. Under fem år gick det inte en dag utan att jag tänkte att jag skulle sticka. Så pengarna hjälpte mig därifrån, även om jag förlorade dem igen. Det är också ett sätt att se på det. Det ena leder till det andra."

Carl nickade. "Nu känner du ju inte Assad, men jag är säker på att han inte lockade ner dig hit enbart för att snacka om matsalsmenyer och bjuda på pepparmyntste hos en gammal kollega."

"Han har redan berättat om flaskposten. Jag tror jag är med någorlunda. Får jag se brevet?"

Ja, nu när han ändå var här …

Laursen satte sig med en tung suck medan Carl försiktigt tog fram brevet från akten. Samtidigt kom Assad invalsande med en sirlig mässingsbricka med tre pyttesmå koppar.

Mintdoften lägrade sig över dem. "Du kommer helt säkert att gilla det här teet", sa Assad och hällde upp. "Undergörande för kropp och själ. Även här." Han tog ett fast grepp om sitt skrev och gav Laursen en lurig blick som inte gick att misstolka.

Laursen tände ännu en arbetslampa och drog ljuset mycket nära dokumentet.

"Vet vi vem som har preparerat det?"

"Ja, ett laboratorium i Edinburgh i Skottland", sa Assad. Han hade tagit fram utredningsprotokollet, innan Carl ens så mycket som hann fundera över var det låg.

"Här är analysen." Assad placerade den framför Laursen.

"Då så", sa Laursen efter några minuter. "Jag ser att det är Gilliam Douglas som hållit i utredningen."

"Känner du honom?"

Laursen såg på Carl med samma ansiktsuttryck som om han frågat en femårig flicka om hon visste vem Britney Spears var. Ingen särskilt respektfull blick, men den väckte nyfikenhet. Vem fan kunde den här Gilliam Douglas vara, mer än en snubbe född på fel sida om den engelska gränsen?

"Jag tror inte det finns mycket mer att hämta här", sa Laursen och lyfte tekoppen med två rejäla fingrar. "Våra skotska kolleger har gjort så gott de kunnat för att preservera papperet och plocka fram texten med olika ljusbehandlingar och kemikalier. Man har hittat minimala skuggor av trycksvärta, men uppenbarligen har inga försök gjorts att bestämma ursprunget på själva papperet. Faktum är att de har sparat det mesta av den fysiska utredningen till oss. Har den varit hos kriminaltekniska ute i Vanløse?"

"Nej. Men jag visste inte att det behövde göras fler tekniska utredningar", muttrade Carl. Det var alltså hans fel.

"Det står ju här." Laursen pekade på nedersta raden i utredningsprotokollet.

Varför hade de nu inte sett det? tänkte Carl. Helvete också!

"Rose nämnde det visserligen för mig, Carl" sa Assad. "Men hon tyckte inte att vi behövde veta var papperet kom från."

"Tja, då gjorde hon med stor säkerhet en grov tabbe", sa Laursen och reste sig. "Vänta lite." Han stoppade fingrarna i byxfickan. Ingen enkel sak med så vältränade lår i så tajta jeans.

Förstoringsglaset han drog upp hade Carl sett många gånger förut. En liten utfällbar, kvadratisk lupp som kunde placeras på undersökningsmaterialet. Den påminde om den understa delen på ett litet mikroskop. Standardutrustning för frimärkssamlare och andra fanatiker, men i dess professionella utformning, med finaste linsen från Zeiss, också ett måste för en tekniker som Laursen.

Han ställde det på dokumentet och muttrade för sig själv i takt med att han förde linsen över meningarna. Mycket systematiskt från sida till sida, en rad åt gången.

"Ser du fler bokstäver med den där glasgrejen?" frågade Assad.

Laursen skakade på huvudet utan att säga något.

När han kommit halvvägs genom brevet började röksuget ta tag i Carl.

"Jag ska bara kolla en sak", sa han.

Ingen reaktion från någon.

Han satte sig på ett av borden ute i korridoren och glodde på allt overksamt maskineri som stod där. Skannrar, kopiatorer och mycket mer. Det var högst irriterande. Till en annan gång fick han komma ihåg att låta Rose köra färdigt sitt race, så att hon inte stack mitt i alltihop. Dåligt ledarskap.

Det var i denna självinsiktens olustiga ögonblick som han hörde en rad dunsar från trappan. Som en studsande basketboll i slow motion tog sig någon nerför den, ackompanjerad av ett ljud som påminde om en punkterad skottkärra. Likt en gammal tant med alla sina inköp vid Sverigefärjorna kom en person mot honom. De högklackade skorna, den plisserade, skotskrutiga kjolen och den nästan lika färgglada dramatenkärran som hon drog efter sig, utstrålade femtiotalet mer än femtiotalet självt. Högst upp på detta schabrak satt en exakt kopia av Roses huvud, med de sötaste ljusblonda lockar man kan tänka sig. Det var som att befinna sig i en film med Doris Day och inte veta var nödutgången fanns.

När sådant sker och ciggen saknar filter, bränner man sig.

"Aj som fan", skrek han och kastade från sig fimpen på golvet framför den färgglada figuren.

"Yrsa Knudsen", sa hon kort och stack fram ett par spretande fingrar med blodrött nagellack.

Aldrig någonsin hade han trott att två äpplen från samma träd kunde vara så lika och ändå falla så långt från varandra.

Han hade räknat med att ta kommandot från första sekunden, men trots detta hörde han sig själv svara, när hon frågade var hennes kontor fanns, att det kunde hon hitta på andra sidan de fladdrande papperen på väggen där. Han glömde vad han borde ha sagt: vem han var och vilken titel han hade, följt av en rad förmaningar om att det de två systrarna höll på med var djupt reglementsvidrigt och att det genast fick vara slut med det.

"Jag räknar med att bli inkallad till en snabb genomgång när jag har kommit på plats. Ska vi säga om en timme?" var hennes avskedsreplik.

"Vad var det?" frågade Assad när Carl klev in på kontoret igen.

Carl blängde på honom. "Vad det var? Ett problem, faktiskt. Ditt problem! Om en timme är det du som sätter in Roses syster i saker och ting. Är det förstått?"

"Var det Yrsa? Hon som gick förbi?"

Carl blundade bekräftande. "Är det förstått? Du briefar henne, Assad."

Sedan vände han sig mot Laursen, som nu nästan var färdig med genomgången av dokumentet. "Hittar du något, Laursen?"

Teknikern, som såg ut att vara på väg att spricka, nickade och pekade på något totalt osynligt, som han placerat på en liten plastbit.

Carl tittade närmare. Jo, där låg mycket riktigt en flisa som inte var större än spetsen på ett hårstrå, och vid sidan om något runt, litet och platt som i det närmaste var genomskinligt.

"Det där är en träflisa." Laursen pekade på den. "Jag gissar att den kommer från spetsen på brevskrivarens skrivdon, eftersom den låg i skrivriktningen och var väl nertryckt i papperet. Det andra är ett fiskfjäll."

Han rätade upp sig från den obekväma ställningen och började rulla med axlarna. "Vi ska nog komma någon vart med det här, Carl. Men vi måste skicka ut det till Vanløse, okej? Det skulle förvåna mig om de inte kan fastställa träslaget relativt snabbt, men för att bestämma fiskarten utifrån fjället krävs förmodligen en marinbiolog."

"Det här är mycket intressant", sa Assad. "Det är allt en duglig kollega vi har här, Carl."

Sa han duglig?

"Ja, han är *duktig*", sa Carl och kliade sig på kinden. "Vad mer kan du säga om det, Laursen? Finns det mer?"

"Jag kan inte se om brevskrivaren är höger- eller vänsterhänt, vilket egentligen är ganska ovanligt när papperet är så poröst. Man kan nämligen nästan alltid se höjningar i en viss riktning. Därför måste man utgå från att brevet kan vara skrivet under vanskliga förhållanden. Kanske på ett dåligt underlag och kanske med bundna händer. Eller kanske är det bara någon som inte är van att skriva. Dessutom skulle jag tippa att fisk har varit inslagen i papperet. Vad jag kan se finns det slemavsättningar, med stor sannolikhet fiskslem. Nu råkar vi veta att flaskan var tät, så fiskresterna har alltså inte tillkommit under vistelsen i vattnet. Vad beträffar de här skuggade partierna på papperet är jag inte säker. Kanske är det ingenting, kanske har papperet bara varit lite missfärgat, men troligare är att det bara rör sig om smuts i flaskan."

"Intressant! Vad anser du annars om brevet som sådant? Är det värt att följa upp eller rör det sig om pojkstreck?"

"Pojkstreck?" Laursen drog tillbaka överläppen så att två något skeva

79

framtänder blottades. Det innebar inte att han var på väg att skratta. Snarare skulle man lyssna noga. "Jag ser försänkningar i papperet som antyder en darrig skrift. Som du ser där har träspetsen gjort en smal och djup rispa, tills den bröts av. På vissa ställen lika tydlig som spåret på en LP-platta." Han skakade på huvudet. "Nej, Carl, pojkstreck tror jag inte det rör sig om. Det verkar vara skrivet av någon som är darrhänt. Återigen kanske på grund av förhållandena, men kanske också för att personen lidit av dödsångest. Så här på direkten skulle jag säga att det är allvar. Men man kan förstås aldrig veta."

Då avbröt Assad. "Ser du fler bokstäver, när du tittar så nära?"

"Ja, några stycken, men bara fram till stället där spetsen bröts av skrivdonet."

Assad räckte fram en kopia av det stora brevet ute på väggen.

"Kan du inte skriva ner dem som du tycker saknas?" sa han.

Laursen nickade och lade åter luppen över originalbrevet. Efter att ytterligare ha granskat de första raderna i ett par minuter sa han: "Så här tror jag det ska vara, men jag vill poängtera att det bara är gissningar."

Sedan lade han till tal och bokstäver, så att brevets första rader löd:

HJÄLP

.en .6 fe.roari 1996 .... v. ki..apad

.. .le. tag.a .i. .ussh.lp.at..n vid .aut.opv... .

Bal...u. – Mann.. .. 18. l..g ... .o..k.i.. hår

De betraktade resultatet en stund, innan Carl bröt tystnaden.

"1996! Då låg flaskan i havet i sex år innan den fiskades upp."

Laursen nickade. "Ja. Årtalet är jag ganska säker på, även om niorna är spegelvända."

"Det var väl därför dina skotska kolleger inte kunde tyda det."

Laursen ryckte på axlarna. Kanske det.

Intill dem stod Assad med pannan i djupa veck.

"Vad är det, Assad?" frågade han.

"Då var det precis som jag trodde. Fasen också", sa han och pekade på tre av orden.

Carl såg närmare efter.

"Om vi inte får fram fler bokstäver i den sista delen av brevet blir det mycket, mycket svårt", fortsatte Assad.

Nu såg Carl vad Assad menade. Av alla människor på jorden var han

den som först upptäckte problemet. En man som inte bott i landet i sär-
skilt många år. Det var helt enkelt otroligt.

Febroari, kidnapad, busshålplatsen, stod det.

Den som hade skrivit flaskposten kunde alltså inte stava.

11

Yrsa gjorde inte mycket väsen av sig inne på Roses kontor, vilket båda-
de mycket, mycket gott. Fortsatte hon i den stilen skulle hon skickas
hem inom tre dagar och Rose skulle bli tvungen att återvända.

De behövde pengarna, hade Yrsa sagt.

Eftersom arkiven inte innehöll upplysningar om någon kidnappning
i februari 1996, tog Carl fram brandakten och ringde upp poliskommis-
sarie Antonsen ute i Rødovre. Bättre att prata med en garvad fältråtta än
en kontorsråtta som Yding. Varför idioten överhuvudtaget inte hade
nämnt något om det nerbrända Rødovrebolagets ekonomiska problem
i den gamla polisrapporten övergick hans förstånd. Enligt Carl var det
tjänstefel. Dessutom hade gasbolaget ju förklarat att de stängt av gasen,
så vad kunde då ha framkallat en sådan häftig explosion? Så länge frå-
gor som dessa hängde kvar i luften var det för helvete också en möjlig
mordbrand de utredde, och då måste *allt* tas i beaktande.

"Jaha", sa Antonsen, när Carl kopplades in till hans telefon. "Har vi
månne äran att tala med Carl Mørck, expert på avdamning av gamla fall?"
skrockade han. "Har du klarat upp mordet på Grauballemannen än?"

"Ja, och på Erik Klipping också", svarade Carl. "Och snart har vi
minsann också klarat upp ett av era gamla fall."

Antonsen skrattade. "Jag vet precis vad du syftar på, jag pratade med
Marcus Jacobsen igår", svarade han. "Du vill veta mer om branden här
ute 1995, kan jag tänka mig. Har du inte läst rapporten?"

Carl yttrade ett par svordomar, som den garvade Antonsen inte skul-
le ha några problem att returnera om det behövdes. "Rapporten liknar
för fan något som katten har släpat in. Är det någon av dina gubbar som
skrivit den?"

"Äh, lägg av, Carl. Det fanns inget att anmärka på Ydings insats i det
fallet. Vad är det du vill veta?"

"Jag vill ha upplysningar om företaget som drabbades av branden, upplysningar som den här utmärkta insatsen totalt förbisett."

"Ja ja, jag tänkte nog att det var något sådant. Men vi har något liggande här någonstans. Det gjordes en revision av företaget ett par år senare, och den resulterade i en polisanmälan. Den gav emellertid inget, men vi fick i alla fall veta mer om företaget. Ska jag faxa den till dig eller vill du att jag kryper in på mina bara knän och lägger den inför tronen?"

Carl skrattade. Det var inte så ofta han mötte någon som så effektivt och avväpnande kunde replikera på hans egna verbala svingar.

"Nej, jag kommer ut till dig, Anton. Du kan sätta på kaffet så länge."

"Nähä, du", slutade samtalet i andra änden med. Inget "vi hörs" där inte.

Carl satt en stund och stirrade på plattskärmen med TV2 News ändlösa slingor om den meningslösa nedskjutningen av Mustafa Hsownay, ännu ett av gängkrigets oskyldiga offer. Nu hade polisen uppenbarligen gett tillstånd till ett begravningståg genom Köpenhamn. Det fick nog en och annan att sätta sin dannebrogsfärgade rödgröt i vrångstrupen.

Plötsligt grymtade någon i dörren. "Får man inga uppgifter snart?"

Carl hoppade till. Här nere smög folk inte runt så där. Så om schabraket Yrsa fortsättningsvis rörde sig ljudlöst i ena stunden och lät som en flock skenande gnuer i andra, skulle han få ett nervsammanbrott.

Hon slog efter något. "Usch, en spyfluga. Jag hatar dem. De är äckliga."

Carl följde krypet med blicken. Var kunde den där flugan hållit hus sedan sist? Han tog en av akterna på bordet. Nu skulle den fanimej plattas till.

"Jag har installerat mig nu. Vill du se?" frågade Yrsa med en röst som var ruskigt lik Roses.

Om han ville se att hon installerat sig? Det fanns knappast något han ville mindre gärna.

Han lät flugan vara och vände sig mot henne. "Du vill gärna ha något att sätta tänderna i, säger du. Bra. Det är i och för sig därför du är här. Du kan börja med att ringa till Bolagsverket och rekvirera de fem senaste årsredovisningarna för företagen K. Frandsen Engros, Public Consult och JPP Beslag A/S, och ta en titt på deras krediter och kortfristiga lån. Uppfattat?" Han skrev ner de tre företagsnamnen på en lapp.

Hon såg på honom som om han sagt något stötande. "Ja, fast jag slipper helst", sa hon.

Det här bådade inte gott.

"Varför, om jag får fråga?"

"För att det är mycket lättare att bara tanka ner dem från nätet. Varför ska jag hänga i luren i tjugo minuter, när det dessutom är dags för de flesta att gå hem?"

Carl försökte låtsas som ingenting, trots att hans ego försvann in mellan plisseringarna på hennes kjol. Kanske borde han ge henne en chans?

"Carl, kolla på det här", sa Assad i dörren. Han drog in magen så att Yrsa kunde passera ut.

"Jag har suttit länge och kikat på det här", fortsatte han och räckte Carl kopian på flaskpostbrevet. "Vad tror du? Jag började med att anta att det står Ballerup på tredje raden, och sedan slog jag upp Ballerup i kartboken och gick igenom alla gatorna. Den enda som passade in på ordet framför i:et är en gata som heter Lautrupvang. Killen har visserligen skrivit Lautrop med o på slutet, men han stavade ju inte så bra."

Han fixerade flugan, som for runt i taket, en stund. Sedan såg han på Carl igen.

"Vad tror du, Carl? Kan det vara så enkelt?" Han pekade på platsen ifråga i brevet. Där stod nu:

> *HJÄLP*
> *Den .6 febroari 1996 blev vi kidnapad*
> *vi blev tagna vid busshålplatsen vid Lautropvang i*
> *Ballerup – Mannen är 18. lång ... .o..k.i.. hår*

Carl nickade. Det verkade ganska rimligt. I så fall var det bara att bums dyka ner i arkiven.

"Du nickar. Du tror alltså att det kan vara rätt. Wow, det här är bra, Carl", utbrast Assad, lutade sig över bordet och pussade honom på hjässan.

Carl ryggade tillbaka med en förskräckt min. Det var en sak med sirapskakor och sockerte. Men känsloutbrott av mellanöstliga proportioner ville han helst slippa.

"Nu vet vi alltså att det är antingen den sextonde eller den tjugosjätte februari 1996", fortsatte en fokuserad Assad. "Vi vet också var, och som bonus vet vi att kidnapparen är en man som är minst hundraåttio centimeter lång. Nu saknar vi bara de sista orden på raden, som är något om hans hår."

"Ja, Assad. Och så en liten detalj till, nämligen de sextiofem procenten av brevet som ännu saknas", sa Carl.

Men i det stora hela tycktes förslaget tämligen sannolikt.

Carl tog papperet, reste sig och gick ut i korridoren för att betrakta den stora bilden av brevet. Om han gjort sig föreställningen att Yrsa i detta ögonblick var i full gång med att gå igenom de brandhärjade företagens räkenskaper, då tog han fel. Istället stod hon där mitt i korridoren, totalt okontaktbar för omvärlden, och sög i sig av flaskpostens budskap.

"Du, Yrsa, det här klarar vi nog själva", sa Carl, men Yrsa reagerade inte.

Väl medveten om hur mycket systrars beteende kan smitta av sig på varandra, ryckte han på axlarna och lät henne vara. Förr eller senare fick hon väl ont i nacken av att stå så där.

Carl och Assad ställde sig bredvid henne. Om man tittade mer noga på Assads textförslag och jämförde det med det som hängde på väggen, som saknade fler bokstäver, uppenbarade sig vaga, men dock möjliga, förslag till bokstäver, som tidigare inte gått att uttyda.

Faktum var att Assads samtliga förslag såg trovärdiga ut.

"Jo, så måste det nog vara. Det ser inte helt galet ut", sa han och satte därefter Assad på att undersöka om det hade inkommit en anmälan om brott, som på något sätt tangerade kidnappning, på Lautrupvang i Ballerup år 1996.

Det skulle han nog vara klar med tills Carl var tillbaka från Rødovre.

*

Antonsen satt på sitt lilla kontor och bjöd på en helt igenom politisk inkorrekt stank av pipa och cigariller. Ingen såg någonsin honom röka, men nog rökte han alltid. Ryktet sa att han stannade kvar på jobbet tills kontorspersonalen gått hem, så att han kunde ta sig ett par rejäla bloss i lugn och ro. Det var åratal sedan hans fru förkunnade att nu fick det vara slut med rökningen. Och det var det, i alla fall vad hon visste.

"Här är genomgången av verksamheten i Damhusdalen", sa Antonsen och gav honom en plastmapp. "Som du ser på första sidan sysslade företaget med import och export, och partnern hade adress i forna Jugoslavien. Så det har säkert inte varit någon enkel omställning för företaget när Balkankriget bröt ut och allt brakade ihop. Idag är Amundsen & Mujagic A/S ett ganska välmående bolag, men när skiten brann ner befann det sig ekonomiskt sett i ett dödläge. Då fanns det inget som fick oss att tro att företaget var suspekt, och det finns ingen anledning att ändra på den åsikten idag. Men har du något som motbevisar det är du mer än välkommen."

"Amundsen & Mujagic. Mujagic är ett jugoslaviskt namn, eller?" frågade Carl.

"Jugoslaviskt, kroatiskt, serbiskt, det är väl sak samma. Jag tror inte det finns vare sig någon Amundsen eller Mujagic kvar i företaget, men det kan du ju kolla upp om du orkar."

"Menar du allvar?" Carl gungade på stolen medan han såg på sin gamle kollega.

Antonsen var en helt okej polis. Han var några år äldre än Carl och hade alltid befunnit sig ett par steg högre upp på lönestegen. Trots detta hade de haft en del med varandra att göra, och dessutom kommit bra överens, vilket visade att de var av samma skrot och korn.

Ingen, och då menade han ingen, gjorde sig lustig på deras bekostnad. Det var inte heller till dem man kom med skitsnack, axeldunkningar och sladder. Om någon i kåren i dessa avseenden var olämplig för diplomatiskt arbete, politiskt rövslickeri och törstsläckning med offentliga medel, var det just dessa två. Därför hade Antonsen inte blivit polismästare, och därför hade Carl inte blivit något alls. Med andra ord var saker och ting som de skulle.

Det var bara en sak som bekymrade Carl just nu – den förbaskade branden. Då som nu var det nämligen Antonsen som var högsta hönset.

"Så här ligger det till", fortsatte Carl. "Jag tror att lösningen till mordbränderna i Köpenhamn de senaste dagarna går att hitta i Rødovrebranden. Man hittade ett lik där ute med tydliga märken i lillfingerbenet, som tyder på att offret burit en ring i många herrans år. Precis samma omständighet gäller för liken i de senaste bränderna. Så då frågar jag dig: Kan du nu helt ärligt säga att fallet blev ordentligt utrett den gången, Anton? Jag frågar dig rakt på sak och du svarar. Sedan gör jag inte mer utav det, men jag måste bara få veta. Har du haft med företaget att göra? Finns det något som på något vis knyter dig, eller har knutit dig, till Amundsen & Mujagic A/S, eftersom du den gången drev fallet på ett sådant sätt och med det folket?"

"Beskyller du mig för något olagligt, Carl Mørck?" Hans ögon smalnade av och fryntligheten vissnade betänkligt.

"Nej. Men jag förstår bara inte varför ni inte med hundra procents säkerhet kunde fastställa brandorsaken och den dödes identitet."

"Då beskyller du mig alltså för att inte göra mitt arbete ordentligt?"

Carl såg honom i ögonen. "Ja, det gör jag väl. Är det så? För i så fall har jag något att gå vidare med."

Antonsen gav Carl en Tuborg Hvid, som Carl inte rörde under samtalets gång. Själv tog Antonsen en rejäl klunk ur sin.

Den gamle räven torkade sig om munnen och sköt fram underläppen. "Det där fallet var inget vi tog så allvarligt på, Carl, för att säga det rakt ut. En takbrand och en hemlös, det var allt. Och ja, ärligt talat började fallet att glida mig ur händerna. Men inte som du tror."

"Nähä. Hur då, då?"

"För att Lola knullade med en annan på stationen och för att jag samtidigt drack mig igenom krisen."

"Lola?"

"Ja. Men hör här, Carl. Min fru och jag har lagt allt det där bakom oss. Allt är bra nu. Men visst kunde jag ha hållit mig mer ajour med fallet, det ska jag villigt erkänna."

"Det låter bra, Anton. Det köper jag. Då stannar vi här."

Han reste sig och sneglade bort mot Antonsens pipa, som låg som ett strandat segelfartyg i öknen. Snart skulle den vara ute på öppet hav igen. Kontorstid eller ej.

"Jo, förresten", sa Antonsen när Carl var halvvägs ut genom dörren. "En sak till. Minns du i somras, när vi hade det där mordet i höghuset ute i Rødovre, att jag sa till dig att om ni inne på Huset inte tog väl hand om polisassistent Samir Ghazi, så skulle jag se till att vissa kroppsdelar på er blev funktionsodugliga. Nu hör jag att Samir söker sig tillbaka hit." Han tog upp pipan och putsade den. "Varför gör han det? Vet du något om det? Han vägrar säga något till mig, men om jag har förstått saken rätt är Jacobsen nöjd med honom."

"Samir? Nej, det förstår jag inte. Men jag känner honom knappt."

"Nähä. Fast jag kan berätta för dig att de på avdelning A inte heller förstår något. Men jag har hört att det kanske har att göra med en av dina män. Förstår du nu då?"

Carl tänkte efter. Varför skulle det ha med Assad att göra? Han hade ju hållit sig borta från mannen från dag ett.

Nu var det Carl som sköt fram underläppen. Och varför hade Assad egentligen gjort det?

"Jag ska kolla upp det, men jag har ingen aning. Tror du inte bara att Samir vill tillbaka till världens bästa chef?" Han blinkade mot Antonsen. "Hälsa Lola så mycket från mig."

Han hittade Yrsa på samma plats som han lämnat henne – mitt i källarkorridoren framför Roses jättekopia av flaskpostbrevet. Hon stod där med en tankfull min, närmast som i trans, och med det ena benet uppdraget under kjolen, likt en flamingo. Bortsett från kläderna kunde det lika gärna ha varit Rose. Oerhört kusligt.

"Är du klar med räkenskaperna från Bolagsverket?" frågade han.

Hon såg frånvarande på honom samtidigt som hon knackade en blyertspenna mot pannan. Frågan var om hon ens registrerat att han var tillbaka.

Han drog ett djupt andetag och upprepade meningen med höjd röst. Det fick den lilla kvinnan att rycka till, men det var i stort sett också den enda reaktionen.

Han skakade på huvudet och tänkte just vända sig om, fullkomligt villrådig om vad han skulle ta sig till med dessa högst besynnerliga systrar, då hon svarade, tyst och långsamt, så att varje ord gick att uppfatta.

"Jag är bra på Alfapet, korsord, rebusar, IQ-tester och sudoku, och jag är bra på att skriva vers och tillfällighetsrim till konfirmationer, silverbröllop, födelsedagar och andra högtidsdagar. Men det här går inte så bra." Hon vände sig mot Carl. "Kan du inte tänka dig att lämna mig ifred en liten stund till, så att jag får lite ro att fundera över detta hemska brev?"

Tänka sig? Hon hade stått där hela den tiden det tog honom att köra till Rødovre och tillbaka igen, och lite till, och så frågade hon om han kunde *tänka sig* att lämna henne ifred? Allvarligt talat kunde hon packa ner sina exotiska jävla frukter i sin lilla fula jävla skithink till shoppingvagn och rulla sina skotskrutiga persedlar, med säckpipa och hela faderullan, ut till Vanløse eller var fan det nu var hon kom ifrån.

"Snälla Yrsa", klämde han behärskat ur sig. "Antingen ger du mig de där löjliga räkenskaperna inom tjugosju minuter, med kommentarer om var jag ska leta, eller också ber jag, i de allra snällaste ordalag, Lis uppe på tredje våningen att omedelbart skriva ut en lönespecifikation för cirka fyra timmars fullkomligt bortkastat arbete. Och du ska inte räkna med någon pensionsavsättning på de pengarna, förstått?"

"Jösses! Ja, ursäkta att jag svär, men det var visst ord och inga visor det." Hon log brett. "Sa jag förresten att du klär väldigt bra i den där skjortan? Är det inte samma sorts skjorta som Brad Pitt har?"

Carl tittade ner på sin rutiga trasa, inköpt på någon lågprismarknad.

Plötsligt kände han sig märkligt bortkommen där nere i källaren.

Han drog sig bakåt mot Assads så kallade kontor och fann honom med benen över den översta skrivbordslådan och telefonen klistrad mot den blåsvarta skäggstubben. Framför honom låg tio bläckpennor, som nu givetvis saknades inne på Carls rum, och under dem papper med namn och siffror och rader av arabiska tecken. Han talade långsamt och tydligt och nästan utan någon brytning alls. Hans kropp utstrålade auktoritet och lugn, och lilleputtkoppen med väldoftande turkiskt kaffe vilade tryggt i hans hand. Om man inte visste bättre hade man kunnat tro att han arbetade som researrangör i Ankara och just hade bokat in en jumbojet för trettiofem oljeshejker.

Han såg på Carl med ett ansträngt leende.

Av allt att döma ville han bli lämnad ifred.

Det här var ju en hel jävla epidemi.

Kanske dags att ta sig en förebyggande lur i kontorsstolen? Man kunde ju passa på att samtidigt spela upp en film om en brand i Rødovre på insidan av ögonlocken, och hoppas att fallet var löst när man öppnade dem igen.

Han hann precis sätta sig tillrätta och kasta upp benen när denna attraktiva och livsförlängande plan avbröts av Laursens röst.

"Finns det något kvar av flaskan, Carl?" sa den.

Carl gläntade på ögonlocken. "Öh, flaskan?" När blicken fastnade på Laursens fettfläckiga förkläde tog han ner benen igen. "Tja, om du kallar tretusenfemhundra glasskärvor av myrpittars storlek för 'något', så har jag det här inne i en plastpåse."

Han letade fram den genomskinliga påsen och höll upp den framför Laursens ansikte. "Vad tycks? Kan det vara något?" frågade han.

Laursen nickade och pekade på en glasskärva längst ner i påsen, som var något större än de övriga.

"Jag har precis pratat med Gilliam Douglas, teknikern i Skottland. Han rådde mig att leta fram den största skärvan från flaskbottnen och göra en DNA-analys av blodet som finns kvar. Det är den skärvan där. Man ser blodet."

Carl tänkte först be att få låna Laursens lupp, men så såg han det plötsligt. Det var inte mycket blod och det verkade väldigt utspätt.

"Men har de inte redan undersökt det?"

"Nej, han påstår att de bara gjorde avskrapningar på själva brevet. Men han tycker inte att vi ska räkna med något."

"För att …?"

"För att det inte är mycket att analysera och för att det sannolikt har gått alldeles för lång tid. Och för att förhållandena i flaskan och den långvariga vistelsen i havet inte kan ha varit speciellt gynnsamma för den lilla mängd arvsmassa som nu fanns där. Värme, köld och kanske också en aning saltvatten. Skiftande ljusförhållanden. Inget talar för att det finns något DNA kvar."

"Men inte förändras väl DNA under nedbrytningen?"

"Nej, det förändras inte. Det bara bryts ner. Och med alla ogynnsamma faktorer är det mer än tillräckligt."

Carl studerade den lilla fläcken på glasskärvan. "Än sen då, om de nu hittar DNA som går att använda? Vad får vi ut av det? Inget lik ska identifieras, eftersom vi inte har något lik. Vi ska inte heller jämföra genmaterialet med släktingar, för vilka är de? Vilken nytta har vi av det när vi inte ens vet vem brevskrivaren är?"

"Vad sägs om hudfärg, ögonfärg och hårfärg? Skulle inte det hjälpa?"

Carl nickade. Naturligtvis måste det prövas. Han visste ju hur fantastiska folket borta på rättsgenetiska avdelningen på rättsmedicin var. Han hade själv hört en föreläsning av den biträdande avdelningschefen. Om någon kunde avgöra om offret var en haltande, läspande, rödhårig grönländare från Thule, så var det de.

"Ta skiten och sätt igång", sa Carl. Han klappade Laursen på axeln. "Jag kommer snart upp till dig och klämmer en tournedos."

Laursen log. "Då får du själv ta med den."

12

Hon hette Lisa men kallade sig Rakel. I sju år av sitt liv hade hon levt med en man som inte förmådde göra henne gravid. Ofruktbara veckor och månader i lerhyddor, först i Zimbabwe och sedan i Liberia. Stora skolklasser med breda elfenbensleenden i bruna barnansikten, men också hundratals ändlösa timmar av förhandlingar med de lokala representanterna för NDPL och till sist också Charles Taylors gerillasoldater. Vädjanden om fred och hjälp. Hur förberedde sig en nyutexaminerad lärare från Det Nødvendige Seminarium för något sådant? Dessutom fanns det alldeles för många fallgropar och onda avsikter. Men det var också en del av Afrika.

När hon våldtogs av en grupp förbipasserande NPFL-soldater gjorde pojkvännen inget för att hjälpa henne. Hon hade fått rädda sig själv.

Därför var det slut.

Samma kväll hade hon kastat sig på sina sönderskrapade knän på verandan och kramat händerna blodiga, när hon för första gången i sitt gudlösa liv skådade Himmelriket.

"Förlåt mig och låt inte detta få några konsekvenser", bad hon under en nattsvart, blixtrande himmel. "Låt det inte få några konsekvenser och låt mig hitta ett nytt liv. Ett liv i fred med en god man och många barn. Det ber jag dig om, käre Gud."

Morgonen därpå började det blöda från hennes underliv medan hon packade sin resväska. Då förstod hon att Gud hade hört henne. Hennes synder var förlåtna.

Det var människor från en liten, nystartad församling i staden Danané i grannlandet Elfenbenskusten som kom till hennes undsättning. Plötsligt stod de vid väg A701 med vänliga ansikten och erbjöd henne husrum efter två veckor på flykt, tillsammans med andra flyktingar utmed landsvägen till Baobli och vidare in över gränsen. Människor som upplevt stor nöd, men som ändå visste att tiden läker alla sår. I den stun-

91

den tog hennes liv en ny vändning. Gud hade hört henne och Gud hade visat henne åt vilket håll hon borde styra sitt liv.

Året därpå var hon tillbaka i Danmark. Renad från djävulen och alla hans gärningar och redo att hitta mannen som skulle befrukta henne.

Han hette Jens, men tog senare namnet Joshua. Hennes kropp var oerhört förförande för en man som han, en ungkarl med en maskinstation som han ärvt av föräldrarna, och Jens fann den fröjdefulla vägen till Gud mellan hennes ben.

Inom kort var Viborgförsamlingen två bekännare rikare, och tio månader senare födde hon sitt första barn.

Efter det var Gudsmodern henne nådig och skänkte henne nya liv: Josef, arton, Samuel, sexton, Miriam, fjorton, Magdalena, tolv, och Sarah, tio. Exakt tjugotre månader mellan vart och ett av barnen.

Jodå, Gudsmodern tog sannerligen hand om de sina.

*

Nu hade hon träffat den nytillkomne mannen flera gånger i Moderkyrkan, och han hade sänt vänliga blickar mot henne och hennes barn när de gav sig hän åt hyllningshymnerna. Endast välsignade ord hade kommit ur hans mun. Han hade verkat uppriktig, vänlig och djup i sin själ. En ganska vacker man, som säkerligen kunde dra med sig en ny, fin kvinna in i deras församling.

Ett gott tecken, det var alla eniga om. Joshua kallade honom rättsinnad.

Kvällen när han besökte dem i kyrkan för fjärde gången kände hon sig helt säker på att han kommit för att stanna. De erbjöd honom ett rum på gården, men han tackade nej med förklaringen att han redan hade ett ställe att bo på. Dessutom gick mycket av hans tid åt till att leta efter hus. Men han skulle befinna sig i trakterna i några dagar och lovade att titta in om han hade vägarna förbi.

Han letade alltså hus, och det var något som definitivt skulle komma att diskuteras i församlingen, i synnerhet bland kvinnorna. Han hade starka händer och en fin skåpbil och skulle kunna göra stor nytta bland bröder och systrar.

Han var av allt att döma framgångsrik och dessutom både välklädd och belevad. Kanske ett prästämne? Eller rentav missionär?

Honom skulle de sannerligen visa särskilt stort tillmötesgående.

*

Det gick bara ett dygn innan han stod utanför deras dörr och knackade på. Tyvärr var det ett illa valt tillfälle, eftersom hon inte mådde särskilt bra. Det dunkade vid tinningarna och mensen var under uppsegling. Just nu ville hon bara att ungarna skulle hålla sig på sina rum och att Joshua skulle sköta sitt.

Men Joshua öppnade och bjöd in mannen till det stora ekbordet i köket.

"Tänk på att vi kanske inte får så många chanser", viskade han och bad henne vänligt att stiga upp ur soffan. "En kvart bara, Rakel, sedan kan du lägga dig igen."

Med tanke på församlingen och på hur välkommet nytt friskt blod var, reste hon sig med handen mot underlivet och gick ut i köket i fast förvissning om att Gudsmodern med omsorg valt denna tidpunkt att pröva henne. Hon skulle veta att smärtorna var en beröring av Guds hand. Att illamåendet bara var öknens brännande sand. Att hon var en lärjunge och att inget lekamligt fick komma i vägen.

Det var vad det handlade om.

Därför gick hon honom tillmötes med ett leende i sitt bleka ansikte och bad honom slå sig ner och ta emot Herrens gåvor.

Han hade varit i Levring och Elsborg för att se på gårdar, sa han bakom sin rykande kopp kaffe. I övermorgon eller på måndag tänkte han köra till Ravnstrup och Resen, där det också fanns ett par intressanta objekt.

"Herre Jesus!" utbrast Joshua och såg genast ursäktande på henne. Hon hatade nämligen när han missbrukade Gudsmoderns sons namn.

"I Resen?" fortsatte han. "Det råkar väl inte vara på vägen ut mot Sjørup Plantage? Är det Theodor Bondesens hus? I så fall kan jag se till att du får det till ett bra pris. Gården har stått tom i minst åtta månader nu. Längre än så till och med."

Mannen fick något konstigt i blicken. Joshua lade förstås inte märke till det, men det gjorde hon. En konstig blick som inte passade in.

"Mot Sjørup?" sa mannen medan han letade efter något att fästa den flackande blicken på. "Det vet jag inte. Men det kan jag nog berätta på måndag, när jag har sett huset." Nu log han. "Var har ni barnen? Läser de sina läxor?"

Hon nickade. Det verkade som om han inte ville berätta. Hade hon kanhända missbedömt honom? "Var bor du för tillfället?" frågade hon. "Inne i Viborg?"

"Ja, hos en före detta kollega inne i innerstaden. Vi arbetade tillsammans för några år sedan. Nu är han förtidspensionerad."

"Jaså? Utbränd som så många andra?" frågade hon och fångade hans blick.

Nu såg han på henne med de vänliga ögonen igen. Det tog sin lilla tid, men kanske var han bara reserverad. I vilket fall som helst behövde det inte vara ett dåligt drag.

"Utbränd? Nej, egentligen inte. Om det bara vore så väl. Nej, min vän Charles fick armen avhuggen i en trafikolycka."

Han visade med handen hur högt upp på armen den kapats, vilket gjorde henne illa till mods. Dåliga minnen. Han höll kvar hennes blick ett ögonblick, innan han släppte den. "Ja, en hemsk olycka, men han klarar sig."

Plötsligt såg han upp. "På tal om något annat! I övermorgon hålls en karatetävling i Vinderup. Jag tänkte att jag kanske skulle fråga Samuel om han vill följa med. Men det är kanske inte så bra med tanke på hans onda knä? Hur gick det förresten när han ramlade i trappan? Han bröt väl inget?"

Hon log och såg på sin man. Det var just den typen av medkänsla och omsorg som deras kyrka representerade. "Ta din nästas hand och klappa den ömt", som deras präst brukade säga.

"Nej", svarade hennes man. "Knäet är visserligen lika tjockt som låret, men han är uppe och studsar om några veckor. I Vinderup, sa du? Tävlar de där? Jaha, där ser man." Hennes man strök sin haka. Då tänkte han förhöra sig mer om detta om en liten stund. "Men vi kan väl fråga Samuel. Vad tycker du, Rakel?"

Hon nickade. Jo, om de bara hann tillbaka till vilotimmen var det förstås inga problem. Kanske kunde alla barnen följa med, om de ville?

Hans ansiktsuttryck blev plötsligt ursäktande. "Visst, det hade varit jätteroligt, men bara tre får plats i framsätet på skåpbilen och det är förbjudet att ha passagerare bak i bilen. Men två kan förstås få följa med. De andra kan ju följa med nästa gång. Vad tror ni? Hade det varit något för Magdalena? Hon verkar vara en pigg flicka. Står hon förresten inte Samuel ganska nära?"

Hon log, liksom hennes man. Det var en gullig observation och snällt av honom att fråga. Det kändes nästan som om det fanns ett samförstånd mellan dem just nu. Som om han visste vilken speciell plats dessa två barn alltid haft i hennes hjärta. Samuel och Magdalena. De av hennes fem barn som liknade henne mest.

"Men ska vi inte bara säga så då, Joshua?"

"Jo, det gör vi." Joshua log. Det krävdes inte mycket för att göra hennes man glad.

Hon klappade gästens hand, som låg platt på bordet. Märkligt så kall den var.

"Det är jag säker på att Samuel och Magdalena också gärna vill", sa hon sedan. "När ska de vara klara?"

Han plutade med munnen medan han funderade över körtiden. "Tja, tävlingen börjar klockan elva, så ska vi säga att jag kommer förbi vid tiotiden?"

*

När han hade gått lade sig Guds frid över huset. Han hade druckit deras kaffe och sedan dukat av kopparna och sköljt av dem, som om det vore den mest naturliga sak i världen. Med ett leende tackade han för deras gästfrihet. Till sist hade han sagt adjö.

Smärtorna i underlivet gav inte med sig, men illamåendet hade gått över.

Tänk så underbar kärleken till ens nästa var. Rentav Guds skönaste gåva till mänskligheten.

13

"Det är inte så bra, Carl", sa Assad.

Carl hade ingen aning om vad han pratade om. Det behövdes bara ett två minuter långt tevereportage på DR Update om gröna sparpaket för biljoner för att han skulle befinna sig långt inne i drömlandet.

"Vad är inte så bra, Assad?" hörde han sig själv säga.

"Jag har letat överallt och kan med säkerhet säga att inga som helst rapporteringar om kidnappningsförsök kommit in där ute. Inte så länge som Lautrupvang har legat i Ballerup."

Carl gned sig i ögonen. Nej, det hade han rätt i, det var inte så bra. Om flaskpostens budskap var skrivet på allvar, vill säga.

Assad stod framför honom med sin väl använda kökskniv nerstucken i en plastburk dekorerad med arabiska tecken och fylld med något obestämbart innehåll. Så log han förväntansfullt och skar av en stor bit, som han stoppade i munnen. Ovanför hans huvud surrade den kära gamla flugan yrvaket.

Carl tittade upp. Borde man kanske överväga att försöka slå ihjäl den? tänkte han.

Han vred trött på huvudet i jakten på ett lämpligt mordvapen och hittade vad han sökte framför sig på bordet. En repig plastflaska med korrekturlack, som flugor definitivt inte överlever en frontalkrock med.

Nu gäller det bara att sikta noga, tänkte han och kastade flaskan. Först då upptäckte han att korken inte var fastskruvad.

Träffen mot väggen fick Assad att förvirrat titta upp. Han såg hur den vita massan sakta rann nerför stora delar av väggen.

Flugan var borta.

"Mycket konstigt", mumlade Assad mellan tuggorna. "Jag har alltid trott att Lautrupvang var en plats där folk bodde, men den består bara av kontor och industrier."

"Och?" frågade Carl, samtidigt som han grubblade över vad i helvete den där beigefärgade massan i Assads plastburk luktade. Var det vanilj?

"Ja, du vet, kontor och industrier", fortsatte Assad. "Vad gjorde han då där, han som påstår sig ha blivit kidnappad?"

"Han arbetade kanske där?" föreslog Carl.

Assad gjorde en grimas som bäst kunde beskrivas som städat skeptisk.

"Han kanske inte är född in i språket, Assad. Fattar du vad jag menar?" Carl vände sig mot sin dator och skrev in gatans namn.

"Titta här, Assad. Det ligger många arbetsplatser och skolor i närheten, som skulle kunna sysselsätta människor av utländsk härkomst eller för den delen unga människor." Han pekade på en av adresserna. "Lautrupgårdsskolan, till exempel. En skola för barn med sociala och känslomässiga problem. Då skulle det ju trots allt kunna röra sig om ett pojkstreck. Jag lovar att när vi väl dechiffrerat resten av brevet kommer vi upptäcka att det bara rör sig om någon som vill topprida en lärare eller något."

"Dechiffrera här och topprida där, Carl, du använder så många konstiga ord. Okej, men om ni nu säger att det är någon som arbetar på ett företag där ute. Det finns många att välja mellan."

"Ja. Men tror du inte att företaget i så fall skulle ha anmält till polisen om en anställd försvunnit? Jag hör vad du säger, men vi måste komma ihåg att det inte har kommit in några anmälningar av det slag som flaskposten antyder. Finns det inga Lautrupvang i övriga delar av landet?"

Assad skakade på huvudet. "Du menar alltså att du tror att det inte handlar om en riktig kidnappning?"

"Något i den stilen, ja."

"Jag tror att du har fel, Carl."

"Jaha. Men hör då här, Assad. Om det nu var fråga om en kidnappning kan ju lösesumman faktiskt ha blivit betald för den kidnappade. Så kan det ju ha varit, inte sant? Sedan glömdes det hela kanske bort. I så fall kommer vi inte vidare i vår utredning, eller hur? Kanske visste bara några få individer vad som var i görningen."

Assad studerade honom en stund. "Ja, Carl. Det är sådant vi inte kan veta, och därmed är det också sådant vi aldrig kommer att få veta, om du menar att vi inte ska gå vidare med fallet."

Han lämnade kontoret utan ett ord och lämnade kvar plastburken och kniven på Carls bord. Vad fan var det med honom? Handlade det om den dåliga stavningen och om att vara invandrare? Han brukade ju tåla mycket mer än så. Eller hade han blivit så engagerad i fallet att han inte kunde tänka på annat?

Carl lade huvudet på sned och försökte uppfatta Assads och Yrsas tonläge ute i korridoren. Gnäll, gnäll, gnäll. Garanterat bara gnäll.

Då kom han att tänka på Antonsens fråga och reste sig.

"Får jag störa er två turturduvor ett ögonblick?" De stod framför jättebrevet. Yrsa hade stått där ända sedan hon gett honom aktiebolagens bokföring. Totalt fyra, fem timmar den dagen, och hon hade inte noterat så mycket som en punkt i sitt anteckningsblock, som hon kastat ifrån sig på golvet.

"Turturduvor! Du borde kanske centrifugera tankarna innanför skallbenet, innan du öppnar munnen", sa Yrsa och vände sig mot den stora kopian.

"Hör här, Assad! Poliskommissarien i Rødovre har fått en anhållan från Samir Ghazi. Samir vill helst återvända till polisstationen där ute. Vet du något om det?"

Assad såg oförstående på Carl, men var uppenbarligen på sin vakt. "Varför skulle jag veta något om det?"

"Du brukar väl undvika Samir? Det kanske har att göra med att ni inte är så förtjusta i varandra? Kan det stämma?"

Såg han inte lite kränkt ut?

"Jag känner inte den mannen, inte så bra i alla fall. Han vill väl tillbaka till sitt gamla jobb." Assad log lite för brett. "Han kanske inte pallar trycket här?"

"Då förstår jag! Är det vad jag ska säga till Antonsen?"

Assad ryckte på axlarna.

"Nu har jag ett par ord till", sa Yrsa.

Hon tog stegen och ställde den på plats.

"Jag skriver med blyerts, så att det går att sudda ut igen", sa hon från det näst översta steget. "Så. Det är i och för sig bara ett förslag. Jag har chansat lite, speciellt efter *Han har*. Med tre korta ord efter varandra är det inte så lätt, men varför inte? Dessutom har brevskrivaren väldigt svårt med stavningen, men jag tycker nog att jag fått det att stämma på vissa ställen."

Assad och Carl såg på varandra. Hade de inte berättat det för henne?

"Jag är till exempel helt säker på att *hut* ska vara *huta*, alltså ordet *hota*." Hon tittade på sitt mästerverk igen. "Javisst ja, jag är också säker på att ordet *bla* är *blå*, men ringen över å har helt enkelt försvunnit. Men titta nu här."

HJÄLP

Den .6 febroari 1996 blev vi kidnapad
vi blev tagna vid busshålplatsen vid Lautropvang i
Ballerup – Mannen är 18. lång har kortklipt hår
.... – Han har ett ärr på högger ... k..
. .. bla skåpbil Pappa och mamma känner honom – Fr.d.. o..
..... med B – ... huta oss .. .i.. ..... – han slår ijäl oss –
... .ry.... .. ..rst ... .
bror – Vi körde i nästan 1 timme ... . vid vattnet ...
..... vi........ .... Här luktar inte got – ..... e. ...
... ...r .. .ry.g.. – .. ..
år
P... .....

"Vad tycks?" frågade hon fortfarande utan att vända blicken mot dem.

Carl läste igenom det ett par gånger. Han fick medge att det såg övertygande ut. Det handlade knappast om en toppridning av en lärare eller någon annan som retat upp brevskrivaren.

Men även om nödropet tycktes nog så äkta betydde det ju inte att det var det. Han måste ha en expert att titta på det. Om han kunde bekräfta att det var autentiskt fanns det ett par meningar som måste oroa mer än andra.

Pappa och mamma känner honom, stod det. Sådant hittade man inte bara på. Och framför allt inte *han slår ihjäl oss*.

Inget "kanske".

"Kidnapparen har ett ärr på kroppen, men vi vet ta mig tusan, ursäkta min franska, inte var, och det retar mig", tillfogade Yrsa med händerna i sina guldlockar.

"Det finns liksom för många kroppsdelar på tre bokstäver", fortsatte hon. "Speciellt om man inte kan stava. Ben, arm, knä, fot, vad eller rygg stavat med ett g. Tror ni inte att man kan utgå från att ärret sitter på en lem? Jag kan i alla fall inte komma på något i ansiktet eller på kroppen på bara tre bokstäver. Kan ni?"

"Tja", sa Carl efter lite betänketid. "Hår, öra, öga. Kind och tand utan d. Men du har rätt, förutom dessa finns det visst inga ord på bara tre bokstäver som syftar på delar av ansiktet. Och det kan ju inte gärna vara benen som menas. Ärret måste väl sitta någonstans synligt?"

"Vilka kroppsdelar är synliga i februari i det här kylskåpslandet?" frågade Assad.

"Han kan ha tagit av sig kläderna", sa Yrsa och sken upp. "Han kan ha varit oanständig. Kanske är det därför han är kidnappare."

Carl nickade. Det var tyvärr en möjlighet.

"Alltså är det bara ansiktet som är synligt när det är kallt", sa Assad. Han synade Carls öra. "Örat ser man, om håret inte är för långt. Så ärret kan sitta där. Men ögat då? Kan man ens ha ett ärr på ögat?" Assad försökte uppenbarligen se det framför sig. "Nej, inte ett ärr", blev hans slutsats. "Inte på ögat. Det går inte."

"Mina vänner, vi låter det vila. Vi får nog en klarare bild av gärningsmannens utseende om rättsgenetiska lyckas dra ut DNA ur blodet från flaskan. Vi får helt enkelt vänta, för sådant tar tid. Har ni något förslag på hur vi går vidare härifrån?"

Yrsa såg på dem. "Ja, det är dags att äta!" sa hon. "Någon som vill ha en rostad macka? Jag har brödrost med mig."

När en växellåda börjar föra oväsen är det dags att fylla på olja, och just nu hade Q-avdelningen stora problem med att överhuvudtaget växla upp.

Dags för ett oljebyte, tänkte Carl och kallade till sig Yrsa och Assad.

"Vi får fortsätta gräva i den här sörjan och försöka se saker från ett nytt perspektiv. Är ni med på det?"

De nickade. Assad möjligtvis en aning tveksamt.

"Bra. Du tar hand om bolagsredovisningarna, Assad. Yrsa, du får i uppgift att ringa runt till de olika företagen och skolorna omkring Lautrupvang."

Carl nickade för sig själv. Det krävdes förstås en käck kvinnoröst för att få kontorsnissarna att kika i arkiven en extra gång.

"Be dem höra med sina äldre anställda. Kanske känner någon av dem till elever eller anställda som plötsligt och utan förvarning försvann", sa han. "Och Yrsa, påminn dem om vad som i övrigt hände i februari 1996. Berätta att området höll på att byggas ut."

Assad hade uppenbarligen fått nog, för han försvann in till sitt. Tveklöst var det en uppdelning som inte passade honom. Saken var bara den att Carl bestämde här, så han fick helt enkelt finna sig i det. Dessutom var branden fallet med mest substans och, inte helt oviktigt, det man skulle reta upp kollegerna på A-avdelningen mest med.

Assad fick helt enkelt bita i det sura äpplet och kavla upp ärmarna. Under tiden kunde flaskposteriet tuffa på i Yrsas långsamma tempo.

Carl väntade tills hon hade lämnat rummet och letade sedan fram numret till ryggkliniken i Hornbæk.

"Jag vill tala med överläkaren och ingen annan", sa han och visste att han inte hade rätt att kräva ett skvatt.

Det tog fem minuter innan den ansvarige underläkaren slutligen svarade.

Han lät inte särskilt glad. "Ja, jag vet mycket väl vem du är", sa han trött. "Jag förmodar att det gäller Hardy Henningsen."

Carl satte in honom i situationen i korta drag.

"Då så", kacklade läkaren. Varför blev alla läkares röster plötsligt så nasala när de klev upp ett pinnhål eller två på karriärstegen?

"Du vill alltså veta om det är troligt att nervtrådar kan restitueras i ett fall som Hardys?" fortsatte han. "Problemet med Hardy Henningsens fall är att vi inte längre har honom under daglig uppsikt och därför inte heller har möjlighet att utföra de undersökningar som krävs. Du lät honom komma hem till dig av egen fri vilja, det måste du komma ihåg. Det var knappast någon brist på varningar från vårt håll."

"Nej, men om Hardy hade stannat hos er hade det inte dröjt länge innan han varit en död man. Nu har han åtminstone fått en gnutta livsvilja tillbaka. Men det kanske inte betyder något?"

Det blev tyst i andra änden av luren.

"Kan ingen av er komma och ta en titt på honom?" fortsatte Carl. "Kanske finns det anledning att göra en ny bedömning av situationen. Både för honom och för er, menar jag."

"Du påstår alltså att han upplever känsel i handleden?" sa läkarrocken efter en lång tystnad. "Det är inte första gången han har haft spasmer i fingrarna. Kanske förväxlar han den med dessa. Då handlar det ju om rena reflexer."

"Försöker du säga att en så skadad ryggmärg som hans aldrig kommer att fungera bättre än den gör nu?"

"Herr Mørck, diskussionen här gäller inte om han kommer att gå igen, för det kommer han inte. Hardy Henningsen är paralyserad från halsen och ner och är bunden till sin säng för resten av livet. Att han sedan är kapabel att känna något med delar av den sagda armen, det är en annan sak. Jag tror inte vi ska förvänta oss något annat än dessa små kontraktioner, som dessutom också är abnormaliteter."

"Han kommer alltså inte att kunna röra handen?"

"Det har jag svårt att tro."

"Då vill ni alltså inte titta till honom hemma hos mig?"

"Det har jag inte sagt." Carl hörde honom bläddra i papper. Förmodligen en almanacka. "När passar det?"

"Så fort som möjligt."

"Jag ska se vad jag kan göra."

*

När Carl något senare tittade in till Assad var hans stol tom.

På bordet låg en lapp. "Här är siffrorna", stod det. Lappen var formellt undertecknad med "Mvh Assad".

Hade han verkligen blivit så sur?

"Yrsa", ropade han ut i korridoren. "Vet du var Assad är?"

Inget svar.

Om Muhammed inte kommer till berget får berget komma till Muhammed, tänkte han och gick istället in till henne.

Han stack in huvudet – och stannade till med ett ryck. Det var som om blixten slagit ner intill honom.

Yrsa hade förvandlat Roses spartanska, svartvita och iskalla hi-tech-landskap till något som inte ens en smaklös tioårig flicka från Barbieland skulle stått ut med. Otroligt mycket rosa överallt och otroligt mycket krimskrams.

Han svalde och vände blicken mot Yrsa. "Har du sett Assad?" frågade han.

"Ja, han gick för en halvtimme sedan. Han är tillbaka imorgon."

"Vart skulle han?"

Hon ryckte på axlarna. "Jag har en delrapport om Lautrupvangaffären. Vill du ha den?"

Han nickade. "Har du kommit på något?"

Hon putade med sina Hollywoodröda läppar. "Inte ett skvatt. Har förresten ingen sagt att du har samma leende som Gwyneth Paltrow?" sa hon.

"Gwyneth Paltrow? Är inte det en kvinna?"

Hon nickade.

Han återvände till sitt kontor och slog Roses hemnummer. Nu fick det vara nog. Inte fler dagar med Yrsa. Om Q-avdelningen inte helt skulle förlora sitt tvivelaktiga rykte fick Rose ta och masa sig tillbaka till sitt skrivbord i en rasande fart.

Han möttes av en telefonsvarare.

"Roses och Yrsas telefonsvarare låter meddela att damerna har fått audiens hos drottningen. Vi lovar att ringa tillbaka när festiviteterna är över. Tala vänligen in ett besked, om annat inte är att föredra." Sedan hördes ett pip.

Endast gudarna visste vem av de två som spelat in meddelandet.

Han sjönk tillbaka i kontorsstolen och letade fram en cigg. Någon hade berättat att man nuförtiden kunde få ganska hyfsade jobb inom Posten.

Det lät mycket lockande.

*

Det blev inte mycket bättre när han en och en halv timme senare klev in i sitt vardagsrum och kunde konstatera att en läkare stod böjd över Hardy i sängen. Inte minst eftersom Vigga stod vid sidan om.

Han hälsade hövligt på läkaren och gick åt sidan med Vigga.

"Vad gör du här, Vigga? Du måste ringa först om du vill träffa mig. Du vet att jag hatar sådana här spontanbesök."

"Snälla Carl." Hon smekte hans kind så att skäggstubben raspade. Det här var inte alls bra.

"Jag tänker på dig varje dag och har beslutat mig för att flytta hem igen", sa hon mycket bestämt.

Carl kände hur han spärrade upp ögonen. Denna i stort sett frånskilda påfågel menade fanimej allvar.

"Det kan du inte, Vigga. Det vill jag verkligen inte."

Vigga plirade med ögonen. "Men jag vill. Och halva huset är fortfarande mitt, min vän. Glöm inte det!"

Då exploderade han av raseri, så att läkaren kröp samman. Vigga kontrade med tårar. När taxin äntligen transporterade bort henne tog han korken av den största spritpennan han hittade och drog ett tjockt svart streck över namnet Vigga Rasmussen på ytterdörren. Det var fanimej på tiden.

Kosta vad det kosta ville.

Det oundvikliga resultatet blev att Carl under en stor del av natten satt i sängen och höll ändlösa monologer med inbillade skilsmässoadvokater, som redan hade händerna djupt begravda i hans plånbok.

Han skulle bli ruinerad.

Det var en viss tröst att läkaren från ryggkliniken varit där. Att han faktiskt lyckats uppmäta en viss, om än svag, aktivitet i Hardys ena arm. Att läkaren blivit överraskad på ett positivt sätt.

*

Han stod inne i polishusets sluss klockan halv sex morgonen därpå. Fler timmar i sängen hade varit bortkastade.

"Det var en överraskning att se dig här vid den här tiden på dagen, Carl", sa vakten i kuren. "Det kommer säkert din lille medhjälpare också att tycka. Skräm nu inte livet ur honom där nere bara."

Det där sista bad Carl honom att upprepa. "Vad menar du? Är Assad här? Nu?"

"Ja. Varje dag den senaste tiden har han kommit vid den här tiden. Normalt inte förrän strax före klockan sex, men idag redan vid femtiden. Visste du inte det?"

Nej, det visste han faktiskt inte.

*

Det rådde inget tvivel om att Assad redan hade bett sin bön ute i korridoren, eftersom bönematan fortfarande låg kvar. Det hade den inte gjort förut. Annars brukade han uträtta det där inne på sina egna domäner. Det var något han höll för sig själv.

Carl hörde tydligt Assad inifrån hans kontor, som om han satt i telefon med någon som hörde illa. Samtalet var på arabiska och tonläget var allt annat än vänligt. Å andra sidan var det inte alltid så lätt att avgöra med det språket.

När han ställde sig i dörren såg han hur ångan från tekokaren vävt en slöja kring Assads huvud. Framför honom låg anteckningar på arabiska och på plattskärmen flimrade en dåligt upplöst bild av en äldre man med mustasch och enorma hörlurar över öronen. Carl noterade att också Assad hade sitt headset på. Alltså skajpade han med mannen, som förmodligen var någon släkting i Syrien.

"God morgon, Assad", sa Carl.

Han hade definitivt inte förväntat sig en sådan våldsam reaktion från Assad. Möjligtvis att han skulle hoppa till lite – det var trots allt första gången Carl var där så tidigt. Men den totala nervattack som drabbade partnerns kropp var fullkomligt oväntad. Det ryckte till i både armar och ben.

Den gamle mannen som han pratade med blev tydligen också rädd, för han lutade sig närmare skärmen. Förmodligen såg han på sin egen skärm konturerna av Carl bakom Assad.

Mannen sa några snabba ord och avbröt sedan Skypeförbindelsen. Assad försökte samla sig längst ut på stolskanten.

Vad gör du här? lyste det ur hans ögon, som om han blivit ertappad med bägge nävarna i pengaskrinet och inte bara i kakburken.

"Ledsen, Assad. Det var inte meningen att skrämma livet ur dig. Är du okej?" Han lade handen på Assads axel. Skjortan var fuktig och kall av svett.

Assad klickade på en ikon och Skypeprogrammet försvann från skärmen. Han ville nog inte att Carl skulle se vem han pratat med.

Carl höll ursäktande upp händerna. "Jag ska inte störa dig, Assad. Avsluta vad du håller på med och kom sedan in till mig."

Ännu hade Assad inte sagt ett ord. Det var mycket, mycket ovanligt.

När Carl satte sig i kontorsstolen var han redan trött. Bara några veckor tidigare hade källaren under polishuset varit hans fristad. Två hyggliga medarbetare och en stämning som under goda dagar tangerade ordet trivsam. Nu var Rose utbytt mot någon som var minst lika egendomlig, men på ett nytt sätt, och Assad var inte heller sig själv. I ljuset av detta var det svårt att hålla världens övriga problem på avstånd. Vad skulle till exempel hända om Vigga begärde skilsmässa och hälften av hans jordiska ägodelar?

Fan också!

Carl studerade en jobbannons som han nålat upp på anslagstavlan för ett par månader sedan. *Rikspolischef*, stod det. Kan vara något för mig? hade han tänkt. Vad kunde vara bättre än ett jobb med medarbetare som bugade och krälade inför en, riddarkors, billiga resor och en lön som kunde täppa till truten till och med på Vigga? Sjuhundratvåtusentvåhundrasjuttiofem kronor – i grundlön! Bara att uttala siffran tog ju i det närmaste en hel arbetsdag.

Synd att man inte hann söka tjänsten, tänkte han. Plötsligt stod Assad framför honom.

"Carl, måste vi prata om det där innan?"

Prata om vad? Att Assad satt och skajpade? Att han tog sig in till Huset så pass tidigt på morgonen? Att han blivit skrämd?

En mycket märklig fråga.

Carl skakade på huvudet och såg på klockan. Ännu en timme till normal arbetstid. "Alltså, Assad, vad du gör så här tidigt på morgonen är din ensak. Jag har full förståelse för att man behöver prata med människor man inte träffar så ofta."

Assad såg närmast lättad ut. Vilket var ännu märkligare.

"Jag har kikat på räkenskaperna för både Amundsen & Mujagic A/S i Rødovre, K. Frandsen på Dortheavej och JPP Beslag och Public Consult."

"Så bra", sa Carl. "Kom du fram till något som du vill dela med dig av?"

Assad kliade sig på den kala fläcken i det svarta morgonrufset. "För det mesta verkar det röra sig om ganska solida verksamheter."

"Jaha? Och?"

"Med undantag för månaderna före bränderna."

"Hur ser du det?"

"De lånar pengar. Orderingången sjunker."

"Alltså först sjunker orderingången, sedan behöver de pengar och så lånar de, eller?"

Assad nickade. "Ja, precis."

"Vad händer efter det?"

"Det ser man bara i Rødovrefallet. De andra bränderna är ju så färska."

"Vad hände där då?"

"Jo, först kommer branden, sedan utfaller försäkringen och så är lånet borta."

Carl sträckte sig efter cigarettpaketet och tände en cigg. Det här var ett klassiskt fall av försäkringsbedrägeri. Men varför liken med försänkningarna i lillfingret?

"Vad för slags lån pratar vi om?"

"Kortfristiga. Ett år i taget. När det gäller Public Consult, företaget som brann förra lördagen ute på Stockholmsgade, bara sex månader."

"Så lånen förfaller och pengarna saknas?"

"Inte vad jag kan se."

Carl blåste ut röken, så att Assad tog ett steg bakåt och viftade med armarna. Carl låtsades inte om det. Det här var hans domäner och hans cigg. Det var trots allt skillnad på folk och folk.

"Vem lånade ut pengarna?" frågade han.

Assad slog ut med händerna. "Olika. Bankirer inne i Köpenhamn."

Carl nickade. "Ge mig namnen och berätta vem som ligger bakom."

Då sänkte Assad blicken en aning.

"Ja ja, lugn bara. När kontoren öppnar, Assad. Det är ett par timmar dit. Ingen panik."

Men det fick honom inte att se gladare ut, snarare tvärtom.

Det var inte klokt vad de här två kunde reta gallfeber på honom. Gnäll och illa dold motvilja. Som om Yrsa och Assad smittade av sig på varandra. Som om det var de som delade ut arbetsuppgifterna här. Fortsatte det så här skulle han fanimej utrusta dem bägge med gröna gummihandskar och se till att de fick skura källargolvet spegelblankt.

Assad tittade upp och nickade sakta. "Jag ska inte störa dig, Carl. Du kan själv komma in när du är klar."

"Vad menar du?"

Assad blinkade med ett aningen snett leende. En ytterst förvirrande omställning. "Du får ju bägge händerna fulla", sa han och blinkade igen.

"Låt mig omformulera frågan. Vad i helvete snackar du om, Assad?"

"Mona, såklart. Du behöver inte låtsas. Jag vet att hon är tillbaka."

14

Som Assad mycket riktigt påpekade var Mona Ibsen tillbaka. Tropiskt gyllenbrun och på tok för många erfarenheter rikare, något som omisskännligt visade sig i de små kråkfötterna kring hennes ögon, hur förtjusande de än var.

Carl satt länge i källaren den morgonen och övade sig på inledningsfraser som kunde omkullkasta hennes eventuella försvarsställningar. Som kunde få henne att betrakta honom med blida, tillmötesgående och beröringsvilliga blickar, om hon nu råkade ha vägarna förbi.

Så blev det inte. Det enda kvinnliga inslaget i källaren den morgonen blev Yrsas rumsterande med sin dramatenkärra. Fem minuter efter sin ankomst, säkerligen i ren välmening, ställde hon sig i korridoren och skrek med sin gälla diskantröst: "Då är det rostade mackor på gång, pojkar!"

Nu kände man sannerligen avståndet till den vanliga världen, som ovetandes snurrade vidare ovanför honom.

Efter det tog det honom ett par timmar att inse att om han skulle prova sin lycka fick han resa på sig och själv damma av den.

Han frågade runt tills han hittade Mona, inbegripen i ett stilla samtal med stenografen, borta i Dommervagten, den plats i polishuset där häktningsförhandlingarna oftast hölls. Hon var iklädd en skinnväst och lätt urtvättade Levisjeans och liknade allt annat än en kvinna som lagt en större del av livets utmaningar bakom sig.

"God dag, Carl", sa hon stelt, utan en ansats till fortsättning. Det var en professionell blick, som med sjutumsspik slog fast att de just för tillfället inte arbetade med något gemensamt fall. Därför log han ett fånigt leende utan att få ur sig ett knyst.

Resten av dagen kunde ha gått på tomgång med frustrationerna galopperande tvärs över hans söndervittrande kärleksliv. Men Yrsa hade andra planer.

"Vi har kanske fått napp ute i Ballerup", sa hon och såg på honom med ett brett leende och rostad vetebulle mellan tänderna. "Jag är en lyckans ängel just för tillfället. Precis som det står i mitt horoskop."

Carl såg på henne med en hoppfull blick. Då kunde hennes ängla-vingar mycket påpassligt bära iväg med henne upp i stratosfären, så att han i lugn och ro kunde kontemplera sitt ynkliga liv.

"Det var ingen lätt sak att skaffa fram upplysningarna", fortsatte hon. "Först ett snack med rektorn på Lautrupgårdskolan, fast han hade bara varit där sedan 2004. Sedan pratade jag med en lärare, som varit där sedan skolan grundades, men inte heller hon visste något. Sedan talade jag med skolvaktmästaren, men han visste inte något. Så då …"

"Yrsa! Om allt det här leder till något, så var snäll att skippa mellan-snacket. Jag har mycket att göra", sa han och gned sin sovande arm.

"Jaha. Men efteråt ringde jag till Ingenjörshögskolan, där jag alltså fick napp."

Det tycktes väcka armen. "Fantastiskt", utbrast han. "Hur?"

"Mycket enkelt. På kontoret fanns en lektor, Laura Mann, som just den här morgonen återvänt från sin sjukskrivning. Hon kunde berätta att hon varit där sedan skolan startade 1995, och att det, vad hon för-stod, bara kunde vara frågan om ett fall."

Carl satte sig upp i stolen. "Jaså, vilket då?"

Hon betraktade honom med huvudet på sned. "Se där! Nu blev du plötsligt intresserad, gubbe lilla." Hon daskade till hans håriga under-arm. "Nu vill du visst allt gärna veta, va?"

Vad fan var nu det här? Minst hundra stora fall genom alla år och så sitter man här och leker tjugo frågor med en vikarie i mintgröna strump-byxor.

"Vilket fall var det hon kom ihåg?" upprepade Carl och nickade kort mot Assad, som tittat in. Han såg blek ut.

"Igår ringde ju Assad till rektorsexpeditionen och frågade om samma sak. När några sedan diskuterade det under förmiddagskaffet råkade kvinnan höra", fortsatte hon.

Assad lyssnade intresserat och såg plötsligt normal ut igen.

"Hon kom genast att tänka på fallet", sa Yrsa. "De hade haft en elit-student på den tiden. En kille med någon form av syndrom. Han var ganska ung, men fullkomligt enastående när det gällde både fysik och matematik."

"Syndrom?" Assad tycktes oförstående.

"Ja, du vet, speciella färdigheter inom ett område och nästan inga inom andra. Inte autism, men typ. Vad hette det nu?" Hon lade pannan i veck. "Just det, Aspergers syndrom, *så* hette det."

Carl log. Det var garanterat något hon kunde relatera till.

"Vad var det nu med den här killen?" frågade han.

"Han skaffade sig toppbetyg första terminen, men sedan hoppade han av."

"Hoppade av?"

"Ja. Sista dagen före vinterlovet tog han med sig sin lillebror för att visa honom skolan. Men efter det såg man inte till honom där igen."

Både Assad och Carl knep ihop ögonen. Nu kom det. "Vad hette han?" frågade Carl.

"Han hette Poul." Carl blev alldeles kall inombords.

"Yes!" utbrast Assad och började fäkta med armar och ben som en sprattelgubbe.

"Lektorn kom tydligt ihåg honom. Säkrare kandidat till ett Nobelpris än Poul Holt fick skolan nämligen leta efter. Dessutom har hon varken förr eller senare på Ingenjörshögskolan stött på en elev med denna speciella form av Aspergers. Han var något alldeles utöver det vanliga."

"Och därför kom hon ihåg honom?" sa Carl frågande.

"Ja, just därför. Och för att han var en av skolans allra första elever."

*

En halvtimme senare upprepade Carl frågan ute på Ingenjörshögskolan och fick samma svar.

"Men sådant minns man väl", log Laura Mann med elfenbensgula tänder. "Minns inte du din första arrestering?"

Carl nickade. En liten, stökig alkoholist som lagt sig mitt på Englandsvej. Än idag såg han tydligt framför sig hur snorloskan kom flygande och träffade polisbrickan när han skulle lämpa av idioten i cellen. Nej, det första gripandet glömde man inte så där utan vidare, det hade hon rätt i. Snorloska eller ej.

Han studerade kvinnan mitt emot. Ibland såg man henne på teve, när ett expertutlåtande om alternativa energikällor behövde inhämtas. Laura Mann, fil.dr, stod det på hennes visitkort, plus en massa andra titlar. Carl var glad att han inte hunnit skaffa något än.

"Han hade visst någon form av autism, eller?"

"Ja, det kan man väl säga, men en mild variant. Folk med AS är ofta oerhört begåvade. Nördiga, skulle de flesta kalla dem. Bill Gates-typer. Einsteinare. Men Poul var också praktiskt begåvad. Han var på det hela taget mycket speciell, på flera olika sätt."

Assad log. Jodå, visst hade han lagt märke till de hornbågade glasögonen och knuten i nacken. Hon hade säkerligen varit helt rätt lärare för Poul Holt. Nörden är sig själv närmast, som man brukar säga.

"Du påstår alltså att Poul tog med sin lillebror ut hit den dagen, den sextonde februari 1996, och att ni inte har sett till honom sedan dess. Hur vet du att det var just det datumet?" frågade Carl.

"Under de första åren förde vi närvarolistor. Vi kollade helt enkelt bara när han slutade att närvara. Han dök aldrig upp efter lovet. Vill ni se protokollen? Vi har dem inne på kontoret här intill."

Carl såg på Assad. Han verkade inte märkbart intresserad. "Nej tack, vi litar på dig. Men kontaktade ni inte familjen efteråt?"

"Jo, men de var mycket avvisande. I synnerhet när vi föreslog att vi skulle komma hem till dem och prata igenom det med Poul."

"Då talade du med honom i telefon?"

"Nej. Senast jag talade med Poul Holt var här inne, ungefär en vecka före vinterlovet. När jag senare ringde hem till honom påstod hans far att Poul inte ville komma till telefonen. Då fanns det liksom inte mycket mer vi kunde göra. Pojken hade just fyllt arton, så han bestämde ju själv vad han ville göra med sitt liv."

"Arton? Var han inte äldre?"

"Nej, han var mycket ung. Han blev student som sjuttonåring, så han var tidigt ute."

"Har ni några uppgifter om honom?"

Hon log. Dessa hade hon naturligtvis redan plockat fram.

Carl läste högt med Assad hängande över axeln.

"Poul Holt, född 13 november 1977. Ma-fy från Birkerød Gymnasium. Medelbetyg: 9,8."

Och sedan adressen. Det var inte särskilt långt dit. Högst fyrtiofem minuter med bil.

"Ett ganska blygsamt snittbetyg för ett geni, eller hur?" sa Carl.

"Förvisso, men så blir det när man får tretton i de naturvetenskapliga ämnena och sju i de humanistiska", svarade hon.

"Du menar alltså att han inte var speciellt bra på danska?" frågade Assad.

Hon log. "I alla fall inte skriven danska. Hans inlämningsuppgifter hade stora språkliga brister. Men så är det ju ofta. Och muntligt uttryckte han sig något primitivt om ämnet ifråga handlade om något som inte intresserade honom."

"Är det här en kopia?" frågade Carl och höll upp papperet. "Får jag ...?"

Laura Mann nickade. Vore det inte för hennes nikotingula fingrar och feta hy skulle han ha gett henne en kram.

*

"Fantastiskt, Carl", sa Assad när de närmade sig huset. "Vi fick en uppgift och löste den på en vecka. Vi vet vem brevskrivaren är. Pang bom! Och nu är vi snart utanför familjens hus." Han drämde till instrumentbrädan för att betona framgången.

"Ja", nickade Carl. "Låt oss nu hoppas att det hela rörde sig om ett skämt."

"Ja, och ge den här Poul en rejäl utskällning."

"Fast tänk om ..."

Assad nickade. Då väntade en ny uppgift.

De parkerade vid grinden och konstaterade direkt att det inte stod Holt på namnskylten.

Carl ringde på dörren. Efter en längre stund öppnade en liten man i rullstol. Han bedyrade att ingen annan än han bott i huset sedan 1996 och Carl slogs av den där underliga magkänslan, som gjorde honom så illa till mods.

"Ni köpte kanske huset av familjen Holt?" frågade han.

"Nej, jag köpte det faktiskt av Jehovas vittnen. Mannen i huset var något slags präst. Vardagsrummet användes visst som Rikets sal. Vill ni komma in och titta?"

Carl skakade på huvudet. "Då träffade ni aldrig familjen som bodde här?"

"Nej", svarade mannen.

Carl och Assad tackade för sig och gick.

"Fick du också plötsligt känslan av att det faktiskt rör sig om annat än ett pojkstreck, Assad?" frågade han.

"Men, Carl. Bara för att man flyttar ..." Han stannade upp mitt på trädgårdsgången. "Okej, nu tror jag att jag vet hur du tänker, Carl."

"Ja, precis. Skulle en pojke av Pouls sort kunna hitta på något sådant? Skulle två pojkar, dessutom medlemmar i Jehovas vittnen, överhuvudtaget komma på ett sådant hyss? Vad tror du?"

"Jag vet inte. Vad jag däremot vet är att det inte är en synd att ljuga. Så länge man inte ljuger för varandra."

"Vadå? Känner du någon som är med i Jehovas vittnen?"

"Nej, men så brukar det vara med strängt religiösa människor. Församlingsmedlemmarna skyr inga medel för att skydda varandra mot omvärlden. Inte ens lögner."

"Korrekt. Men det där med kidnappningen var ju en onödig lögn. Det kan inte ha gått för sig. Det tror jag att alla Jehovas vittnen skulle hålla med om."

Assad nickade. Där var de överens.

Vad skulle de nu ta sig till?

*

Likt en arbetsmyra på en skogsstig kilade Yrsa fram och tillbaka mellan sitt kontor och Carls. Just nu var kidnappningen hennes fall och hon ville veta allt och gärna i så små portioner som möjligt. Hur såg Pouls lärare ut? Vad tyckte Laura Mann om Poul? Hur såg huset de bott i ut? Vad visste de i övrigt om familjen, mer än att de var medlemmar i Jehovas vittnen?

"Lugn. Assad är i full gång med folkbokföringen. Vi ska nog hitta dem."

"Kan du inte bara följa med ut i korridoren, Carl?" frågade hon och drog honom med sig till den stora väggbilden. Hon hade lagt till Pouls namn längst ner och även ytterligare ett par småord.

HJÄLP
Den 16 febroari 1996 blev vi kidnapad
vi blev tagna vid busshålplatsen vid Lautropvang i
Ballerup – Mannen är 18. lång har kortklipt hår
.... – Han har ett ärr på högger ... k..
i en bla skåpbil Pappa och mamma känner honom – Fr.d.. o..
..... med B – Han huta oss .. .i.. ..... – han slår ijäl oss –
... .ry.... .. ..rst ... .
bror – Vi körde i nästan 1 timme ... . vid vattnet ...
..... vi......... .... Här luktar inte got – ..... e. ...
... ...r .. .ry.g.. – .. ..
år
Poul Holt

"Då så! Han blev alltså kidnappad tillsammans med sin bror", summerade Yrsa. "Han heter Poul Holt och skriver att de kör i nästan en timme. Jag tror också han skriver att de hamnar någonstans vid vattnet." Hon satte händerna mot de smala höfterna. Nu skulle de minsann få höra hennes åsikt.

"Om pojken led av Aspergers eller något liknande har jag svårt att tro att han skulle hitta på en sådan sak som att de har kört ut till vattnet." Hon vände sig om mot honom. "Eller hur?"

"Det kan ju vara hans lillebror som kom på det. Honom vet vi i princip inget om."

"Men, Carl, ärligt talat. Laursen hittade ett fiskfjäll på flaskpostbrevet. Om nu hans lillebror är brevskrivaren, satte han då också på fjället för att göra historien mer trovärdig? Och fiskslemmet?"

"Han kanske är en smart grabb, som sin storebror. Fast på ett annat sätt."

Nu stampade hon i golvet så att det ekade i hela källarkorridoren. "Lyssna nu, för guds skull, Carl. Aktivera nu de små grå. Var blev de kidnappade?" Hon borstade av något på hans axel, som för att släta över de något hårda ordalagen.

Carl konstaterade att han blev av med en del mjäll på kuppen. "I Ballerup", svarade han.

"Precis. Och vad är dina tankar om att de kidnappas i Ballerup och ändå kör i nästan en timme för att nå vattnet? Om de så körde till Hundested skulle det för bövelen inte ta en timme från Ballerup. Hur lång tid tar det till Jyllinge från Ballerup? Högst en halvtimme, vill jag påstå."

"De kan till exempel ha kört till Stevns, eller hur?" Han grymtade inombords. Ingen gillar att få sin intellektuella kapacitet släpad i smutsen. Han var inget undantag.

"Ja!" utbrast hon och stampade igen. Om det en gång funnits råttor i krypgrunden under dem, var de nu borta.

"Men om flaskpostbrevet nu är påhittat", fortsatte hon, "varför då göra det så besvärligt? Varför inte bara skriva att de körde i en halvtimme och sedan nådde vattnet? Det skulle väl en grabb som håller på att dikta ihop en bra historia skriva. Därför tror jag benhårt på att det inte är påhittat. Ta nu det här brevet på allvar, Carl."

Han drog ett djupt andetag. Det var bara det att han inte ville låta henne veta hur allvarligt han såg på saken. Rose möjligtvis, men inte Yrsa.

"Ja ja", hyssjade han henne. "Låt oss först se hur det hela utvecklar sig när vi hittar familjen."

"Vad har ni för er?" Assads huvud stack ut från pygmékontoret. Det var uppenbart att han pejlade läget. Bråkade de?

"Jag har adressen, Carl", sa han och satte ett papper i handen på honom. "Fyra gånger har de flyttat sedan 1996. Fyra gånger på de här tretton åren och nu bor de i Sverige."

Satan också, tänkte Carl. Sverige! Landet med världens största mygg och världens tråkigaste mat.

"Skit", sa han. "Då har de garanterat flyttat till en plats där till och med renarna springer vilse. Luleå eller Kebnekaise eller något liknande?"

"Hallabro. Stället heter Hallabro och ligger i Blekinge. Ungefär tjugofem mil efter bron."

Tjugofem mil. Tyvärr hyfsat godtagbart. Där försvann den helgen.

Han gjorde ett försök till att komma undan. "Visst, och sedan är de inte hemma när man kommer. Och ringer man i förväg är de inte heller hemma. Och är de trots allt hemma så pratar de garanterat bara svenska. Och vem fan förstår det när man själv kommer från Jylland?"

Assad tittade misstänksamt på honom. Det var kanske ett påstående eller två för många i hans tycke. "Jag ringde dem. De *var* hemma."

"Gjorde du? Jaha, men då är de garanterat inte hemma imorgon."

"Jodå, för jag sa inte vem jag var. Jag kastade bara på luren."

Vilket radarpar! Båda med känsla för dramatiska vändningar.

Carl släpade sig in på kontoret och ringde hem. Korta instruktioner till Morten om vad han skulle ta sig till om Vigga dök upp medan han var borta. Vem visste vad hon kunde hitta på?

Sedan instruerade han Assad om vad som gällde i fallet med branden och att han måste hålla koll på vad Yrsa sysslade med i fortsättningen. "Ge henne en lång lista med religiösa sekter att utgå från. Du kan väl också sticka upp till Laursen och be honom ringa till rättsmedicinska och skynda på dem lite med DNA-analysen?" sa han.

Sedan stoppade han tjänstepistolen i sin väska. Man visste aldrig med de där svenskarna.

Speciellt inte om de ursprungligen kom från Danmark.

15

Den efterföljande natten slutade han att tillfredsställa sin värdinna och tillfälliga älskarinna just innan det skulle gå för henne. I samma sekund som hon spände kroppen i en båge och började andas ända nere från mellangärdet, avlägsnade han sina flinka fingrar från hennes sköte och lät henne skälvande ligga kvar i detta spänningsfält med en flackande blick.

Han avlägsnade sig snabbt från Isabel Jønsson och lät henne själv bestämma hur kroppen bäst laddades ur nu. Hon såg förvirrad ut, vilket också varit syftet.

Ovanför hennes lilla radhus i Viborg stred månljuset med täta, sammetsmjuka moln. Han stod naken på terrassen och spanade upp mot dem, med cigarettröken pulserande ur näsborrarna.

Från och med nu skulle timmarna följa ett välkänt mönster.

Först gräl. Därefter skulle älskarinnan vilja ha en förklaring på varför det var slut och varför just nu. Hon skulle tigga och be och bråka och sedan tigga igen, och han skulle svara, för att strax därpå bli ombedd att packa sina kläder. Sedan skulle han vara ute ur hennes liv.

Klockan tio imorgon förmiddag skulle han vara på väg från Dollerup Bakker med barnen i framsätet bredvid sig, och när de undrade varför han svängde av för tidigt skulle han bedöva dem. Han visste exakt var han kunde göra det ostört, det hade han kollat upp. Inne i tät skog, där ingen kunde se skåpbilen och hans förehavanden under de få minuter det tog att sätta barnen ur spel och placera kropparna där bak.

Fyra och en halv timme efter att det skett, inklusive ett lunchbesök hos systern på Fyn, skulle han vara framme vid båthuset i skogen utanför Jægerspris. Det var planen. Bara tjugo steg genom buskaget till det låga rummet med kedjorna. Tjugo steg med de två hukande skepnaderna framför sig.

Det skulle inte vara första gången han fick höra någon desperat be för sitt liv under den korta färden. Det skulle sannerligen inte vara sista heller.

Först därefter kunde förhandlingarna med föräldrarna börja.

Han blåste ut all rök ur lungorna och knäppte ut cigaretten på den lilla gräsmattan. Men så hade han också ett stressigt dygn framför sig.

Obehagskänslan om att det försiggick något där hemma som kunde vända upp och ner på hans tillvaro fick lämnas därhän. Om hans fru var otrogen blev det värst för henne själv.

Han hörde verandadörren knarra och vände sig om mot en förvirrad Isabel. Morgonrocken täckte nätt och jämnt den nakna, huttrande kroppen. Om ett par sekunder skulle han meddela att det var slut, för att hon var för gammal, vilket hon inte var, långt ifrån. Kroppen var upphetsande och pikant, hennes utstrålning lockade fram det omättliga i en. På flera sätt var det synd att förhållandet måste upphöra, å andra sidan var det knappast första gången han tänkte den tanken.

"Är du inte klok, ska du stå här ute i kylan utan kläder? Det är ju iskallt." Hon lade huvudet på sned, men fokuserade inte blicken på honom. "Berätta vad det är som händer."

Han ställde sig mitt emot henne och grep tag i kragen på kimonon. "Du är för gammal för mig", sa han känslokallt samtidigt som han drog igen kragen och täckte hennes nakna hals.

För en kort sekund föreföll hon lamslagen. Sedan var det som om hon tänkte slå honom eller skrika ut sin vrede och frustration. Svordomarna radades upp i hennes mun, men han visste att hon inte skulle säga ett knyst. Fina, kommunalanställda och frånskilda kvinnor ställde inte till med scener med en naken man ute på sin terrass.

Vad skulle folk tänka?

*

När han vaknade tidigt morgonen därpå hade hon redan samlat hans tillhörigheter i väskan. Utsikterna för frukostkaffe var noll, men däremot kom en samling väl genomtänkta frågor, som vittnade om att hon ännu inte var helt tillintetgjord.

"Du har varit inne på min dator", sa hon kontrollerat, om än olycksbådande vit i ansiktet. "Du har sökt information om min bror. Du har gjort mer än femtio elefantstora avtryck i mina data. Hade det varit så svårt att samtidigt göra dig omaket att ta reda på vad jag egentligen arbetar med inom kommunen? Tycker du inte att det både var dumt och respektlöst att inte göra det?"

Medan hon talade funderade han på om han skulle låna hennes dusch, oavsett om han fick eller ej. Familjen ute vid Stanghede skulle inte överlåta sina barn till en orakad man som luktade sex och kroppsvätskor.

Det var först när hon sa de följande meningarna som han insåg att han var tvungen att mobilisera alla sinnen.

"Jag är dataexperten med stort D inom Viborg kommun. Det är jag som står för datasäkerheten och IT-lösningarna. Därför vet jag naturligtvis vad du gjort. Vad fan trodde du? Trodde du inte att jag skulle läsa loggfilerna på min egen bärbara dator?"

Hon stirrade honom rakt i ögonen. Fullkomligt lugn. Hon hade tagit sig igenom den första krisen. Hon satt med trumfkorten, som höjde henne högt över självömkan, gråt och hysteri.

"Du hittade mina lösenord under skrivbordsunderlägget", sa hon. "Men bara för att att jag ville att du skulle hitta dem. Jag har hållit koll på dig de senaste dagarna eftersom jag velat se vad du har i kikaren. Man ska alltid vara på sin vakt mot en man som berättar så lite om sig själv. Alltid. Det är nämligen så att normala män älskar att snacka om sig själva, mer än något annat. Men det visste du kanske inte?" Hon log hånfullt när hon märkte hur uppmärksam han blev. "Av vilken anledning undviker man att spotta ur sig fakta om sig själv? tänkte jag. Ärligt talat tycker jag att sådant här är fascinerande."

Han sänkte ögonbrynen. "Så nu tror du att du vet allt om mig för att jag varit tyst om mitt privatliv och nyfiken på ditt?"

"Nyfiken, jo tack. Jag förstår mycket väl att du vill se min dejtingprofil, men vad har du för intresse av min bror?"

"Jag trodde han var ditt ex. Jag tänkte att det kunde vara bra att veta vad som gick snett."

Den svalde hon inte. Hon gav blanka fan i hans bortförklaringar. Han hade gjort en jättetabbe, punkt slut.

"Jag är bara förvånad att du inte länsade mitt bankkonto", sa hon sedan.

Han försökte sig på ett storsint leende åt hennes förolämpning. Minen var tänkt som sorti, före den väntande duschen, men så blev det inte.

"Men vet du vad", fortsatte hon. "Vi är bägge två lika goda kålsupare. Jag har nämligen också rotat bland dina saker. Vet du vad jag hittade i dina fickor och i din väska? Just det, ingenting. Inget körkort, inga intyg från försäkringskassan, inga kreditkort, ingen plånbok, inga bilnycklar. Men vet du vad, min vän? Precis som kvinnor alltid lägger lösenorden på idiotiskt iögonfallande platser, lägger män lika förutsägbart sina bilnycklar på framhjulet, om de inte vill bära dem på sig. Vilket sött litet bowlingklot du har i nyckelringen. Så du gillar att bowla? Det har du inte berättat. Det står en etta på det. Är du så bra?"

Han hade så smått börjat svettas. Det var mycket länge sedan han senast känt kontrollen glida honom ur händerna. Inget kunde vara värre.

"Men lugn bara. Jag har lagt tillbaka nycklarna på sin plats. Liksom ditt körkort. Och registreringsbeviset på skåpbilen och dina kreditkort. Allt, så du kan vara lugn. Det ligger ute i bilen, där jag hittade det. Väl gömt under golvmattorna."

Han synade hennes hals. Den var inte smal, så det skulle krävas ett fast grepp. Minst ett par minuter skulle det ta. Fast tid hade han gott om.

"Det är sant att jag är en mycket privat person", sa han och tog ett kliv närmare medan han försiktigt lade ena handen på hennes axel. "Lyssna nu, Isabel. Jag är verkligen mycket förälskad i dig, men jag har inte kunnat vara ärlig mot dig. Du förstår, jag är gift och har barn, så det här har varit ett enda kaos för mig. Därför måste det också upphöra nu. Kan du förstå det?"

Hon lyfte blicken med en stolt knyck på huvudet. Sårad, men knappast besegrad. Det var inte första gången hon träffade män som ljög, det var han helt övertygad om. Han var också övertygad om att han måste bli den siste mannen i hennes liv som försökte lura henne.

Hon slog bort hans hand. "Jag vet inte varför du inte har avslöjat ditt riktiga namn, och jag vet inte heller varför allt det andra du inbillat mig var lögner. Du vill få mig att tro att det är för du är gift, men vet du vad? Inte heller det tror jag på."

Hon drog sig undan något, som om hon läst hans tankar. Som om hon var beredd att ta till något vapen som låg redo någonstans.

Plötsligt fick han en känsla av att han stod på ett isflak tillsammans med en fradgande isbjörn, och att han måste överväga sina alternativ. Just nu såg han fyra.

Hoppa i vattnet och simma.

Hoppa över till ett annat isflak.

Avvakta och se situationen an – var isbjörnen hungrig eller mätt?

Eller döda isbjörnen.

Alla alternativen hade sina uppenbara fördelar och nackdelar, och just nu var han övertygad om att den fjärde vägen var den enda farbara. Kvinnan mitt emot honom var sårad och redo att med alla till buds stående medel försvara sig. Givetvis för att hon hade förälskat sig i honom på allvar. Det borde han ha upptäckt tidigare. Han visste ju av erfarenhet att kvinnor i sådana situationer lätt blev irrationella, vilket ofta fick fatala följder.

Just nu hade han svårt att föreställa sig vilka skador hon kunde tillfoga honom, och av den anledningen måste han göra sig av med henne. In med liket i bilen. Göra sig kvitt henne som han gjort med de andra före henne. Förstöra hennes hårddisk och städa undan allt som bevisade att han varit i hennes hem.

Han såg in i de vackra, gröna ögonen och överlade med sig själv hur lång tid det skulle ta innan de slutade tindra.

"Jag har mejlat min bror om att jag har träffat dig", sa hon. "Han har fått registreringsnumret på din bil, ditt körkortsnummer, ditt namn, ditt personnummer och adressen på bilens registreringsbevis. Han sysslar visserligen inte med den typen av bagateller till vardags, men han är en nyfiken natur. Så om det visar sig att du på något sätt har stulit från mig, så hittar han dig. Förstått?"

För ett ögonblick var han som förlamad. Naturligtvis körde han inte runt med papper eller kreditkort som kunde avslöja hans riktiga identitet. Förlamningen kom sig av att han aldrig tidigare råkat ut för någon som kunde knyta honom till något som helst, och framför allt inte med polisen som statist. Under några sekunder fattade han inte hur han kunnat hamna i den här situationen. Vad hade han gjort fel? Var hade han missat? Var svaret verkligen så enkelt som att han glömt fråga henne om *vad* hon sysslade med inom kommunen? Ja, så var det nog.

Och nu var han i knipa.

"Förlåt mig, Isabel", sa han tyst. "Jag vet att jag gjort ett rejält övertramp. Förlåt. Men det är ju för att jag är helt galen i dig. Glöm det jag sa igår kväll. Jag visste bara inte vad jag skulle ta mig till. Skulle jag berätta att jag är gift och har barn eller skulle jag fortsätta ljuga? Jag skulle ju förlora allt jag har där hemma om jag föll för dig, och jag var nära att göra det. Ändå så ville jag det. Så mycket att jag behövde ta reda på allt om dig. Jag kunde helt enkelt inte motstå det, förstår du?"

Hon såg på honom med ett hånflin samtidigt som han funderade på vad han nu skulle ta sig till där ute på isflaket. Isbjörnen gick förmodligen inte till anfall utan anledning. Om han gav sig av och aldrig visade sig i de här trakterna igen, varför skulle hon då besvära sin bror med att skaffa upplysningar om honom? Slog han däremot ihjäl henne eller förde bort henne fanns det plötsligt anledning till en utredning. Inte ens den mest minutiösa städning kunde lokalisera ett pubeshår på villovägar, en liten spermafläck eller alla fingeravtryck. De skulle få en profil av något slag, även om de inte hittade honom i sina register. Han kunde visserligen sätta eld på stugan, men kanske hann brandkåren fram, kanske såg någon honom köra därifrån. Det var för osäkert. Och nu hade en polis vid namn Karsten Jønsson bilens registreringsnummer i sin inkorg. Därmed hade han också en beskrivning av hans fordon. Ja, kanske hade hon till och med försett snutbrorsan med detaljer om hans person.

Han stirrade rakt ut i luften, men var samtidigt medveten om att hon registrerade alla hans rörelser. Även om han var expert på att byta skepnad, och även om han alltid uppträdde i någon form av förklädnad, innehöll de där mejlen kanske noggranna beskrivningar av längd, kroppsbyggnad, ögonfärg och rentav intimare detaljer. Han visste helt enkelt inte vad hon berättat för brodern, och det kunde förstöra allt.

Han mötte hennes hårda blick när det plötsligt slog honom att hon inte alls var någon isbjörn. Hon var en basilisk. Orm, tupp och drake i ett. Den som såg basilisken i ögonen förvandlades till sten. Bara att komma i vägen för dess gift ledde till döden. Han visste att det enda som kunde döda detta odjur var dess egen spegelbild. Och det måste ske innan den basunerade ut sin sida av sanningen till omvärlden.

Därför sa han: "Jag struntar i vad du säger, Isabel. Jag kommer aldrig att glömma dig. Du är så vacker och fantastisk. Jag önskar att jag träffat dig i ett tidigare liv. Nu är det för sent. Jag är ledsen och ber om förlåtelse. Det var inte min mening att såra dig. Du är en underbar människa. Förlåt."

Sedan smekte han ömt hennes kind. Det tycktes fungera. I alla fall darrade hennes läppar för ett ögonblick.

"Jag tycker du ska gå nu. Jag orkar inte se dig", var vad hon sa, men hon menade det förstås inte.

Det skulle ta evigheter innan hon kom över honom. Episoder som dessa var sällsynta i hennes ålder.

Sedan hoppade han över till ett annat isflak, dit varken basilisk eller isbjörn förmådde ta sig.

Hon lät honom gå, och klockan hade inte ens hunnit bli sju.

16

Som vanligt ringde han sin fru vid åttatiden. Gjorde inga ansatser till att ställa konfronterande frågor utan berättade istället glatt om upplevelser han inte upplevt och om känslor för henne som han i nuläget inte kände. På väg ut ur Viborg stannade han till vid macken vid Løvbjerg, där han snabbt tvättade av sig på kundtoaletten, innan han körde vidare mot Hald Ege och Stanghede, där Samuel och Magdalena väntade.

Inget kunde stoppa honom nu. Vädret var hyfsat. Han skulle vara klar innan det blev mörkt.

Familjen tog emot honom med färska frallor och stora förväntningar. Samuel hade trots sitt onda knä tränat under morgonen och Magdalena väntade med tindrande ögon och yvigt hår av en alltför ivrig borstning.

Mer redo än så gick det inte att vara.

"Borde jag inte köra förbi sjukhuset, så att de kan kolla upp Samuels knä? Det tror jag vi hinner." Han tryckte i sig det sista av frallan och tittade på klockan. Den var kvart i tio, och han visste att de skulle avböja.

Moderkyrkans tillbedjare besökte inte sjukhus i onödan.

"Tack, men nej tack. Han har bara vridit det lite." Rakel räckte honom kaffekoppen och pekade på mjölken på bordet. Det var bara att förse sig.

"Så var hålls karatetävlingen?" frågade Joshua. "Vi kanske kommer dit lite senare under dagen, om vi får tid."

"Trams, Joshua." Rakel slog till honom på armen. "Du vet mycket väl att du aldrig har tid."

Varför skulle han skilja sig från andra egenföretagare?

"I Vinderuphallen", svarade han ändå mannen i huset. "Det är Bujutsukanklubben som håller i den. Det står kanske något om den på nätet."

Det gjorde det inte, å andra sidan hade man inte internet i huset.

Ännu ett av dessa ogudaktiga påfund som Moderkyrkan undanbad sig.

Han satte handen för ansiktet. "Javisst ja, ursäkta, dumt av mig. Ni har förstås inte internet. Förlåt. Det är också ett jävelskap." Med ett ångerfullt uttryck kunde han konstatera att kaffet var koffeinfritt. Inga politiska inkorrektheter i det här huset. "Men alltså i Vinderuphallen", avslutade han.

De vinkade. Hela familjen på rad framför huset i svängen. Från och med nu skulle de aldrig kunna känna sig trygga igen. Leende människor som snart, på ett mycket grymt sätt, skulle få lära sig att världens ondska inte låter sig påverkas av veckovisa andakter eller försakelser av den nya tidens påfund.

Men han tyckte inte synd om dem. De hade själva valt den väg de vandrade, och den råkade korsa hans.

Han såg på de två ungdomarna som satt på sätet intill honom och som vinkade tillbaka till familjen.

"Sitter ni bekvämt?" frågade han när de rullade förbi de karga vinteråkrarna med rader av svartbrun majsstubb. Han stack ner handen i sidofacket på dörren. Jodå, vapnet låg där, som det brukade. Det var inte många som skulle ta den där prylen för vad den verkligen var. Exakt samma form som handtaget på en attachéväska.

Han log mot dem när de nickade. De satt bekvämt, med tankarna på annat håll. De var inte vana vid stora utsvävningar i sin stillsamma, restriktiva vardag. Årets stora händelse väntade.

Nej, det här skulle inte vålla några större problem.

"Det blir en fin åktur över Finderup", sa han och gav dem varsin Japp. Visst, förbjudet, men också något som skulle skapa ett särskilt vänskapsband mellan dem. Vänskap innebar trygghet. Trygghet innebar arbetsro.

"Javisst ja", sa han när han märkte hur de tvekade. "Jag har frukt också. Vill ni hellre ha en klementin?"

"Jag tar gärna choklad." Magdalena blottade sin tandställning med ett oemotståndligt leende. Jodå, där satt flickan med hemligheter under grästuvan i trädgården.

Sedan hyllade han hedlandskapet och avslöjade hur mycket han längtade efter att få flytta hit för gott. När de nådde vägkorset i Finderup hade han total kontroll över stämningen, som var avslappnad, tillitsfull och kamratlig. Då svängde han av.

"Oj, jag tror visst du svängde av för tidigt", sa Samuel och lutade sig fram mot vindrutan. "Holstebrovejen är inte förrän nästa."

"Ja, jag vet. Men igår när jag körde runt och tittade på hus hittade jag den här genvägen till väg 16."

Ett par hundra meter efter minnesstenen över Erik Klipping svängde han av igen.

Hesselborgvej, visade skylten.

"Vi ska den här vägen. Lite guppig, men en riktigt bra genväg", fortsatte han.

"Är det säkert?" Samuel läste skylten de passerade. *Militärfordon förbjudna på sidovägar*, stod det.

"Jag trodde det här var en återvändsgränd", sa grabben och lutade sig tillbaka igen.

"Nej, vi ska bara förbi den gula gården uppe till vänster, sedan en ödegård på höger hand och därefter tar vi av till vänster igen. Du känner nog bara inte till den här vägen."

Han nickade för sig själv ett par hundra meter längre fram när den krossade stenen mellan hjulspåren började avta. De körde förbi ett sluttande kalhygge omgivet av skog. Slutmålet fanns efter nästa sväng.

"Titta", sa den unge killen och pekade framför sig. "Jag tror inte du kommer igenom där."

Där tog han fel, men det fanns ingen anledning att gå in på det nu.

"Det var som katten, Samuel", sa han därför. "Du hade rätt. Jaha, då blir jag tvungen att vända här. Ni får ursäkta. Jag var så säker på …"

Han svängde runt bilen så att fronten hamnade i vägrenen. Sedan backade han in mellan träden.

När bilen stannat drog han snabbt upp bedövningspistolen från sidofacket, osäkrade den, satte den mot Magdalenas hals och tryckte av. Ett djävulskt redskap som sände en komma två miljoner volt genom offrets kropp och för ett ögonblick förlamade den. Skriket av smärta, och inte minst rycket som stöten orsakade, fick Samuel att krypa ihop. Liksom systern var han helt oförberedd på något som detta. Uttrycket i pojkens ögon avslöjade skräck, men också kampvilja. Under den korta sekund från att systern ramlade mot honom tills han fattade att saken som trycktes mot honom var livsfarlig, hann pojkens alla adrenalinstyrda mekanismer vakna till liv.

Därför reagerade han inte snabbt nog när pojken knuffade tillbaka systern, grep tag i dörrhandtaget, tryckte upp dörren och kastade sig ut ur bilen. Därför hade inte heller stöten från bedövningspistolen full verkan.

Han gav flickan ännu en stöt och satte av efter pojken, som linkande på sitt skadade knä redan hade hunnit en bit uppför den gröna skogsstigen. Det handlade om sekunder innan det var hans tur.

När pojken nått granarna vände han sig tvärt om. "Vad är det du vill?" skrek han och åkallade de högre makterna, som om en änglaskara skulle uppenbara sig mellan de spikraka raderna av träd och komma honom till undsättning. Han haltade ett steg till och grep sedan tag i en nerfallen grangren med oroväckande spetsiga kviststumpar.

Fan också, for det genom huvudet på honom. Då skulle han ändå ha tagit pojken först. Varför i helvete lyssnade han inte på sina instinkter? "Kom inte närmare", vrålade grabben och svingade grenen ovanför huvudet. Ingen tvekan om att han tänkte använda den. Pojken tänkte slåss och skulle dra nytta av allt han lärt sig på karaten.

Han påminde sig själv att han måste beställa en Taser C2 på internet. Med den kunde han ge sina offer stötar på flera meters avstånd. Ibland har man inte råd att förlora en enda sekund, det hade han fått erfara nu. Det var bara några hundra meter upp till bondgårdarna. Även om han valt platsen med omsorg kunde en lantbrukare eller en skogsarbetare förirra sig hit. Om några sekunder skulle den unge killens lillasyster ha återhämtat sig så pass att också hon kunde fly.

"Det är ingen idé, Samuel", sa han och tog ett språng mot pojken samtidigt som grabben i panik svingade grenen. Han kände smärta när grenen träffade axeln, men han hann avfyra pistolen mot pojkens ena arm. De utstötte sina vrål på samma gång.

Men pojken var chanslös från början och föll till marken vid nästa stöt.

Han såg på sin axel, där Samuel träffat honom. Helvete, tänkte han när blodet i ett stjärnmönster spred sig över vindtygsjackans skulderparti.

"Det blir definitivt en Taser till nästa gång", mumlade han för sig själv medan han släpade in pojken i skåpbilens lastutrymme och tryckte kloroformtrasan mot hans ansikte. Sekunden senare blev pojkens blick tom, innan han förlorade medvetandet helt.

Kort därefter skedde samma sak med systern.

Han knöt ögonbindlar på dem och tejpade deras händer, fötter och mun med silvertejp, som han brukade. Sedan placerade han dem i framstupa sidoläge på den tjocka mattan på golvet.

Han bytte skjorta och drog på sig en annan jacka, och så stod han kvar några minuter och betraktade barnen, för att vara säker på att de inte blev illamående och kräktes. De fick absolut inte dö i sina egna spyor.

När han kände sig säker körde han vidare.

*

Hans syster och svåger hade slagit sig ner i en liten vit gårdslänga alldeles intill landsvägen i utkanten av Årup. Endast några få kilometer från kyrkan där hans far hade avslutat sitt prästkall.

Den absolut sista platsen på jorden han själv skulle ha flyttat till.

"Varifrån kommer du den här gången då?" frågade svågern ointresserat medan han pekade på ett par av de utslitna inneskorna som alltid stod i hallen och som husets gäster blev ålagda att tassa runt i. Som om deras golv var värda att skyddas.

Han följde ljudet in i vardagsrummet och fann sin nynnande syster i ett hörn, insvept i en pläd, som både tiden och malen hade gjort sitt med.

Eva kände alltid igen hans fotsteg, men sa inget. Hon hade gått upp rejält i vikt sedan sist. Tjugo kilo minst. Kroppen hade expanderat åt alla håll, vilket gjorde att bilden av den syster som en gång så glädjerusigt dansat omkring i prästgårdens trädgård äntligen höll på att utplånas.

De hälsade inte på varandra, det gjorde de aldrig. Inte ens vettet att vara hövlig fick de med sig från barndomshemmet.

"Jag ville bara titta in", sa han och satte sig på huk framför henne. "Hur har du det?"

"Willy tar väl hand om mig", svarade hon. "Vi ska strax äta lunch. Ska du inte göra oss sällskap?"

"Jo tack, en liten bit bara. Sedan måste jag iväg."

Hon nickade. Egentligen struntade hon i vilket. När ljuset i hennes ögon släcktes tonades också behovet av nyheter om medmänniskorna och omvärlden ner. Kanske som ett slags försvar. Kanske upptog det förflutnas förbleknade bilder plötsligt för mycket plats inombords.

"Jag har med pengar till er." Han tog ett kuvert ur fickan och tryckte det i hennes hand. "Trettiotusen. Det ska ni väl klara er på till nästa gång vi ses."

"Tack. När blir det?"

"Om några månader."

Hon nickade och reste sig. Han höll ut en arm, men hon tog den inte.

På bordet i köket, som var täckt av en vaxduk som sett bättre dagar, stod aluminiumbrickor med billig leverpastej och odefinierbara stekta köttstycken. Willy kände folk i trakten som jagade mer vilt än de själva kunde äta. De led med andra ord inte brist på kalorier.

Svågern suckade astmatungt när han lade hakan mot bröstet och bad Fader vår. Både han och systern knep ihop ögonen hårt, men all energi var riktad mot bordsändan, där han satt.

"Har du inte funnit Gud än?" frågade systern efteråt med sin mjölkvita, döda blick riktad mot honom.

"Nej", svarade han. "Honom bankade far ut ur mig." Svågern lyfte sakta huvudet med en hatfylld blick. En gång i tiden hade han varit en stilig karl – egensinnig och uppfylld av ambitioner om att komma ut till sjöss och få uppleva all världens avkrokar och sammetslena kvinnor. När han hittade Eva bländade hon honom med sin sårbarhet och sina vackra ord. Han hade alltid umgåtts med Kristus, men aldrig som sin bästa vän.

Det hade Eva lärt honom.

"Tala ordentligt om svärfar", sa svågern. "Han var en helig man."

Han vände blicken mot sin syster. Ansiktet var fullkomligt uttryckslöst. Om hon haft något att säga i det sammanhanget hade hon gjort det vid det här laget. Men hon sa inget. Naturligtvis gjorde hon inte det.

"Du tror alltså att vår far befinner sig i paradiset?"

Svågern knep ihop ögonen. Där hade han svaret. Det må vara att han var Evas bror, men han skulle passa sig noga för att bli för varm i kläderna.

Han skakade på huvudet och mötte svågerns blick. Hopplösa, svarta människor, tänkte han. Om föreställningen om ett paradis, som innehöll en känslokall, trångsynt tredje klassens präst, låg honom så varmt om hjärtat skulle han mer än gärna hjälpa honom dit, fortare än kvickt.

"Sluta titta på mig på det sättet, Willy", sa han. "Jag har just gett dig och Eva trettiotusen. För den summan kräver jag att du behärskar dig under den halvtimme jag är här."

Han tittade upp på krucifixet som hängde på väggen ovanför svågerns sammanbitna ansikte. Det var massivare än det såg ut att vara.

Det kunde hans egen kropp vittna om.

*

Han kände skakningarna bak i bilen på väg över Stora Bält-bron och stannade till precis innanför betalstationen. Där öppnade han den lilla luckan och hällde in ännu mer kloroform till de två kämpande kropparna.

Först när det åter blev lugnt där bak körde han vidare, den här gången med nedrullade sidofönster och en irriterande känsla av att den sista dosen kanske varit för hög.

När han nådde båthuset på Nordsjälland var det ännu för ljust för att kunna bära in barnen. Ute från havet gled årets första, men dagens sista, segelbåtar tillbaka mot småbåtshamnarna i Lynæs och Kignæs. En enda nyfiken typ med en kikare och allt var förlorat. Problemet var bara att det var alldeles för lugnt bak i bilens lastutrymme. Det oroade honom. Det var två månader åt helvete, om barnen dog av kloroformen.

Men gå för fan ner någon gång, tänkte han med blicken riktad mot den stora, envisa himlakroppen, som blodröd kilat sig fast i horisonten med brinnande skyar ovanför.

Han tog fram mobilen. Familjen i Dollerup skulle redan ha börjat undra var han blev av med barnen. Han hade lovat att vara tillbaka till vilotimmen, ett löfte han inte hållit. Han såg dem framför sig i skenet av stearinljusen, klädda i särkar och bedjande kring matbordet. Honom litar vi inte på fler gånger, sa mamman förmodligen i denna stund.

En smärtsamt bitter erfarenhet.

Han ringde. Undvek att presentera sig. Sa bara att hans krav var en miljon kronor. Gamla sedlar i en liten säck som de skulle kasta ut från ett tåg. Han berättade vilken avgång, var och när de skulle byta samt på vilken sträcka och på vilken sida de skulle hålla utkik efter ett stroboskoplius. Ett blixtrande ljus som han höll i handen. De fick inte tveka – de fick bara denna enda chans. Om de bara kastade ut säcken skulle de snart få återse sina barn.

Och de skulle inte våga försöka lura honom. De fick helgen och måndagen på sig att skaffa fram pengarna. På måndag kväll skulle de ta tåget.

Om det saknades pengar skulle barnen dö. Om de kontaktade polisen skulle barnen dö. Om de försökte sig på något under överlämningen skulle barnen dö.

"Kom ihåg", sa han. "Pengarna tjänar ni in igen, men barnen förlorar ni för tid och evighet." Här väntade han alltid någon extra sekund för att få höra föräldern flämta till. Kämpa mot chocken. "Och glöm inte heller att ni aldrig helt kan skydda era övriga barn. Misstänker jag någonsin något lurt kommer ni att få leva i den ovissheten. Det, och att ni inte kan spåra den här mobilen, är det enda ni kan vara tryggt förvissade om."

Sedan avslutade han samtalet. Så enkelt var det. Tio sekunder senare sjönk mobilen mot fjordens botten. Han hade alltid varit en god kastare.

*

Barnen var likbleka, men de levde. Han kedjade fast dem inne i det låga båthuset på säkert avstånd från varandra, tog av dem ögonbindlarna och försäkrade sig om att de inte spydde upp det han gav dem att dricka.

Efter det sedvanliga uppträdet med vädjanden, gråt och rädsla fick de i sig lite mat. Han kunde alltså med gott samvete tejpa för munnarna på dem igen innan han körde iväg.

Han hade ägt stället i femton år nu, och aldrig hade någon annan än han själv varit i närheten av båthuset. Gården som båthuset hörde till låg dold bakom en träddunge, och sträckan ner till båthuset hade alltid varit igenvuxen. Den enda platsen från vilken man någon sällsynt gång kunde skymta det lilla huset var sjösidan, men inte heller därifrån var det särskilt enkelt. Vem ville lägga till i den stinkande soppan av tång som vuxit sig fast i fisknätet? Ett nät han spänt ut mellan bottenpålarna efter den gången då ett av hans offer lyckats kasta något i vattnet. Nej, här kunde barnen kvida hur mycket de ville.

Ingen skulle höra dem.

Han kollade klockan igen och satte kurs mot Roskilde. Idag tänkte han inte ringa sin fru som han brukade. Varför förvarna henne om att han var på väg hem? Först skulle han köra ner till gården vid Ferslev och parkera bilen i ladan, innan han gled vidare i Mercedesen. Om mindre än en timme skulle han vara hemma igen. Sedan fick tiden utvisa var han hade henne.

*

De sista kilometerna, innan han nådde hemmet, uppfylldes han av ett slags inre frid. Vad var det egentligen som fött denna misstanke mot hustrun? Var det inte en brist hos honom själv? Underhölls inte dessa ogrundade misstankar och hemska tankar bara av alla lögner som han själv spottade ur sig och livnärde sig på? Var allt inte bara en konsekvens av hans eget hemliga liv?

Ärligt talat har vi det ju bra tillsammans, var hans sista tanke, innan han konstaterade att en herrcykel stod lutad mot hängpilen vid infarten.

Innan han konstaterade att cykeln inte var hans.

17

Det hade funnits en tid då telefonsamtalet på morgonen gett henne energi. Bara ljudet av hans röst räckte för att möta dagar utan mänsklig kontakt. Bara tanken på hans omfamning gjorde att dagarna skulle bli uthärdliga.

Men så kände hon inte längre. Magin var borta.

Imorgon ringer jag till mamma och ställer allting tillrätta med henne, intalade hon sig själv. Men dagen gick och morgonen kom utan att hon ringde.

Vad skulle hon säga? Att hon var ledsen för att de glidit ifrån varandra? Att hon kanske gjort fel. Att hon träffat en annan som fått henne att inse detta. Att han fyllde henne med ord, så att hon inget annat hörde? Naturligtvis kunde hon inte säga det till sin mamma, även om det var sant.

Det oändliga tomrum som hennes man ständigt skapade i henne var nu uppfyllt.

Kenneth hade fortsatt att komma dit. När Benjamin lämnats på dagis stod han där. Alltid i kortärmad skjorta och tajta sommarbyxor, trots att det var mars. Åtta månaders postering i Irak och sedan tio i Afghanistan hade härdat honom. Bitande vinter både invändigt och utvändigt dämpade de danska soldaternas behov av bekvämligheter, sa han.

Det var helt enkelt oemotståndligt. Men också hemskt.

Hon hörde sin man förhöra sig om Benjamin och hur det kunde komma sig att hans förkylning gått över så fort. Hon hörde också honom säga i mobilen att han älskade henne och att han längtade hem. Att han kanske skulle komma hem tidigare än väntat. Skillnaden var bara att hon numera inte trodde på hälften av vad han sa. Skillnaden var att förr upphetsades hon av hans ord. Nu kände hon sig bara förnedrad av dem.

Dessutom var hon rädd. Rädd för hans vrede, rädd för hans makt. Om han kastade ut henne hade hon inget, det hade han sett till. Okej, kanske lite, men ändå inte. Tänk om hon förlorade Benjamin.

Han var ju så förbannat talför. Många imponerande ord. Vem skulle tro henne om hon påstod att Benjamin hade det bäst hos sin mamma? Det var ju hon som lämnade honom? Hur mycket hade inte han försakat för att kunna försörja dem? Tvingades han inte alltid att vara hemifrån? Hon kunde redan höra dem. Hur de som bestämde resonerade. Alla sakkunniga som bara fäste vikt vid hans mognad och hennes brister.

Hon bara visste det.

Jag ringer mamma lite senare, tänkte hon. Jag kryper helt enkelt till korset och berättar allt för henne. Hon är min mamma. Hon kommer att hjälpa mig. Det vet jag att hon kommer. Helt säkert.

Timmarna gick, tankarna tyngde henne. Varför mådde hon så här? För att hon under ett par dagar hade kommit en främmande man närmare än hon någonsin kommit mannen hon var gift med? För så var det ju. Det hon visste om sin man var vad de hade tillsammans i huset de få timmar han var hemma. Vad visste hon utöver det? Inget om hans arbete, hans förflutna, alla lådorna uppe på ovanvåningen. Allt det var hon helt utestängd från.

Men det var en sak att förlora sina känslor, en annan att rättfärdiga det. För nog hade väl hennes man varit god nog för henne. Var det inte enbart hennes tillfälliga galenskap som hindrade henne från att se klart?

Det var sådana tankar hon gick och bar på. Det var därför hon återigen tog sig upp på ovanvåningen och ställde sig i dörren för att studera flyttlådorna. Var det nu hon skulle förvissa sig? Var det nu hon skulle gå över gränsen? Var det från och med nu det inte längre skulle finnas någon återvändo?

Ja, det var det.

*

Hon drog ut den ena flyttlådan efter den andra och placerade dem i omvänd ordning i korridoren. När hon senare satte tillbaka dem skulle de stå exakt som tidigare, väl förslutna och med rockarna ovanpå.

Hoppades hon i alla fall.

De första tio lådorna, som stått längst in, under takfönstret, bekräftade vad hennes man sagt. Bara gamla familjesaker han givetvis inte själv skaffat. Typiskt arvegods liksom det hennes morföräldrar lämnade efter sig: porslin, papper av alla de slag, prydnadssaker, yllefiltar, knypplade dukar, en servis för tolv och diverse cigarrsnoppare, fickur och krimskrams.

Bilden av ett familjeliv, som nu var borta och höll på att glömmas bort. Som han beskrivit det för henne.

De följande tio lådorna bidrog till att lägga ett förvirringens skimmer över denna bild. Här fanns de förgyllda fotoramarna. Urklippsböcker och lösa tidningsurklipp i mängder. Album med inklistrade händelser och souvenirer. Allt från hans barndom, och allt med starka undertoner av lögn och förtigande.

För det var uppenbarligen inte alls så som hennes man hävdade, att han var enda barnet. Nej, hon skulle vilja påstå att det överhuvudtaget inte rådde något tvivel om att han hade en syster.

På ett fotografi stod hennes man sjömansklädd och stirrade in i kameran med sorgsna ögon och korsade armar. Inte mer än sex, sju år gammal. Rosenhy och burrigt hår med sidbena. Vid hans sida stod en liten flicka. Hon bar långa flätor och ett oskyldigt leende. Kanhända var det första gången i livet som hon blev fotograferad.

Det var ett fint litet porträtt av två mycket olika barn.

Hon vände på fotot och såg de tre bokstäverna: *EVA*. Det hade stått något mer, men det hade strukits över med en bläckpenna.

Hon bläddrade vidare i fotografierna och vände på vart och ett. Ständigt dessa överstrykningar.

Varken namn eller platser.

Allt hade strukits över.

Varför stryker man över namn? tänkte hon. Då vill man ju radera ut personerna helt. Hur ofta hade hon inte suttit hemma hos sig själv och tittat på gamla svartvita foton av människor utan namn.

"Det är din gammelmormor, som hette Dagmar", kunde mamma säga, men det stod inte någonstans. Var hittade man namnen när hennes mamma var död? Vem hade satt vem till världen och när?

Men denna flicka hade ett namn. Eva.

Garanterat hennes mans syster. Samma ögon, samma mun. På två av bilderna, där de var ensamma, stod hon och såg på sin bror med beundrande ögon. Det var rörande.

Eva verkade vara en helt normal flicka. Blond och finklädd, med en blick som hela tiden rymde mer bekymmer än glädje, om man bortsåg från det första fotot.

När bror, syster och föräldrar var tillsammans stod de så nära varandra, som om de ville skärma av sig från resten av världen. De höll aldrig om varandra, de stod bara väldigt nära varandra. På de få foton där alla fyra var med samtidigt var uppställningen alltid densamma. Barnen främst med armarna slappt hängande utmed sidorna och mamman bakom med händerna vilande på systerns axlar och pappans händer på sonens axlar.

Det var som om dessa två par händer tryckte ner barnen.

Hon försökte förstå denne pojke med de vuxna ögonen, som sedermera blev hennes man. Det var svårt. Det låg trots allt så många år mellan hennes liv och hans, det kände hon tydligare nu än någonsin.

Hon packade ner fotona i lådorna och öppnade urklippsböckerna med den nyvunna kunskapen om att det varit bättre om hon och hennes man aldrig träffats. Att det egentligen var en man som han som bodde fem gator bort som hon satts till världen för att dela sitt liv med. Inte med mannen hon sett på de här fotona.

Han hade aldrig berättat att hans pappa varit präst, men det såg man tydligt på flera av bilderna.

En leende man med ögon som uttryckte självmedvetenhet och makt. Sådana ögon hade inte hennes mans mamma. De uttryckte ingenting.

I dessa urklippsböcker anade man varför. Pappan styrde allt. Det var kyrkliga tidningar, där han dundrade mot gudlöshet, predikade olikhet och ondgjorde sig över skamliga människor. Pamfletter som handlade om att krama Guds ord i sin hand och veta när man skulle släppa taget, för att kunna kasta dem i ansiktet på de vantrogna. Dessa skrifter var ett tydligt bevis på att hennes mans uppväxt varit extremt annorlunda än hennes egen.

Alldeles för annorlunda.

Det var en motbjudande atmosfär av fäderneslandsförhärligande, svarta åsikter, intolerans, djup konservatism och chauvinism, som förkunnades i dessa gulnande smädeskrifter. Naturligtvis var det pappan, och inte sonen, som var sådan. Men ändå fick hon nu känslan av hur det förslutna skapat ett mörker inom honom, som bara skingrades när han älskade med henne.

Och så fick det inte vara.

Faktum var att det var något helt fel med hans barndom. Varje gång ett namn eller en plats nämndes hade det strukits över med en bläckpenna. Med samma bläckpenna.

Nästa gång hon var på biblioteket skulle hon googla på Benjamins farfar. Men först var hon tvungen att ta reda på vem han var. Någonstans i de här urklippen måste det ju finnas ledtrådar till vad han hette. Och om hon hittade något måste det väl fortfarande gå att ta reda på mer om denna så dominanta och svinaktiga människa. Även så här lång tid efteråt.

Kanske gick det att prata med hennes man om det. Kanske kunde det frigöra något.

Därefter öppnade hon ännu en flyttlåda. Den innehöll en massa skokartonger. Nederst låg olika personliga tillhörigheter, exempelvis en Ronsontändare – hon provade den och lustigt nog fungerade den – några manschettknappar, en brevöppnare och kontorsartiklar från olika tidsperioder.

Resten av skokartongerna avslöjade en helt annan tid. Urklipp, broschyrer och politiska pamfletter. Varje flyttlåda visade nya fragment av hennes mans tillvaro och hjälpte till att forma en helhetsbild av en förnedrad och sårad människa, som så småningom blev en spegelbild av sin far, men också motsatsen till honom. Pojken som ovillkorligt gick i motsatt riktning mot barndomens normer. Den ännu inte fullvuxne pojken som ersatte reaktion med aktion. Mannen på barrikaderna, som stöttade allt totalitärt som inte hade med religion att göra. Han som sökte upp bråken på Vesterbrogade, där BZ-människorna samlades. Han som bytte ut sjömanskläderna mot lammullsrock, arméjacka och palestinasjal. Han som täckte ansiktet med sjalen när situationen krävde det.

Han var en kameleont, som visste vilka färger han måste svepa in sig i, och när. Det insåg hon först nu.

Hon stod kvar ett ögonblick och övervägde om hon skulle lasta in alla lådorna igen och glömma allt hon sett. I de här kartongerna fanns ju saker som han så tydligt inte ville bli påmind om igen.

Hade han kanske inte på ett sätt velat lägga ett lock på sitt tidigare liv? Jo, det hade han. Annars hade han väl berättat det för henne? Varför annars dessa överstrykningar?

Men hur skulle hon kunna sluta nu?

Om hon inte dök ner i hans liv skulle hon aldrig på allvar komma att förstå honom. Hon skulle aldrig få veta vem pappan till hennes barn verkligen var.

Därför vände hon sig mot resten av hans emballerade liv, så prydligt arrangerat ute i korridoren. Register i skokartonger, skokartonger i flyttlådor. Allt försett med etiketter i kronologisk ordning.

Hon trodde nog att han skulle hamna i bekymmer som reaktionär, men något fick honom till att ändra kurs. Som om han för en tid kom till ro.

Varje epok hade sin plastmapp, märkt med månad och årtal. Tydligen hade han under ett år studerat juridik. Ett år filosofi. Ett par års tågluffning i Mellanamerika, där han uppenbarligen försörjde sig på alla möjliga sätt – jobb på hotell, vingårdar och slakterier.

Av allt att döma var det först när han kom hem igen som han på allvar började bli den person hon själv kände. Återigen dessa prydligt ordnade mappar. Broschyrer från militären. Slarviga anteckningar om en sergeantskola, militärpolis och jägarförband. Efter det var det slut med de personliga redogörelserna och de små relikerna.

Inga fler namn eller specifika angivelser av platser eller personliga relationer. Bara dessa översikter av år som gått.

Det sista som sa något om vart han kunde vara på väg var en liten bunt broschyrer på olika språk. Om en shippingutbildning i Belgien. Främlingslegionens värvningsfolder med vackra bilder från södra Frankrike. Diverse kopior av anmälningsblanketter till handelshögskolor.

Ingenstans stod det vilken väg han slutligen valt. Endast vilka tankar som vid olika tillfällen i livet präglat honom.

På något sätt verkade det hela så kaotiskt.

När hon ställde tillbaka alla lådorna började en skräckkänsla infinna sig. Hon visste att han sysslade med hemliga saker, så mycket hade han åtminstone avslöjat. Fram till nu hade det varit underförstått att det måste vara i de godas tjänst – underrättelseverksamhet, polisarbete under täckmantel eller något i den stilen. Men var det så säkert att det var i de godas tjänst? Hon hade inte sett några bevis för det. Det enda hon visste var att han aldrig någonsin levt ett normalt liv. Han hade alltid stått utanför. Han hade alltid levt sitt liv i periferin.

Men nu när hon gått igenom de första trettio åren av hans liv visste hon fortfarande inget om honom.

Till sist kom hon till lådorna som stått överst från början. Vissa hade hon redan tittat i tidigare, men långt ifrån alla. När hon nu systematiskt gick igenom dem en efter en dök den förskräckliga frågan upp: Hur hade dessa lådor fått lov att stå så tillgängliga?

Frågan var hemsk, eftersom hon redan visste svaret.

Lådorna hade fått stå där enbart för att det var otänkbart att hon skulle rota i dem. Svårare än så var det inte. Så stor var hans makt över henne. Att hon utan vidare accepterade att detta var hans privata angelägenheter. Att detta var förbjudet område.

Sådan makt utövar bara någon som älskar den.

Hon öppnade lådorna med onda föraningar och en växande rädsla. Läpparna var hårt sammanpressade och de djupa andetagen brände i näsan.

Lådorna var fulla av pärmar. Ringpärmar i alla möjliga färger, men med ett innehåll som tycktes kolsvart.

De första pärmarna vittnade om en period när han av allt att döma ville göra avbön för sin ogudaktiga tid. Återigen alla dessa broschyrer. Broschyrer från alla möjliga religiösa rörelser, prydligt ordnade i plastfickor. Löpsedlar som talade om evigheten och Guds eviga ljus och om den rätta vägen. Skrifter från nyreligiösa samfund och sekter, som alla hävdade att de satt på de slutgiltiga svaren på människans frågor.

Namn som Sathya Sai Baba, Scientologkyrkan, Moderkyrkan, Jehovas vittnen, De evigas samfund och Guds barn blandade sig med Tongil-rörelsen, Den fjärde vägen, Divine Light Mission och en massa andra som hon aldrig hört talas om. Oavsett vilka rättesnören religionerna följde påstod de sig känna till den enda sanna vägen till frälsning, harmoni och människokärlek. Den enda sanna vägen, säkert som amen i kyrkan.

Hon skakade på huvudet. Vad sökte han? Han som med våld och makt skakat av sig barndomens svarta skola och kristna dogmer. Vad hon visste hade hennes man inte fastnat för något av dessa många alternativ.

Nej, Gud och religion var definitivt inte ord som användes flitigt i den röda tegelvillan, i skuggan av Roskildes mäktiga domkyrka.

*

När hon hämtat Benjamin på dagis och lekt lite med honom placerade hon honom framför teven. Han var nöjd bara det fanns färger och bilden inte stod helt stilla.

När hon sedan gick upp på ovanvåningen funderade hon på om hon skulle strunta i det. Kanske borde hon ställa in de sista lådorna utan att titta i dem och lämna hennes mans plågade liv ifred.

Tjugo minuter senare var hon glad att hon inte lyssnat på denna ingivelse. Hon började känna sig illa till mods. Faktiskt övervägde hon om hon skulle packa sina saker, tömma plåtburken med alla hushållspengarna och ta första bästa tåg därifrån.

Visst hade hon räknat med att hitta saker i lådorna som var från den tid och det liv som hon blivit en del av, men hon hade inte räknat med att plötsligt upptäcka att hon själv var ett av hans projekt.

Han hade påstått att han blivit huvudlöst förälskad i henne redan första gången de pratades vid, något hon också känt. Nu förstod hon att han duperat henne.

För hur kunde deras förste möte på kaféet ha skett av en tillfällighet när han här hade urklipp från hästhoppningstävlingen i Bernstorffsparken, där hon hamnade på prispallen för första gången? Det inträffade ju flera månader innan de möttes. Var hade han fått dessa urklipp från? Borde han inte ha visat henne dem, om han råkat komma över dem vid ett senare tillfälle? Dessutom hade han program från tävlingar hon deltagit i långt innan dess. Han hade till och med foton av henne från platser hon definitivt visste att hon inte besökt med honom. Alltså hade han systematiskt övervakat henne fram till deras så kallade första möte.

Han hade bara inväntat rätt tillfälle. Hon var den utvalda, och som saker och ting utvecklat sig var det inte smickrande, inte smickrande alls.

Hon genomfors av en rysning.

Hon rös till ännu en gång när hon strax därpå öppnade en arkivlåda av trä, som legat i samma kartong. Vid första anblicken var det inget märkvärdigt med den. Bara en låda med listor på namn och adresser som inte sa henne något. Det var först när hon tittade närmare på papperen som hon kände obehaget krypa på.

Varför var dessa upplysningar så viktiga för hennes man? Hon förstod inte.

För vart och ett av namnen på listan fanns ytterligare en sida där en rad data om vederbörande och hans familj hade antecknats i konsekvent ordning. Först vilken religion de tillhörde, sedan vilken status de hade i församlingen och därefter hur länge de varit medlemmar. Under mer personliga upplysningar fanns information om familjens barn. Namn och ålder, och mest oroväckande, deras karaktärsdrag. Exempelvis stod det:

Willers Schou, femton år. Inte mammans favorit, men pappan är väldigt fäst vid honom. Olydig pojke som inte deltar regelbundet i församlingsmö-

tena. Har varit förkyld stora delar av vintern och sängliggande i två omgångar.

Vad i all världen skulle hennes man med upplysningar som dessa? Och vad hade han att göra med familjernas inkomster? Var han spion för de sociala myndigheterna? Hade han utsetts till att infiltrera sekter i Danmark för att avslöja fall av incest, våld och andra övergrepp? Eller vad rörde det sig om?

Det var den här sista frågan – vad rörde det sig om? – som kändes så olustig.

Av allt att döma arbetade han i hela landet, så han kunde omöjligt vara anställd av kommunen. Vad hon förstod kunde det alls inte röra sig om en offentlig anställning, för vem har sådan personlig information liggande hemma hos sig själv i flyttlådor? Men vad var han då? Privatdetektiv? Hade han anställts av någon rik knös som ville göra livet svårt för olika religiösa samfund i Danmark?

Kanske.

Detta "kanske" var endast en gnagande oro i henne tills hon fann ytterligare ett papper. Längst ner, under upplysningarna om familjen, stod: *1,2 miljoner. Inga oegentligheter.*

Hon satt länge med papperet i knäet. I likhet med de övriga anteckningarna handlade det om en barnrik familj med band till en religiös sekt. Inget skilde sig egentligen från några av de andra fallen, med undantag för denna sista rad och ytterligare en detalj: ett av barnens namn var förbockat. En sextonårig pojke, om vilken det stod skrivet att han var älskad över allt annat på jorden.

Varför hade han ritat en bock efter pojkens namn? Bara för att han var älskad?

Hon bet sig i läppen utan att veta vad hon skulle ta sig till. Hon visste bara att hela kroppen skrek att hon måste ta sig därifrån. Men var det verkligen det rätta?

Kanske kunde allt det här användas mot honom. Kanske kunde hon på det sättet försäkra sig om vårdnaden för Benjamin. Hon visste bara inte hur.

Hon ställde in de två sista lådorna med saker som aldrig funnit en plats i deras gemensamma hem.

Slutligen lade hon noga tillbaka rockarna ovanpå. Det enda beviset för att hon snokat var märket i locket på en av lådorna, som hon råkat göra när hon letade efter mobilladdaren. Fast det syntes knappt.

Det duger, tänkte hon.

Då ringde det på dörren.

*

Ute i det tilltagande mörkret stod en leende Kenneth. Som avtalat hade han gjort exakt som förra gången. Stått där med ett hopvikt exemplar av dagens tidning, redo att fråga om det var deras tidning. Överenskommelsen var att om hennes min i dörren signalerade fara, eller om det mot förmodan var hennes man som öppnade, skulle han påstå att han hittat den mitt ute på gatan och sedan beklaga sig över tidningsutdelarna.

Den här gången var det svårt att veta vilken min hon skulle visa upp.

"Kom in, men inte så länge", sa hon bara.

Hon spanade ut mot gatan. Det hade hunnit bli ganska mörkt. Allt var lugnt.

"Hur är det fatt?" frågade Kenneth. "Är han på väg hem?"

"Nej, det tror jag inte, i så fall hade han ringt."

"Vad är det då? Mår du inte bra?"

"Nej." Hon bet sig i läppen. Skulle hon verkligen dra in honom i allt det här? Vore det bästa inte att de slutade träffas ett tag, så att han inte blev inblandad i det som ofrånkomligt väntade? Vem kunde påvisa en relation mellan dem, om kontakten temporärt bröts?

Hon nickade för sig själv. "Nej, Kenneth, jag är inte mig själv just nu."

Han såg på henne under tystnad. Under de ljusa ögonbrynen fanns vaksamma ögon som lärt sig pejla fara. De hade genast registrerat att något var på tok. De hade observerat att det kunde få konsekvenser för känslorna han inte längre ville tygla. Och försvarsinstinkten hade kopplats in.

"Snälla Mia, berätta vad som hänt."

Hon drog in honom i hallen och vidare in i vardagsrummet, där Benjamin satt stilla framför teven som bara små barn kunde. Det var där inne, omkring denna lilla pojke, som krafterna måste uppbådas.

Hon hade tänkt vända sig mot honom och säga att han inte skulle bli orolig, men att hon måste resa bort ett tag.

I samma sekund gled ljuskäglan från strålkastarna på hennes mans Mercedes över trädgården.

"Du måste gå, Kenneth. Ut genom terrassdörren. Nu!"

"Kan vi inte …?"

"Nu, Kenneth!" skrek hon.

"Okej, men vad gör jag med cykeln? Den står ute på infarten."

Nu började svetten rinna från hennes armhålor. Borde hon inte bara följa med honom? Bara gå ut genom ytterdörren med Benjamin på armen? Nej, det vågade hon inte. Det vågade hon helt enkelt inte.

"Ut bara, jag kommer på något. Genom köket, så att Benjamin inte ser dig!"

Terrassdörren slog igen samtidigt som nyckeln stacks i ytterdörrens lås.

Då satt hon på golvet framför teven med benen ut åt sidorna och sonen i famnen.

"Hör du, Benjamin?" sa hon. "Pappa är hemma. Så roligt!"

18

En sådan här dimmig marsfredag fanns det inte mycket gott att säga om E22:an genom Skåne. Om man tog bort husen och vägskyltarna kunde man mycket väl ha befunnit sig på vägen mellan Ringsted och Slagelse. Platt, uppodlat och fullkomligt grått.

Ändå tändes julgransljusen i ögonen på minst femtio av hans kolleger inne på Huset när S:et i "Sverige" passerade läpparna. Enligt dem gick det att tillfredsställa inte mindre än samtliga behov, bara den blågula flaggan vajade över landskapet. Carl blickade ut genom sidofönstret och skakade på huvudet. Det var väl något som saknades hos honom. Den där speciella genen som lockade fram ett lyckorus så fort orden lingon, potatismos och korv uttalades.

Först när han nådde Blekinge hände det något med landskapet. Man sa att gudarnas händer skakat av trötthet när de skulle placera ut stenarna i Blekinge. Visserligen var landskapet avsevärt trevligare, men ändå. För många träd, för mycket sten och väldigt långt mellan sevärdheterna. Fortfarande Sverige.

Ont om solstolar och Campari-drinkar, tänkte han när han nådde Hallabro och tog av vid den sedvanliga inrättningen – kombinationen kiosk, mack och bilverkstad, här med inriktning på omlackeringar. Han fortsatte utmed Gamla Kongavägen.

Huset låg vackert i grådagern ovanför byn, med tomtgränsen markerad av stenplattor. Ljus i tre av fönstren avslöjade att familjen Holt trots allt inte låtit sig avskräckas av Assads telefonsamtal.

Han knackade med den spruckna dörrklappen, men möttes bara av tystnad.

Helvete också, tänkte han. Det är ju fredag. Firar Jehovamänniskorna sabbat? Om judarna började sin sabbat på fredagen måste det väl stå i Bibeln. Och Jehovas vittnen följde ju Bibeln slaviskt.

Han knackade igen. Kanske vägrade de att öppna för att de inte fick. Kanske var alla former av kroppsrörelser förbjudna på sabbaten? Vad skulle han då ta sig till? Sparka in dörren? Knappast någon bra idé. I de här trakterna sov alla med varsitt jaktgevär under sängen.

Han stod kvar ett ögonblick och såg sig omkring. Byn hade lugnt och stilla invaggats i skymningens gråljus, och nu var tiden kommen att lägga upp benen och skingra dagens tankar.

Hur tusan hittar man någonstans att sova i denna avkrok? tänkte han när han genom dörrfönstret såg ljuset tändas i hallen.

En allvarlig och blek pojke i femtonårsåldern visade sin nuna i dörrspringan och betraktade honom utan ett ord.

"Hej!" sa Carl. "Är mamma eller pappa hemma?"

Lika försiktigt som pojken öppnat dörren stängde han den igen och låste den. Han hade sett lugn ut. Uppenbarligen visste han vad som skulle göras, vilket tydligen inkluderade att inte bjuda in främlingar.

Ytterligare några minuter gick då Carl bara stod och glodde på dörren. Ibland hjälpte det att vara envis.

Ett promenerande par, som passerade under gatlyktorna nere på gatan, gav honom stränga blickar som sa: Vem är du? I en by som denna fanns det alltid de som vakade över sina grannar lite mer än andra.

Äntligen uppenbarade sig ett av allt att döma manligt ansikte på andra sidan fönstret. Då hade med andra ord hans utröttningstaktik fungerat den här gången också.

Det var ett uttryckslöst ansikte som studerade Carl, nästan som om han var väntad.

Sedan låste mannen upp.

"Ja?" sa han och väntade på att Carl skulle säga något.

Carl tog upp sin bricka. "Carl Mørck, avdelning Q, Köpenhamn", sa han. "Är du Martin Holt?"

Tydligt illa till mods av brickan nickade mannen.

"Får jag stiga in?"

"Vad rör det sig om?" svarade han tyst, på perfekt danska.

"Kan vi möjligtvis ta det där inne?"

"Det tror jag inte." Han tog ett kliv tillbaka som för att stänga dörren, när Carl grep tag i handtaget.

"Herr Holt, får jag bara växla några ord med din son Poul?"

Han tvekade ett ögonblick. "Nej", sa han sedan. "Han är inte här, så det går inte."

"Får jag fråga var jag kan hitta honom?"

"Det vet jag inte." Han gav Carl en bestämd blick. Lite väl bestämd med tanke på sammanhanget.

"Du har alltså ingen adress till din son Poul?"

"Nej. Lämna oss nu ifred. Vi har bibelstund."

Carl drog fram sin lapp. "Här har jag folkbokföringens lista över vilka som var skrivna på er hemadress i Græsted den sextonde februari 1996, dagen då Poul hoppade av Ingenjörshögskolan. Som du ser var det du, din hustru Laila och era barn Poul, Mikkeline, Tryggve, Ellen och Henrik." Han lät blicken glida över papperet. "Att döma av person-numren drar jag slutsatsen att barnen idag är trettioett, tjugosex, tjugofyra, sexton respektive femton år. Stämmer det?"

Martin Holt nickade och motade bort en pojke som nyfiket kikade över hans axel. Samma pojke som tidigare. Förmodligen Henrik.

Carl följde pojken med blicken. Han hade samma viljelösa, döda uttryck i ögonen som man ser hos undertryckta människor.

Carl såg åter på mannen, som uppenbarligen höll familjen i mycket strama tyglar. "Vi vet att Tryggve och Poul besökte Ingenjörshögskolan tillsammans den där dagen, när Poul sågs till för sista gången", sa han. "Om nu inte Poul bor hemma kan jag kanske få prata med Tryggve istället. En kort stund bara."

"Nej, honom pratar vi inte med längre." Han sa det tonlöst och fullkomligt känslokallt. I dörrlampans sken skymtade Carl den grå hy som utmärker utarbetade och glädjelösa människor. För mycket att stå i, för många beslut och för få positiva inslag. Grå hy och livlösa ögon. Sedan drog mannen igen dörren.

Ljuset över dörren och inne i hallen släcktes genast, men Carl visste att mannen stod kvar där inne och väntade på att han skulle gå.

Carl trampade några steg på stället, för att få det att låta som om han lämnade trappan.

Samtidigt hörde han tydligt mannen börja be på svenska innanför dörren.

"Tygla vår tunga, Herre, så att vi inte uttalar det grymma ordet som är osant, det sanna ordet som inte är hela sanningen, hela den sanning som är så obarmhärtig. För Jesu Kristi skull."

Till och med modersmålet hade han lagt bakom sig.

"Tygla vår tunga, Herre" och "honom pratar vi inte med längre", hade han sagt. Konstigt sätt att uttrycka sig på. Var det inte ens tillåtet att nämna Tryggve? Eller Poul? Kunde det vara så att de bägge pojkarna blivit utstötta på grund av vad som hänt? Hade de visat sig ovärdiga Guds rike? Var det inte värre än så? I så fall rörde det här inte en hårt arbetande statsanställd.

Vad gör jag nu? tänkte han. Borde jag ändå inte ringa polisen i Karlshamn och be om deras hjälp? Vilka argument använder jag i så fall? Familjen hade ju inte gjort något olagligt. Inte vad jag vet.

Han skakade på huvudet, smög nerför trappan och klev in i bilen. Han backade en bit längs vägen tills han hittade en någorlunda undanskymd plats att parkera på.

Där skruvade han locket av termosen och konstaterade att kaffet var iskallt. Kanon, tänkte han. Det var minst tio år sedan han suttit på ett liknande nattpass, och då hade det inte heller varit frivilligt. Fuktiga marsnätter i en bil utan ordentligt nackstöd och med iskallt kaffe i termoslocket var inte direkt det han längtat efter när han tog jobbet på polishuset. Ändå satt han här nu. Fullkomligt tom i bollen, bortsett från det där jävla snusförnuftiga sjätte sinnet som gjorde att han kunde avläsa folks reaktioner och vad de sedan skulle ta sig till.

Mannen uppe i huset i backen hade inte reagerat naturligt, det var hur tydligt som helst. Martin Holt hade varit alldeles för avvisande, alldeles för livlös, alldeles för okänslig när han talade om sina två äldsta söner. Samtidigt hade han varit fullkomligt ointresserad av vad en poliskommissarie från Köpenhamn gjorde i deras stenrike. Det var oftast inte vad folk frågade om som avslöjade att något var på tok, utan vad de inte frågade om.

Han spanade bort mot huset, som tornade upp sig där borta i svängen, samtidigt som han kilade fast kaffekoppen mellan låren. Nu skulle han bara ta sig en liten försiktig blund. En powernap gjorde alltid susen.

Två minuter bara, tänkte han.

Tjugo minuter senare vaknade han av att en hel kopp kaffe kylde ner hans genitalier.

"Helvete!" vrålade han och torkade bort kaffet från byxorna. En svordom han upprepade sekunden efter när strålkastarna från en bil gled ut från hustomten och bort längs vägen mot Ronneby.

Han lät bilsätet suga upp kaffet och trampade istället gasen i botten. Det var jäkligt mörkt när de lämnade Hallabro, trots att det var stjärnklart. Carl fortsatte att följa bilen framför honom genom Blekinges stenbesudlade landskap.

Så fortsatte det i nästan en och halv mil tills strålkastarna plötsligt träffade ett mycket gult hus uppe på en höjd. Det låg så nära vägen att en liten vindpust hade räckt för att den hemska byggnaden skulle skapa trafikkaos.

Bilen svängde in på uppfarten. Efter tio minuter lämnade Carl sin Peugeot i vägrenen och smög fram till huset.

Det var först nu han insåg att det fanns folk kvar i bilen. Orörliga och mörka. Fyra olika stora människor.

Han avvaktade några minuter medan han såg sig om. Huset utgjorde knappast någon munter syn, om man bortsåg från färgen, som lyste i mörkret.

Sopor, gammalt järnskrot och uttjänta redskap. Man kunde tro att det var frågan om ett övergivet hus, som fått stå och förfalla i en herrans massa år.

Det var långt mellan familjens tjusiga hus i Græsteds finaste villa-kvarter och denna obygd. Carl såg ljuskäglorna från en bil som snabbt kom körande från Ronneby glida uppför vägen och svepa in över hus-gaveln och den parkerade bilen på infarten. Under en sekund avslöjade strålkastarna en kvinnas förgråtna ansikte och en ung kvinna och två tonåringar i baksätet. Alla i bilen verkade mycket tagna. Tysta, men med nervösa och skrämda ansiktsuttryck.

Carl smög upp till gaveln och lade örat mot fasadens murkna panel. Inne i huset gick det vilt till. Av allt att döma var två män inbegripna i en häftig diskussion. Tonfallet var hårt och tillropen oförsonliga.

Diskussionen slutade abrupt och Carl hann nätt och jämnt se man-nen slå igen ytterdörren och i det närmaste kasta sig in i förarsätet på den väntande bilen.

Däcken skrek när familjen Holt backade ut på landsvägen och dåna-de söderöver. Då tog Carl ett beslut.

Det var nämligen som om detta anskrämliga, gula hus viskade till honom.

Och han lyssnade med öronen på skaft.

*

Lillemor Bengtsson, stod det på namnskylten, men kvinnan som öppna-de den gula dörren var långt ifrån någon liten mor. Drygt tjugo år gam-mal, blond och med något sneda framtänder. Rentav bedårande, som man sa förr i tiden.

Då fanns det ännu hopp om Sverige.

"Jag utgår från att jag på ett eller annan sätt är väntad." Han visade henne sin bricka. "Är Poul Holt här?" Hon skakade leende på huvudet. Hon verkade inte särskilt upprörd över det tidigare bråket.

"Tryggve då?"

"Kom in!" svarade hon på svenska och pekade på den närmaste dörren.

"Han är här nu, Tryggve", ropade hon in i vardagsrummet. "Jag går och lägger mig, okej?" Hon log mot Carl, som om de vore gamla vänner, och lämnade honom ensam med sin pojkvän.

Killen var lång och smal som en ål. Carl höll fram handen och fick ett kraftfullt handslag tillbaka.

"Tryggve Holt", sa han. "Ja, min far har varit här och förvarnat mig."

Carl nickade. "Jag fick annars intrycket av att ni inte pratar med varandra."

"Så är det. Jag är utstött. Jag har inte pratat med dem på fyra år, men jag ser dem ofta stå parkerade här ute på vägen."

Hans ögon var lugna. Eftersom han inte verkade ett dugg berörd av situationen eller det tidigare grälet gick Carl rakt på sak.

"Vi har hittat en flaskpost", sa han och såg genast en ryckning i killens självsäkra ansikte. "Ja, det vill säga den fiskades faktiskt upp utanför Skottland för flera år sedan, men på polishuset i Köpenhamn fick vi den alltså i vår ägo först för åtta, tio dagar sedan."

Killen hade förvandlats. En mycket påtaglig förvandling, och det var ordet flaskpost som orsakat den. Som om just detta ord legat djupt begravet i honom. Kanske hade han gått och väntat på att någon skulle yttra det. Kanske var det lösenordet till alla de frågor han gick och bar på. Det verkade så.

Han bet sig i läppen. "En flaskpost, säger du?"

"Ja. Den här." Han höll fram en kopia av brevet mot den unge mannen.

Inom loppet av sekunder sjönk Tryggve ihop, snurrade runt ett halvt varv och rev ner allt inom en armlängd på golvet. Vore det inte för Carls snabba uppfattningsförmåga hade han stupat omkull.

"Vad har hänt?" Det var flickvännen. Hon stod i dörren med utslaget hår, redo att krypa till sängs, i en t-tröja som nätt och jämnt dolde de bara låren.

Carl pekade på brevet.

Hon plockade upp det och kastade en snabb blick på det, innan hon gav det till pojkvännen.

Sedan sa ingen något på flera minuter.

När killen äntligen återhämtat sig såg han på papperet som om det skulle kunna ta livet av honom när som helst. Han började läsa det igen, ett ord i taget.

När han åter tittade upp på Carl var han inte samma person som tidigare. Lugnet och självsäkerheten hade sugits upp av flaskpostens budskap. Det dunkade i hans halspulsåder, han var röd i ansiktet och läpparna darrade. Det rådde inget tvivel om att flaskposten fått honom att minnas en ytterst traumatisk upplevelse.

"Åh, gud!" viskade han med slutna ögon och handen för munnen.

Flickvännen tog hans hand. "Såja, Tryggve. Det skulle ju fram. Nu är det över. Allt kommer att bli bra igen!"

Han torkade ögonen och såg på Carl. "Jag har aldrig sett brevet tidigare. Jag såg bara när det skrevs."

Han höll upp brevet och läste det igen samtidigt som hans skakande fingrar hela tiden försökte torka bort tårarna.

"Min bror var världens smartaste och snällaste", sa han med darrande läppar. "Han hade bara lite svårt att uttrycka sig." Han lade brevet på bordet, korsade armarna och böjde sig fram. "Det hade han verkligen."

Carl försökte lägga en lugnande hand på hans axel, men Tryggve skakade av sig den.

"Kan vi prata om det imorgon?" sa han. "Jag orkar inte nu. Du får gärna sova på soffan inatt. Jag ber Lillemor att ordna med sängkläder. Är det okej?"

Carl såg på soffan. Den var något för kort, men såg oerhört lockande ut.

*

Det var ljudet av visslande däck mot en våt vägbana som väckte Carl. Han sträckte på sig efter den hopkrupna sovställningen och vände sig mot ett av fönstren. Det var svårt att avgöra tiden, men det var fortfarande ganska mörkt. Mitt emot honom satt de unga tu, hand i hand, i ett par utslitna Ikeafåtöljer och nickade mot honom. Termosen stod redan på bordet med flaskpostbrevet intill.

"Som du vet är det min storebror Poul som skrivit det", sa Tryggve, när Carl vaknat något till liv efter de första slurkarna.

"Och han skrev det med bakbundna händer." Tryggves ögon flackade när han sa detta.

Bakbundna händer! Då hade Laursen mer eller mindre gissat rätt.

"Jag förstår inte hur han lyckades", fortsatte Tryggve. "Men Poul var mycket noggrann. Han var bra på att rita också."

Killen log vemodigt. "Du fattar inte hur mycket det betyder för mig att du är här. Att jag får sitta med det här brevet i handen. Pouls brev."

Carl såg på brevet. Tryggve hade lagt till några bokstäver på kopian. Han om någon var väl den rätte att göra det.

Carl tog en rejäl klunk kaffe. Vore det inte för att han var relativt väluppfostrad skulle han satt händerna till halsen och utstött gutturala ljud.

Kaffet var helt enkelt för jäkla starkt. Becksvart koffeingift.

"Var är Poul nu?" frågade han medan både läppar och skinkor krampaktigt drogs ihop av rävgiftet. "Och varför skrev ni brevet? Vi behöver få veta det, så att vi kan avskriva fallet."

"Var Poul är?" Han såg på Carl med sorgsna ögon. "Om du frågat mig det då, på den tiden, skulle jag svarat i paradiset tillsammans med de hundrafyrtiofyratusen utvalda. Nu svarar jag bara att han är död. Det här brevet blev Pouls sista. Det sista livstecknet från honom." Han tystnade ett ögonblick medan han svalde besvärat.

"Poul blev ihjälslagen mindre än två minuter efter att han kastat flaskan i vattnet", sa han så tyst att det nästan inte gick att uppfatta.

Carl satte sig upp i soffan. Det hade känts bättre om han fått motta detta besked med kläderna på.

"Säger du att han blev mördad?"

Tryggve nickade.

Carl såg frågande ut. "Mördade kidnapparen Poul, men skonade dig?"

Med sina smala fingrar torkade Lillemor bort tårarna på Tryggves kind. Han nickade igen.

"Ja, svinet lät mig leva, något jag har förbannat honom för tusentals gånger sedan dess."

19

Om han skulle framhäva något hos sig själv, så var det förmågan att uppfånga falska blickar.

När hans familj samlades bakom tallrikarna på vaxduken och bad Fader vår med salvelsefulla miner visste han alltid när far slagit mor. Det fanns inga synliga tecken, eftersom han aldrig slog i ansiktet. Det var han trots allt för smart för. Han hade ju församlingen att ta hänsyn till. Och hans mor spelade med och satt som alltid med sin outgrundliga, skenheliga uppsyn och höll koll på ungarnas bordsskick, och att de åt antalet serverade potatisar till mängden serverat kött. Men bakom de lugnt blinkande ögonen dolde sig rädsla och hat och obeveklig maktlöshet.

Det såg han.

Ibland såg han också denna förställda, oskyldiga blick avspeglas i faderns ögon, men det var mer sällsynt. Faktiskt var hans ansiktsuttryck nästan alltid detsamma. Det krävdes långt större saker i livet än vardaglig kroppslig tuktan för att denne mans iskalla, brännande pupiller skulle vidgas.

Så avläste han blickar på den tiden och så avläste han dem än idag.

*

I samma ögonblick som han klev in genom dörren såg han i sin frus ögon att något inte stod rätt till. Hon log visserligen, men leendet brast och blicken stannade i tomrummet strax framför hans ansikte.

Hade hon inte suttit med sonen hos sig på golvet skulle han ha trott att hon kanske var trött eller hade huvudvärk. Men nu satt hon där med sitt barn i famnen och tycktes vara någon annanstans.

Det var något som inte stämde.

"Hej", sa han och sög i sig av hemmets alla dofter. Det låg en aromatisk underton i denna välbekanta lukt som framstod som obekant. En svag dunst av problem och överskridna gränser.

"Orkar du sätta på en kopp te?" frågade han och smekte hennes kind. Den var varm, som om hon hade feber.

"Så hur är det med dig, din lilla filur?" Han tog upp sonen i famnen och såg honom rakt i ögonen. De var klara, glada och trötta. Leendet kom utan tvekan.

"Han verkar ju faktiskt må ganska bra nu", sa han.

"Ja. Han var rejält snorig fram till igår, men så imorse var han plötsligt okej igen. Du vet hur det är." Hon log svagt, något som också antydde att det inte stod rätt till.

Det var som om hon åldrats flera år under de få dagar han varit borta.

*

Han höll vad han lovade. Älskade med henne lika passionerat som veckan före. Men det tog längre tid än vanligt. Längre tid för henne att ge sig hän och separera kroppen från sinnet.

Efteråt drog han henne intill sig och lät henne vila mot sitt bröst. Andra gånger skulle hon ha flätat in fingrarna i håret på bröstet och smekt honom i nacken med sina smala, sensuella fingrar, men det gjorde hon inte nu. Hon fokuserade bara på att få ner andhämtningen i ett normalt läge och vara tyst.

Det var därför han frågade rakt på sak. "Det står en herrcykel på infarten. Vems är den?" Det lät som om hon sov, men det gjorde hon inte.

Det spelade å andra sidan ingen roll vad hon skulle ha svarat.

Ett par timmar senare låg han med armarna bakom huvudet och såg hur marsdagen grydde och det grå ljuset mödosamt och steglöst arbetade sig in i rummet.

Han hade återfått sinnesfriden nu. De hade ett problem, men det tänkte han lösa en gång för alla.

När hon vaknade skulle han skala lögnerna av henne – lager för lager.

*

Förhöret kom igång på allvar först när hon satte ner pojken i lekhagen. Vilket hon också hade räknat med.

I fyra år hade de levt tillsammans utan att tilliten dem emellan satts på prov, men nu var det alltså dags.

"Cykeln är låst, så den kan inte vara stulen", sa han och såg på henne med alldeles för neutrala ögon. "Jag vill nog påstå att någon ställt den där av en anledning, eller vad tror du?"

Hon sköt fram underläppen och ryckte på axlarna. Hur skulle hon kunna veta det? signalerade hon, men maken tittade bort.

Hon kände hur de förrädiska dropparna sakta började samlas i armhålorna. Snart skulle fukten synas på hennes panna.

"Det går säkert att ta reda på vem som äger cykeln, om vi vill", sa han och såg på henne igen. Den här gången med sänkt blick.

"Tror du?" Hon försökte låta glatt överraskad, istället för överrumplad. Hon satte handen till pannan, som om det kliade. Jo, den var fuktig.

Han studerade henne noga. Köket verkade plötsligt så litet.

"Hur tar man reda på sådant?" fortsatte hon.

"Vi kan till exempel fråga grannarna om de sett vem som ställde den där."

Hon drog ett djupt andetag. Det visste hon med bestämdhet att han inte tänkte göra.

"Ja", sa hon. "Det kan vi ju. Men tror du inte att någon förr eller senare kommer och hämtar den? Vi kan ställa ut den på gatan."

Han lutade sig något tillbaka. Han var mer avslappnad nu. Det var inte hon. Hon strök handen över pannan igen.

"Svettas du?" sa han. "Mår du inte bra?"

Hon putade med munnen och andades sakta ut. Nu behåller du lugnet, förmanade hon sig själv. "Det känns som om jag har feber. Benjamin har kanske smittat mig."

Han nickade och lade huvudet på sned. "Var hittade du laddaren, förresten?" frågade han.

Hon tog ytterligare en fralla och delade den. "Ute i korgen med mössorna i hallen." Nu var hon på fastare mark. Nu fick hon se till att hålla sig kvar där.

"I korgen?"

"Jag visste inte var jag skulle göra av den när jag laddat mobilen, så jag lade tillbaka den igen."

Han reste sig utan ett ord. Strax skulle han slå sig ner igen och fråga hur i all sin dar det kunde komma sig att det låg en mobilladdare där. Hon skulle bara säga, som planerat, att den måste ha legat där hur länge som helst.

I samma ögonblick insåg hon sitt misstag.

Cykeln som stod ute på infarten förstörde hennes historia. Han skulle koppla ihop de två händelserna, sådan var han.

Hon stirrade in i vardagsrummet, där Benjamin stod och skakade galler i lekhagen, likt ett djur som febrilt försökte ta sig ut.

Hon förstod känslan.

Mobilladdaren såg så liten ut i hennes mans hand. Som om han hur enkelt som helst hade kunnat krossa den. "Var kommer den ifrån?" frågade han.

"Jag trodde den var din", sa hon.

Han svarade inte. Då hade han alltså sin laddare med sig när han var på resande fot.

"Ut med det nu", sa han. "Jag ser ju att du ljuger."

Hon försökte se irriterad ut. Vilket inte var särskilt svårt. "Varför säger du så? Om den inte är din måste ju någon ha glömt kvar den här. Den har säkert legat där sedan dopet."

Men hon satt i rävsaxen.

"Dopet, säger du? Dopet! Det är ett och ett halvt år sedan." Tydligen fann han det skrattretande, men han log inte. "Vi hade tio, tolv gäster. Mest gamla kärringar. Ingen av dem sov över, och jag är ganska säker på att ingen av dem hade någon mobil. Och om de hade haft det, varför släpa med sig laddaren till ett barndop? Det är ju fullkomligt ologiskt."

Hon tänkte protestera, men han tystade henne med en hand.

"Nej, du ljuger." Han pekade ut genom fönstret på cykeln. "Är det hans laddare? När var han här senast?"

Reaktionen från armhålans svettkörtlar kom omgående.

Han grep tag hårt om hennes arm och även hans hand var fuktig. Hon hade varit tveksam när hon sett innehållet i flyttlådorna på ovanvåningen, men med detta skruvstädsliknande grepp om armen blev hon säker. Nu slår han mig, tänkte hon, men det gjorde han inte. Istället vände han sig om och gick därifrån när hon inte svarade. Han slängde igen ytterdörren med en smäll och sedan hände inget mer.

Hon ställde sig upp för att se om hans skugga passerade utanför på trädgårdsgången. Så fort hon var säker på att han var borta tänkte hon ge sig av med Benjamin. Ut i trädgården, ner till häcken, hitta hålet som de förra ägarnas barn gjort och sedan igenom. De skulle vara hos Kenneth inom loppet av fem minuter. Hennes man skulle inte ha en aning om vart de tagit vägen.

Så fick hon ta resten därifrån.

Men skuggan föll aldrig över stigen. Däremot hördes en hård duns från ovanvåningen.

Åh, gud! tänkte hon. Vad gör han?

Hon såg in på sitt hoppande, leende barn. Kunde de ta sig ner till häcken utan att hennes man hörde dem? Stod fönstren där uppe fortfarande öppna? Stod han och lurpassade vid ett av dem, för att hålla koll på henne?

Hon bet sig i överläppen med blicken fäst i taket. Vad gjorde han där uppe?

Sedan slet hon åt sig sin väska och tömde plåtburken med hushållspengarna i den. Hon vågade inte gå ut i hallen och hämta Benjamins overall och sin egen jacka, men det kunde nästan kvitta. Bara Kenneth var hemma.

"Kom, älskling", sa hon och lyfte upp den lille. När terrassdörren ut mot trädgården väl hade öppnats kunde det inte ta mer än högst tio sekunder ner till häcken. Frågan var bara om hålet fanns kvar. Senast hon såg det var förra året.

Då hade det i alla fall varit stort nog.

20

Förr i tiden, när han och systern Eva var små, levde de i en helt annan värld. När far stängde dörren till sitt kontor infann sig friden. Då kunde de försvinna in på sina rum och lämna Gud åt sitt.

Men även vid andra tillfällen, när de deltog i de obligatoriska bibelstunderna eller stod mitt i gudstjänsternas vimmel av händer uppsträckta mot himlen, jubel och vuxna i extas, vände de blicken inåt och kunde andas ut i sina egna verkligheter.

De hade båda sina metoder. Eva stirrade förstulet på kvinnornas skor och klänningar medan hon rättade till sin egen plisserade kjol. Hon drog elegant vecken mellan fingerspetsarna, tills de var styva och glänsande. Inombords var hon en prinsessa. Fri från världens stränga ögon och hårda ord. Eller en fe med ljusa, lätta vingar, som till och med den lättaste vindpust lyfte upp över hemmets grå och krävande vardag.

När hon befann sig där inne nynnade hon. Nynnade med hänförd blick, trippandes på stället, medan föräldrarna vilade i förvissningen om att hon var i Guds trygga händer och att dessa besynnerliga rörelser var hennes säregna form av tillbedjan.

Men han visste bättre. Eva drömde om skor, kjolar och en värld av beundrande speglar och kärvänliga ord. Han var hennes bror. Sådant visste han bara.

Själv drömde han om en värld av människor som visste hur man skrattade.

Där de befann sig log man inte ens. Skrattrynkor var bara något han såg hos människorna inne i staden, och han tyckte att de var fula. Nej, i hans liv hade det inte funnits vare sig skratt eller glädje. Inte sedan han var fem år, då hans far hade berättat om en präst i danska kyrkan som han med eder och förbannelser jagat ut ur sin kyrka, hade han hört fadern skratta. Det tog också ett år för hans barnsjäl att förstå att skratt kunde komma av annat än bara jubel över en medmänniskas ånger.

När han äntligen förstod slutade han lyssna till sin fars förmaningar och förbannelser och insåg att han måste vakta sig.

Han skaffade sig hemligheter som gjorde honom glad, men som också skadade honom. Under sängen, längst in under en uppstoppad hermelin, låg hans skatter. Veckotidningar med galna teckningar och berättelser. Varuhuset Daells kataloger med nästan helt nakna kvinnor, som leende fixerade honom med blicken. Han hade också tidningar med så galna namn att man inget annat kunde än att skratta. Gamla, utslitna och färgglada serietidningar med fettfläckar och hundöron. Helan och Halvan, Daffy och Scooby Doo. Tidningar som frestade och fick det att pirra i magen, men som inget krävde i utbyte. Dessa brukade han hitta i grannarnas soptunnor, när han smög ut genom fönstret efter mörkrets inbrott, vilket han gjorde ofta.

Sedan låg han natten igenom under sitt täcke, ljudlöst skrattande.

Det var under den här tiden i hans liv som han brukade ställa dörrarna på glänt i huset, så att han visste var de olika familjemedlemmarna befann sig. Det var då han lärde sig att se när kusten var klar, så att han riskfritt kunde ta med sig sina troféer hem.

Det var då han lärde sig att vara lika lyhörd som en jagande fladdermus.

*

Från den stund då han lämnade sin fru på nedervåningen tills han såg henne smyga ut genom terrassdörren med pojken i famnen gick det högst två minuter. Det var vad han hade räknat med.

Hon var inte dum. Visserligen var hon ung och naiv och lätt att avläsa, men knappast dum. Därför visste hon att han fattat misstankar och därför var hon också rädd. Han kunde tydligt läsa det i hennes ansikte och höra det på hennes tonfall.

Nu tänkte hon rymma.

Hon agerade i samma sekund som hon kände sig säker. Det var bara en tidsfråga, det visste han. Därför stod han nu i fönstret på ovanvåningen och klampade med fötterna i golvet. Han slutade först när hon var nästan nere vid häcken.

Så enkelt var det att förvissa sig, även om det sårade. Men han hade för länge sedan vant sig vid den svekfulla människan. Man bara vande sig, helt enkelt.

Han spanade ner mot kvinnan och barnet. Ett liv på väg bort. Snart hade de tagit sig igenom hålet.

Häcken hade växt igen, så han väntade en stund innan han tog trappan i ett par långa kliv och sprang ut i trädgården.

Hon var iögonfallande och karaktäristisk, denna unga, vackra kvinna i röd klänning med barnet på armen, så det var inte så svårt att följa efter henne, även om hon hunnit en bra bit när han väl pressat sig igenom häcken.

Vid den stora vägen vek hon av, passerade en sidogata och försvann sedan in i villakvarterets ligusteridyll.

Det hade han däremot inte väntat sig.

Korkade kvinna, tänkte han. Gör du mig till hanrej i mitt eget revir?

*

Sommaren då han fyllde elva slog hans fars församling under kreatursmarknaden upp ett hyrtält på stadens torg. "När de röda djävlarna kan göra det", sa han, "kan vi inom frikyrkan det också."

De slet hela morgonen för att hinna. Det var tungt, men även andra barn tvingades hjälpa till. När de var färdiga med golvläggningen i tältet klappade hans far alla de andra barnen på huvudet.

Hans egna erhöll ingen klapp utan fick istället i uppdrag att fälla upp klappstolar.

Och dem fanns det många av.

Sedan öppnade marknaden. Fyra gula glorior lyste ovanför ingången till tältet och en stor stjärna vajade från den mittersta tältstången. *Omfamna Jesus – släpp in honom*, stod det tvärs över tältduken.

Hela församlingen kom för att hylla arrangemanget, men det var också allt. Trots alla färgglada broschyrer, som han och Eva sprungit runt och delat ut till gud vet hur många, dök inte en enda utomstående upp.

När ingen såg gick fars raseri och frustration ut över mor.

"Ut med er igen, ungar", fräste han. "Och gör det ordentligt den här gången."

De tappade bort varandra någonstans i utkanten av barnens marknad, strax intill stånden. Eva hade förtjust stannat kvar vid kaninerna medan han fortsatte. Det var det enda sättet han kunde hjälpa sin mor på.

Ta emot mina broschyrer, vädjade hans ögon åt de förbipasserande. Om de bara tog dem skulle hon kanske inte få stryk ikväll när de kom hem. Då skulle hon kanske inte heller gråta hela natten igenom.

Han stod och spanade efter vänliga ansikten, som kunde tänkas vilja dela sin gudsfruktan med andra. Lyssnade efter röster som besatt samma storsinthet som Jesus predikade.

Det var då han hörde barn skratta. Inte som när han passerade en skolgård eller när han dristade sig till att se på barnprogram på teven i radiohandlarens skyltfönster. Nej, de skrattade som om stämbanden när som helst skulle brista. Hela världen måste ha riktat sina blickar mot dem. Så hade han aldrig skrattat hemma under täcket, men det lät underbart.

Rösten inombords kunde bäst den ville viska ord om bot och bättring. Han kunde helt enkelt inte gå förbi.

Det var en liten skara människor som stod samlade framför ett av marknadsstånden. Vuxna och barn i en enda härlig förening. På en banderoll av bomullstyg stod det skrivet med vingliga, röda bokstäver: *Bara i dag! Spännande vidiofilmor halva priset!* och på bockbordet stod den minsta teve han någonsin sett.

Det var en av dessa svartvita, flimrande videofilmer som barnen skrattade åt, och han var snabb att skratta med. Han skrattade så att det gjorde ont långt ner i magen och i den del av själen som först i denna stund vaknade till liv, i all sin härlighet.

"Ingen kan som den där Chaplin", sa en av de vuxna.

Och alla skrattade åt mannen som gjorde piruetter och boxades där på teveskärmen. Skrattade åt honom när han snurrade på sin käpp och lyfte på sin svarta hatt. Skrattade när han gjorde grimaser åt de tjocka damerna och herrarna med svärta kring ögonen. Också han skrattade. Ett härligt, okontrollerat skratt så att han fick ont i magen. Och ingen gav honom en hurring i bakhuvudet eller glodde förmanande på honom.

Denna episod kom på sitt eget orimliga sätt att ändra hans och en massa andras liv.

*

Hans fru såg sig inte om. Egentligen såg hon inte mycket överhuvudtaget. Hon lät bara fötterna bära henne och barnet genom villakvarteret, som om osynliga krafter bestämde riktning och hastighet.

Och när människan på detta sätt försöker sätta sig över verkligheten, ska det inte mycket till för att katastrofen blir ett faktum.

Som en bult som lossnar i flygplansvingen eller som vattendroppen som kortsluter reläet i respiratorn.

Han såg mycket väl duvan som slog sig ner i trädet ovanför hans hustru och son när de skulle korsa gatan. Han noterade också fågelskiten som föll och med ett smack bildade ett spindelnätsmönster över stenplattan. Han såg sin son peka på den och han såg sin fru titta ner. I samma sekund som de klev ut i gatan svängde bilen runt hörnet och fortsatte mot dem med mördande precision.

Han kunde förstås ha varnat henne. Skrikit och busvisslat, men det gjorde han inte. Det fanns inte tid till det. Det var inte där hans känslor tog över.

Bilens bromsar skrek, skuggan bakom vindrutan slet i ratten och världen stod stilla.

Han såg sitt barn och sin fru rycka till i förskräckelse och vrida huvudena i slow motion. Det tunga fordonet gled i sidled, så att stora bromsspår drogs ut över gatan, likt kol på papper. Sedan rätades bilen upp, bakvagnen fick fäste och det hela var över.

Hans hustru stod som fastfrusen i rännstenen när bilen for förbi henne. Själv stod han som förstenad, en halv meter från häcken, med hängande armar.

Känslor av ömhet stred mot en underlig rusighet, som han annars bara känt första gången han dödade. Det var ingen känsla han direkt önskade.

Han lät den komprimerade luften i lungorna pysa ut samtidigt som en värme spred sig i kroppen. Men han stod kvar för länge. Benjamin upptäckte honom när han vände på huvudet för att trycka ansiktet mot sin mammas hals. Han var tydligt uppjagad, vilket han blev när hans mamma reagerade så starkt. Men rynkorna i pannan slätades genast ut och läpparna slutade darra när han såg sin pappa. Han lyfte händerna och skrattade.

Då vände hon sig om och fick syn på honom. Det chockartade uttrycket i hennes ansikte från sekunden före etsade sig fast.

Fem minuter senare satt hon framför honom i vardagsrummet med bortvänt huvud.

"Du följer frivilligt med hem", hade han sagt. "Om inte, ser du aldrig vår son igen."

Hennes ögon fylldes genast av hat och avsky.

Skulle han ha reda på vart hon varit på väg fick han tvinga det ur henne.

*

Dessa härliga stunder var sällsynta för honom och hans syster.

Om han ställde sig på rätt ställe i sovrummet kunde han åstadkomma tio korta steg fram till spegeln. Fötterna brett ut åt sidan, huvudet gungande i sidled och käppen snurrande i luften. Tio steg då han var en annan där inne i spegellandet. Inte pojken som inte hade några lekkamrater. Inte sonen till mannen som den lilla staden neg och bugade för. Inte det utvalda fåret i flocken, som skulle bära runt på Guds ord och rikta det som en ljungeld mot folk. Han var bara den lilla vagabonden, som fick alla att skratta, inte minst sig själv.

"Mitt namn är Chaplin, Charlie Chaplin", sa han och dansade med munnen under sin låtsasmustasch medan Eva höll på att ramla av föräldrarnas säng av skratt. Hon hade reagerat på samma sätt ett par gånger tidigare när han gjorde sitt nummer. Men den här gången blev hans sista.

Efter det skrattade hon aldrig igen.

Sekunden senare kände han knackningen på axeln. Ett pekfinger var allt som krävdes för att hjärtat skulle stanna och halsen snörpa ihop sig. När han vände sig om var hans fars knutna näve redan på väg mot hans mellangärde. Upphetsade ögon under buskiga ögonbryn. Inga ljud utöver det slaget och de nästföljande.

När det började bränna i tarmarna och magsyran sved i halsen tog han ett kliv tillbaka och såg sin far trotsigt i ögonen.

"Jaha, så nu heter du Chaplin", viskade hans far och blängde på honom med långfredagsblicken, som han använde för att beskriva Jesu Kristi mödosamma väg mot Golgata. All världens sorg och pina vilade på hans villiga axlar, det betvivlade man inte, inte om man bara var ett barn.

Så slog han igen. Den här gången med full högersving för att nå fram. Han tänkte sannerligen inte låta detta trotsiga barn tvinga honom att ta ett steg framåt.

"Vem har satt dessa djävulskapens griller i huvudet på dig?"

Han stirrade ner på fars fötter. Från och med nu tänkte han bara svara på frågor när det själv passade honom. Hans far kunde slå hur mycket han ville. Han tänkte inte svara.

"Jaså, du tänker inte svara. Då måste jag ju bestraffa dig."

Fadern drog med sig honom i örat in på hans rum och knuffade hårt ner honom i sängen. "Där stannar du tills vi kommer och hämtar dig, förstått?"

Inte heller det svarade han på. Hans far stod kvar ett ögonblick med en frågande blick och lätt särade läppar, som om detta barns trotsighet var ett förebud om domedagen eller syndafloden. Men så fann han sig.

"Packa ihop alla dina saker och lägg ut dem i hallen", sa han.

Först förstod han inte vad far menade, men det kom han snart att göra.

"Allt utom dina kläder, skor och sängkläder."

*

Han tog barnet från sin fru och lät henne sitta ensam i det svaga, randiga ljus som persiennerna kastade mot hennes ansikte.

Han visste att hon inte skulle ta sig någonstans utan barnet.

"Han sover", sa han när han återvände från ovanvåningen. "Berätta nu vad det är som pågår."

"Vad som pågår?" Hon vände sakta blicken mot honom. "Är det inte jag som borde ställa den frågan?" frågade hon med mörka ögon. "Vad jobbar du med? Hur tjänar du alla dina pengar? Sysslar du med något olagligt? Utpressar du folk?"

"Utpressar? Vad får dig att fråga något sådant?"

Hon tittade bort igen. "Strunt samma. Låt bara mig och Benjamin gå. Jag vill inte vara här längre."

Han såg misstänksam ut. Hon ställde frågor. Hon ställde krav. Hade han förbisett något i allt det här?

"Jag sa, vad får dig att fråga något sådant?"

Hon ryckte på axlarna. "Vad får mig att inte göra det? Du är alltid borta. Du säger inget. Du har flyttlådor undanstuvade i ett rum, som om det vore en helgedom. Du ljuger om din familj. Du …"

Det var inte han som avbröt henne. Hon slutade av sig själv och tittade ner i golvet. Det var för sent att ta tillbaka orden som inte borde passerat hennes läppar från början. Förrådd av sitt eget övermod.

"Har du snokat i mina lådor?" frågade han tyst, men under hans hud brände denna upptäckt som eld.

Hon visste alltså saker om honom som hon inte borde veta.

Om han inte gjorde sig av med henne nu var det ute med honom.

*

Far såg till att alla sakerna i hans rum lades i en stor hög. Gamla leksaker, Ingvald Lieberkind-böckerna med djurbilderna och småsaker han samlat på sig. En gren som var perfekt att klia sig på ryggen med, en kruka med krabbklor, förstenade sjöborrar och vätteljus. Allt hamnade i högen. Och när han var klar drog hans far ut sängen från väggen och vände den på sidan. Där, under den tillplattade hermelinen, låg hans innersta hemligheter. Veckotidningarna, serietidningarna och alla stunder av sorglöshet.

Hans far såg kort på dem. Sedan lade han alla tidningar i en hög och började räkna. För varje tidning fuktade han fingerspetsarna. För varje räkning drog han ett streck. För varje streck väntade ett slag.

"Tjugofyra tidningar. Jag tänker inte fråga var du har fått dem från, Chaplin, det intresserar mig inte. Nu vänder du dig om, så att jag kan slå dig tjugofyra gånger. Därefter vill jag aldrig mer se den här sortens oskick i huset, är det förstått?"

Han vägrade svara. Han tittade bara på högen och tog farväl av var och en av tidningarna.

"Du vägrar svara? Då blir det dubbelt antal slag. Det ska lära dig att svara till en annan gång."

Men han lärde sig inte. Och trots de långa strimmorna på ryggen och de kraftiga blodutgjutningarna i nacken fick hans far sätta på sig bältet igen utan att ha tvingat fram ett enda ord. Inte ett knyst.

Svårast var det tio minuter senare, när han blev beordrad att tända eld på alla sina ägodelar nere på gården, och han fick kämpa för att inte gråta.

Det var svårast av allt.

*

Hopsjunken stod hon och tittade in på flyttlådorna. Utan uppehåll hade hennes man orerat för henne samtidigt som han drog henne med sig uppför trappan. Men hon sa inget. Inte ett knyst.

"Nu ska du och jag klara upp en sak", sa han. "Hit med din mobil."

Hon tog upp den ur fickan, tryggt förvissad om att inte heller den skulle ge honom några svar. Kenneth hade visat henne hur man raderade samtalslistorna.

Han tryckte på knapparna och studerade displayen utan att hitta något, vilket var oerhört tillfredsställande för henne. Hon njöt av att se honom misslyckas. Vad skulle han nu göra med sina misstankar?

"Du har kanske lärt dig hur man redigerar samtalslistorna. Har du det?" Hon svarade inte utan tog bara lugnt mobilen ur hans hand och stoppade tillbaka den i bakfickan.

Istället pekade han in i det lilla rummet med flyttlådorna. "Det ser prydligt ut. Det har du gjort bra."

Hon andades något lättare. Inte heller här skulle han hitta några som helst bevis. Till sist måste han väl ändå låta henne gå?

"Men inte bra nog."

Hon blinkade ett par gånger i ett försök att fånga helheten i rummet. Låg rockarna inte där de skulle? Syntes märket i kartongen för mycket?

"Ser du strecken här?" Han böjde sig fram och pekade i skarven mellan två av flyttlådorna. Ett litet streck på den ena lådans kant och ännu ett på den andra. Nästan mitt emot varandra, men ändå inte riktigt.

"Du förstår, när man lyfter bort de här lådorna och staplar om dem igen, hamnar de inte riktigt som första gången." Han pekade på ytterligare två streck som inte heller satt mitt för varandra. "Du har lyft ut lådorna och satt dem på plats igen, så enkelt är det. Och nu ska du berätta vad du fann i dem. Fattar du?"

Hon skakade på huvudet. "Du är ju sinnessjuk. Varför skulle jag intressera mig för några gamla kartonger? De har ju stått här ända sedan vi flyttade in. De har väl bara sjunkit ihop, var en på sitt lilla vis."

Den var bra, tänkte hon. En bra förklaring.

Men han skakade på huvudet. Då nöjde han sig alltså inte med det.

"Okej, då kollar vi", sa han och tryckte upp henne mot väggen. Stå kvar, annars blir det värst för dig själv, sa hans kalla ögon.

Hon såg sig om i korridoren medan han började lirka ut de mittersta lådorna. Det fanns inte mycket användbart i detta smala utrymme. En pall intill sovrumsdörren, en vas i vindskupans fönster, polermaskinen under snedtaket.

Om jag får in en ren träff i bakhuvudet med pallen, så …

Hon svalde ner klumpen i halsen och knöt nävarna. Hur hårt måste hon slå?

Maken drog ut en kartong genom dörren, som han med en duns släppte framför henne.

"Så, nu börjar vi med den här. Snart vet vi en gång för alla om du har snokat i dem, okej?"

Hon stirrade på den när han öppnade den. Det var kartongen som stått nederst och någorlunda i mitten, i detta mausoleum som rymde hans innersta hemligheter. Urklippet med henne i Bernstorffsparken och arkivlådan av trä med de många adresserna och informationen om familjerna och deras barn. Han visste exakt var den kartongen hade stått.

Hon blundade och försökte andas normalt. Om det fanns en gud borde han hjälpa henne nu.

"Jag vet inte varför du rotar fram alla de dessa gamla papper", sa hon. "Vad har de med mig att göra?"

Han satte det ena knäet i golvet, lyfte upp den första bunten urklipp och lade den åt sidan. Han skulle aldrig riskera att hon såg urklippet om honom, om han nu inte ansåg henne skyldig.

Hon hade läst av honom.

Han lyfte försiktigt upp trälådan, men behövde inte ens öppna den. Hans huvud föll till bröstet, sedan sa han mycket lugnt: "Varför kunde du inte bara låta mina saker vara?"

Vad hade han sett? Vad hade hon förbisett? Hennes blick föll på hans rygg, sedan på pallen och därefter tillbaka på ryggen igen.

Vad betydde papperen i trälådan? Varför knöt han ena handen så att knogarna vitnade?

När hon tog sig för halsen kunde hon känna hur pulsådern bultade.

Han vände sig mot henne med smala ögon och en ondskefull blick. Den innehöll sådan avsky att hon knappt vågade andas.

Hon hade minst tre meter bort till pallen.

"Jag har inte rört dina saker", sa hon. "Varför tror du det?"

"Det är inte som jag tror. Jag *vet!*"

Hon tog ett litet steg mot pallen. Han reagerade inte.

"Se!" Han höll upp lådans framsida mot henne. Där fanns inget att se.

"Vad är det jag ska se?" frågade hon. "Där finns inget att se." Om stora snöflingor dalar tillräckligt långsamt hinner de ibland smälta innan de träffar marken. Som om luften, som en gång skapade dem, tar tillbaka det vackra och det lätta. Sedan är de magiska ögonblicken förbi.

Hon kände sig som en sådan flinga när han fick tag i henne och drog undan benen på henne. I fallet såg hon sitt liv upplösas och allt det hon kände till pulvriseras. Hon märkte inte ens att hon slog huvudet i golvet, bara att han inte släppte taget om benen.

"Nej, det finns inget att se på lådan, men det ska det finnas", fräste han.

Hon kände blodet tillra fram vid tinningen, men det gjorde inte ont. "Jag förstår inte vad du menar", hörde hon sig själv säga.

"Det satt en tråd på locket." Han stack huvudet ända ner till hennes och höll fast. "Nu sitter den inte där längre."

"Släpp mig. Låt mig få komma upp. Den har väl ramlat av bara. Kommer du ens ihåg när du senast tittade i lådorna? Är det fyra år sedan? Hur mycket hinner inte hända på fyra år?" Hon drog in så mycket luft i lungorna hon förmådde och skrek sedan så högt hon kunde: "Släpp mig!"

Men han släppte inte.

Hon såg pallen försvinna bort från henne när han drog henne mot rummet med lådorna. Såg strimman av blod över golvet. Hörde hur han svor och frustade när han satte foten mot hennes rygg för att hålla ner henne.

Hon ville skrika igen, men fick ingen luft.

Då lyfte han bort foten, tog henne plötsligt hårt under armarna och drog in henne i rummet. Där låg hon, blödande och lamslagen bland alla flyttlådor.

Kanske borde hon ha hunnit reagera, men allt gick så fort.

Hon registrerade bara att hans ben tog två snabba steg åt sidan och att lådan höjdes över henne.

Han lät den falla tungt mot hennes bröstkorg.

Under några sekunder slogs all luft ur henne, men instinktivt hann hon vrida sig en smula åt sidan och dra det ena benet in över det andra.

Då kom ytterligare en kartong flygande, som pressade hennes underarm mot revbenen, så att det blev omöjligt att röra kroppen. Till sist en tredje låda.

Tre oerhört tunga flyttlådor.

Bortom de egna fötterna hann hon skymta dörröppningen och korridoren, innan han blockerade utsikten med en stapel på hennes underben. Slutligen staplade han ett antal kartonger på golvet alldeles intill dörren.

Han sa ingenting under hela tiden. Inte heller när han drog igen dörren och kilade fast henne fullständigt.

Hon hann inte ens ropa på hjälp. Men vem skulle ha kunnat hjälpa henne?

Tänker han bara låta mig ligga här? tänkte hon och andades med mellangärdet istället för bröstkorgen. Det enda ljuset kom från springorna runt takfönstret ovanför, och det enda hon såg var brun kartong.

När mörkret långt om länge tog över ringde mobilen i bakfickan.

Ringde och ringde. Men till sist tystnade även den.

21

De första två milen ner till Karlshamn rökte Carl fyra Cecil för att få bukt med skakningarna efter Tryggve Holts hårresande morgonkaffe.

Om de bara hade avslutat förhöret igår kväll kunde han ha kört hem direkt. Då skulle han i detta nu ligga i sin egen sköna säng med morgontidningen på magen och den hemtrevliga doften av Mortens pannkakor i näsborrarna.

Med en grimas luktade han på andedräkten i sin kupade hand.

Lördag morgon. Om tre timmar skulle han vara hemma. Han fick helt enkelt bita ihop till dess.

Han hade knappt hunnit ratta in Radio Blekinge, när mobilen ringde mitt i en vals med Hardangerfioler.

"Nå, hur går det, Calle?" sa rösten i andra änden. "Var är du?"

Carl såg på klockan igen. Hon var nio, vilket var illavarslande. När senast steg hans plastson upp så tidigt på en lördag?

"Vad är det, Jesper?"

Grabben lät sur. "Jag pallar inte att bo hos Vigga längre. Jag flyttar hem igen, okej?"

Carl skruvade ner musiken. "Hem? Du Jesper, lyssna nu här. Vigga har nyligen ställt mig ett ultimatum. Hon vill nämligen också flytta hem, och om jag inte går med på det kommer hon att kräva att huset säljs och sedan sticka med hälften. Var fan har du då tänkt dig att bo?"

"Det gör hon väl inte?"

Carl log. Skrämmande så lite den grabben kände sin egen mamma.

"Vad är det, Jesper? Varför vill du flytta hem? Är du trött på att det regnar in i kolonin? Du blev väl inte tvungen att diska själv igår?"

Han log för sig själv. Spydigheter var tydligen bästa magmedicinen.

"Det är skitlångt till gymnasiet i Allerød. En timme i varje riktning, det funkar helt enkelt inte. Och Vigga bara gnäller hela tiden. Jag pallar inte att höra på henne."

"Gnäller? Om vad?" Han ångrade sig i samma stund som han ställt frågan. Hur dum fick man vara? "Nej, glöm det, Jesper. *Det* pallar inte *jag* att höra på."

"Äsch, för fan, Calle! Nu ska du inte vara sådan! Hon gnäller för att det inte finns en karl i huset. Här är liksom tomt nuförtiden. Allt håller helt enkelt på att gå åt helvete."

Ingen karl i huset? Vad hade hänt med poeten med hornbrillorna? Hade han hittat en musa med fetare plånbok? Någon som faktiskt klarade av att knipa käft då och då?

Carl såg ut över det dyngsura landskapet. GPS:en hävdade att han borde köra över Rödeby och Bräkne-Hoby, något som verkade krångligt och slirigt. Det var ju inte klokt så många träd de hade i det här landet.

"Det är därför hon vill tillbaka till Rønneholtparken", fortsatte grabben. "Där har hon åtminstone dig."

Carl skakade på huvudet. Det var också en jävla komplimang.

"Okej, Jesper, hör här. Vigga får under inga omständigheter som helst flytta hem. Du får en tusing om du lyckas avvärja det."

"Jaha. Och hur har du tänkt dig att det ska gå till?"

"Hur? Använd hjärnan, pojk. Hitta en ny man åt henne. Tvåtusen om du fixar det den här helgen. Och så får du flytta hem igen. Annars, glöm det."

Två flugor i en smäll. Carl var jäkligt nöjd med sig själv. I andra änden var sonen helt förstummad.

"Och så en sak till. Om du flyttar in igen vill jag inte höra något gnäll om att Hardy bor hos oss. Gillar du inte läget, så att det bara att bo kvar i lilla huset på prärien."

"Öh … var?"

"Fattar du? Du får tvåtusen om du har fixat det till helgen."

Det blev tyst ett ögonblick. Erbjudandet skulle liksom tränga igenom det tjocka tonårslagret av lathet, bakfylla och ovilja i största allmänhet.

"Tvåtusen?" hördes det sedan. "Okej. Jag sätter upp lite lappar."

"Lappar?" Carl tvivlade på den metoden. Han såg hellre att Jesper bjöd hem ett gäng misslyckade konstnärer till kolonin. Då kunde de med egna ögon se vilken underbar, och framför allt gratis, ateljé de fick på köpet med denna väl begagnade hippiebrutta.

"Vad har du tänkt att det ska stå på lapparna?"

"Det vete fan, Calle." Han grubblade en stund. Nu kom han säkert med något riktigt skrattretande.

"Något i stil med: Tjena! Min läckra morsa söker en läcker snubbe. Griniga gubbar och fattiglappar gör sig icke besvär." Han skrattade själv.

"Jaha, men du kanske ska fundera lite till."

"Men fan alltså, Callemannen!" Jesper skrattade igen. "Det är lugnt. Du kan knalla till banken redan nu." Sedan lade han på.

Lätt förvirrad lyfte Carl blicken över instrumentbrädan och betraktade alla rödmålade hus och idisslande kor i det silande regnet.

Varför skulle livet vara så jävla komplicerat?

*

Det var ett bedrövligt, visset leende Hardy gav Carl när han klev in i vardagsrummet.

"Var har du varit?" frågade han tyst medan Morten skrapade bort potatismos ur hans mungipa.

"Bara en tur till Sverige. Jag körde bort till Blekinge och sov över där inatt. Faktum är att jag imorse stod utanför en stor och fin polisstation i Karlshamn och knackade på en låst dörr. De är nästan värre än vi. Otur om det sker brott på en lördag." Han skakade uppgivet på huvudet. Inte heller Hardy fann det särskilt lustigt.

För övrigt hade Carl inte sagt hela sanningen. Polisstationen hade faktiskt haft en porttelefon. *Tryck B och uppge ditt ärende*, stod det på en skylt bredvid, vilket han hade gjort. Men han förstod inte ett dyft av vad vakten svarat. Då hade mannen provat på så kallad engelska med kraftig svensk brytning, men det hade Carl överhuvudtaget inte förstått.

Då gick han.

Carl klappade sin korpulente inneboende på axeln. "Tack, Morten. Jag tar över utfodringen en stund. Kan du inte sätta på en kopp kaffe under tiden? Men snälla, inte för starkt."

Med blicken följde han Mortens enorma röv ut i köket. Hade han ätit gräddost dygnet runt de senaste veckorna? Man kunde tro att det var ett par traktordäck och inte två skinkor.

Han såg på Hardy igen. "Du verkar nere idag. Har det hänt något?"

"Morten tar sakta men säkert livet av mig", viskade Hardy mellan de mödosamma andetagen. "Han tvångsmatar mig dagarna i ända, som om det inte fanns annat att göra. Fet mat som gör att jag skiter stup i kvarten. Jag fattar inte att han orkar. Han måste ju själv torka upp skiten. Kan du inte be honom ge mig lite andrum? Bara lite då och då?" Han skakade på huvudet när Carl försökte stoppa ännu en sked i munnen på honom.

"Dessutom går käften på honom hela dagen lång. Jag blir galen. Paris Hilton och tronföljden och pensionssystemet och allt annat möjligt skit. Det är väl inte mitt problem? Samtalsämnena rinner ur honom i en aldrig sinande, tjock och fullkomligt ointressant strid ström."

"Kan du inte själv säga till honom?"

Hardy blundade. Han hade med andra ord redan försökt. Morten var inte den som lät sig övertalas i första taget.

Carl nickade. "Självfallet ska jag säga till honom, Hardy. Hur går det annars?" frågade han försiktigt. Den typen av frågor kunde vara mycket känsliga.

"Jag har fantomsmärtor."

Carl såg hur Hardy kämpade för att svälja ner.

"Vill du ha vatten?" Han tog vattenflaskan ur hållaren vid sängen och stoppade försiktigt in det böjda sugröret i mungipan på Hardy. Vem skulle göra detta dagarna i ända, om Hardy och Morten blev ovänner?

"Fantomsmärtor, säger du. Var?" frågade Carl.

"I knävecken, tror jag. Det är min själ inte så lätt att känna. Men det värker, som om någon knackar på mig med en stålborste."

"Behöver du en spruta?"

Han nickade. Den kunde Morten ge honom om en stund.

"Hur är det med känseln i fingret och axeln då? Kan du fortfarande röra handleden?"

Hardys mungipor drogs neråt. Det var svar nog.

"Apropå fantomer. Samarbetade inte du med polisen i Karlshamn en gång?"

"Jo, hurså? Vad har det med fantomsmärtor att göra?"

"Ingenting. Jag bara kom att tänka på en sak. Jag behöver en fantomtecknare till en mördare. Jag har ett vittne i Blekinge som kan beskriva honom."

"Och?"

"Jag behöver honom nu meddetsamma, och den svenska polisen är lika pigg på att stänga sina polisstationer som vi. Jag stod klockan sju imorse framför en enorm gul byggnad på Erik Dahlbergsvägen i Karlshamn och glodde på en skylt. *Måndag 9–18, tisdag–fredag 9–15, lördag och söndag stängt.* Stängt! På en *lördag!*"

"Jaha, men vad ska jag göra åt det?"

"Du kan be din vän i Karlshamn att göra Q-avdelningen i Köpenhamn en liten tjänst."

"Vad får dig att tro att min vän fortfarande jobbar i Karlshamn? Det måste vara minst sex år sedan."

"Då är han väl någon annanstans. Jag ska nog googla fram honom på något sätt, bara du ger mig namnet. Han är väl fortfarande polis? Var inte han en sådan där Bror Duktig? Du behöver bara be honom lyfta luren och ringa en fantomtecknare. Lättare kan det väl inte bli? Skulle du kanske inte göra samma sak för honom, om han frågade dig?"

Hardys tunga ögonlock bådade inte gott. "Det blir dyrt när det är helg", sa han sedan. "Om det överhuvudtaget finns några tecknare i närheten av ditt vittne."

Carl såg på kaffekoppen som Morten ställt fram till honom på sängbordet. Hade man inte vetat bättre kunde man tro att han kokat en kanna olja till något ännu svartare.

"Bra att du kom, Carl", sa Morten. "Jag måste sticka iväg."

"Iväg? Vart ska du?"

"Jag ska gå med i begravningståget för Mustafa Hsownay. Det börjar klockan två vid Nørrebrostationen."

Carl nickade. Mustafa Hsownay – ännu ett oskyldigt offer i mc-gängens och invandrargängens krig om haschmarknaden.

Morten höjde armen och viftade snabbt med en flagga, som förmodligen var irakisk. Var fan han hade fått den ifrån?

"Jag gick i samma klass som en som bodde i Mjølnerparken, där Mustafa blev skjuten."

Det var inte mycket till samband, men sådant brydde sig inte Morten om.

*

De låg nästan sida vid sida. Carl i myshörnan med fötterna på soffbordet och Hardy i sjukhussängen med sin långa, lama kropp vänd på sidan. Han hade blundat sedan Carl satte på teven, och den bittra grimasen hade sakta suddats ut.

De var som ett gammalt äkta par som äntligen kopplar av för dagen i det oumbärliga sällskapet av tevenyheter och sminkade uppläsare. Ett vackert sovande par en lördag kväll. Det fattades bara att de höll varandra i handen.

Carl tvingade upp sina tunga ögonlock och konstaterade att nyhetssändningen plötsligt hunnit bli den sista för dagen.

Det var kanske bäst att natta Hardy och själv gå och lägga sig.

Han glodde på skärmen, där Mustafa Hsownays begravningsfölje med ett värdigt lugn sakta tog sig fram längs Nørrebrogade. Tusentals tysta ansikten gled förbi kameran medan rosa tulpaner kastades ut genom fönstren mot likbilen. Invandrare av alla de slag, för att inte tala om minst lika många etniska danskar. De flesta hand i hand.

Köpenhamns häxkittel hade lyfts av elden för en stund. Gängkriget var inte allas krig.

Carl nickade för sig själv. Bra att Morten var där. Det fanns säkert inte så många från Allerød på plats. Han hade ju själv inte orkat ta sig dit.

”Där är Assad”, sa Hardy tyst.

Carl såg på honom. Hade han varit vaken hela tiden?

”Var?” Han såg på teveskärmen och fick genast syn på Assads runda huvud, som dök upp i folkhavet på trottoaren.

Till skillnad från alla de andra hade han inte blicken vänd mot likbilen, utan bakåt, mot människorna som följde den. Hans huvud rörde sig omärkligt från sida till sida, som ett rovdjur som följer sitt byte genom snåren. Han såg allvarlig ut. Sedan byttes kamerabilden.

”Vad i helvete!” sa Carl för sig själv.

”Han såg ut som en säkerhetspolis”, grymtade Hardy.

*

Carl vaknade i sin säng vid tretiden med ett bultande hjärta och ett täcke som vägde ett ton. Han mådde inte bra. Som om han plötsligt drabbats av feber. Som om en virusarmé överfallit honom och satt nervsystemet ur spel.

Han kippade efter luft och tog sig för bröstet. Varför känner jag panik? tänkte han och önskade att han hade en hand att gripa tag i.

Han öppnade ögonen i mörkret.

Det här har jag känt förut, tänkte han och erinrade sig sin kollaps medan svetten fick t-tröjan att klistra sig fast vid kroppen.

Den gången hade det varit nedskjutningen av honom, Anker och

Hardy ute på Amager, som legat och tickat som en bomb. Kunde det fortfarande ha med det att göra?

Gå igenom händelsen, så att du kan distansera dig från den, hade Mona sagt under behandlingen.

Han knöt händerna och drog sig till minnes skakningarna i golvet när Hardy träffades och han själv fick en skråma i pannan. Känslan av kropp mot kropp när Hardy rev med honom i fallet och blödde ner honom. Ankers heroiska försök att stoppa angriparna, trots att han var svårt sårad. Och så det sista dödliga skottet, som för evigt spillde Ankers hjärteblod över de skitiga golvplankorna.

Han tänkte igenom det flera gånger. Erinrade sig skammen över att själv inte ha agerat och Hardys stilla undran om varför det hände.

Carls hjärta fortsatte att hamra.

"Helvete också!" morrade han flera gånger medan han tände ljuset och en cigg. Imorgon skulle han ringa Mona och berätta att det börjat igen. Han skulle säga det så charmigt han kunde, med ett kryddmått värnlöshet. Kanske kontrade hon med mer än bara en konsultation. Man har väl rätt att hoppas.

Han log vid tanken och drog ett djupt bloss. Sedan slöt han ögonen och konstaterade åter att hjärtat uppträdde som en tryckluftsborr.

Var han sjuk på riktigt? Han reste sig med besvär och vinglade nerför trappan. Han tänkte fanimej inte ligga ensam där uppe och få en hjärtattack.

Det var då han halkade. När han vaknade igen stod Morten och ruskade i honom, med resterna av en målad irakisk flagga i pannan.

*

Den jourhavande läkarens ögonbryn sa att Carl slösade med hans tid. Utlåtandet var enkelt: överansträngning.

Överansträngning! Vilken jävla förolämpning! Som dessutom följdes upp av läkarens stereotypa anmärkningar om stress och efterföljande ordination av piller, som skulle skicka Carl till drömmarnas rike hur länge som helst.

Söndagen hade hunnit bli halv två när han vaknade tung i huvudet av hemska bilder. Men åtminstone slog hjärtat normalt.

"Du ska ringa Jesper", sa Hardy borta från sin säng, när Carl äntligen hade lyckats ragla ner. "Hur mår du?"

Carl ryckte på axlarna. "Det snurrar en massa saker i huvudet på mig och det är fan ingen höjdare att inte ha kontroll", svarade han.

Hardy försökte le, och Carl kunde ha bitit sig i tungan. Det var problemet med att ha Hardy hos sig. Man fick hela tiden tänka sig för innan man öppnade munnen.

"Jag har tänkt på det här med Assad igår", sa Hardy. "Vad vet du egentligen om honom, Carl? Borde du inte ordna ett möte med hans familj? Är det inte på tiden att du besöker honom?"

"Varför säger du så?"

"Det är väl bara normalt att man intresserar sig för sin partner?"

Partner? Hade Assad helt plötsligt blivit hans partner? "Jag kan dig, Hardy", sa han. "Du har en baktanke med det här. Vad gäller det?"

Hardy försökte åstadkomma något som skulle likna ett leende. Det var alltid trevligt att folk förstod en på rätt sätt.

"Jag menar bara att jag plötsligt såg honom på ett annat sätt där på teven. Som om jag inte kände honom. Tycker du att *du* känner Assad?"

"Frågan är snarare om jag känner någon överhuvudtaget. Vem fan känner egentligen vem?"

"Var bor han, vet du det?"

"På Heimdalsgade, har jag för mig."

"Har du för dig?"

Var bor han? Hur är hans familj? Det var rena rama korsförhöret. Men tyvärr hade Hardy rätt. Carl visste fortfarande ingenting om Assad.

"Skulle jag ringa Jesper, sa du?" sa han undvikande.

Hardys huvud rörde sig något. Han var uppenbarligen inte färdig med det här med Assad. Vad det nu skulle tjäna till.

"Du hade ringt", sa han till Jesper i mobilen sekunden senare.

"Du kan plocka ut stålarna, Calle."

Carl började blinka okontrollerat. Grabben lät väldigt säker.

"Carl! Jag heter Carl, Jesper. Jag varnar dig, om du kallar mig Calle en gång till, så kommer jag att skita i dig när det verkligen är viktigt."

"Okej, Calle." Carl kunde nästan känna Jespers flin genom luren. "Då får vi se hur bra du hör nu. Jag har hittat en lirare åt Vigga."

"Jaså? Är han värd sina tvåtusen? Eller åker han ut med badvattnet imorgon, precis som den där poetsnubben? För i så fall kan du glömma några stålar."

"Han är fyrtio år. Har en Opel Vectra, en livsmedelsaffär och en dotter på nitton."

"Se där! Och vilken sten hittade du honom under?"

"Jag satte upp en lapp i hans affär. Den allra första lappen."

Okej! Det hade med andra ord varit lättförtjänta pengar för grabben.

"Så vad får dig att tro att handlare Torskhuvud får in sin skovel under Vigga. Ser han ut som Brad Pitt, eller?"

"Fortsätt drömma, Calle. Såvida inte Brad har legat och snarkat i solen i en vecka."

"Vadå, är han svart?"

"Inte svart, men det är ta mig fan inte långt ifrån."

Carl höll andan medan resten av historien levererades med knivskarp precision. Objektet var en änkeman med blyga, bruna ögon. Perfekt för Vigga. Jesper hade släpat med honom till kolonin, där mannen hade berömt Viggas tavlor och hänfört utropat att kolonistugan var det mysigaste han sett i hela sitt liv. Sedan rullade det på av sig självt. Just nu åt de i alla fall lunch på en restaurang inne i centrum.

Carl skakade på huvudet. Han borde vara glad som en lärka, men istället drabbades han av ännu en olustkänsla.

När Jesper var klar slog han ihop mobilen mycket tvekande och såg på Morten och Hardy, som betraktade honom som ett par byrackor i väntan på matresterna.

"Håll tummarna. Jag tror vi har blivit räddade på mållinjen. Jesper har lyckats para ihop Vigga med den perfekte mannen, vilket förhoppningsvis innebär att vi kan bo kvar här ett tag till."

Morten gapade glatt och klappade försiktigt händerna. "Guud alltså, låt oss hoppas!" utbrast han. "Vem är då Viggas vite prins?"

"Vit?" Carl försökte dra på smilbanden, men de kändes väldigt strama. "Enligt Jesper är Gurkamal Singh Pannu den mörkaste indiern norr om ekvatorn."

Hörde han dem flämta båda två?

*

Nørrebros ytterområden präglades av blått och vitt och djupt besvikna miner denna dag. Aldrig tidigare hade Carl sett *så* många FCK-anhängare på trottoarerna, som alla hängde med huvudena. Det låg flaggor överallt och ölburkarna verkade väldigt tunga på väg upp mot munnarna. Hejaramsorna hade tystnat, endast enstaka, frustrerade bröl hördes, som lade sig över stadsdelen likt kvalfyllda ångestskrik från savannernas gnuer, som lejonflocken just jagat ut över en klipp-kant.

FC Köpenhamn hade förlorat med 2–0 mot Esbjerg. Fjorton segrar på hemmaplan följt av en förlust mot ett lag som tidigare bara hade en enda bortaseger under säsongen.

Stadsdelen var död.

Han parkerade mitt på Heimdalsgade och såg sig omkring. Sedan han själv patrullerade där hade invandrarbutikerna skjutit upp som svampar ur jorden. Till och med på en söndag var det full kommers där.

Han fann Assads namn på dörrskylten och tryckte på knappen. Hellre stå där med lång näsa än att få ett nej i telefonen. Om Assad inte var hemma skulle han köra ut till Vigga och få bekräftat det som numera var allmänt vedertaget i hennes huvud.

Efter tjugo sekunder hade fortfarande ingen svarat.

Han tog ett kliv tillbaka och spanade upp mot balkongerna. Inte den gettobyggnad han räknat med. Faktiskt förvånansvärt få paraboler och inte heller en massa tvätt som hängde på tork.

”Ska du in?” frågade en glad röst bakom honom. En blond tjej, som med en kort blick fick Carls hjärta att börja galoppera, låste upp dörren.

”Tack”, mumlade han och gled med in i betongblocket.

Han hittade lägenheten på tredje våningen och kunde konstatera att Assads namn var det enda som stod på dörren, i motsats till de nerklott-rade namnskyltarna hos hans två arabiska grannar.

Carl ringde ett par gånger på dörrklockan, men visste redan att han kommit dit förgäves. Han böjde sig fram och kikade in genom brevin-kastet.

Det verkade tomt i lägenheten. Bortsett från reklam och ett par föns-terkuvert såg han bara två slitna läderfåtöljer längst in.

”Vad tror du att du sysslar med?” Carl vände på huvudet och kom att titta in i ett par löst sittande, vita joggingbyxor med revärer längs sidorna.

Carl reste sig mot kroppsbyggaren med de bruna stockarna till över-armar. ”Jag tänkte besöka Assad. Vet du om han varit hemma idag?”

”Shia-killen? Nej, det har han inte.”

”Hans familj då?”

Killen lutade huvudet något åt sidan. ”Är det säkert att du känner honom? Det är inte du som springer runt och gör inbrott i huset? Vad fan glor du in genom hans brevinkast för?” Han tryckte sin stenhårda bringa i sidan på Carl.

"Du, Rambo, lugna dig!"

Carl tryckte sin hand mot mannens tvättbräda till mage medan han letade i innerfickan.

"Assad är min vän, vilket du också är om du omgående svarar på mina frågor."

Killen blängde på polisbrickan som Carl höll upp framför honom.

"Vem vill vara vän med någon som har en sådan jävla ful bricka?" sa han med en sur grimas.

Han började vända ryggen till, när Carl grep tag i hans ärm.

"Om du bara vill hjälpa mig med ett par frågor. Det skulle vara …"

"Du kan ta dina idiotfrågor och torka din vita röv med dem, din jävla idiot."

Carl nickade. Om cirka tre och en halv sekund tänkte han visa denna förvuxna proteinpulvertuggare vem som var idioten av de två. Han kanske var stor, men inte för stor för ett rejält grepp i kragen och några varningens ord om att han skulle åka in för hot mot tjänsteman.

Då hördes ytterligare en röst bakom dem.

"Bilal! Vad sysslar du med? Ser du inte mannens bricka?"

Carl vände sig om mot en ännu bredare kille, som tydligen också hade tyngdlyftning som huvudsysselsättning. En besynnerlig uppvisning av sportkläder av alla de slag. Om den gigantiska t-tröjan var inköpt i en vanlig affär, så måste den affären ha ett sjujädrans brett sortiment.

"Ursäkta min bror, han trycker i sig för många steroider", sa han och sträckte fram en näve som var större än Ven. "Vi känner inte Hafez el-Assad. Jag har faktiskt bara träffat honom två gånger. En lustig kille med runt huvud och stora ögon, va?"

Carl nickade och släppte ön.

"Om jag ska vara ärlig tror jag inte han bor här", fortsatte killen. "I alla fall inte med sin familj." Han log. "Det hade kanske inte heller funkat i en liten etta som den."

*

Efter att förgäves ha försökt ringa Assad på mobilen ännu ett par gånger klev Carl ut ur bilen med en tung suck. Sedan började han gå uppför stigen mot Viggas kolonistuga.

"Hej, min ängel", sjöng hon mot honom.

Från de pyttesmå högtalarna inne i vardagsrummet strömmade musik han aldrig hört maken till. Var det sitarer eller höll någon på att plåga livet ur en katt?

"Vad händer?" frågade han med en oemotståndlig lust att hålla händerna för öronen.

"Är det inte underbart?" Hon tog ett par danssteg, som ingen indier med självrespekt skulle acceptera. "Jag har fått den och flera andra skivor av Gurkamal."

"Är han här?" Idiotisk fråga i ett hus med bara två rum.

Vigga log brett. "Han är i sin affär. Hans dotter kunde inte, eftersom hon skulle på curling."

"Curling! Jaha. En mer typisk indisk sport får man ju leta efter."

Hon slog till honom. "Vadå indisk? Han kommer faktiskt från Punjab."

"Jaså! Då är han alltså pakistanier och inte indier."

"Nej, han är indier, men det är inget du ska bry din lilla hjärna med."

Han satte sig tungt i en mycket sliten fåtölj. "Vigga, det här är ohållbart. Jesper far fram och tillbaka och du hotar först med det ena och sedan med det andra. Jag vet ju knappt om jag äger huset jag bor i."

"Tja, så är det ju när man fortfarande är gift med den som äger andra halvan."

"Det är det jag menar. Kan vi inte komma fram till en rimlig uppgörelse, där jag kan betala av huset?"

"Rimlig?" Hon drog ut på ordet, så att det kom att låta mycket olycksbådande.

"Ja. Om du och jag skriver ett inteckningsbevis på låt oss säga hundratusen, så kan jag betala av tvåtusen i månaden. Vore inte det perfekt?"

Man såg hur maskineriet i hennes huvud tuggade. När det handlade om kronor och ören kunde hon ganska lätt gå vilse, men fanns det bara tillräckligt många nollor bakom var det en helt annan sak.

"Lilla vän", började hon och sedan var det slaget förlorat. "Det är inget man kommer överens om bara så där över en kopp te. Senare kanske och med ett belopp som ligger en bra bit över ditt förslag. Men vem vet vad livet har att erbjuda?" Sedan skrattade hon helt omotiverat och den gamla vanliga förvirringen infann sig igen.

Egentligen ville han bara ta mod till sig och säga att då fick de anlita varsin advokat som skötte resten. Fast det vågade han inte.

"Men vet du vad, Carl. Vi är ju släkt och då måste man stötta varandra. Jag förstår hur mycket du, Hardy, Morten och Jesper gillar att bo i Rønneholtparken och hur synd det vore att förstöra det upplägget. Det gör jag verkligen."

Han såg på henne att ett förslag som skulle bli ett slag i magen på honom var under uppsegling.

"Därför har jag tänkt låta dig och de andra vara ifred ett tag."

Det var lätt för henne att säga. Men vad hände när Gurkmeja tröttnade på hennes oupphörliga pladder och hemmastickade sockor?

"Men då måste du i gengäld också göra en sak för mig."

Ett sådant uttalande från just denna mun kunde bli mycket ödesdigert.

"Jag tror …" Mer hann han inte säga innan han blev avbruten.

"Mamma vill gärna att du besöker henne. Hon pratar om dig så ofta, Carl. Du är fortfarande hennes absoluta favorit. Därför har jag beslutat att du ska titta in till henne en gång i veckan. Kan vi komma överens om det? Du börjar imorgon."

Carls mod sjönk omedelbart. Det var sådant här man blev fullkomligt torr i halsen av. Viggas mamma! Detta mycket besynnerliga fruntimmer, som det hade tagit fyra år att räkna ut att Carl och Vigga var gifta. En människa som levde i den fasta övertygelsen om att Gud uteslutande skapade världen för hennes eget stora nöjes skull.

"Ja ja, jag vet vad du tänker, Carl. Men hon är inte samma person längre. Inte sedan hon blev dement."

Carl suckade. "Jag vet inte om det funkar med en gång i veckan, Vigga." Han såg genast hur hennes ansikte stelnade. "Men jag ska förstås göra mitt bästa."

Hon sträckte fram handen. Märkligt nog skulle de alltid ta i hand om saker som han tvingades till, men som hon ansåg sig ha rätt till.

*

Han parkerade bilen på en sidoväg vid Utterslevmossen och kände sig mycket ensam. Hemma var det visserligen liv och rörelse, men inget som lockade honom. På arbetet drömde han sig också bort. Han hade inga hobbyer och sysslade inte med sport. Han hatade att hänga med främlingar och var inte törstig nog för att dränka sig i pubarnas förfriskningar.

Nu hade dessutom en man med turban kavlat upp ärmarna och fått omkull hans nästan exfru på kortare tid än det tar att hyra en porrfilm.

Hans så kallade partner bodde inte ens på adressen han uppgett, så honom kunde han heller inte hänga med.

Tro fan att han mådde dåligt.

Han andades långsamt in av vindpusten från mossen, när han åter kände hur svetten lackade och hur det stack i huden på armarna. Skulle nu det jävelskapet börja igen? Två gånger på mindre än ett dygn.

Då var han kanske sjuk.

Han tog mobilen på passagerarsätet och studerade länge namnet han tryckt fram i displayen. *Mona Ibsen.* Hur farligt kunde det vara?

När han suttit i tjugo minuter och känt hjärtfrekvensen stadigt öka tryckte han på uppringningsknappen och hoppades att söndagarna inte var heliga för en krishanterare.

"Hej, Mona", sa han tyst när hon svarade. "Det är Carl Mørck. Jag …" Här tänkte han säga att han mådde dåligt. Att han behövde prata. Men så långt hann han inte.

"Carl Mørck!" avbröt hon honom. Hon lät inte särskilt glad. "Det var fanimej på tiden. Jag har väntat på att du skulle ringa sedan jag kom hem."

*

När han satt i hennes soffa doftade det så av henne att han förflyttades tillbaka till skolutflykten till Tolnebackarna, då en flicka bakom några baracker hade sin långfingrade hand djupt begraven i hans byxor. Jäkligt förvirrande, men också otroligt förbjudet och nervpirrande.

Och Mona var inte vilken fräknig bagardotter från Algade som helst, det framgick med all tydlighet av hans kropps reaktioner. Varje gång han hörde hennes steg ute i köket kände han det olycksbådande bultandet innanför bröstfickan. Jäkligt obehagligt. Typiskt om han tuppade av nu.

De hade utväxlat hövligheter och hunnit prata lite om hans förra anfall, druckit en Campari soda och, när den väl lyfte humöret, ett par till. De hade pratat om hennes resa till Afrika och var sjukt nära att kyssa varandra.

Kanske var det tanken på vad som nu borde ske som utlöste panikkänslan.

Hon kom in med några lyxiga snittar, som hon kallade för nattmackor. Men vem ville tänka på dem, nu när de var ensamma och hennes skjortblus satt så vansinnigt tajt?

Kom igen nu, Carl, tänkte han. Om en man som har skäggflätor och heter Gurkmeja kan, så kan minsann du också.

22

Han hade spärrat in sin fru i ett fängelse av tunga lådor, och där fick hon bli kvar tills det var slut. Hon visste för mycket.

I ett par timmar hade han hört det skrapa i golvet där uppe, och när han kom hem med Benjamin hade han dessutom hört halvkvävda stönanden.

Först nu, när han packat in alla pojkens saker i bilen, var det helt tyst i skrubben.

Han satte på en skiva med barnsånger i bilstereon och log mot sonen i backspegeln. Efter en timmes körning skulle han bli lugn. En tur genom Själland slog aldrig fel.

Hans syster hade låtit sömndrucken i telefonen, men hon vaknade rejält till liv när han berättade hur mycket han tänkte betala dem för att passa Benjamin.

"Ja, du hörde rätt", sa han. "Du får tretusen i veckan. Jag svänger förbi emellanåt och kollar så att ni sköter er."

"Du får betala en månad i förskott", sa hon.

"Visst! Inga problem."

"Men du måste ändå betala oss som vanligt."

Han nickade för sig själv. Det villkoret hade han ju räknat med. "Lugn bara, vi ändrar inte på något."

"Hur länge ska din fru vara inlagd?"

"Jag vet inte. Vi får se vad som händer. Hon är väldigt sjuk. Risken är stor att det blir länge."

Hon varken beklagade något eller visade någon form av medkänsla.

Inte Eva.

*

"Du ska gå in till din far", beordrade hans mor strängt. Hennes hår var i oordning och hennes klänning hade vridit sig ett halvt varv runt livet på henne. Hans far hade alltså tagit i med hårdhandskarna igen.

"Varför?" hade han frågat. "Jag ska läsa färdigt Korinthierbreven till morgondagens bönemöte, det har far själv sagt."

I sin naivitet hade han trott att hon skulle rädda honom. Gå emellan. Slita honom ur faderns strypgrepp och bara denna enda gång låta honom slippa. Det där med Chaplin hade ju bara varit på skoj, en lek som han tyckte om. Inget som betydde något. Jesus hade också lekt när han var liten, det visste alla.

"Gå bara in dit. Nu!" Hans mor pressade samman läpparna och grep tag om hans nacke. Detta grepp, som så många gånger eskorterat honom in till slag och förödmjukelse.

"Då säger jag att du tjuvtittar på vår granne när han tar av sig under-tröjan ute på åkern", sa han.

Det fick henne att rycka till. De visste bägge att det inte var sant. Att till och med den minsta lilla blick mot frihet och ett annat liv ledde raka vägen till helvetet. Det fick de predikat för sig i församlingen, i böner-na vid bordet och i de utvalda orden ur den svarta boken som alltid låg redo i faderns ficka. Satan fanns i blickarna mellan människor, förkun-nade den. Satan fanns i leendet och i alla former av beröring. Så stod det i boken.

Och nej, det stämde inte att hans mor såg efter grannen, men faderns knytnävar var alltid redo, de lät aldrig tvivel komma någon till godo.

Då sa hans mor det som därefter kom att skilja dem åt för tid och evighet.

"Ditt djävulsyngel. Må Satan återkalla dig dit där du kommer ifrån. Må skärselden få din hud att förkolna och åsamka dig evig smärta." Hon nickade med kalla ögon. "Ja, du kan se hur rädd ut du vill, men Satan har redan tagit dig. Från och med nu bryr sig ingen av oss mer om dig."

Hon drog upp dörren och knuffade in honom i det portvinsstinkan-de rummet.

"Kom hit", sa hans far medan han virade livremmen om handen.

Det var ganska mörkt i rummet, eftersom gardinerna var fördragna.

Bakom skrivbordet stod Eva som en saltstod i sin vita klänning. Han hade av allt att döma inte slagit henne, eftersom hans ärmar inte var uppkavlade och hennes gråt var kontrollerad.

"Så du leker alltså fortfarande Chaplin", sa hans far kort.

Eva försökte undvika hans blick, men innan hon tittade bort hann han se glimten i hennes ögon.

Det skulle alltså bli hårt.

*

"Här är Benjamins papper. Det är bäst att ni har dem medan han är hos er. Om han blir sjuk."

Han gav svågern papperen.

"Men du tror väl inte att han blir sjuk?" frågade systern ängsligt.

"Naturligtvis inte. Benjamin är en stark och frisk pojke."

Han såg det redan nu i svågerns ögon. Han ville ha mer pengar.

"En pojke i Benjamins ålder äter mycket", sa han. "Bara blöjorna kommer att kosta tusen kronor i månaden", tillade han. "Det är bara att googla det."

Svågern gned sina händer som den snåle Ebenezer Scrooge i *En julsaga*. En engångssumma på femtusen kronor kanske.

Men svågern fick inga pengar. De skulle ändå bara skickas vidare till någon predikant som struntade i vem av församlingsmedlemmarna som betalade och för vad.

"Om det uppstår problem med dig och Eva kan vår överenskommelse mycket väl komma att revideras. Förstått?" sa han.

Svågern samtyckte motvilligt, men systern var redan långt borta. Pojkens lena hud blev noga undersökt av ovana fingrar.

"Vilken hårfärg har han nu?" frågade hon med sin blinda blick fylld av fröjd.

"Samma färg som jag som liten, om du minns", sa han och noterade hur de matta ögonen tittade bort.

"Och ni besparar Benjamin era jävla böner. Förstått?" avslutade han och gav dem pengarna.

De nickade visserligen, men han gillade inte deras tystnad.

*

Om tjugofyra timmar skulle pengarna kastas ut. Det var han helt säker på. En miljon kronor i använda sedlar.

Nu skulle han köra upp till båthuset och kolla så att barnen mådde någorlunda bra. Imorgon, när utväxlingen skett, skulle han sedan köra dit och döda flickan. Pojken skulle han söva med kloroform och dumpa på en åker i närheten av Frederiks, natten till tisdag.

Samuel skulle få precisa instruktioner om vad han skulle säga till sin pappa och mamma, så att de visste vad de hade att vänta. Att hans systers mördare hade medhjälpare och alltid skulle veta var familjen befann sig. Att de hade fler barn som han kunde kidnappa. De skulle med andra ord inte känna sig för säkra. Fattade han bara den minsta misstanke om att de skvallrade för någon, skulle det kosta dem ytterligare ett barn. Allt detta skulle Samuel berätta för dem. Och detta villkor hade ingen tidsbegränsning. Dessutom skulle de vara medvetna om att han varit förklädd. Den människan de trodde att de kände existerade överhuvudtaget inte och använde aldrig samma förklädnad två gånger.

Det hade funkat varje gång. Familjerna hade haft sin tro att ty sig till, och i den skulle de också gräva ner sig. Det döda barnet sörjdes och de levande barnen avskärmades. Historien om Jobs prövningar blev deras ankare.

För sin umgängeskrets skulle de förklara barnets försvinnande med att det var en fråga om utstötning. Just i det här fallet skulle det inte vara så svårt att få församlingsmedlemmarna att tro på det. Magdalena hade ju varit så speciell och nästan alltför strålande, något som i deras kretsar knappast var någon god egenskap. Hennes föräldrar skulle berätta att hon skickats till en fosterfamilj. Därmed skulle församlingen inte bekymra sig mer om henne, och därmed gick han själv säker.

Han log för sig själv.

Sedan skulle det finnas en person mindre i världen som förpestade den genom att sätta Gud före människan.

*

Prästfamiljens sammanbrott kom en vinterdag, bara ett par månader efter att han fyllt femton. I månader hade besynnerliga och oförklarliga ting hänt med hans kropp. Syndiga tankar, som församlingen varnat för, började ansätta honom. Han såg en okänd kvinna i en tätt åtsittande kjol böja sig fram och fick samma kväll på bara några få sekunder sin första sädesuttömning med denna bild på näthinnan.

Han började svettas i armhålorna och rösten for iväg åt alla håll. Nackmusklerna blev större och överallt började mörkt och strävt hår att växa.

Plötsligt kände han sig som en mullvadshög på en öde slätt.

Om han ansträngde sig kunde han känna igen sig lite i pojkarna i församlingen, som tidigare genomgått samma förvandling, men han hade ingen aning om varför det hände. Det var på inget sätt ett tema man närmade sig i det hem som hans far betecknade "Guds utvalda".

I tre år hade hans far och mor bara tilltalat honom om det var absolut nödvändigt. De såg inte att han ansträngde sig, noterade aldrig att han försökte att göra dem till viljes under bönemötena. För dem var han den av Satans avbilder som kallades Chaplin och ingenting annat. Vad han försökte och vad han åstadkom var oväsentligt.

Och människorna i församlingen kallade honom annorlunda och besatt och samlade sig i böner för att inte barnen skulle bli som han.

Det var bara Eva som var återhållsam. Hans lillasyster, som inledningsvis svek honom och under deras fars påverkan erkände hur han baktalat föräldrarna och hur lite han önskade lyssna till dem och Guds ord.

Efter det hade hans far gjort det till sin andra mission i livet att knäcka honom. Ändlösa uppdrag utan syfte. En dagsranson av hån och skällsord, med slag och psykisk terror som efterrätt.

I början fanns det några i församlingen som han kunde söka tröst hos, men också de försvann. I dessa kretsar tornade Guds vrede och förbannelser upp sig över människans förbarmande, och i en sådan skugga står den gudfruktiga människan sig själv och Gud närmast.

De vände honom ryggen, valde sida. Till sist kunde han inte göra annat än att vända andra kinden till.

Precis som Bibeln föreskrev.

Och i detta skugghem, där inget fick syre, vissnade långsamt förhållandet mellan honom och Eva. Hur många gånger hade hon inte bett om ursäkt och hur många gånger hade han inte vänt dövörat till?

Till sist hade han inte heller henne mer, och denna vinterdag slutade allt i kaos.

"Du låter som ett grymtande svin med den där rösten", sa hans far när de skulle sätta sig till bords i köket. "Och liknar ett svin gör du också. Se dig själv i spegeln. Du ser motbjudande och tölpaktig ut. Andas in med ditt fula tryne, så märker du själv hur du stinker. Gå för tusan ut och tvätta dig, ditt vedervärdiga åbäke!"

Det var just så nedrigheterna och befallningarna kom. En åt gången. Uppradade efter varandra. Småsaker, som befallningen att tvätta sig, som långsamt mångdubblades och till sist blev oöverskådliga. När fadern var klar med sina förolämpningar skulle han förmodligen dessutom kräva att han skurade samtliga väggar i sitt rum, så att stanken försvann.

Varför inte ta tjuren vid hornen?

"Jag får väl skura mina väggar med lut, innan du är färdig med dina sinnessjuka befallningar? Men dem kan du skura själv, din gamle narr", ropade han.

Det var då hans far började svettas och då hans mor började protestera. Vem var han att tilltala sin far på det sättet?

Han kände sin mor, hon skulle försöka tränga in honom i ett hörn. Be honom att försvinna ur deras liv, tills han förkvävd av alla orimligheter slutligen smällde igen ytterdörren och var borta halva natten. Den taktiken hade hon använt ofta, när saker och ting ställdes på sin spets, med goda resultat. Men inte nu.

Han kände sin nya kropp svälla. Märkte hur halspulsådern bultade och hur det hettade till i musklerna. Om hans far kom för nära med sin knytnäve skulle han minsann själv få känna hur det kändes.

"Din satans ohyra, låt mig vara", varnade han. "Jag hatar dig som pesten, må du spy upp blod, din jävla horbock. Håll dig långt borta från mig."

Att därefter se en skenhelig människa som deras far tappa besinningen med en uppsjö av ord som Satan förärat mänskligheten, det blev för mycket för Eva. Den blyga violen, som brukade gömma sig bakom sitt förkläde och alla dagens göromål, rusade plötsligt fram till sin bror och ruskade om honom.

Han skulle sluta förstöra deras liv – han hade redan förstört tillräckligt, ropade hon till honom medan deras mor försökte skilja dem åt. Deras far for upp och rev ut några flaskor från skåpet under köksvasken.

"Nu går du upp och tvättar dina väggar med lut, som du själv föreslår, din lille Chaplinsatan", väste han med en sjuklig ansiktsfärg. "Och om du inte gör det ska jag se till att du inte kan resa dig från din säng på mången dag, är det förstått?"

Sedan spottade fadern honom i ansiktet och tryckte den ena flaskan i famnen på honom. Hans far såg på spottet med ett hånleende när det rann nerför kinden.

Då skruvade han korken av flaskan och lät den frätande vätskan rinna ut på köksgolvet.

"Vad i alla helvetets synder tar du dig till, unge?" ropade hans far och försökte slita flaskan ur näven på honom. Det frätande medlet skvätte ut i en stor kaskad.

Vrålet från hans far var högt och skrämmande, men det var inget mot skriket som Eva gav ifrån sig.

Skakande stod hon med händerna framför ansiktet, som om hon inte vågade röra vid det. Det var under dessa sekunder som luten frätte sönder hennes ögon och för evigt berövade henne synen.

Medan rummet fylldes av deras mors gråt, Evas skrik och hans egen förfäran över vad han orsakat, stod hans far och såg sina händer bubbla upp av frätmedlet. Hans ansiktsfärg gick från rött till blått.

Plötsligt vidgades hans ögon och han tog sig för bröstet. Han vek sig dubbel med en överraskad och undrande min, alltmedan han kippade efter luft. När han till sist föll till golvet var livet som de var vana vid över.

"Herre Jesus Kristus, Herre allsmäktige Fader, jag vilar i din hand", var det sista som rosslade ur faderns strupe. Sedan var han borta, med ett leende på läpparna och händerna korsade över bröstet.

Han stod kvar ett ögonblick och studerade leendet i sin fars fastfrusna dödsmask medan hans mor anropade Gud om nåd och Eva gallskrek.

Hämndlystnaden som burit upp honom de sista åren var plötsligt utan näring. Med ett leende och Gud på läpparna hade hans far dött av en hjärtattack.

Det var inte det han hade drömt om.

Bara fem timmar senare var familjen splittrad. Eva och hans mor hamnade på sjukhuset i Odense och han på barnhem. Det såg församlingsmedlemmarna till och det blev hans belöning för ett liv i skuggan av Gud.

Nu återstod bara hämnden.

23

Det var en överväldigande kväll. Så tyst och så mörk.

Ute på fjorden glimmade fortfarande ett par lanternor och på ängen söder om huset susade det vårlikt i gräset. Snart skulle korna drivas ut på bete och sommaren närmade sig.

Vibegården när den var som allra bäst.

Han älskade den här platsen. När tiden var mogen skulle han putsa den röda tegelfasaden, riva båthuset och röja så att han fick fri utsikt mot vattnet.

Det var en bra liten gård han skaffat sig. Här kunde han se sig själv åldras.

Han öppnade dörren till uthuset, tände den batteridrivna lampan som hängde i en bjälke och tömde det mesta av tiolitersdunken i generatortanken.

När han nådde detta skede i processen – när han drog i startlinan – kände han på sig om han gjort ett fullgott arbete.

Han tände det elektriska ljuset i taket och släckte lampan. Framför honom stod den enorma gamla oljetanken och vittnade om flydda tider, och nu skulle den i drift igen.

Han sträckte sig in över tanken och lyfte av metallocket som han skurit ut ur tankens topp. Jo, den var torr och fin inuti. Då hade den alltså blivit ordentligt tömd förra gången. Allt var precis som det skulle vara.

Därefter tog han fram väskan som stod på hyllan ovanför dörren. Innehållet i den hade kostat honom mer än femtontusen kronor, men det var det värt. Med en "Gen HPT 54 Night Vision" blev natt till dag. Infraröda glasögon för mörkerseende, precis sådana som användes i krig.

Han krängde remtygen över huvudet, placerade glasögonen framför ögonen och slog på dem.

Sedan gick han ut och nerför stenplattorna, genom sörjan av levande och döda mördarsniglar, och drog med sig gummislangen, som stack ut på uthusets kortsida, ner till sjön. Med glasögonen kunde han utan problem se båthuset mellan buskarna och säven. Ja, faktiskt såg han hela tomten.

Grågröna byggnader och grodor som hoppade undan när han kom gående.

Bortsett från vattnets stilla kluckande och generatorns låga surrande var allt tyst när han vadade ut i vattnet med slangen.

Det svagaste ledet i hela processen var just denna generator. I början hade han haft den påslagen under hela förloppet, men efter några år började den gnissla i axeln efter att ha gått i bara någon vecka, så nu måste han köra den här extra turen upp till huset för att starta den. Han övervägde faktiskt att byta ut den.

Vattenpumpen däremot var fantastisk. Tidigare hade han varit tvungen att för hand fylla oljetanken med vatten, men det behövde han inte längre. Han nickade nöjt och lyssnade på den effektiva slangens skvalpande, till tonerna av den lågt surrande generatorn. Det tog bara en halvtimme numera att fylla tanken med vatten från fjorden.

Då hörde han ljuden från huset på pålarna.

Efter att han skaffat sig Mercedesen var det aldrig några problem att ta de fastkedjade på bar gärning. Bilen hade varit dyr, men det var priset för komfort och en ljudlös motor. Nu kunde han smyga sig ända fram till båthuset och vara säker på att de inspärrade var helt omedvetna om hans närvaro.

Så var det även denna gång.

Samuel och Magdalena var speciella. Samuel för att han påminde om honom själv i den åldern. Spänstig, upprorisk och explosiv. Magdalena var närmast raka motsatsen. Första gången han betraktat henne genom tittgluggen i båthuset förvånade det honom hur mycket hon påminde honom om förbjuden kärlek, och vad den kunde leda till. En förälskelse som på allvar förändrade hans liv. Jodå, visst kom han ihåg flickan när han såg Magdalena. Samma sneda ögon, samma vånda, samma tunna hud genom vilken det fina nätet av blodådror syntes.

Två gånger tidigare hade han smugit sig tätt inpå huset och dragit bort remsan av tjära som täckte gluggen. När han satte ögat till hålet hade han sett allt som pågick där inne. Barnen på ett par meters avstånd från varandra. Samuel längst in och Magdalena vid dörren.

Magdalena brukade gråta mycket, men tyst. När hennes taniga skuldror började skaka i det svaga ljuset ryckte hennes bror i sin läderrem för att påkalla hennes uppmärksamhet. Då fann hon tröst i hans varma blick.

Han var hennes storebror och han skulle ha gjort vad som helst för att befria henne från remmarna. Men det gick inte. Därför grät även han ibland, men utan att visa det. Systern fick inte se. Han brukade vända bort huvudet en stund för att samla sig, innan han kallade på henne. Sedan började han spela pajas. Han nickade med huvudet på ett lustigt sätt och fick det att rycka i överkroppen.

Precis som han själv hade imiterat Chaplin för systern en gång i tiden. Han hörde Magdalena skratta där inne bakom tejpen. Ett kort skratt, innan verkligheten och rädslan hann ikapp henne.

Den här kvällen, när han kom tillbaka för att stilla deras törst en sista gång, hörde han redan på avstånd hur flickan sakta nynnade.

Han lade örat mot båthusets plankverk. Hennes stämma var ljus och klar, till och med bakom tejpen. Och orden kunde han utantill. De hade förföljt honom genom hela barndomen, och han hatade vartenda ett av dem:

Närmare, Gud, till dig,
närmare dig!
Om det än blir ett kors
som lyfter mig,
sjunger jag innerlig:
Närmare, Gud, till dig,
närmare, Gud, till dig,
närmare dig!

Han drog försiktigt bort tjärremsan och satte mörkerglasögonen till tittgluggen.

Hennes huvud var framåtböjt och axlarna hopsjunkna, så att hon såg mindre ut än hon var. Långsamt gungade hennes kropp i sidled i takt till psalmen hon sjöng.

När hon var färdig drog hon in luft genom näsborrarna i korta stötar. Som hos små, skrämda djur kunde man nästan känna hur hårt hjärtat arbetade för att upprätthålla allt. Tankarna, törsten, hungern och skräcken inför det som måste komma. Han vände sin gröna blick mot Samuel och såg genast att han inte var lika uppgiven som systern.

Istället var han upptagen med att hela tiden försöka dra överkroppen mot snedväggen. Han spelade inte pajas den här gången.

Nej, och nu hörde han också vad pojken sysslade med. Han hade trott att det bara var ännu ett missljud från generatorn.

Det var tydligt vad grabben gjorde. Han filade läderremmen mot plankorna. Han kämpade och slet för att få den att brista.

Kanske hade han hittat en liten ojämnhet i plankan, som han kunde dra remmen över. En knast kanske?

Nu såg han tydligt pojkens ansikte. Log han? Kanske kände han att han var nära.

Flickan hostade till. De senaste nätterna hade varit kalla och fuktiga, vilket hade tärt på henne.

Kroppen är skröplig, tänkte han när hon harklade sig bakom tejpen och började sjunga igen.

Han ryckte till. Psalmen var ett ofrånkomligt inslag i hans fars begravningar:

Bliv kvar hos mig, se dagens slut är när.
Bliv kvar, o Herre, snart är natten här.
Då allting annat sviker och bedrar,
du ende trogne tröstare, bliv kvar.

Som drömmar flyr, så ilar våra år.
All jordisk glädje likt en fläkt förgår.
Allt hastar hän mot sin förvandling snar.
Du är densamme, bliv du hos mig kvar.

Äcklad vände han sig om och gick tillbaka till uthuset, där han tog ner två tunga kedjor, om en och en halv meter vardera, från en krok och letade fram två hänglås i lådan under hyvelbänken. Senast han var här hade han märkt att läderremmarna om barnens midja efter hand kommit att se en aning slitna ut. Å andra sidan var de väl använda. Om nu Samuel jobbade så intensivt var det helt enkelt dags att byta ut dem.

Barnen tittade förvirrat upp mot honom när han tände ljuset och kröp in. Pojken, som satt i hörnet, ryckte till en extra gång i remmarna, men det tjänade ingenting till. Han sparkade och protesterade vilt bakom tejpen när han fick kedjan runt midjan, som sedan låstes fast i kedjan i väggen. Men han hade inga krafter kvar att göra något ordentligt motstånd. Dagarna av hunger och den obekväma ställningen hade gjort sitt. Han såg ganska ynklig ut, där han satt med benen snett under sig.

Precis som alla de andra offren.

Flickan hade genast slutat sjunga. Hans närvaro tömde henne på energi. Kanske hade hon trott att broderns ansträngningar skulle ge resultat. Nu förstod hon att inget kunde vara mer fel.

Han fyllde koppen med vatten och drog silvertejpen av hennes mun.

Hon flämtade ett par gånger, men sträckte upp halsen och öppnade munnen. Överlevnadsinstinkten fanns där trots allt.

"Drick inte så fort, Magdalena", viskade han.

Hon lyfte upp ansiktet mot honom och såg honom i ögonen en kort stund. Förvirrad och rädd.

"När får vi komma hem?" frågade hon med darrande läppar. Inga häftiga utfall. Bara denna enda fråga, innan hon sträckte sig efter mer vatten.

"Det kommer att ta ett par dagar till", sa han.

Ögonen fylldes av tårar. "Jag vill hem till mamma och pappa", grät hon.

Han log mot henne och satte koppen till hennes läppar.

Kanhända uppfattade hon vad som rörde sig i hans inre. Hur som helst slutade hon att dricka, studerade honom ett kort ögonblick med blanka ögon och vände sedan ansiktet mot sin bror.

"Han kommer att döda oss, Samuel", sa hon med darrande stämma. "Jag vet det."

Han såg brodern rakt i ögonen.

"Din syster är förvirrad, Samuel", sa han tyst. "Naturligtvis kommer jag inte att döda er. Allt kommer att ordna sig. Era föräldrar är rika och jag är inget monster."

Han såg på Magdalena igen, som hängde med huvudet som om hon redan nått slutet. "Jag vet så mycket om dig, Magdalena." Han smekte hennes hår med baksidan av handen. "Jag vet att du önskar att du fick klippa av håret. Att du fick bestämma själv mycket mer."

Han stoppade handen i innerfickan. "Jag har något jag vill visa dig", sa han och drog fram det färgglada papperet.

"Känner du igen det?" frågade han.

Han såg att det påverkade henne, även om hon dolde det bra.

"Nej", sa hon bara.

"Åjo, Magdalena, det gör du. Jag har hållit koll på dig, när du sitter där nere i trädgården vid ditt hål. Det gör du ofta."

Hon tittade bort. Hennes oskuld hade kränkts. Hon skämdes.

Han höll upp papperet framför henne. En avriven sida ur en vecko-tidning.

"Fem kända kvinnor med kort hår", sa han och läste upp: "Sharon Stone, Natalie Portman, Halle Berry, Winona Ryder och Keira Knightley. Inte för att jag känner till dem alla, men visst är de filmstjär-nor?"

Han fattade Magdalenas haka och vände hennes ansikte mot sig. "Varför är det så förbjudet? För att de alla har kort hår? För att man inte får ha sådana frisyrer i Moderkyrkan? Är det därför?" Han nickade. "Ja, jag förstår att det är därför. Du vill också ha en sådan frisyr, inte sant? Du skakar på huvudet, men jag tror ändå att du vill det. Men lyssna på mig, Magdalena. Har jag berättat för dina föräldrar om din lilla hemlig-het? Nej, det har jag inte. Då kan jag väl inte vara alldeles hemsk, eller hur?"

Han drog sig något tillbaka, tog upp sin kniv ur fickan och fällde ut den. Alltid rengjord och vass.

"Med den här kniven skär jag enkelt av ditt hår." Han grep tag om en hårtest och skar av den. Flickan ryckte till och hennes bror rev och slet för att komma henne till undsättning, till ingen nytta.

"Så!" sa han.

Hon såg ut som om han skurit direkt i hennes kropp. Det var inte svårt att se att den här flickan levt hela sitt liv med den religiösa san-ningen att håret är heligt och att kort hår är en synd.

Hon grät när han tejpade över hennes mun igen. Under henne blev byxor och papper våta.

Han vände sig mot brodern och upprepade proceduren med silver-tejpen och vatten ur koppen.

"Och du, Samuel, du har också dina hemligheter. Du tittar på flick-or som inte är med i församlingen. Jag har sett dig göra det på väg hem från skolan med din storebror. Får det dig att må bra, Samuel?" frågade han.

"Gud hjälpe mig, får jag bara chansen ska jag slå dig sönder och sam-man", hann pojken svara innan tejpen åkte på igen. Det fanns inte så mycket mer att göra.

Jodå. Han hade valt rätt. Flickan måste bort.

Det var hon som, sina drömmar till trots, hyste störst gudsfruktan, hon som religionen tryckt ner hårdast, hon som kanske hade kunnat bli en ny Rakel eller Eva.

Det var allt han behövde veta.

*

Efter att ha lugnat dem med att han skulle komma tillbaka och befria dem så fort deras pappa betalat, återvände han till uthuset och konstaterade att oljetanken nu var fylld. Han stannade pumpen, rullade ihop slangen och kopplade in värmeelementet i generatorns uttag. Sedan stoppade han det i tanken och slog på det. Erfarenheten sa honom att luten verkade mycket snabbare om vattnet hade en temperatur på mer än tjugo grader, och ännu kunde det vara frost om nätterna.

När han tog dunken med lut från pallen i hörnet noterade han att det började bli dags att skaffa mer. Han tömde hela dunken i karet.

När flickan var död och kroppen dumpats i tanken skulle det dröja ett par veckor innan kroppen var helt upplöst.

Sedan var det bara att vada ett tjugotal meter ut i fjorden med slangen och tömma ut oljetankens innehåll.

Men det måste göras en blåsig dag, så att innehållet snabbt fördes bort från land.

Två sköljningar av karet, sedan var alla spår borta.

En fråga om kemi, helt enkelt.

24

Det var ett omaka par som stod på Carls kontor. Yrsa med blodröda läppar och Assad med så krigisk skäggstubb att en kram från honom var ett vapen i sig.

Assad såg mycket missnöjd ut. Carl kunde faktiskt inte komma ihåg när Assad senast utstrålat så mycket ovilja.

"Säg att det inte är som Yrsa påstår, Carl! Får vi inte hit Tryggve till Köpenhamn? Men rapporten då?"

Carl blinkade ett par gånger. Bilden av Mona som öppnade sovrums-dörren gled med jämna mellanrum över näthinnan och förde bort honom. Faktum var att han inte tänkt på annat under hela morgonen. Tryggve och världens alla galenskaper fick vänta tills han var redo igen.

"Öh, vad?" Carl satte sig upp i kontorsstolen. Det var ett bra tag sedan han varit så öm i kroppen. "Tryggve? Nej, han är fortfarande i Blekinge. Jag bad honom komma till Köpenhamn, erbjöd faktiskt att hämta honom, men han sa att han inte var redo för det, och jag kan ju inte gärna tvinga honom. Kom ihåg att han befinner sig i Sverige, Assad. Vill han inte komma frivilligt får vi inte ner honom hit utan hjälp från den svenska polisen, och än så länge befinner vi oss i ett lite väl tidigt skede av fallet, inte sant?"

Han räknade med en liten nick från Assad, men fick det inte. "Jag skriver en redogörelse till Marcus, okej? Så får vi se. Bortsett från det vet jag inte vad vi ska göra nu. Vi pratar om ett tretton år gammalt fall som aldrig blivit utrett. Vi måste låta Marcus avgöra vem fallet tillhör."

Assad rynkade ögonbrynen och Yrsa gjorde likadant. Skulle avdel-ning A ta äran för allt deras slit? Han menade väl inte allvar?

Assad tittade på sitt armbandsur. "Vi kan gå upp dit meddetsamma och få det överstökat. Jacobsen brukar komma in tidigt på måndagar."

"Okej, Assad." Carl satte sig tillrätta igen. "Men först ska du och jag prata." Han tittade på Yrsa, som stod kvar, gungande med höfterna och full av förväntan över de avslöjanden som nu väntade.

"Bara Assad och jag, Yrsa." Han gav henne en menande blick. "Mellan fyra ögon, du vet."

"Aha." Hon blinkade ett par gånger. "Karlsnack", sa hon och lämnade kvar dem i ett moln av parfym.

Han såg på Assad med pannan i djupa veck. Kanske skulle det få mannen att själv påbörja en förklaring, men Assad bara såg på honom som om han i vilket ögonblick som helst skulle erbjuda honom en samarin mot sura uppstötningar.

"Jag var ute hos dig igår, Assad. På Heimdalsgade 62. Du var inte där."

En liten grop bildades i Assads kind, som han på något underligt vis snabbt lyckades förvandla till en skrattrynka. "Det var synd. Du skulle ha ringt innan."

"Det gjorde jag, Assad. Du svarade inte i mobilen."

"Det hade varit kul, Carl. Det får bli en annan gång."

"Ja, fast knappast där då, eller hur?"

Assad nickade och försökte gaska upp sig. "Du menar att vi träffas inne i centrum. Visst, det kan ju vara trevligt."

"Så kan du ta med dig frugan, Assad. Jag vill väldigt gärna träffa henne. Och dina döttrar."

Assads ena öga fladdrade något. Som om hans fru var den sista i världen han ville ta med ut på offentliga ställen.

"Jag pratade med en där ute på Heimdalsgade, Assad." Nu fladdrade även hans andra öga.

"Du bor ju inte ens där. Det har du inte gjort på länge. Och vad beträffar din familj har de aldrig bott där. Så var bor du?"

Assad slog ut med armarna. "Det är en väldigt liten lägenhet, Carl. Vi fick inte plats där."

"Borde du inte anmäla till mig att du har flyttat och göra dig av med den där lilla lägenheten då?"

Han såg eftertänksam ut. "Jo, det har du rätt i, Carl. Det borde jag."

"Så var bor du nu?"

"Vi hyr ett hus, Carl. Det är så billigt nu. Många äger två hus nuför tiden. Bostadsmarknaden, du vet."

"Visst, det låter fint. Men var, Assad? Jag behöver en adress."

Han sänkte blicken något. "Vi hyr huset svart, annars hade det blivit för dyrt. Går det inte bara att behålla den gamla adressen som post-adress?"

"Var, Assad?"

"Ute i Holte, Carl. Bara ett litet hus på Kongevejen. Men du kan väl ringa och förvarna oss, va? Min fru gillar inte att folk dyker upp oan-mälda."

Carl nickade. Det skulle han nog få anledning att återkomma till en dag. "En sak till, förresten. Varför påstår man ute på Heimdalsgade att du är shiamuslim? Sa du inte att du är från Syrien?"

Assad sköt ut sin fylliga underläpp. "Jo, och?"

"Finns det överhuvudtaget shiamuslimer i Syrien?"

De buskiga ögonbrynen hoppade upp och satte sig i pannan. "Men, Carl", log han. "Shiamuslimerna finns överallt."

*

En halvtimme senare stod de i utsättningsrummet med femton mån-dagsvresiga kolleger i en halvcirkel runt biträdande avdelningschef Lars Bjørn och kommissarien för våldsroteln, Marcus Jacobsen.

Det var uppenbart att ingen var där för skojs skull.

Det blev Marcus Jacobsen som drog vad Carl hade berättat, så gick det nämligen till på avdelning A. Om det var något fick folk fråga efter hand.

"Den mördade Poul Holts lillebror, Tryggve Holt, har avslöjat för Carl att familjen kände kidnapparen, eller vi borde kanske säga mörda-ren", sa Marcus Jacobsen en bit in i redogörelsen. "Under en period besökte mördaren med jämna mellanrum de bönemöten som pappan, Martin Holt, höll för de lokala medlemmarna i Jehovas vittnen. Alla trodde att han skulle söka medlemskap i församlingen."

"Finns det bilder på mannen?" frågade vice poliskommissarie Bente Hansen, en av Carls gamla teammedlemmar.

Lars Bjørn skakade på huvudet. "Nej, men vi har en beskrivning av hans utseende och ett namn – Freddy Brink. Namnet är förstås påhit-tat. Q har redan kollat upp det, inga personer plingar som motsvarar åldern ifråga. Vi har fått kollegerna i Karlshamn att skicka en polisteck-nare till Tryggve Holt, sedan får vi se vad det leder till."

Kommissarie Jacobsen stod vid whiteboardtavlan och skrev stödord under tiden.

"Han kidnappar alltså pojkarna den sextonde februari 1996. Det är en fredag, samma dag som storebror Poul har bjudit med lillebror Tryggve till Ingenjörshögskolan i Ballerup. Den nämnde Freddy Brink tilltalar dem från sin ljusblå skåpbil och säger att han tycker det är ett lustigt sammanträffande att de träffas så långt från Græsted. Han erbjuder sig att köra dem hem. Tyvärr kunde Tryggve inte närmare beskriva bilen än att den var rund framtill och fyrkantig baktill. Pojkarna hoppar in i framsätet och något senare svänger han in på en obevakad rastplats och förlamar dem med en elektrisk stöt. Vi har ingen beskrivning av hur, men troligtvis med någon form av bedövningspistol. Därefter slänger han in dem i lastutrymmet och trycker en trasa, förmodligen indränkt i kloroform eller eter, mot deras ansikten."

"Där vill jag bara skjuta in att Tryggve Holt inte var säker på förloppet", sa Carl. "Stöten hade ju gjort honom halvt medvetslös och efter det var pojkarnas kommunikation begränsad, eftersom deras munnar var förtejpade."

"Ja", fortsatte Marcus Jacobsen. "Men om jag har förstått det rätt lyckades Poul ge sin lillebror intrycket av att de kört i cirka en timme. Det ska vi dock inte lägga så stor vikt vid. Poul hade en form av autism och hade inte full koll på verkligheten, även om han tydligen var jäkligt begåvad."

"Aspergers syndrom, kanske?" frågade Bente Hansen med pennan mot blocket. "Jag tänker på ordföljden i brevet och att Poul tog sig tid att skriva exakt datum i en sådan pressad situation. Är inte det ganska typiskt?"

"Kanske det." Jacobsen nickade. "Efter bilfärden kastades pojkarna in i ett båthus, där det luktade kraftigt av tjära och rutten tång. Det var ett litet båthus, där man knappt kunde stå upprätt. Inte för roddbåtar eller segelbåtar utan snarare för magasinering av kanoter och kajaker. Där hölls de fångna i fyra, fem dagar, innan mordet på Poul skedde. Tidsangivelsen är Tryggves, men vi får komma ihåg att han bara var tretton år vid tiden och mycket rädd. Därför sov han också under en stor del av fångenskapen."

"Har vi några geografiska kännemärken?" frågade Peter Vestervig, en av killarna på Viggos team.

"Nej", svarade kommissarien. "Pojkarnas ögon var förbundna när de fördes in i huset. Men även om de inte såg vad som försiggick utanför påstod Tryggve att de hörde ett lågt surrande, vilket kan ha varit vindkraftverk. De hörde ljudet ofta, men ibland inte lika högt. Troligtvis har ljudet påverkats av vindriktning och väderlek."

Jacobsens blick fastnade på lunchpaketet på skrivbordet. Numera krävdes det inte mycket för att ge honom förnyad energi. Kul för honom.

"Vi vet att båthuset låg vid vattenbrynet", fortsatte han, "troligtvis byggt på pålar, eftersom vågorna skvalpade långt in under golvet. Dörren har förmodligen varit upphöjd en halv meter över markytan, eftersom man måste krypa in i det låga rummet. Tryggve menar att det på sin tid kan ha byggts för att förvara kajaker eller kanoter eftersom det fanns paddlar där. Han anser också att det inte var byggt av ett träslag som vi normalt förknippar med skandinavisk byggtradition. Träet var mer ljusbrunt och annorlunda i strukturen, men mer om det senare. Laursen, vår gamle vän från tekniska, hittade en träflisa i flaskpostens papper, som kommer från det trästycke som Poul använde som penna. Det finns för tillfället hos experter för analys. Kanske kan det hjälpa oss att ta reda på vilket träslag båthuset var byggt av."

"Hur dödades Poul?" frågade någon i de bakersta leden.

"Det vet Tryggve inte. Han hade en tygpåse över huvudet när det skedde. Han hörde lite tumult och när påsen drogs av igen var brodern borta."

"Hur vet han då att brodern dödades?" fortsatte frågeställaren.

Marcus suckade. "Ljuden sa allt."

"Vilka ljud?"

"Stön, någon som faller omkull, ett dovt slag och sedan inget mer."

"Ett slag med något trubbigt föremål?"

"Möjligtvis, ja. Tar du det härifrån, Carl?"

Alla såg på honom. Detta var en gest från chefen och inte något som särskilt många av de församlade uppskattade. Hade de fått bestämma skulle Carl bara se till att masa sin kropp ut ur rummet och kravla ner i någon håla långt därifrån.

Honom hade de fått mer än nog av under årens lopp.

Carl struntade i vilket. Inne i hans hypofys slog fortfarande de hormonella efterdyningarna från en vild natt. Underbara upplevelser som han, att döma av församlingens uttråkade nyllen, förmodligen var ensam om.

Carl harklade sig. "Efter mordet på hans storebror fick Tryggve instruktioner om vad han skulle säga till sina föräldrar: att Poul blivit ihjälslagen och att mannen inte tvekade att slå till igen om de sa något till någon om vad som hänt."

Han fångade Bente Hansens blick. Hon var den enda i rummet som reagerade. Han nickade mot henne. Hon hade faktiskt alltid varit en hyvens kvinna.

"Ja, det måste ha varit fruktansvärt traumatiskt för en trettonåring", sa Carl direkt till henne. "Senare, när Tryggve var hemma igen, fick han veta att mördaren haft kontakt med föräldrarna före mordet och begärt en miljon i lösesumma. Pengar de faktiskt betalat."

"Betalade de?" frågade Bente Hansen. "Före eller efter mordet?"

"Före mordet, vad jag kan förstå."

"Jag förstår överhuvudtaget inte vad det här går ut på, Carl", sa Vestervig. "Kan du förklara kort?" Det var sällan folk i de här leden erkände att de inte förstod. All heder åt honom.

"Gärna. Familjen visste hur mördaren såg ut, han deltog ju i deras möten. Troligtvis skulle de kunna identifiera både honom, bilen och en massa annat. Men mördaren garderade sig mot att de gick till polisen med en metod som var lika enkel som den var grym."

Några av de närvarande lutade sig mot väggen. Redan nu gick tankarna till fallen på de egna skrivborden. Mc- och invandrargängen tänkte för tillfället bara med kroppsdelen nedanför korsryggen. Sedan igår hade det inträffat ytterligare en skottlossning på Nørrebro, den tredje på en vecka. Folket på våldsroteln hade mer än nog att göra. Nu vågade inte ens ambulanserna köra in på området. Hotet var ständigt överhängande. Flera av kollegerna hade för egen räkning investerat i skottsäkra lättviktsvästar – några bar den till och med innanför tröjan i talande stund.

Till viss del förstod Carl dem. Varför skulle de ägna sig åt en flaskpost från 1996, när de själva hade det så hett om öronen? Men att de hade mycket att göra var väl deras eget fel? Mer än hälften av människorna här hade ju röstat på partierna som försatt landet i den här skiten. Polisreform och en misslyckad integrationspolitik. Nej, de fick fanimej skylla sig själva. Undrar om de ens tänkte på det i tjänstebilen klockan två på natten, medan frugan låg och drömde om en man att krypa nära?

"Kidnapparen väljer ut en familj med många barn", fortsatte Carl och letade efter ansikten som han kunde hänvända sig till. "En familj som på många sätt lever isolerat från samhället. En familj med väl inarbetade vanor och en mycket inskränkt livssyn. I det här fallet en välmående familj knuten till Jehovas vittnen. Inte förmögen, men inte heller så långt ifrån. Därefter väljer mördaren ut två av familjens barn, som på något sätt intar en speciell position. Kidnappar dem bägge, och när lösesumman är betald mördar han det ena barnet. För att familjen ska veta vad han är kapabel till. Mördaren hotar sedan med att han utan förvarning dödar ännu fler ur barnaskaran, om han får minsta indikationer på att de lierar sig med polisen eller församlingen eller om de försöker ta reda på vem han är. Familjen får tillbaka det andra barnet. En miljon kronor fattigare, men med resten av barnaskaran i livet. Och familjen tiger om sin olycka. De tiger för att inte mördaren ska göra allvar av sina hot. De tiger för att kunna återgå till ett någorlunda normalt liv igen."

"Men ett barn är borta för alltid!" avbröt Bente. "Hur är det med närmiljön? Någon måste ha märkt att barnet plötsligt försvinner?"

"Korrekt, någon måste ha märkt det. Men inte många i en sådan snäv krets skulle reagera, om man inbillar dem att man har stött ut barnet av religiösa skäl, oavsett om ett sådant beslut ofta tas av ett speciellt råd. I vissa religiösa sekter är det till och med den troendes rätt att själv besluta om utstötning. I vissa sekter *får* man inte ha kontakt med en utstött, och därför görs inte heller några försök. Församlingen är evigt lojal i den frågan. Efter mordet förklarades Poul Holt som utstött av föräldrarna. De hade skickat iväg honom för att han skulle komma på bättre tankar, och således uteblev frågorna."

"Men utanför församlingen då? Det måste väl ha funnits någon."

"Ja, det vill man ju gärna tro. Men utanför en församling av det här slaget har man oftast inte kontakt med någon annan. Det är ju just det diaboliska i mördarens val av offer. Faktiskt var det bara Pouls studievägledare som följde upp försvinnandet genom att kontakta hemmet, men det ledde inte till något. Man kan ju inte tvinga en student tillbaka i skolbänken."

Man hade kunnat höra en knappnål falla. Nu fattade alla.

"Ja, vi vet vad ni tänker och det tänker vi också." Biträdande avdelningschef Lars Bjørn studerade skaran. Som alltid försökte han att se viktigare ut än han var. "Eftersom detta allvarliga brott aldrig blivit anmält och eftersom det försiggår i så inskränkta miljöer, kan det förstås ha hänt mer än denna enda gång."

"Det är sjukt", sa en av de nya.

"Välkommen till polisen", replikerade Vestervig, men ångrade sig i samma ögonblick när Jacobsen borrade blicken i honom.

"Jag måste understryka att vi inte kan dra några drastiska konklusioner i nuläget", sa kommissarien. "Men åtminstone håller vi pressen utanför tills vi vet mer, är det förstått?"

Alla nickade, i synnerhet Assad.

"Det som sedan hände med familjen understryker tydligt vilket grepp mördaren hade om den", sa Marcus Jacobsen. "Carl?"

"Ja. Enligt Tryggve Holt flyttade familjen till Lund redan veckan efter att Tryggve släpptes. Sedan beordrades alla i familjen att aldrig mer nämna Poul."

"Det kan inte ha varit lätt för hans lillebror", infogade Bente Hansen.

Carl såg Tryggves ansikte för sitt inre. Det hade det garanterat inte varit.

"Familjens paranoia över mördarens hot gjorde sig gällande varje gång de hörde någon tala danska. Så de flyttade från Skåne till Blekinge och sedan ytterligare två gånger, innan de slog sig till ro på den nuvarande adressen i Hallabro. Men alla i familjen fick tydliga instruktioner av pappan att aldrig släppa in någon i huset som talade danska, och inte heller ge sig i lag med människor som inte var församlingsmedlemmar."

"Och det protesterade Tryggve mot?" frågade Bente.

"Ja, av två skäl. För det första ville han inte sluta att prata om Poul, som han älskat så högt. På något sätt fick han för sig att hans storebror offrat livet för honom. För det andra blev han huvudlöst förälskad i en flicka som inte var med i Jehovas vittnen."

"Och blev utstött han med", tillfogade Lars Bjørn. Men det hade å andra sidan också gått flera sekunder sedan han hörde sin egen odrägligt irriterande röst.

"Ja, Tryggve blev utstött", upprepade Carl. "Och det har han varit i tre år nu. Han flyttade några kilometer söderut, blev ihop med tjejen och började arbeta som assistent på en brädgård i Belganet. Familjen och församlingen slutade att prata med honom, trots att hans jobb låg nära föräldrahemmet. En gång har det hänt, efter att jag vände mig till familjen. Då försökte pappan tvinga Tryggve att knipa käft, vilket Tryggve, såsom jag har förstått det, också tänkte göra. Tills jag visade honom flaskpostbrevet. Det knäckte honom. Eller ja, tvärtom, snarare. Det tvingade tillbaka honom till verkligheten, så att säga."

"Hörde familjen någonsin av mördaren igen efter kidnappningen?" frågade någon.

Carl skakade på huvudet. "Nej, och det tror jag inte heller att de kommer att göra."

"Varför inte?"

"Det har gått tretton år. Han har säkert annat för sig."

Återigen blev det anmärkningsvärt tyst i lokalen. Det enda man hörde var Lis eviga pladder ute i receptionen. Någon var ju tvungen att svara i telefon.

"Finns det något som antyder liknande fall, Carl? Har ni kollat upp det?"

Carl tittade tacksamt på Bente. Hon var den enda i rummet han inte växlat hårda ord med genom åren och förmodligen den enda i skaran som aldrig behövt hävda sig. Hon var helt enkelt pålitlig. "Jag har satt Assad och Yrsa, Roses vikarie, på att kontakta stödgrupper för avhoppare från olika sekter. Kanske kan vi på det sättet få kunskap om utstötta eller förrymda barn i några av församlingarna. Det är inte mycket att gå på, men om vi kontaktar de olika samfunden direkt lär vi inte få veta något alls."

Några av de närvarande tittade på Assad, som såg ut att ha klivit ur sängen alldeles nyss. Med gårdagens kläder på sig fortfarande.

"Borde ni inte överlåta det till oss proffs, som vet hur det här ska skötas?" sa någon.

Carl höll upp ett finger i luften. "Vem sa det?"

En av killarna, Pasgård, klev fram. En riktig bjässe. En otroligt duktig polis, men också en av dem som armbågade sig fram för att hamna framför tevekamerorna när reportrarna letade intervjuobjekt. Förmodligen såg han sig själv som chef om ett par år. Det fick man fanimej hoppas att han var ensam om.

Carl knep ihop ögonen. "Okej, vill då du, som så jävla duktig, vara så snäll och dela med dig av dina enastående kunskaper vad gäller sekter och sektliknande grupper i Danmark, som kan vara föremål för angrepp av en man som han som mördade Poul Holt? Vill du vara så snäll och nämna några sekter för oss? Ska vi börja med fem?"

Killen protesterade, men Jacobsens sneda leende gick inte att ta miste på.

"Hm!" Han såg sig om i rummet. "Jehovas vittnen. Baptisterna är väl ingen sekt, men i alla fall … Tongil-familjen … scientologerna … satanisterna och … Fadershuset." Han tittade triumferande på Carl och nickade mot de övriga.

Carl spelade imponerad. "Se där, Pasgård! Du har rätt i att baptisterna inte är en sekt, men det är väl knappast satanister heller, såvida du inte specifikt tänker på Church of Satan-rörelsen. Du får helt enkelt komma på en till. Kan du det?"

Killen gjorde en ilsken min med allas blickar riktade mot sig. För sitt inre gick han igenom alla de stora världsreligionerna och förkastade dem. Man kunde nästan se hur han tyst formade orden med läpparna. Sedan kom han äntligen på något: "Guds barn", sa han, något som utlöste sporadiska applåder.

Carl klappade också. "Bra, Pasgård! Låt oss nu begrava stridsyxan. Det finns många sekter och sektliknande frikyrkor i Danmark, så det är svårt att ha dem alla i huvudet. Närmast omöjligt." Han såg på Assad. "Eller hur, Assad?"

Den lille mannen skakade på huvudet. "Nej, man måste nog först göra sin läxa."

"Har du det?"

"Jag är inte riktigt klar, men jag kan nämna några till. Ska jag det?" Assad såg bort mot kommissarien, som nickade kort.

"Okej, i så fall tycker jag man bör nämna Vännernas samfund, Martinus kosmologi, Pingstkyrkan, Sathya Sai Baba, Moderkyrkan, Evangelistkyrkan, Kristushuset, Ufo-kosmologerna, Teosofiska samfundet, Hare Krishna, Transcendental Meditation, shamanerna, Emin Foundation, Syndens väktare, Ananda Marga, Jes Bertelsen-rörelsen, Brahma Kumaris, Den fjärde vägen, Livets ord, Osho, New Age, Plymouthbröderna, nyhedningarna, I mästarens ljus, Den gyllene cirkeln och möjligtvis också Missionskyrkan." Han pausade för att hämta andan.

Den här gången var det ingen som applåderade. De insåg att det här med expertis är relativt.

"Ja." Carl log försiktigt. "Det finns många olika religiösa samfund. De flesta dyrkar antingen ledare eller gemenskaper på ett sådant sätt att de automatiskt blir stängda enheter efter en tid. Är förutsättningarna de rätta blir de verkligen fruktbar mylla för en psykopat som killen som mördade Poul Holt."

Kommissarien klev fram. "Ni har nu fått höra om ett fall som slutade i mord. Visserligen inte i vårt polisdistrikt, men nära nog. Och ingen har haft en aning om vad som försiggår. Låt det bli det sista som sägs i det här skedet. Carl och hans assistent jobbar vidare med fallet." Han vände sig mot Carl. "Ni begär själv den assistans ni behöver."

Jacobsen såg på Pasgård, som redan låtit likgiltighetens tunga ögonlock sjunka ner över sina kalla ögon. "Och till dig, Pasgård, vill jag bara säga att din passion är exemplarisk. Det är bra att du tycker att vi är väl lämpade för den här uppgiften, men vi här uppe på tredje våningen får försöka köra vidare med fallen vi redan har på skrivborden framför oss. Och på den fronten har vi väl så att det räcker. Eller vad tycker du?"

Idioten nickade. Något annat hade dessutom varit ännu mer idiotiskt.

"Men jag vill ändå säga att när du nu tycker vi är bättre lämpade än Q-avdelningen att klara uppgiften, borde vi kanske ha det i åtanke. Så låt oss säga att vi kan undvara en man för detta fall. Då måste jag ju välja dig, Pasgård, eftersom du visar ett sådant intresse."

Carl kände själv hur han tappade hakan och hur luften stockade sig i halsen. Han måste skoja! Skulle de jobba tillsammans med det kålhuvudet?

Marcus Jacobsen uppfattade genast problematiken. "Vad jag förstår har man hittat ett fiskfjäll på papperet som meddelandet skrevs på. Pasgård, du kan väl se till att vi dels får reda på vilken fisk det handlar om, dels i vilka vatten, som ligger en timmes bilfärd från Ballerup, denna fisk rör sig i?"

Kommissarien ignorerade Carls uppspärrade ögon. "Och så en sak till, Pasgård – kom ihåg att det i närheten eventuellt kan finnas vindkraftverk eller något som låter som sådana, och att det som åstadkommer detta ljud också måste ha funnits där redan 1996. Är du med?"

Carl drog en lättnadens suck. De uppgifterna fick Pasgård mer än gärna ta hand om.

"Jag har inte tid", sa Pasgård. "Jørgen och jag arbetar oss igenom varenda trappuppgång ute i Sundby."

Jacobsen studerade den stora buffeln i hörnet. Sedan nickade han. Uppfattat.

"Då får ju Jørgen klara sig själv ett par dagar", sa Jacobsen. "Inte sant, Jørgen?"

Den store mannen som var Jørgen ryckte på axlarna. Han var knappast upphetsad. Det skulle inte heller familjen som ville få överfallet på deras son uppklarat bli.

Jacobsen såg på Pasgård igen. "Två dagar, sedan har du klarat upp den här bagatellen, eller hur?"

Härmed hade kommissarien för våldsroteln statuerat ett exempel.

Om du ska pissa på någon, gör det då inte i motvind.

25

Det värsta som kunde hända hade hänt och Rakel var helt förstörd.

Satan hade smugit sig in bland dem och Gud hade straffat dem för deras lättsinne. Hur kunde de låta en total främling försvinna med hennes två ögonstenar, och dessutom på denna heliga dag? Igår skulle de ha suttit och stilla läst i Bibeln och förberett sig för den lycksaliga sinnesron, som de alltid gjorde under sabbaten. De skulle ha knäppt sina händer under vilotimmen och låtit Gudsmoderns ande lägra sig över dem och skänka dem frid.

Men nu? Guds knytnäve hade farit ut mot dem som en ljungeld. Alla de frestelser som den upphöjda jungfru Maria motstått hade de fallit för: smickret, djävulens förklädnader, de tomma orden.

Straffet hade inte låtit vänta på sig. Syndaren hade Magdalena och Samuel i sin makt. En natt och en halv dag hade gått och de kunde inget göra.

Rakel kände sig så oerhört förnedrad. Precis som den gången när hon våldtogs och ingen kom till hennes undsättning. Men då hade hon kunnat agera, det kunde hon inte nu.

"Du måste skaffa fram pengarna, Joshua", skällde hon på sin man. "Du måste!"

Han var illa däran. Ögonvitor och hy hade samma nyans. "Men vi har inte så mycket pengar, Rakel. Du vet mycket väl att jag gjorde fyllnadsinbetalningen i förrgår, som vi brukar. En miljon till riktigt bra räntor." Han begravde huvudet i händerna. "Som vi brukar göra, i Jesu namn. Precis som vi alltid gör!"

"Joshua, du hörde vad han sa i telefonen. Om vi inte skaffar fram pengarna dödar han dem."

"Då får vi gå till de andra i församlingen."

"Nej!" skrek hon så högt att deras yngsta dotter inne i vardagsrummet intill började gråta. "Han tog våra barn och nu skaffar *du* tillbaka dem, förstått? Diskuterar vi det med andra får vi aldrig se dem igen, det är jag helt säker på."

Han tittade på henne. "Hur kan du veta det, Rakel? Han kanske bluffar. Vi kanske bara ska vända oss till polisen."

"Polisen! Vad vet du om polisen? Kanske finns där en liten hemsk människa som är i Satans tjänst. Hur kan du vara säker på att *han* inte får veta? Det *kan* du inte?"

"Men våra vänner då? Folket i församlingen säger inget. Det går kanske att få fram pengarna om vi gör det tillsammans."

"Tänk om han står utanför när du besöker dem? Tänk om han har spioner bland oss? Under en tid kom han oss så nära utan att vi såg hans rätta jag. Hur kan du då veta att det inte finns andra som han? Hur, Joshua?"

Hon såg bort på sin yngsta dotter, som nu klamrade sig fast vid dörrposten och såg på dem med rödgråtna ögon.

Han fick helt enkelt komma på en lösning.

"Joshua, du måste bara lösa det här", sa hon och reste sig från köksbordet. Hon satte sig på knä framför dottern och kramade om henne.

"Förtvivla inte, Sarah. Jesu moder håller ett vakande öga över Magdalena och Samuel. Och genom att be hjälper du dem. Om detta har hänt för att vi gjort något som vi inte borde ha gjort, får vi förlåtelse när vi ber. Det är det enda du behöver göra, älskling."

Hon såg hur dottern ryckte till vid ordet förlåtelse. Hur hennes ögon hungrade efter den. Hon hade något hon ville säga, men munnen ville inte öppna sig.

"Vad är det, Sarah? Har du något du vill berätta för mamma?"

Sarahs mungipor drogs neråt och läpparna började darra. Något var det.

"Har det med mannen att göra?"

Flickan nickade, och nu rann tårarna i stilla gråt.

Omedvetet höll Rakel andan. "Vad är det? *Säg det!*" Flickan skrämdes av det hårda tonläget, men började ändå berätta. "Jag har gjort något som ni sagt att jag inte får."

"Vad är det, Sarah? Ut med det nu."

"Jag tittade i fotoalbumet under vilotimmen medan ni andra var ute i köket med biblarna. Förlåt, mamma. Jag vet att det var dumt gjort."

"Åh, Sarah." Hon andades ut. "Var det bara det?"

Dottern skakade på huvudet. "Jag tittade också på bilden av mannen som tog Magdalena och Samuel. Är det därför det har hänt? För att jag inte såg att han är djävulen?"

Rakel flämtade till. Det här hade hon ingen aning om. "Finns det en bild på honom?"

Sarah snyftade. "Ja, när vi alla står tillsammans utanför församlingshuset, vid Johannas och Dinas invigningsfest."

Var han med på det fotografiet?

"Var är fotot? Visa mig det, Sarah. Meddetsamma!"

Hon letade lydigt fram albumet och pekade ut bilden.

Äsch, tänkte Rakel. Vad nyttjar det till? Det är ju ingenting.

Hon såg med avsmak på fotot. Drog ut det ur fickan. Smekte dotterns hår för att lugna henne och berätta att hon var förlåten. Hon tog med fotografiet ut i köket och kastade det på bordet framför sin förstenade man.

"Där, Joshua, där har du fienden." Hon pekade på ett ansikte i bakersta raden. Man såg inte så mycket. Han bemödade sig om att gömma sig så gott det gick bakom de framförvarande personerna och att inte titta in i kameran. Visste man inte bättre hade man aldrig kunnat lista ut att det var han.

"Det första du gör imorgon är att gå till skattemyndigheterna och berätta att din fyllnadsinbetalning skedde av misstag. Att vi måste ha tillbaka pengarna, om vi inte ska gå i konkurs. Är det förstått, Joshua? Imorgon bitti!"

*

Måndag morgon spanade hon ut genom fönstret mot den gryende solen bakom Dollerups kyrka. Långa, pärlskimrande strålar i diset. Guds utsträckta väsen i all sin prakt. Hur kunde detta oändligt vackra tynga ner henne med sitt kors? Och hur kunde hon tillåta sig att ställa denna fråga? Hon visste ju att Guds vägar är outgrundliga.

Hon pressade samman läpparna för inte att ge efter för gråten, knäppte återigen händerna och blundade.

Hela natten hade Rakel bett, som så ofta förr i församlingens trygga famn, men den här gången infann friden sig inte hos henne. Ty detta var prövningarnas tid, Jobs ödestimme, och smärtan tycktes evig.

När solen var helt uppstigen och Joshua kört in till rådhuset för att försöka få tillbaka Krogh Maskinstations fyllnadsinbetalning, hade krafterna nästan sinat.

"Josef, du får stanna hemma idag och ta hand om dina systrar", hade hon sagt till sin äldste son, som gick i gymnasiet. Hon måste få lugn och ro, slippa Miriam och Sarah, så att hon kunde samla sig.

Måtte Joshua för Guds skull ha pengarna med sig tillbaka. De hade kommit överens om att han skulle sätta in checken i Vestjysk Bank och i sin tur be dem dela upp beloppet på deras konton i Nordea, Danske Bank, Jyske Bank, Sparekassen Kronjylland och Almindelig Brand Bank. Varje bank skulle få göra en kontantutbetalning på cirka hundrafemtiotretusen kronor, vilket förhoppningsvis inte skulle generera några frågor. Om Joshua fick nya sedlar på något av ställena fick de väl smutsa ner dem, skrynkla ihop dem och blanda dem med pengarna från de övriga bankerna. På det sättet försäkrade de sig om dels att de fick alla pengarna, dels att den jäveln som tagit deras barn inte misstänkte att de gett honom sedlar med registrerade nummerserier.

Hon beställde platsbiljetter till kvällens intercitytåg med ankomst till Odense klockan 19.29 och därifrån vidare med snabbtåget till Köpenhamn, och väntade sedan på sin man. Han trodde att han skulle vara hemma mellan tolv och ett, men han kom redan halv elva.

"Fick du pengarna, Joshua?" frågade hon, trots att hon redan vid första anblicken såg att han inte fått dem.

"Det var inte så enkelt, Rakel. Fast det visste jag redan", sa han tyst. "Kommunen försökte verkligen hjälpa oss, men kontot ligger hos Skatteverket och där går saker och ting inte lika fort. Det är hemskt."

"Sa du inte att det var viktigt, Joshua? Du sa väl att det var viktigt? Vi har inte hela dagen på oss. Bankerna stänger klockan fyra." Hon var desperat. "Vad sa du till dem? Berätta."

"Jag sa att jag måste ha pengarna. Att det var ett misstag att de blev inbetalda. Att jag har haft datorproblem och inte har någon koll på siffrorna. Att det är vid överföringarna till våra olika konton som det blivit fel, samtidigt som det försvunnit fakturor ur mitt system som jag inte har tagit med i beräkningarna. Jag berättade också att jag fått problem med ett par av mina leverantörer och att vi kommer att förlora några av våra viktigaste kunder om jag inte betalar idag. Att leverantörerna är extremt pressade på grund av finanskrisen och vill ha tillbaka sina skördetröskor igen, så att de kan sälja dem till storkunderna. Jag sa att jag kommer att förlora våra leasingfördelar och att det kommer att kosta oss alldeles för mycket pengar. Att det är en kritisk period också för oss."

"Åh, Gud. Var det nödvändigt att göra det så komplicerat, Joshua? Varför?"

"Det var vad jag kunde komma på." Han satte sig tungt på stolen och slängde upp den tomma attachéväskan på bordet. "Jag är också pressad, Rakel. Jag tänker helt enkelt inte som jag brukar. Jag har inte heller sovit inatt."

"Herre Gud! Och nu då? Vad gör vi nu?"

"Vi måste vända oss till församlingen. Vad annars?"

Hon pressade ihop läpparna och såg Magdalena och Samuel för sitt inre. Stackars oskyldiga barn, vad hade de gjort för att förtjäna att tömma denna bittra kalk?

*

De hade förvissat sig om att församlingsprästen var hemma och höll på att sätta på sig ytterkläderna när det ringde på dörren.

Om Rakel fick bestämma så struntade de i att öppna, men hennes man var inte så klartänkt.

De kände inte kvinnan som stod utanför dörren med en pärm i handen, och de ville inte heller prata med henne.

"Isabel Jønsson. Jag kommer från kommunen", sa hon och klev in i hallen.

Rakel fylldes av en gnutta hopp. Kvinnan hade säkert med papperen de behövde skriva under. Hon hade kanske fixat det. Hennes man var kanske inte så oduglig trots allt.

"Kom in. Vi kan sitta här ute i köket", sa hon lättad.

"Jag ser att ni är på väg. Det är inte så bråttom. Om det passar bättre kan jag komma tillbaka imorgon."

Rakel blev misstänksam. Hon var alltså inte här för att hjälpa dem med att få pengarna tillbaka. Då borde hon ju veta hur bråttom det var och få det överstökat meddetsamma. Det är inte så bråttom, hade hon sagt. Vad betydde det?

De slog sig ner vid köksbordet.

"Jag är IT-expert i företagskonsultgruppen. Av mina kolleger på rådhuset har jag förstått att ni har stora problem med ert IT-system. Det är av den anledningen jag har skickats hit." Hon log och gav dem sitt kort.

Isabel Jønsson, IT-konsult, Viborgs kommun, stod det. Det var det sista de behövde just nu.

"Vet du vad", sa Rakel, när hennes man uppenbarligen inte tänkte yttra sig. "Det är hemskt snällt av dig, men tidpunkten är lite illa vald. Vi har mycket bråttom."

Hon trodde det skulle räcka och att kvinnan skulle resa sig, men istället satt hon plötsligt och såg framför sig som om hon naglats fast till bordet. Som om hon med alla till buds stående medel först tänkt utöva offentlighetens rätt till insyn, och sedan plötsligt ändrat sig.

Rakel reste sig och gav sin man en ilsken blick. "Då ska vi nog försöka komma iväg, Joshua. Det börjar bli ont om tid." Hon såg på kvinnan. "Så om du ursäktar."

Men kvinnan reste sig fortfarande inte. Det var då Rakel såg att hon stirrade på fotot, som Sarah letat fram. Fotot som legat på köksbordet sedan dess och påmint dem om att det i alla sällskap kan finnas en Judas.

"Känner ni den mannen?" frågade kvinnan.

De såg förvirrat på henne. "Vilken man?" frågade Rakel.

"Honom", sa kvinnan och satte pekfingret under mannens ansikte.

Rakel började ana oråd. På samma sätt som den där hemska eftermiddagen i byn vid Baobli, när soldaterna frågat om vägen.

Tonfallet. Omständigheterna.

Det kändes helt enkelt inte rätt.

"Du måste gå nu", sa Rakel. "Vi har bråttom."

Men kvinnan rörde sig inte. "Känner ni honom?" sa hon bara.

Jaså, det var på det sättet. Ännu en djävul hade bussats på dem. Ännu en djävul i änglaskepnad.

Rakel knöt händerna och ställde sig framför henne. "Jag vet vem du är och du ska gå nu. Tror du inte jag vet att svinet skickat dig? Försvinn nu med dig. Du vet ju att vi inte har en sekund att förlora."

Sedan kände hon plötsligt hur allting inom henne brast. Hur hon plötsligt inte förmådde hålla tårarna tillbaka. Hur vrede och vanmakt fick överhanden.

"Försvinn!" vrålade hon med slutna ögon och händerna pressade mot bröstet.

Då reste kvinnan sig. Hon ställde sig intill henne, grep tag om hennes axlar och skakade henne försiktigt tills deras blickar möttes. "Jag vet inte vad du pratar om, men tro mig, om någon hatar den mannen, så är det jag."

Rakel öppnade ögonen och Rakel såg. Bakom sin lugna blick närde denna kvinna ett hat. Brinnande och outgrundligt.

"Vad har han gjort?" frågade kvinnan. "Berätta vad han har gjort er, så ska jag berätta vad jag vet om honom."

*

Kvinnan kände honom, men inte på några goda grunder, det var tydligt. Frågan var om det kunde hjälpa dem. Det trodde inte Rakel. Bara pengar kunde hjälpa och snart var det för sent.

"Vad vet du? Säg det snabbt, annars går vi."

"Han heter Mads Fog. Mads Christian Fog."

Rakel skakade på huvudet. "Till oss sa han att han hette Lars. Lars Sørensen."

Kvinnan nickade sakta. "Okej. Då är det ju inte säkert att han heter något av namnen. Han påstod sig också ha ett tredje namn, Mikkel Laust, när jag träffade honom. Men jag har sett en del av hans papper. Jag har en adress på honom och huset ägs av en Mads Christian Fog. Jag tror att det är hans riktiga namn."

Rakel flämtade till. Hade Gudsmodern trots allt hört hennes böner? Hon såg kvinnan djupt i ögonen. Var hon verkligen att lita på?

"Vilken adress menar du? Var?" Joshua var blåvit i ansiktet. Det var tydligt att han hade svårt att ta det till sig.

"Ett ställe på Nordsjälland, nära Skibby. Ferslev heter det. Jag har adressen där hemma."

"Hur vet du allt detta?" Rakels röst darrade. Hon ville gärna tro på det, men vågade hon?

"Han bodde hos mig till i lördags. Jag kastade ut honom i lördags morse."

Rakel satte ena handen för munnen för att inte börja hyperventilera. Det här var ju fruktansvärt. Han hade åkt direkt från henne hem till dem.

Hon såg mycket nervöst på klockan, men tvingade sig att lyssna på hur denne man hade utnyttjat kvinnan framför henne. Hur han bedårat henne med sin bedrägligt fina fasad. Hur han på två röda sekunder bytt personlighet.

Allt som kvinnan berättade om honom kunde Rakel nickande bekräfta, och när hon var klar tittade Rakel på sin man. Under ett ögonblick var han frånvarande, som om han försökte se allting från ett annat perspektiv. Men så nickade han.

Jo, de skulle berätta för henne, sa hans ögon. De hade något gemensamt.

Rakel tog Isabels hand. "Det jag berättar nu får du inte föra vidare till någon som helst i hela världen, är det förstått? Inte nu, i alla fall. Vi berättar för att vi tror att du kan hjälpa oss."

"Rör det sig om något kriminellt är jag inte så säker."

"Det gör det. Men det är inte vi som är de kriminella. Det är mannen du kastade ut. Och för oss ..." Hon drog ett djupt andetag och det var först då hon märkte hur hennes röst darrade. "För oss handlar det om det värsta som kan hända. Han har kidnappat två av våra barn, och om du berättar det för någon dödar han dem. Förstår du?"

*

Tjugo minuter hade gått och aldrig i sitt liv hade Isabel befunnit sig så länge i ett chocktillstånd. Nu såg hon allt för vad det var. Mannen som bott hos henne, som hon under en kort och innerlig period betraktat som en möjlig livskamrat, var ett monster som var kapabel till vad som helst. Det förstod hon nu. Hon tänkte på hur hans händer mot hennes hals känts lite för starka, lite för kompetenta, och hur dödligt hans intresse för hennes liv hade kunnat sluta, om hon haft otur. Hon blev alldeles torr i munnen när hon tänkte på ögonblicket då hon avslöjat för honom att hon skaffat upplysningar om honom. Tänk om han hade slagit ner henne meddetsamma? Tänk om hon aldrig hunnit berätta att hon gett sin bror dessa upplysningar? Tänk om han kommit på att hon bluffade? Att hon aldrig någonsin skulle blanda in brorsan i sina sexuellt orienterade katastrofer?

Hon vågade inte ens tänka på det.

Nu såg hon dessa livrädda människor och led med dem. Åh, som hon hatade denne man. Hon svor en ed till sig själv – han skulle inte slippa undan. Kosta vad det kosta ville.

"Jag lovar att hjälpa er. Min bror är polis. Visserligen trafikpolis, men vi kan få honom att skicka ut en efterlysning. Chanserna är goda. Vi kan få det utspritt över hela landet på nolltid. Jag har numret på hans skåpbil. Jag kan beskriva det mesta ganska noga."

Men kvinnan mitt emot henne bara skakade på huvudet. Hon ville gärna, men vågade inte. "Jag sa innan att du inte fick föra det vidare och du lovade", sa hon sedan. "Det är fyra timmar tills bankerna stänger och innan dess måste vi ha fatt i en miljon i kontanter. Vi har inte råd att stanna här längre."

"Lyssna på mig. Det tar mindre än fyra timmar att köra till hans hus, om vi kör nu."

Återigen skakade kvinnan på huvudet. "Vad får dig att tro att han har fört barnen dit. Det är väl det dummaste han kan göra? Mina barn kan finnas var som helst i Danmark. Han kan ha kört dem över gränsen till Tyskland. De har för tusan inga kontroller där nere längre. Förstår du vad jag säger?"

Isabel nickade. "Ja, du har rätt." Hon såg på mannen. "Har du en mobil?"

Han tog upp en telefon ur fickan. "Den här", sa han.

"Är den fulladdad?"

Han nickade.

"Har du också en, Rakel?"

"Ja", svarade hon kort.

"Vad sägs om att vi delar upp oss? Joshua försöker skaffa fram miljonen och du och jag kör till Själland. Nu!"

De äkta makarna satt en stund och såg på varandra. Detta omaka par som hon så kände för. Hon hade själv inga barn, vilket var en sorg i sig. Och sedan dessutom att behöva inse att man höll på att förlora dem man hade. Hur hade man själv reagerat, om man hamnade i den situationen?

"Vi behöver en miljon", sa mannen. "Vi är goda för mycket mer än så, men vi kan inte bara gå till banken och be dem ge oss pengarna, och framför allt inte i kontanter. Det hade kanske gått för ett eller två år sedan, när tiderna var annorlunda, men inte nu. Därför måste vi gå till vår församling, vilket är mycket riskabelt, men icke desto mindre det enda vi kan göra för att skaffa fram pengarna." Han såg allvarligt på henne. Han andades oregelbundet och läpparna var blåaktiga. "Såvida inte du kan hjälpa oss. Det tror jag du kan, om du vill."

Här såg hon för första gången mannen bakom mannen som var känd för att ha koll på sitt företag. En av Viborg kommuns främsta skattebetalare.

"Ring till din överordnade", fortsatte han med vädjande blick, "och be honom ringa Skatteverket. Säg att vi har betalat in fel och att de måste föra tillbaka pengarna till vårt konto meddetsamma. Kan du det?"

Med ens låg bollen hos henne.

När hon kommit till jobbet för tre timmar sedan hade hon fortfarande varit deppig, illamående och på dåligt humör. Hennes självömkan hade varit drivkraften. Nu kunde hon inte erinra sig dessa känslor, inte ens om hon försökte, för i detta nu var hon förmögen till allt och tänkte inte ge sig. Om det så kostade henne jobbet.

Om det så kostade ofantligt mycket mer än så.

"Jag sätter mig i rummet här intill", sa hon. "Jag ska skynda mig så mycket det går, men det kommer ändå att ta sin lilla tid."

26

"Ja, Laursen", sa Carl avslutningsvis till den före detta kriminaltekni-kern. "Nu vet vi alltså vem som skrivit brevet."

"Fy för den lede, vilken ruskig historia." Laursen suckade djupt. "Du menar alltså att du kommit i besittning av Poul Holts tillhörigheter. Om det finns hållbart DNA-material på någon av dem kan vi naturligt-vis försöka knyta blodet som brevet är skrivet i till honom. I så fall skul-le det, tillsammans med broderns utsaga om att han förmodligen blivit mördad, kunna leda till en åtalspunkt, om man nu hittar någon miss-tänkt. Men ett mordfall utan lik är inte lätt, det vet du ju själv."

Han såg på de genomskinliga plastpåsarna som Carl tagit upp ur lådan.

"Poul Holts bror berättade att han fortfarande har kvar flera av bro-derns tillhörigheter. Eftersom de två stod varandra mycket nära tog Tryggve sakerna med sig när han kastades ut ur hemmet. Jag fick honom att ge mig de här."

Laursen lade en näsduk i sin stora näve och tog emot föremålen. "De här har vi nog inte så stor användning för", sa han och lade sandalerna och skjortan åt sidan. "Men kanske den här." Han undersökte kepsen noga. En ganska vanlig vit keps med blå skärm och texten *Jesus rules!*

"Poul fick inte ha den på sig för föräldrarna. Men Tryggve berättade att brodern älskade den och brukade ha den gömd under sängen, så att han kunde sova med den på natten."

"Har andra än Poul använt den?"

"Nej. Det frågade jag naturligtvis."

"Okej. Då har vi hans DNA här." Laursen pekade med sitt tjocka finger på ett par hårstrån som gömde sig längst inne i kepsen.

"Skitbra!" sa Assad när han trängde sig in bakom dem med en bunt papper i näven. Han sken som ett lysrör, vilket knappast berodde på Laursens närvaro. Vad kunde han hittat på nu?

"Tack, Laursen", sa Carl. "Jag vet att du har nog med köttbullarna där uppe, men saker och ting tuffar onekligen på när du är med och skyfflar kol."

Carl sträckte fram handen. Nu fick han snart masa sig upp till matsalen och berätta för Laursens nya arbetskamrater vilken jädrans bra karl de jobbade med.

"Vänta", sa Laursen och spanade rakt ut i luften. Sedan svingade han sin kraftiga arm och grep efter ingenting, såg det ut som. Han stod kvar ett ögonblick och log med knuten näve, innan han gjorde en rörelse mot golvet som påminde om ett handbollskast. Bråkdelen av en sekund senare stampade han med ett leende foten i golvet. "Jag hatar småkryp", sa han. När han lyfte på foten såg alla den gigantiska och numera platta spyflugan i en stor, fin pladuska.

Sedan gick han.

Assad gnuggade händerna när ljudet av Laursens steg tonade bort.

"Allt bara flyter på nu, Carl. Titta själv." Han drämde pappersbunten i bordet och pekade på det översta arket. "Här är den där gemensamma jag nämner mellan bränderna, Carl."

"Vilken?"

"Den gemensamma jag nämner."

"Gemensamma nämnaren, Assad. Det är inte du som nämner något. Vilken gemensam nämnare?"

"Här. Jag blev helt säker när jag gick igenom JPP:s bokföring. De lånade pengar av ett utlåningsföretag som heter RJ-Invest, och det är mycket viktigt."

Carl skakade på huvudet. För många förkortningar för hans smak. JPP?

"JPP? Var det plåtfirman som brann ute i Emdrup?"

Assad nickade och knackade åter fingret mot namnet medan han vände sig mot korridoren. "Yrsa! Kommer du? Jag håller på att visa Carl vad vi kommit på."

Carl märkte hur rynkorna i pannan tilltog. Hade det underliga spektaklet, som var Yrsa, återigen sysslat med allt annat än det hon fått order om?

Ett amerikanskt marinkårsregemente hade fått mindervärdeskomplex av att höra henne komma klampandes ute i korridoren. Hur var det ens möjligt när man vägde bara femtiofem kilo?

Hon gled in genom dörren och hade papperen framme innan hon hunnit stanna. "Har du berättat det där med RJ-Invest, Assad?"

Han nickade.

"Det var de som lånade JPP pengar strax före branden."

"Det har jag berättat, Yrsa", sa Assad.

"Okej. Och RJ-Invest har mycket pengar", fortsatte hon. "För tillfället har de en utlåningsportfölj på över femhundra miljoner euro. Det är minsann inte illa för ett företag som registrerades så sent som år 2004."

"Vem har inte femhundra miljoner idag?" sa Carl.

Han kanske borde passa på och visa dem hans samlade portfölj av fickludd.

"Tja, inte RJ-Invest år 2004 i alla fall. De lånade pengar av AIJ Ltd., som i sin tur lånade sitt startkapital av MJ AG år 1995, som i sin tur lånade av TJ Holding. Ser du vad de har gemensamt?"

Trodde hon att han var dum i huvudet, eller?

"Nej, Yrsa, jag har bara stirrat mig blind på J:et i alla namnen. Vad står det för?"

Carl log. Det visste hon i alla fall inte.

"Jankovic", svarade Assad och Yrsa i kör.

Assad spred ut pappershögen på skrivbordet. Information om alla fyra företagen som utsatts för mordbrand med likfynd låg framför Carl. Årsredovisningar för perioden 1992 till 2009. Och i redovisningarna hade alla fyra långivare markerats med en röd överstrykningspenna.

Långivare med ett J i namnet.

"Skulle det alltså vara så att det är samma utlåningsföretag som står bakom alla de kortfristiga lånen, som företagen tog strax innan deras egendomar brändes ner?"

"Ja!" Återigen i kör.

Han studerade räkenskaperna lite mer noga en stund. Det var definitivt ett genombrott.

"Då så, Yrsa", sa han. "Du samlar in alla upplysningar om de fyra utlåningsföretagen. Vet vi vad bokstäverna står för?"

Hon log lika brett som en Hollywoodkändis som bara har sitt leende kvar. "RJ – Radomir Jankovic, AIJ – Abram Ilija Jankovic, MJ – Milica Jankovic och TJ –Tomislav Jankovic. Fyra syskon. Tre bröder och systern Milica."

"Bra. Är de bosatta i landet?"

"Nej."

"Var då?"

"Ingenstans, kan man säga", svarade hon med axlarna ända uppe vid öronen.

I det ögonblicket liknade Assad och Yrsa två skolbarn, som smög med förbjudna fyrverkerier.

"Nej, för att gå rakt på sak, Carl", sa Assad, " är alla fyra faktiskt döda sedan flera år tillbaka."

Naturligtvis var de döda. Vad annat kunde man vänta sig?

"De gjorde sig kända i Serbien när kriget bröt ut", tog Yrsa vid. "Fyra syskon som var pålitliga vapenleverantörer och som visste att ta betalt. Bannemej inga trevliga filurer." Hon presterade en grymtning som var tänkt som ett fnysande skratt.

Assad fortsatte. "Nej, just det. Inget främjar förståelsen som en underdrift, som man brukar säga."

Nu haglade visst skämten.

Carl studerade Yrsas kluckande kropp. Var i helvete fick detta besynnerliga väsen all sin information från? Talade hon serbiska också?

"Ni försöker förmodligen antyda att en ytterst tvivelaktig förmögenhet kanaliserades in i legala lånetransaktioner här i väst", sa Carl. "Lyssna nu här, båda två. Om det är ett sådant fall tycker jag att vi bör lämna över det till kollegerna där uppe. De vet hur man handskas med ekonomisk brottslighet."

"Men du måste först se det här, Carl." Yrsa letade i sin hög. "Vi har en bild av de fyra syskonen. Det är förvisso gammalt, men ändå."

Hon placerade bilden framför honom.

"Jaha", sa han och smälte intrycket av fyra övergödda Angus-kreatur. "Stora syskon, får man väl lov att säga. Sumobrottare, kanske?"

"Titta efter noggrannare, Carl", sa Assad, "så förstår du vad vi menar." Han följde Assads blick mot fotots nedre del. De fyra syskonen satt vackert bredvid varandra kring ett bord med vit duk och kristallglas. Alla med händerna prydligt på bordskanten, som om de instruerades av en sträng mamma utanför bilden. Fyra par stora händer – alla med en ring på vänster lillfinger. Ringar som borrat sig mycket djupt in i huden.

Carl såg på sina medarbetare, två av de mest besynnerliga individer som någonsin vandrat runt i dessa skrämmande byggnader, som nu hade lyft upp fallet i ett helt nytt ljus. Ett fall som egentligen inte varit deras från första början.

Det var fanimej helt surrealistiskt.

*

En timme senare skulle någon återigen blanda sig i Carls fördelning av uppgifter. Det var den biträdande avdelningschefen Lars Bjørn som ringde. En av hans män hade varit nere i arkivet och råkat höra en ordväxling mellan Assad och hon den nya. Vad handlade allt det där om? Hade de hittat ett samband mellan bränderna?

Carl återgav kort vad det rörde sig om, alltmedan trögskallen i den andra änden grymtade efter vartannat ord för att visa att han hängde med.

"Vill du vara så snäll och skicka ut Hafez el-Assad till Rødovre, så att han kan briefa Antonsen. Vi tar hand om bränderna här i innerstaden, men det gamla fallet får ni sköta, nu när ni ändå håller på att knäcka det", sa Bjørn.

Då var det alltså slut på friden.

"Det tror jag inte Assad är särskilt pigg på, om jag ska vara ärlig."

"Ja, då får du göra det själv."

Satans jävla Bjørn. Han kände honom alltför väl.

*

"Det kan du inte mena, Carl. Du skojar med mig, va?" Assads stora smilgropar i den dygnsgamla skäggstubben försvann snabbt.

"Ta tjänstebilen, Assad. Och glöm inte bort fartkameran ute på Roskildevej. Trafikpolisen är ute med slickepinnen idag."

"Om jag ska ha en åsikt nu, så är den att jag tycker det här är väldigt dumt. Antingen tar vi hand om alla bränderna eller ingen alls." Han nickade med eftertryck.

Carl svarade inte utan kastade bara bilnycklarna till honom.

När Assads svada av oförståeliga svordomar och förbannelser slutligen avtog med klampen i trappan, satt Carl och insöp motvilligt de serenader som Yrsa trallade av sig i flera olika, gälla oktaver längre ner i korridoren. Det var i stunder som denna som man saknade Roses opålitliga tjurighet. Vad fan hittade kärringen på *nu*? Han reste sig och gick med tunga steg ut i korridoren.

Såklart! Nu stod hon fanimej och glodde på jättebrevet på väggen igen.

"Du är för sent ute, Yrsa", sa han. "Tryggve Holt har kommit med sin tolkning av brevet. Tror du inte att han är den bäst lämpade för det, och tror du inte att vi vet tillräckligt nu? Vad mer kan där stå som kan hjälpa oss i våra efterforskningar? Inget, eller hur? Så gör nu som vi redan diskuterat och hitta på något vettigt."

Hon slutade sjunga först när han hade talat klart. "Kom här, Carl", sa hon och drog med honom in i sitt rosa himmelrike.

Hon satte honom vid Roses skrivbord, där en kopia av Tryggves tolkning av flaskposten låg.

"Titta här. De första raderna är vi alla överens om."

HJÄLP
Den 16 febroari 1996 blev vi kidnapad
vi blev tagna vid busshålplatsen vid Lautropvang i
Ballerup – Mannen är 18. lång har kortklipt hår

"Okej?"

Carl nickade.

"Sedan föreslår Tryggve följande ordalydelse."

mörka ögon men blå – Han har ett ärr på högger ...

"Ja, och vi vet fortfarande inte var ärret sitter", inflikade Carl. "Det var inget Tryggve lade märke till och inte heller något han diskuterade med Poul. Men det var just sådana saker som Poul noterade, sa Tryggve. De små skönhetsfelen hos andra suddade kanske ut hans egna, vad vet jag? Men fortsätt för all del."

Hon nickade.

kör i en bla skåpbil Pappa och mamma känner honom – Freddy
och något med B – Han huta oss vi fick ström – han slår ijäl oss –

"Ja, allt det låter ju ganska troligt." Carl tittade upp i taket. Ännu en otäck spyfluga satt där upp och skrattade åt honom. Han studerade den närmare. Hade den korrekturlack på ena vingen? Han skakade suckande på huvudet. Tro det eller ej, men så var det. Det var samma fluga han hivat flaskan efter. Var fan hade den gömt sig under tiden?

"Då är vi alltså överens om att Tryggve var på plats under de här händelserna och att han var vid medvetande", fortsatte Yrsa outtröttligt. "Den här passagen i brevet handlar om kännemärken på mannen, och lägger vi ihop det med Tryggves beskrivning av honom får vi ett ganska bra signalement. Egentligen saknar vi bara svenskarnas fantombild."

Hon pekade på raderna under. "De följande raderna i brevet är jag däremot inte så säker på. Frågan är om det står det vi tror att det står. Prova och läs upp det, Carl."

"Läs upp det?" Trodde hon att han var hennes personliga hovnarr, eller? "Gör det själv."

Hon slog till honom på axeln och knep honom i armen som pricken över i.

"Kom igen nu, Carl. Så får du en bättre känsla för innehållet."

Han skakade uppgivet på huvudet och harklade sig. Tanten var heltokig!

Han tryckte en trasa i ansiktet på mig först och sedan min
bror – Vi körde nästan 1 timme och är nu vid vattnet Det
finns vindmöllor nära här Här luktar inte got – Skyna er och
kom Min bror är Tryggve – 13 år och jag är Poul 18
år
Poul Holt

Hon klappade ljudlöst fingerspetsarna mot varandra över sin prestation.

"Bra va, Carl? Ja, jag vet att Tryggve är säker på det mesta, men det där med vindmöllorna, kan det inte vara något annat? Och några av de andra orden. Tänk om det ligger mer dolt i prickarna än man kan dikta sig fram till."

"Poul och Tryggve diskuterade överhuvudtaget inte ljuden, det kunde de ju inte gärna med silvertejp för munnen, men Tryggve minns att de emellanåt hörde ett lågt, surrande ljud", sa Carl. "Dessutom sa Tryggve att Poul var duktig på det här med ljud och teknik. Men summan av kardemumman är att ljuden kan ha varit vad som helst."

Carl såg Tryggve framför sig när han för andra gången, rödögd och tyst, läste flaskpostbrevet i det svenska morgonljuset.

"Brevet gjorde ett stort intryck på Tryggve. Flera gånger sa han att allt det skrivna var så typiskt hans storebror. Att det inte fanns någon interpunktion att tala om, mer än några tankstreck, och att Poul alltid skrev exakt som han pratade. Att läsa brevet var som att höra honom säga det högt."

Carl gjorde sig kvitt bilden av Tryggve. När killen hämtat sig tillräckligt fick de se till att få honom till Köpenhamn.

Yrsa såg frågande ut. "Frågade du Tryggve om det överhuvudtaget blåste under de där dagarna när de satt inspärrade i båthuset? Har du eller Assad jämfört med en kalender? Har ni ens förhört er med Danmarks Meteorologiske Institut?"

"I mitten av februari? Jag skulle nog gissa att det blåste, ja. Det krävs inte mycket för att ett vindkraftverk ska börja snurra."

"Men ändå. Har ni frågat?"

"Du kan bolla frågan vidare till Pasgård, Yrsa. Det är han som undersöker det där med vindkraftverken. Just nu har jag en annan uppgift åt dig."

Hon satte sig på skrivbordskanten. "Jag vet vad du tänker säga. Att jag ska sköta snacket med stödgrupperna för avhopparna från religiösa sekter, eller hur?" Hon drog handväskan till sig och fiskade upp en påse chips. Redan innan Carl hade hunnit formulera ett svar var påsen punkterad och innehållet på väg att malas ner i pratkvarnen.

Fanimej ytterst enerverande.

*

När han satt sig på det egna kontoret gick han in på DMI:s väderarkiv och kunde konstatera att det bara sträckte sig tillbaka till 1997. Så istället ringde han till institutet, presenterade sig, ställde sin enkla fråga och räknade med att få ett enkelt svar.

"Kan ni berätta hur vädret var under dagarna omkring den sextonde februari 1996?" frågade han.

Några få sekunder gick innan svaret kom.

"Den artonde februari 1996 träffades Danmark av en kraftig snöstorm, som under tre, fyra dagar i det närmaste bommade igen landet. Så våldsam var den att till och med gränsen mot Tyskland stängdes", sa kvinnan i andra änden.

"Jaså? Också Nordsjälland?"

"Hela landet, men värst var det i söder. I norr var vägarna trots allt farbara till stora delar."

Varför i helvete hade ingen kommit på att fråga om vädret något tidigare?

"Så det blåste alltså mycket?"

"Ja, det kan man ju minst sagt påstå."

"Hur blir det med vindkraftverk under sådana förhållanden?"

Kvinnan tystnade en stund. "Frågar du om vinden var för stark för att generera el?"

"Öh, ja, det gör jag väl. Tror du att man stoppade vindmöllorna under de dagarna?"

"Jag är visserligen ingen vindkraftexpert, men ja. Naturligtvis stoppade man vindmöllorna under de dagarna. Annars skulle de ju snurra sönder."

Carl tackade för sig och tog upp en cigg ur paketet. Frågan var vad barnen hörde där inne i båthuset. Något kunde naturligtvis skyllas på snöstormen. De satt och frös inne i huset, men de kunde inte se ut, så det var förstås en möjlighet. De visste förmodligen inte ens att stormen härjade.

Carl letade upp Pasgårds mobilnummer och ringde honom.

"Ja", svarade han synnerligen ovänligt, trots att han bara uttalat ett kort ord. Pasgård kunde sina saker.

"Det är Carl Mørck. Har du kollat upp vädret de dagarna barnen var kidnappade?"

"Inte ännu. Jag ska göra det."

"Det kan du bespara dig. Det var snöstorm de tre sista dagarna utav de fem de satt inspärrade."

"Där ser man."

Där ser man vad? Typisk Pasgård-kommentar.

"Glöm vindmöllorna, Pasgård. Det blåste för mycket."

"Visst, men du säger tre av fem dagar. De två första då?"

"Tryggve berättade att han hörde ett surrande ljud alla fem dagarna. Möjligtvis svagare de tre sista. Det kan ju bero på stormen. Den måste väl ha dämpat ljudet."

"Ja, kanske."

"Jag tyckte bara du skulle veta det." Carl skrattade inombords. Det retade säkert Pasgård till förbannelse att han inte kommit på det först.

"Du bör nog leta efter andra ljudkällor än vindkraftverk", fortsatte han. "Men fortfarande något som surrar lågt. Har du kommit någon vart med fiskfjället?"

"Du, sakta i backarna. Det genomgår för tillfället mikroskopering ute på biologiska institutets sektion för akvatisk biologi."

"Mikroskopering?"

"Ja, eller vad fan det nu är de sysslar med. Jag vet redan nu att det kommer från en öring. Om det är en havsöring eller insjööring har uppenbarligen blivit den riktigt stora frågan."

"Det är väl två rätt så olika fiskar?"

"Olika? Nä, det tror jag inte. En insjööring är tydligen bara en havsöring som inte orkade simma ända ut till havet och istället valde att stanna kvar."

Jösses, tänkte Carl. Yrsa, Assad, Rose och Pasgård. Det var nästan för mycket till och med för en vice poliskommissarie.

"Bara en sista grej, Pasgård. Jag tycker du ska ringa till Tryggve Holt och fråga om han hade koll på vädret under de dagarna de satt i fångenskap."

Sekunden efter att han lagt på ringde telefonen.

"Antonsen", sa rösten. Bara tonläget räckte för att göra en orolig.

"Din assistent och Samir Ghazi var i slagsmål här ut på stationen alldeles nyss. Vore det inte för att det är vi själva som är polisen hade vi fått ringa 112. Vill du vara så snäll och masa dig ut hit meddetsamma och hämta den lille jäveln."

27

Vid de sällsynta tillfällen då Isabel Jønsson ombads att beskriva sin bakgrund sa hon alltid att hon vuxit upp i Tupperwareland. Uppfostrad av två härliga föräldrar med en Vauxhall och ett gult tegelhus. Deras regelbundna små råd och tips skilde sig sällan från den övriga medelklassens. En trevlig, skyddad barndom, fullkomligt steril och vakuumförpackad. Ingen avvek från normen i den lilla familjen. Inga armbågar på bordet och bridgekorten i chiffonjén. Föräldrarna nickade gillande, sa grattis och skakade hand med Isabel när hon tog studenten, och hennes bror valde att göra lumpen, trots att han dragit ett frinummer.

Hårt inarbetade mönster som endast blåste bort i de stilla vindar i hennes liv då hon svettdrypande gav sig hän åt en kompetent man eller, som nu, när hon satt bakom ratten i sin omlackerade Ford Mondeo av 2002 års modell. Topphastigheten angavs till tvåhundrafem, men hon hade fått upp den i tvåhundratio, vilket mätaren visade även nu när hon och Rakel hade svängt ut på och E45:an från väg 13.

GPS:en angav att de skulle vara framme klockan 17.30, men den tidsangivelsen skulle de nog bli två om.

"Jag har ett förslag", sa hon till Rakel, som satt och kramade sin mobil. "Du får lova att inte bli upprörd nu."

"Jag ska försöka", sa hon tyst.

"Om vi inte hittar honom eller dina barn på adressen i Ferslev, finns det förmodligen inget annat vi kan göra än att gå honom tillmötes."

"Nej, men det har vi ju diskuterat."

"Såvida vi alltså inte behöver vinna tid."

"Vad menar du?"

Isabel ignorerade en kortege av långfingrar, när hon utan att sänka hastigheten blinkade sig förbi trafiken med helljuset.

"Vad jag menar – och nu får du inte flippa ut, Rakel – är att vi inte kan veta att dina barn är säkra, även om vi ger honom pengarna. Förstår du?"

"Jag tror att de är säkra." Rakel betonade varje ord. "Om vi ger honom pengarna släpper han dem. Vi vet redan för mycket om honom för att han ska våga annat."

"Vänta, Rakel. Det är just min poäng. Om vi ger honom pengarna och får tillbaka barnen, vad hindrar er från att anmäla det till polisen? Förstår du vad jag menar?"

"Jag är säker på att han är ute ur landet en halvtimme efter att han fått pengarna. Han struntar i vad vi gör efter det."

"Tror du? Men han är inte dum, Rakel. Det vet vi bägge. Landsflykt är aldrig någon garanti. De flesta grips minsann ändå."

"Vad menar du då?" Rakel rörde oroligt på sig i sätet. "Snälla, kör lite långsammare", bad hon. "Tänk om vi åker fast i en fartkontroll. Då tar de ditt körkort."

"Då må det vara hänt. Då får du sätta dig bakom ratten istället. Du har väl körkort?"

"Ja."

"Då så", sa Isabel och körde om en rejält kromad BMW, fullpackad av ungdomar med bakvända basebollkepsar.

"Vi kan inte vänta", fortsatte hon, "för nu kommer jag till själva poängen. Vi vet inte vad han tänker göra om han får pengarna, och vi vet heller inte med säkerhet vad han tänker göra om han inte får dem. Därför måste vi hela tiden ligga ett steg före honom. Det är vi som måste ha kontrollen och inte han. Är du med?"

Rakel skakade så våldsamt på huvudet att Isabel såg det i ögonvrån, trots att hon hade blicken klistrad på vägen.

"Nej, jag är inte alls med."

Isabel fuktade läpparna. Om det här gick åt pipan var det hennes fel. Å andra sidan hade hon just nu den där känslan av att allt hon gjorde och sa inte bara var guldkorn utan också fruktansvärt viktiga guldkorn.

"Om det visar sig att svinet rent faktiskt har en adress på stället vi är på väg till, har vi kommit honom mycket, mycket närmare än han i sina värsta mardrömmar kunnat föreställa sig. Han blir tvungen att gräva och åter gräva i sitt psykopatiska huvud för att komma på var han begick sitt misstag. Förstår du hur osäker på ert nästa steg det kommer att göra honom? Han blir sårbar, och det är precis det vi behöver."

De hann köra om femton bilar innan Rakel svarade. "Kan vi prata om detta senare? Just nu vill jag bara vara för mig själv."

När de körde ut på Lilla Bält-bron tittade Isabel snabbt på Rakel. Inte ett ljud hade passerat hennes läppar på länge, men läpparna rörde sig konstant. Hon blundade och hennes händer kramade mobilen så att knogarna vitnade.

"Tror du verkligen på Gud?" sa Isabel.

En liten stund hann gå – förmodligen skulle hon avsluta sin bön – innan hon öppnade ögonen.

"Ja, det gör jag. Jag tror på Gudsmodern och att hon värnar om olyckliga kvinnor som jag. Därför ber jag till henne och hon lyssnar på mig, det är jag tryggt förvissad om."

Isabel rynkade ögonbrynen, men nickade och sa inget mer.

Allt annat hade varit att betrakta som respektlös.

*

Ferslev låg mitt i ett lapptäcke av åkrar nära Isefjorden och gav på många sätt sken av att vara en lättsam idyll. Det var svårt att tro att här fanns den ondska som de misstänkte gömde sig i byn.

Isabel noterade att hennes hjärtslag ökade ju närmare målet de kom. När de på avstånd såg att huset knappt gick att se från vägen för alla träd, tog Rakel henne i armen och bad henne köra in till sidan.

Hon var vit i ansiktet och gned hela tiden sina kinder, som om hon försökte få igång blodcirkulationen. Hennes panna var svettig och läpparna hårt sammanpressade.

"Kör in här, Isabel", sa hon när de kommit bakom en träddunge. Hon vinglade ut ur bilen och föll på knä i dikeskanten. Det var inte så svårt att se hur illa hon mådde. Hon jämrade sig för varje gång hon kräktes och höll av allt att döma på tills hon spytt upp hela maginnehållet.

"Är du okej?" frågade Isabel när en stor Mercedes for förbi.

Det var förvisso en konstig fråga att ställa till någon som kräks, men så sa man ju.

"Jaha", sa Rakel, när hon slank in på passagerarsätet och torkade sig om munnen med handens baksida. "Vad gör vi nu?"

"Vi kör helt enkelt bara upp till huset. Han tror att min polisbror sitter på all information. Så om svinet är där uppe och får syn på mig, kommer han att släppa barnen. Han vågar inget annat. För honom gäller det bara att komma därifrån."

"Du får ställa bilen så att han inte känner att vi skurit av hans flyktväg", sa Rakel. "Annars riskerar vi att han gör något desperat."

"Nej, där tror jag att du har fel. Tvärtom blockerar vi utfarten med bilen. Då tvingas han fly över åkrarna. Om han undkommer med bilen finns risken att han tvingar med sig barnen."

Rakel såg ut att bli illamående igen, men svalde snabbt ett par gånger och repade sig.

"Jag förstår, Rakel. Du är inte van vid det här, och det är inte jag heller. Jag mår minsann inte heller så bra. Men nu gör vi det här."

Rakel såg på henne. Ögonen var våta, men blicken var kylig. "Jag har varit med om mer än du tror", svarade hon förvånansvärt hårt. "Jag är rädd, men inte å mina egna vägnar. Det får bara inte misslyckas."

*

Isabel parkerade bilen tvärs över uppfartsvägen. Sedan ställde de sig mitt på gårdsplanen under träden och väntade på att något skulle hända.

Några duvor uppe på taket kuttrade och en svag bris fick det torra, vildvuxna gräset att prassla. Bortsett från detta var det enda tecknet på liv deras egna djupa andetag.

Det var mörkt i husets fönster. Kanske för att de var smutsiga, kanske för att det dragits för något på insidan som inte gick att se. Längs muren stod utslitna och rostiga trädgårdsredskap, och målarfärgen hade flagnat överallt på träfasaden. Huset såg dött och obebott ut, vilket var oroväckande.

"Kom nu", sa Isabel och styrde stegen rakt mot ytterdörren. Hon bultade taktfast på den, innan hon tog ett steg tillbaka och knackade hårt på entrédörrens fönster. Men inget rörde sig innanför fönstren.

"Heliga Gudsmoder. Tänk om de är där inne och försöker meddela sig", sa Rakel och började vakna ur sitt dvalliknande tillstånd. Plötsligt grep hon förvånansvärt resolut tag om en hacka med brutet skaft, som låg på stenplattorna vid husväggen, och svingade den hårt mot ett fönsterparti vid sidan av ytterdörren.

Det var inte svårt att se att hon var van vid praktiska sysslor, när hon balanserade hackan på axeln medan hon haspade upp fönstret. Allt signalerade att hon var redo att använda redskapet mot mannen, om han var där inne med barnen. Redo att visa honom att han mycket noga skulle överväga nästa steg.

Isabel höll sig något bakom henne när de tog sig in i huset. Förutom fyra eller fem gasflaskor, som stod uppradade i entrén, och några få möbler strategiskt utplacerade framför springorna i gardinerna för att det skulle se någorlunda bebott ut, fanns det överhuvudtaget inget att se på bottenvåningen. Alla golv och plana ytor var dammiga, där fanns varken papper, reklam eller tidningar, inga köksredskap, inga sängkläder och inga tomkartonger. Inte ens toapapper.

Man ville ge intrycket av att huset var bebott, men ingen bodde här.

De hittade den branta trappan upp till ovanvåningen och tog sig uppför den med försiktiga, trevande steg.

Masonitväggar tapetserade i all världens mönster och färger mötte dem där uppe. Skiljeväggarna var papperstunna. En sann orgie i stilförvirring och tydlig pengabrist. Endast en möbel fanns i de tre rummen – ett flagnande, ljusgrönt drängskåp med halvöppen dörr.

Ett behagligt eftermiddagsljus trängde in i rummet när Isabel drog isär gardinerna. Hon öppnade drängskåpet och drog genast efter andan.

Han hade nyligen varit där, eftersom han haft på sig de flesta av kläderna på galgarna medan han bodde hos henne: mockajackan, de ljusgrå Wranglerjeansen och skjortorna från Esprit och Morgan. Definitivt inte plagg man räknade med att hitta på ett ställe som detta.

Rakel ryckte till och Isabel förstod. Bara doften av hans rakvatten räckte för att göra en illamående.

Hon tog ut en av skjortorna och undersökte den snabbt. "Kläderna är inte tvättade, så nu har vi hans DNA, om det skulle behövas", sa hon och pekade på ett hårstrå under skjortkragen. Av färgen att döma var det i alla fall inte hennes eget.

"Vi tar med dem," fortsatte hon. "Man vet aldrig, vi kanske hittar något i fickorna."

När de plockat ut så många plagg som möjligt spanade hon ut över gårdsplanen och bort mot ladan. Hon hade inte lagt märke till märkena i gruset tidigare, men här uppifrån såg man dem tydligt. Framför ladugårdsdörren fanns två djupa och tydliga spår, som dessutom verkade färska.

Hon drog för gardinerna igen.

Nere i entrén lät de glasskärvorna ligga när de stängde dörren efter sig. Väl ute såg de sig snabbt omkring. Inget ovanligt i kryddträdgården, inget på marken och uppenbarligen inte mellan de många träden heller. Därför fokuserade de på hänglåset i ladugårdsdörren.

Isabel pekade på hackan som Rakel fortfarande bar på och Rakel nickade. Det tog henne mindre än fem sekunder att slå av låsbygeln.

Bägge drog efter andan när porten öppnades.

Framför dem inne i ladan stod skåpbilen. En ljusblå Peugeot Partner med det rätta registreringsnumret.

Intill henne började Rakel tyst att be. "Åh, låt inte mina barn ligga döda i bilen, kära Gudsmoder. Låt dem inte ligga där. Snälla, snälla."

Isabel var dock ganska säker. Rovfågeln hade flaxat iväg med sitt byte. Hon grep tag i bakluckans handtag och öppnade. Han hade inte ens brytt sig om att låsa efter sig, så säker på sitt gömställe var han.

Hon kände på motorhuven. Den var fortfarande varm. Mycket varm, faktiskt.

Sedan gick hon ut på gårdsplanen igen och spanade genom träden ut mot vägen, där Rakel hade kräkts. Antingen hade han kört åt det hållet eller också ner mot fjorden. Han kunde inte ha hunnit särskilt långt.

De hade precis missat honom.

Vid hennes sida började Rakel att skaka. Alla känslorna hon lagt band på under den långa bilfärden, all avsky som inte gick att uttrycka i ord, all smärta som etsat sig in i hennes ansikte och kroppshållning, tog sig uttryck i ett enda skrik som fick duvorna att skrämda flaxa upp och försvinna bort över trädtopparna. När hon var klar rann snoret från näsan och mungiporna var vita av fradga. Hon hade insett att deras enda säkra kort hade övertrumfats.

Kidnapparen var inte där. Barnen var borta. Trots alla böner.

Isabel nickade tröstande mot henne. Det här var fasansfullt.

"Rakel, jag är så ledsen att behöva säga det. Men jag tror att jag såg bilen när du kräktes", sa hon tyst. "En svart Mercedes. En sådan som det finns hundra miljoner av."

De stod tysta länge medan ljuset på himlen blev allt svagare.

Vad skulle de göra nu?

"Du och Joshua får inte ge honom pengarna", sa Isabel slutligen. "Han ska inte få lov att diktera villkoren. Vi måste vinna tid."

Rakel tittade på Isabel som om hon vore en avfälling som spottade på allt som Rakel trodde på och stod för. "Vinna tid? Jag fattar inte vad du pratar om, och jag är inte så säker på att jag vill veta det heller."

Rakel såg på klockan. De tänkte samma sak.

Snart skulle Joshua stiga på tåget i Viborg bärandes på en säck full-proppad med sedlar, och i Rakels ögon var det så det måste bli. Pengar-na överlämnades och barnen släpptes fria. En miljon var mycket peng-ar, men det skulle de komma över. Trots allt. Det maskineriet skulle Isa-bel bara våga kasta grus i. Det visade Rakel med all tydlighet.

Isabel suckade. "Hör här, Rakel. Vi har båda träffat honom och han är det mest skrämmande man kan ha att göra med. Tänk bara på hur han lurade oss. Allt han sa och gjorde var så långt ifrån sanningen som man kan komma." Hon fattade Rakels händer. "Din tro och min barns-liga förälskelse fungerade som hans redskap. Han träffade oss där vi var som mest sårbara. Våra innersta känslor, och vi *trodde* på honom. För-står du? Vi trodde på honom och han ljög. Det går inte att förneka. För-står du vart jag vill komma?"

Naturligtvis förstod hon det, hon var inte dum. Men Rakel kunde inte kosta på sig ett nervöst sammanbrott nu. Hon hade inte råd att ifrågasätta sin blinda tro just nu, det insåg Isabel. Därför måste hon störtas ner i den avgrund från vilken alla urinstinkter härstammar, för att kunna tänka fritt och helt och hållet åsidosätta den här världens alla argument och begrepp. En mycket skrämmande upptäcktsresa. Och Isabel led med henne.

När Rakel åter slog upp ögonen gick det inte att ta miste på att hon själv visste hur illa ställt det var. Hennes barn var kanske inte ens i livet längre. De var kanske redan döda.

Hon tog ett djupt andetag och kramade Isabels händer en extra gång. Hon var redo. "Vad har du tänkt dig?" frågade hon.

"Vi gör som han sagt", sa Isabel. "När vi ser ett blinkande ljus gör vi som vi blivit tillsagda och kastar ut säcken från tåget, fast utan pengar. När han öppnar den kommer han istället att hitta föremål från det här huset som visar att vi varit här."

Hon böjde sig fram och plockade upp hänglåset och beslaget, som hon vägde i handen.

"Vi lägger dessa och några av hans kläder i säcken, tillsammans med en lapp där vi berättar att vi är honom på spåren. Att vi vet var han håller till, att vi kan hans täcknamn och att vi bevakar hans ställe. Att vi håller på att ringa in honom och att det bara är en tidsfråga innan vi lyckas. Vi skriver att han ska få sina pengar, men att han måste tänka ut en lösning där vi känner oss helt säkra på att vi får tillbaka barnen. Innan dess inga pengar. Vi måste pressa honom, annars är det han som har kontrollen."

Rakel sänkte blicken. "Har du glömt en sak, Isabel?" sa hon. "Vi står här på Nordsjälland med hänglåset och kläderna. Vi hinner inte ta tåget från Viborg. Vi kommer inte att sitta på tåget när han blinkar med sitt ljus någonstans mellan Odense och Roskilde." Hon såg Isabel rakt i ögonen och skrek all sin frustration i ansiktet på henne. "Hur ska vi då kunna kasta ut säcken till honom? *Hur?*"

Isabel tog hennes hand. Den var iskall. "Rakel", sa hon lugnt. "Vi hinner. Nu kör vi till Odense och bestämmer träff med Joshua på perrongen. Vi har all tid i världen."

Isabel hade just skymtat en tidigare okänd sida av Rakel. Inte mamman som förlorat sina barn, inte lantbrukarhustrun i Dollerup Bakker. Det fanns inte längre något bondskt eller vardagligt över henne. Hon var som förbytt.

"Har du funderat på varför han vill att vi byter tåg i Odense?" frågade Rakel. "Det finns ju så många andra alternativ, inte sant? Jag är säker på att det är för att vi är övervakade. Det finns folk på stationerna i Viborg och i Odense." Med ens var blicken borta igen. Hon vände den inåt. Hon kunde ställa frågor, men hon visste inte svaren på dem.

Isabel funderade en stund. "Nej, det tror jag inte. Han är bara ute efter att stressa er. Jag är säker på att han är ensam om det här."

"Hur kan du vara det?" sa Rakel utan att se på henne.

"Han är sådan. Han är oerhört kontrollerande. Han vet precis vad han ska göra. Och när. Han är också oerhört beräknande. Han behövde bara befinna sig på krogen i några få sekunder innan han valde ut mig som sitt offer. Han gav mig orgasmer i exakt rätt ögonblick några timmar senare. Han gjorde frukost och sa saker som följde med mig resten av dagen. Varenda liten rörelse ingick i hans plan och han utförde dem mästerligt. Han kan inte samarbeta och dessutom skulle lösesumman bli för liten. Han delar helt enkelt inte med sig."

"Vad händer om du har fel?"

"Ja, vad händer då? Spelar det någon roll? Det är vi två som ställer ett ultimatum här ikväll, inte han. Säcken stödjer bara vårt påstående att vi har besökt hans gömställe här."

Isabel såg sig omkring på den halvt förfallna gården. Vem var han, denna utstuderade människa? Varför gjorde han detta? Med sitt fördelaktiga yttre, sitt strålande intellekt och sina manipulativa egenskaper kunde han ha blivit vad som helst. Det var väldigt svårt att förstå.

"Ska vi köra?" sa Isabel. "Under tiden kan du ringa till din man och sätta in honom i situationen. Och så kan vi komma överens om vad det ska stå i brevet vi lägger i säcken."

Rakel skakade på huvudet. "Jag vet inte. Jag är rädd. Eller rättare sagt, jag är med på mycket av det du säger, men jag är rädd att vi driver kidnapparen för långt. Han kanske struntar i allt och sticker." Hennes läppar darrade. "Vad händer då med mina barn? Det kommer att drabba Magdalena och Samuel. Kanske hotar han med att skära i dem eller något annat hemskt. Man hör ju så mycket." Tårar började rinna utmed hennes kinder. "Vad gör vi då, Isabel, om han gör något sådant? Kan du säga mig det? Vad gör vi då?"

28

"Vad fan hände där ute i Rødovre, Assad? Jag har aldrig tidigare hört Antonsen skälla på det sättet."

Assad vred på sig i stolen. "Det är inget att bry sig om, Carl. Det var bara ett missförstånd."

Missförstånd? I så fall var också franska revolutionen ett enda stort missförstånd.

"I så fall får du förklara för mig hur ett så kallat missförstånd kan resultera i att två vuxna män rullar runt på golvet på en dansk polisstation och pucklar på varandra utan några som helst silkesvantar."

"Pucklar? Silkesvantar?"

"Slåss! På blodigt allvar. För fan, Assad, spela inte dum nu. Du var ju i fullt slagsmål med Samir Ghazi. Kom igen nu. Jag kräver en förklaring. Hur känner ni varandra?"

"Vi känner faktiskt inte varandra."

"Men, Assad, det stämmer inte. Man går inte loss på en vilt främmande man helt utan anledning. Har det något med familjesammanslagningar, tvångsäktenskap eller förbannade hedersbegrepp att göra, så bara ut med det. Får vi inte rätsida på det här måste jag låta dig gå. Glöm inte att Samir är polis. Du är det inte."

Assad såg på Carl med en sårad min. "Jag kan gå meddetsamma."

"För din skull får vi verkligen hoppas att Antonsens och min gamla vänskap hindrar honom från att ta det beslutet för mig." Carl lutade sig över skrivbordet. "Och, Assad, när jag frågar dig något vill jag att du svarar. Eftersom du vägrar att göra det fattar jag ju att något inte står rätt till. Om jag ska vara ärlig kan det rentav få mer långtgående konsekvenser för ditt uppehåll här i landet, än att bara förlora det här fantastiska jobbet."

"Tänker du förfölja mig?" sa han. Stött var en lindrig beskrivning av hans ansiktsuttryck.

"Handlar det här om att du och Samir känner varandra sedan tidigare? Från Syrien, till exempel?"

"Nej, inte Syrien. Samir är irakier."

"Alltså medger du att det finns något mellan er? Och ändå så känner ni inte varandra?"

"Ja, Carl. Snälla, sluta fråga mer om det."

"Varför skulle jag det? Om du inte vill att jag ber Samir Ghazi om en skriftlig rapport om den här dispyten, får du helt enkelt komma med något mer matnyttigt. För övrigt ska du under alla omständigheter hålla dig borta från Samir från och med nu."

Assad satt tyst och tittade framför sig en stund, innan han nickade. "Jag är orsaken till att en av Samirs släktingar dog. Du måste tro mig, det var inget jag gjorde med vilje, Carl. Jag visste inte ens om det då det hände."

Carl blundade ett ögonblick.

"Har du vid något tillfälle begått brott i det här landet?"

"Nej, det kan jag säkra dig."

"Försäkra, Assad. Man försäkrar något."

"Okej, då är det vad jag gör."

"Det hände alltså för länge sedan?"

"Ja."

Carl nickade. Det fick räcka så länge. Förhoppningsvis tog Assad själv upp det en vacker dag.

"Vill ni ta en titt på det här?" Utan att knacka slog Yrsa upp dörren och såg för en gångs skull allvarlig ut när hon höll upp ett papper mot dem. "Ett fax som kom från Ronnebypolisen för två minuter sedan. Han såg alltså ut så här."

Hon lade faxet på skrivbordet. Det var inte en fantombild av det slaget som gjordes i datorer, där man förde samman olika ansiktskomponenter. Det här var äkta vara. Ett mycket fint hantverk med skuggor och allt. En vacker teckning i färg av en mans ansikte, som man i bästa fall kunde kalla harmonisk, men som vid en närmare studie också utstrålade en del disharmonier.

"Han liknar min kusin", sa Yrsa torrt. "En svinuppfödare i Randers."

"Det var inte så jag hade föreställt mig honom", sa Assad.

Inte Carl heller. Korta polisonger. Mörk, markant och välansad mustasch. Något ljusare hår med utpräglad mittbena, kraftiga ögonbryn, som nästan växte ihop vid näsroten och normala, halvfyllliga läppar.

"Vi får nog utgå ifrån att den här teckningen ligger ganska långt från verkligheten. Glöm inte att Tryggve bara var tretton år när det hände och att det har hunnit gå en hel del år. Lägg därtill att mannen säkert har förändrat sig sedan dess. Men hur gammal skulle ni säga att han är?"

Innan någon av dem hann svara stoppade Carl dem. "Ta god tid på er. Mustaschen får honom kanske att se äldre ut. Skriv ner era gissningar här."

Han rev av två pappersark från sitt block och gav dem till sina medhjälpare.

"Tänk att han dödade Poul", sa Yrsa. "Det känns nästan som om han slagit ihjäl någon man känner."

Carl skrev ner sin gissning och tog emot de andra två.

Det stod tjugosju på två lappar och trettiotvå på en.

"Vi har gissat tjugosju. Varför tror du han är äldre, Assad?"

"Egentligen den där." Han pekade på en linje som gick snett utåt från höger öga. "Det är inte en skrattrynka." Han log brett och pekade på sin egen rynkiga ögonvrå. "Ser ni. De sprider sig över hela kinden. Men titta nu."

Han drog ner mungiporna, så att han antog samma min som under Carls förhör strax före. "Har jag inte en linje där nu?" Han pekade på en punkt intill sitt ögonbryn.

"Jo, men den är inte särskilt lätt att se", sa Yrsa. Hon försökte härma uttrycket och kände sedan runt sitt eget ögonbryn.

"Det är för att jag är en glad man. Det är inte mördaren. En sådan rynka är man antingen född med eller så får man den för att man inte är glad. Och det tar tid för den att växa fram. Min mamma var inte så glad, och hon fick den först när hon var femtio."

"Kanske har du rätt, kanske inte", sa Carl. "Men vi är överens om att han är runt den åldern vi gissat på. Det var också Tryggves uppskattning. Alltså borde han rimligtvis vara mellan fyrtio och fyrtiofem år idag, om han fortfarande lever."

"Går det inte att skanna in bilden i vårt system och lägga på några år?" frågade Yrsa. "Det finns väl program för det?"

"Naturligtvis, men då riskerar man också att det går åt fel håll, så att bilden blir mer missvisande än nu. Det är nog bättre att vi håller oss till den här. En ganska snygg karl. Tilldragande lite över snittet och rätt maskulin. Men samtidigt är hans stil något dämpad och konservativ, som en kontorists."

"Jag tycker mer han liknar en soldat eller en polis", tillade Yrsa.

Carl nickade. Han kan vara vad som helst. Så är det oftast.

Han tittade upp i taket. Den förbannade flugan var tillbaka. Kanske borde han låta avdelningen investera i en ändamålsenlig flugdödare på burk. Det skulle nog flugan föredra, framför att bli avrättad med en kula.

Han väcktes ur sina tankar och såg på Yrsa. "Du ser till att bilden kopieras och skickas ut till samtliga polisdistrikt. Klarar du det?"

Hon ryckte på axlarna.

"Och, Yrsa, jag vill läsa igenom texten innan den går iväg."

"Vilken text?"

Han suckade. Hon var fantastisk på flera sätt, men någon Rose var hon minsann inte. "Du måste beskriva fallet, Yrsa. Att vi misstänker att den här personen har begått ett mord och att vi vill veta om någon har kännedom om att en man med detta utseende på något sätt har varit i klammeri med rättvisan."

*

"Vart ska det leda, Carl? Vilket är sambandet? Kan du säga mig det?" Lars Bjørn rynkade pannan och sköt tillbaka fotot av de fyra syskonen Jankovic till kommissarien för våldsroteln.

"Vart det leder? Det leder till det att om ni ska komma vidare i era mordbrandsfall måste ni söka igenom brottsregistren efter serber med just sådana ringar, som de fyra köttbergen här har. Kanske har man turen att hitta en i de danska arkiven, men om jag vore ni skulle jag omedelbart kontakta polismyndigheterna i Belgrad."

"Påstår du att liken som hittats efter bränderna tillhör serber med anknytning till Jankovicfamiljen, och att ringarna är tecken på denna tillhörighet?" sa kommissarien.

"Absolut. Och jag tror att de är mer eller mindre födda med dessa ringar, därav fördjupningen i lillfingerbenet."

"En kriminell liga, alltså?" konkluderade Bjørn.

Carl såg på honom med ett fånigt leende. Han var sannerligen kvicktänkt en tråkig måndag som denna.

Intill Bjørn tittade Marcus Jacobsen lystet på sitt tillplattade cigarettpaket på bordet. "Ja, vi får förhöra oss lite med våra serbiska kolleger. Om det är som du säger, föds man ju nästan in i den här ligan. Vet du vem som står för den här utlåningsverksamheten idag? De fyra grundarna lever ju inte längre, vad jag kan förstå."

"Yrsa arbetar på det. Det är ett aktiebolag, men aktiemajoriteten tillhör fortfarande människor med namnet Jankovic."

"Alltså en serbisk maffia som lånar ut pengar."

"Ja. Vi vet att de nerbrända företagen vid något tillfälle stått i skuld till familjen. Det vi inte vet är varför det funnits lik där. Det kan vi tryggt överlämna till er." Carl log och sköt ännu en bild över bordet.

"Här har vi den förmodade gärningsmannen i fallet med mordet på Poul Holt och kidnappningen av hans bror. Snygg kille, va?"

Marcus Jacobsen betraktade uttryckslöst mördaren. Han hade sett sin beskärda del av mördare.

"Vad jag förstår har Pasgård gjort ett par genombrott i fallet idag", fortsatte Jacobsen torrt. "Det var med andra ord bra att ni fick lite hjälp."

Carl såg frågande ut. Vad fan menade han med det?

"Vadå för genombrott?" frågade han.

"Jaså, har han inte hunnit meddela dig än? Han sitter säkert och skriver sin rapport just i detta nu."

*

Tjugo sekunder senare stod Carl inne på Pasgårds kontor. Ett dystert rum där fotot på hans lilla familj om tre borde ha lättat upp stämningen, men istället påminde om vilken total brist på hemtrevnad en dylik tjänstemans kontorslåda hade.

"Vad är det som pågår?" frågade Carl medan Pasgård knappade på tangentbordet.

"Två minuter till så har du rapporten och sedan är jag klar med fallet."

Det lät lite för effektivt, men icke desto mindre snurrade mannen runt på kontorsstolen efter exakt två minuter och sa: "Så, nu kan du läsa rapporten på skärmen, innan jag skriver ut den. Du kan ju själv rätta det som verkar oklart."

Pasgård och Carl hade kommit till Köpenhamnspolisen ungefär samtidigt, och gudarna ska veta att Carl aldrig ansträngt sig för att vara någon till lags, men ändå var det oftast han som fått alla de bra fallen. En effektfull nagel i ögat på en rövslickare som Pasgård.

Därför var Pasgårds syrliga leende bara en illa dold yttring av den enorma tillfredsställelse som strömmade genom honom medan Carl läste rapporten.

När Carl var klar tittade han på Pasgård.

"Bra jobbat, Pasgård", sa han bara.

*

"Måste du hem eller fixar du några timmar till ikväll, Assad?" frågade han. Hundra mot ett att han inte vågade annat än att stanna.

Assad log. Han uppfattade det säkert som en försoningsgest. Nu kunde de gå vidare. Alla diskussioner om Samir Ghazi och om hur Assad egentligen bodde var lagda på is.

"Du följer med, Yrsa. Jag kör dig hem. Vi ska ändå den vägen."

"Förbi Stenløse, nej, herregud, det orkar jag inte. Nej, jag tar tåget. Jag älskar att åka tåg." Hon knäppte kappan och drog den fina lilla väskan av imiterat krokodilskinn över axeln. Exakt en sådan utstyrsel som man kunde se i gamla engelska långfilmer, för att inte tala om hennes bruna promenadskor med massiva, halvhöga klackar.

"Du åker inte tåg idag, Yrsa", sa han. "Om ni inte har något emot det vill jag sätta er in i några saker medan vi kör."

Något motvilligt, och närmast som en drottning som får nöja sig med ett fyrspann, satte hon sig i bilens baksäte. Med korsade ben och handväskan i knäet. Genast steg parfymdoften upp mot det nikotingula taket och uppfyllde kupén.

"Pasgård har fått svar från biologiska institutets sektion för akvatisk biologi. En hel del intressanta svar. För det första så har man nu kunnat konstatera att fiskfjället kommer från en typ av insjööring, närmare bestämt en fjordöring. Som namnet antyder återfinner man oftast dessa fiskar i fjordar, det vill säga i övergången mellan sötvattnet och salt-vatten."

"Slemmet då?" frågade Yrsa.

"Möjligtvis från en blåmussla eller en fjordräka. Större klarhet än så får vi inte."

Vid sidan om honom i passagerarsätet satt Assad och nickade medan han slog upp första sidan i kartboken över Nordsjälland. Efter ett tag satte han fingret mitt på översiktskartan. "Här har jag dem – Roskildefjorden och Isefjorden. Aha! Jag visste inte att de möttes uppe vid Hundested."

"Guud, alltså!" hördes det från baksätet. "Har ni tänkt att tråla er igenom fjordarna? Då får ni minsann att göra."

"Korrekt." Carl gav henne en blick via backspegeln. "Men vi har lierat oss med en lokal skeppare, som också bor i Stenløse. Du minns honom säkert från fallet med dubbelmordet i Rørvig, Assad. Thomasen. Han som kände de mördades pappa."

"Javisst ja, han! Förnamnet börjar med K, har jag för mig. Han med den tjocka magen."

"Just precis. Han heter Klaes. Klaes Thomasen från Nyköbingspolisen. Han har sin båt i Frederikssund och kan fjordarna som sin egen ficka. Han har lovat att köra runt med oss. Vi har ett par timmar på oss innan det blir mörkt."

"Vi ska alltså ut på sjön?" sa Assad spakt.

"Ja, det blir vi ju nog tvungna till om vi ska leta efter ett båthus, som står i vattnet."

"Det är jag liksom inte så pigg på, Carl."

Det valde Carl att inte höra. "Förutom fjordöringens boplatser så har vi ännu en indikation på att vi ska leta efter båthuset uppe vid i fjordmynningarna. Det tar emot att behöva säga det, men Pasgård har gjort ett bra jobb med det här. Efter att han låtit marinbiologerna ta sina prov skickade han imorse lappen till tekniska för att få skuggorna, som Laursen nämnde, undersökta. Och det visar sig mycket riktigt vara trycksvärta på papperet. Mycket lite, men trots allt."

"Jag trodde skottarna hade kollat allt sådant", sa Yrsa.

"Jo, men de kollade först och främst bokstäverna på lappen, inte så mycket papperet i sig. Men när folket på tekniska gick igenom det en gång till nu på förmiddagen visade det sig att det fanns rester av trycksvärta över hela lappen."

"Var det bara trycksvärta eller stod det också något?" frågade hon.

Carl log för sig själv. En gång för länge sedan hade han och hans bästa kompis legat ute på marknadsplatsen i Brønderslev och stirrat på ett fotavtryck. Lätt utsuddat av regnet, men ändå tydligt avskilt från de övriga. De såg att det fanns bokstäver inristade längst ut på sulan, men det tog ett tag innan de kom att tänka på att avtrycket spegelvändes i leran. *PEDRO*, stod det. Snart förstod de att det måste röra sig om en av de anställda på Pedershaab Maskinfabrik, som var orolig för att hans enda par arbetsskor skulle bli stulna. När killarna sedan skulle låsa in sina kläder i skåpen på friluftsbadet i den andra änden av byn gjorde de det alltid med stackars Pedro i åtanke. Så hade Carls intresse för detektivarbete börjat och nu var han på sätt och vis tillbaka vid startpunkten.

"Trycksvärtan visade sig vara spegelvänd skrift. Själva fiskpapperet var otryckt, så vid något tillfälle måste en tidning ha färgat av sig mot papperet."

"Guud, alltså!" Yrsa lutade sig så långt fram som hennes korslagda ben tillät. "Vad stod det då?"

"Vore det inte för att bokstäverna var så stora hade det nog aldrig gått att få fram, men vad jag förstår har de gissat sig till att det måste röra sig om *Frederikssund Avis*. Jag har kollat upp den och det är en gratistidning som delas ut en gång i veckan."

Här hade han räknat med att Assad skulle bli helt till sig av upphetsning, men han sa inget.

"Förstår ni inte? Det är ju en enorm avgränsning rent geografiskt, om vi får tro att detta papper kommer från det område där tidningen delas ut. Annars skulle det i stort kunnat röra sig om Nordsjällands hela kust. Vet ni hur många mil det rör sig om?"

"Nej", hördes det syrligt från baksätet.

Det visste han inte själv.

Plötsligt ringde mobilen. När han tittade på displayen blev han alldeles varm.

"Hej Mona!" sa han i ett helt annat tonläge än tidigare. "Vad kul att du ringer." Han märkte hur Assad vände sig i sätet bredvid. Nu kanske han inte längre ansåg att hans chef var ett omöjligt fall.

Carl försökte bjuda över henne samma kväll, men det var inte därför hon ringde. Det rörde sig om något mer yrkesmässigt den här gången, sa hon skrattande, så att Carls puls började galoppera. Just nu hade hon besök av en kollega och han ville faktiskt mycket gärna prata med Carl om hans trauman.

Carl rynkade pannan. Jaha. Ville han faktiskt gärna det? Vad fan hade Monas kolleger med hans trauman att göra? Dem hade han med stor möda sparat ihop till henne.

"Jag mår fint, Mona, så det behövs inte", sa han och såg hennes varma ögon framför sig.

Hon skrattade igen. "Ja, jag hör att nattens begivenheter visst har lättat upp ditt humör, men dessförinnan, Carl, mådde du ju inte så bra, eller hur? Och jag kan inte ha jouren dygnet runt med dig."

Han svalde en extra gång. Han rös till vid blotta tanken. Han var på väg att fråga henne varför inte, men lät bli.

"Okej, då säger vi det." Han skulle just säga "älskling" när han såg Yrsas uppmärksamma och hänförda blick i backspegeln. Istället sa han: "Din kollega kan komma imorgon. Men vi har mycket att göra, så det kan bara bli en liten stund, okej?"

De kom inte överens om att träffas på kvällen. Fan också! Han fick se till att det blev imorgon istället. Förhoppningsvis.

Han slog ihop mobilen och gav Assad ett överdrivet leende. När han såg sig själv i spegeln imorse hade han känt sig som rena rama Don Juan. Det kändes inte så nu.

"Åh, Mona, Mona, Mona, när ska dagen komma, då jag vågar ta din hand? När vi rymmer ... tillsammans?" spottade Yrsa ur sig från baksätet.

Assad hoppade till. Om han inte hört henne sjunga tidigare hade han det definitivt nu. Hennes sångröst var verkligen något utöver det vanliga.

"Den har jag hört förut", sa Assad. Han vände sig snabbt om mot henne och nickade uppskattande. Sedan blev han tyst igen.

Carl skakade på huvudet. Jädrans! Nu visste Yrsa det här med Mona och därmed alla andra. Han skulle aldrig ha svarat på samtalet.

"Tänk om", sa Yrsa från baksätet.

Carl tittade i backspegeln. "Tänk om vad?" sa han irriterat.

"Frederikssund. Tänk om han mördade Poul Holt här i närheten av Frederikssund." Yrsa blick var långt borta.

Puh, då hade hon redan glömt Mona-affären. Dessutom förstod han vad hon menade. Det var inte långt till Frederikssund från hennes eget hem.

Ondskan brydde sig inte om geografi.

"Så nu tänker ni hitta ett båthus längst upp i en av fjordarna", fortsatte hon. "Det är en skrämmande tanke, om det verkligen är sant. Men varför tror du inte det kan vara längre söderöver? Där läser man väl emellanåt också lokaltidningarna?"

"Du har rätt. Den kan ha förts bort från Frederikssundsområdet av någon anledning. Men man måste ju börja någonstans och det här verkar mest logiskt. Inte sant, Assad?"

Hans bisittare sa inget. Av allt att döma hade han redan börjat bli sjösjuk.

"Här!" sa Yrsa och pekade på trottoaren. "Du kan släppa av mig är."

Carl såg på GPS:en. Bara en liten bit till längs huvudgatan och in på Ejner Thygesens vej, så var de framme vid Sandalparken där hon bodde.

Varför stanna här?

"Med vi är nästan framme, Yrsa. Det är inget besvär." Han såg att hon var på väg att tacka nej. Hon tänkte säkert säga att hon måste handla, men det fick hon i så fall göra senare.

"Om du inte har något emot det, Yrsa, vill jag bara sticka in näsan och säga hej till Rose. Jag har något jag måste berätta för henne." Han såg tydligt hur rynkorna fortplantade sig i Yrsas bleka ansikte.

"Nästan där", upprepade han och tog initiativet från henne.

Han parkerade utanför nummer nitton och hoppade ut. "Du stannar här så länge, Assad", sa han och öppnade dörren för Yrsa.

"Jag tror inte Rose är hemma", sa hon i trappuppgången med en min han inte sett förut. Mer dämpad och nedslagen än normalt. Som ansiktsuttrycket man har när man lämnat en tentasal med vetskapen att man inte gjort så bra ifrån sig.

"Vänta här, Carl", sa hon när hon låste upp lägenhetsdörren. "Hon ligger kanske och sover fortfarande. Det händer att hon gör det nuförtiden."

Carl läste namnskylten medan Yrsa ropade på Rose. Det stod bara *Knudsen*.

Yrsa ropade några gånger till och återvände sedan till dörren.

"Nej, Carl. Hon är tydligen inte hemma. Hon är nog bara ute och handlar. Vill du att jag ska framföra något till henne?" Carl knuffade upp dörren något, så att han fick in en fot i hallen.

"Nej, men vet du vad? Jag skriver en lapp till henne. Har du möjligtvis papper och penna?" År av övning och skicklighet tog honom längre och längre in i lägenheten. Som den glidande snigeln som omärkligt tar sig framåt. Man såg inte hans fötter röra sig, man kunde bara konstatera att flera meter plötsligt var avverkade och att han nu var omöjlig att bli av med.

"Här är lite stökigt", ursäktade Yrsa sig, ännu med kappan på. "Rose är en slarver när hon mår så här. Speciellt när hon är ensam hela dagen."

Hon hade rätt. Hela hallen var ett virrvarr av ytterkläder, tomma kartonger och högar med gamla veckotidningar.

Carl tittade in i vardagsrummet. Om detta var Roses hem var det långt ifrån det som Carl föreställt sig att en hardcoretjej med gothfrissa och en gallsjuk kropp bodde i. Nej, om någon stod för inredningen i det här hemmet kunde det bara vara en renodlad hippie, som just tagit sig ner från Nepals bergstoppar med ryggsäcken full av klenoder. Inte sedan Carl drog över en tjej från Vrå hade han sett något liknande.

Rökelseskar, stora fat i mässing och koppar med elefanter och allsköns hokuspokusfigurer på. Batiktrasor på väggarna och oxhudar i fåtöljerna. Det saknades bara en ituriven amerikansk flagga för att ta honom tillbaka till sjuttiotalets mitt. Alltihop pryddes av ett rejält lager damm. Bortsett från högarna av veckotidningar fanns det inget, överhuvudtaget inget, som avslöjade att någon av systrarna Yrsa och Rose var arkitekterna bakom detta anakronistiska mischmasch.

"Åh, *så* stökigt är det väl ändå inte", sa han och lät blicken glida över odiskade tallrikar och gamla pizzakartonger. "Hur stor är den?"

"Åttiotre kvadrat. Vardagsrummet och så varsitt sovrum. Men du har rätt, det här är kanske inte så farligt, fast då skulle du se våra rum." Hon skrattade, men egentligen hade hon hellre satt en yxa i ryggen på honom än låtit honom närma sig dörrarna till deras högst personliga tillflykter, om så bara med en decimeter. Det hade hon just informerat honom om på sitt eget lilla omständliga sätt. Så pass mycket erfarenhet av kvinnor hade han trots allt.

Carl skannade av vardagsrummet i hopp om att hitta något som stack ut. Om man ville veta folks hemligheter var det alltid sakerna som stack ut som man skulle studera.

Han såg det meddetsamma. Ett kalt huvud av skumplast, av det slaget man brukar hänga hattar eller peruker på, och en porslinsskål full av pillerburkar. Han gick närmare för att se om han kunde uttyda preparatens namn och vem de skrivits ut till, men Yrsa klev emellan och gav honom penna och papper.

"Du kan sitta där och skriva, Carl." Hon pekade på en stol vid matbordet utan smutstvätt. "Jag ska se till att Rose får lappen när hon kommer hem."

*

"Tja, vi har nog inte mycket mer än en och en halv timme på oss, Carl, så nästa gång får ni se till att ta er hit något tidigare."

Carl nickade mot Klaes Thomasen och vände sedan blicken mot Assad, som satt i båtens ruff som en inträngd mus. I den neonröda flytvästen såg han helt bortkommen ut. Som ett barn inför den skrämmande första skoldagen. Fullständigt förvissad om att den halvfeta gamla kaptenen, som satt och sög på sin otända pipa medan han drog i rodret, inte på något sätt besatt förmågan att rädda honom från den säkra död som väntade i de halvdecimeterhöga vågorna.

Carl studerade kartan i plastfickan.

"En och en halv timme", sa Klaes Thomasen. "Vad exakt är det vi letar efter?"

"Vi ska hitta ett båthus, som står ute i vattnet, men som förmodligen ligger avsides från allmänna vägar och som kanske är nästan omöjligt att se från en båt. Jag tycker att vi i första hand börjar vid Kronprins Frederiks Bro och tar oss upp mot Kulhuse. Tror du att vi hinner mer än så?"

Den pensionerade polisen sköt fram underläppen så att pipan stegrade sig. "Det här är en fin gammal snäcka och ingen racerbåt", mumlade han. "Bara sju knop i timmen. Å andra sidan är det väl något som vår gast här värdesätter. Eller vad säger du, Assad? Hur går det där inne?"

Redan nu såg det ut som om Assad tvättat sin annars så tonade hy med en omgång klorin. Det här blev nog ingen rolig tur.

"Sju knop, säger du. Det motsvarar väl en tretton kilometer i timmen?" sa Carl. "Då hinner vi inte ens upp till Kulhuse och tillbaka igen innan det blivit mörkt. Jag hade hoppats att vi kunde ta oss ända över till andra sidan av Hornsherred, runt om Orö och så tillbaka igen."

Thomasen skakade på huvudet. "Jag kan i och för sig få frugan att hämta oss i Dalby Huse, på andra sidan, men längre än så hinner vi inte. Då kommer vi ändå att köra i halvmörker den sista biten."

"Hur blir det med båten då?"

Han ryckte på axlarna. "Tja, om vi inte hittar vad vi letar efter kan jag ju alltid fortsätta imorgon för skojs skull. Du vet: gammal polis rostar aldrig i motvind."

Den hade han visst själv kommit på.

"En sak till, Klaes. De två bröderna som satt inspärrade i båthuset hörde ett lågt surrande. Som ett vindkraftverk eller något i den stilen. Säger det dig något?"

Klaes tog ut pipan och såg på Carl med ögon som hos en engelsk blodhund. "Det har varit en massa tjafs kring det som i de här trakterna kallas infraljud. Jag ljuger nog inte om jag påstår att diskussionen har pågått ända sedan mitten av femtiotalet."

"Och infraljud är …?"

"Ja, det är just sådant som surrar. Låga och mycket påfrestande ljud. Länge trodde man att det var stålvalsverket i Frederiksværk som var syndaren, men verket avskrevs när det senare under en period stängdes och ljuden ändå fortsatte."

"Stålvalsverket? Ligger inte det ute på en halvö?"

"Jo, visserligen, men infraljud har registrerats mycket långt bort från källan. Somliga påstår att det kan uppfattas på två mils avstånd. Det kom i alla fall klagomål från Frederiksværk och Frederikssund och ända bortifrån andra sidan av fjorden, i Jægerspris."

Carl stirrade ut över det regnprickiga vattnet. Allt såg så idylliskt ut. Hus som gömde sig bland träd och snår, grönskande ängar och åkrar. Tysta båtar på stilla vatten och måsar som samlade sig och flög iväg i flock. Och över detta våta, sockersöta landskap surrade låga och oförklarliga ljud. Bakom dessa vackra husfasader fanns människor som löpte amok.

"Om man inte känner till källan och dess spridning har vi överhuvudtaget ingen nytta av det", sa Carl. "Jag hade tänkt att jag skulle undersöka vilka vindmöllor som finns i området, men frågan är om det ens har med dem att göra. Mycket tyder på att samtliga vindkraftverk i Danmark stod stilla under de dagarna. Det kommer jävlar i mig inte att bli lätt, det här."

"Borde vi inte åka hem då?" hördes det inne från kajutan.

Carl gav Assad en lång blick. Var detta verkligen samme man som rullade runt i knytnävsslagsmål med Samir Ghazi, som slog in dörrar med välriktade sparkar och som en gång i tiden räddat livet på Carl? I så fall hade det de senaste fem minuterna snabbt gått utför med honom.

"Tänker du spy, Assad?" frågade Thomasen.

Assad skakade på huvudet. Det visade bara hur lite mannen visste om sjösjuka och dess sällsamheter.

"Här", sa Carl och räckte honom den ena kikaren. "Andas lugnt och följ med båtens rörelser. Försök hålla blicken på kusten där inne."

"Jag flyttar mig inte härifrån", sa han.

"Det behöver du inte heller. Du ser kusten genom fönstret."

"Jag tror ni kan glömma den kuststräckan", sa Thomasen och pekade, medan han styrde rakt ut mot fjordens mitt. "Där inne är stranden något sandig och på vissa ställen går åkrarna ända ut till vattnet. Vi måste nog upp mot Nordskoven för att ha lite tur. Där är det tät skog ända ut till kusten. Å andra sidan bor där också mycket folk, vilket gör det osannolikt att ett båthus skulle kunna stå där utan någons vetskap."

Han pekade längs en landsväg som löpte på östsidan av fjorden och i rak nord-sydlig riktning. Byar avlöstes av åkrar som återigen avlöstes av byar. Det var i varje fall inte på den sidan av fjorden som Poul Holts mördare hade kunnat gömma sig.

Carl tittade på kartan. "Om vi utgår från tesen att fjordöringen rör sig i de här nordliga farvattnen, och att det då inte är här i Roskildefjorden, måste det ju vara i Isefjorden, på andra sidan av Hornsherred. Men var? Jag ser inte många rimliga alternativ på kartan. Det är helt enkelt för mycket åkermark ända ut till fjorden. Var gömmer man ett båthus där? Och det kan väl knappast vara ända borta på Holbæksidan eller uppe i Odsherred? Det tar mycket mer än en timme att ta sig dit från kidnappningsplatsen i Ballerup." Han blev plötsligt tveksam. "Eller?"

Thomasen ryckte på axlarna. "Nä, det tror jag inte. Det tar väl just ungefär en timme att köra upp dit."

Carl suckade djupt. "Då får vi hoppas att teorin om lokaltidningen, *Frederikssund Avis*, håller, annars blir det här mycket, mycket svårt." Han gick in och satte sig på bänken bredvid en härjad, skakande och grågrön Assad. Han hade borrat kikaren långt in i ögonhålorna och dubbelhakan gungade ideligen av häftiga kväljningar.

"Ge honom lite te, Carl. Frugan blir inte glad om han spyr ner hennes överdrag."

Carl drog till sig korgen och hällde upp utan att fråga om han ville ha.

"Här, Assad."

Han sänkte kikaren något, såg på teet och skakade på huvudet. "Jag kommer inte att kräkas, Carl. Det som kommer upp sväljer jag ner igen."

Carl spärrade upp ögonen.

"Det är ungefär som att rida på dromedarer i öknen. Där kan man också bli ganska trött i magen. Kräks man där förlorar man för mycket vatten. Ingen bra idé i öknen. Därför!"

Carl klappade honom på axeln. "Det är bra, Assad. Håll bara utkik efter eventuella båthus. Jag lovar att inte störa dig."

"Jag håller inte utkik efter båthuset, för det kommer vi inte att se."

"Vad menar du?"

"Jag tror att det är alltför väl gömt. Det behöver inte vara inne bland träd. Det kan lika väl ligga under en hög med jord eller sand, under ett hus eller bakom ett buskage. Glöm inte att det inte var särskilt högt."

Carl satte den andra kikaren till ögonen. Hans partner var visst inte riktigt sig själv. Det var nog bäst att han själv höll utkik.

"Vad tittar du då efter, Assad, om det inte är båthuset?"

"Efter något som surrar. En vindmölla eller något annat. Något som kan ge ifrån sig ett surrljud."

"Det blir svårt, Assad."

Assad gav honom en snabb blick, som om han började bli rejält trött på hans sällskap. När han sedan hulkade häftigt ett kort ögonblick, drog sig Carl för säkerhets skull undan. Sedan sa Assad närmast viskande: "Visste du att världsrekordet för att sitta mot en vägg utan en stol under sig är tolv timmar och ett visst antal minuter, Carl?"

"Nej?" Han kände själv hur frågande han måste se ut.

"Visste du då att världsrekordet för att stå utan avbrott är sjutton år och två månader?"

"Det är omöjligt!"

"Men så är det. Satt av en indisk guru som stod upp och sov om natten."

"Jaha. Nej, Assad, det visste jag inte. Vad vill du ha sagt med det?"

"Bara att vissa saker verkar svårare än de är och andra verkar lättare."

"Jaha, och?"

"Nu slutar vi att prata mer om det och ser till att hitta det surrande ljudet istället."

Vad fan var det för jävla resonemang?

"Visst, visst. Men jag tror ändå inte på att den där gurun stod upp i sjutton år", svarade Carl.

"Nähä. Men vet du vad, Carl?" Han såg allvarligt på honom och svalde något mödosamt.

"Nej."

Assad satte kikaren till ögonen. "Jag bryr mig inte."

*

De lyssnade och hörde ljudet från motorbåtar och fiskebåtar, från motorcyklar inne på land, från ett enmotorigt flygplan som fotograferade egendomarna i trakten, så att skattemyndigheterna hade något att utgå från när de skulle taxera och skinna medborgarna. Men inga ljud var konstanta nog, i alla fall inte för att uppröra Föreningen infraljudets fiender.

Klaes Thomasens hustru hämtade dem i Hundested, och mannen lovade att fråga alla och envar om de kände till ett båthus som det eftersökta. Skogsmästaren i Nordskoven var ett alternativ, sa han, segelsällskapen ett annat. Personligen skulle han fortsätta sökandet den efterföljande dagen, eftersom det skulle bli både uppehållsväder och sol.

Assad verkade fortfarande illamående när de körde söderöver.

I den situationen var det lätt att förstå Thomasens fru. Han ville fanimej inte heller ha spyor på sina fina överdrag i bilen.

"Du säger väl till om du behöver spy, Assad?" sa Carl.

Han nickade frånvarande. Det beslutet låg nog inte i hans händer.

Carl upprepade frågan när de passerade Ballerup.

"Jag kanske behöver en liten paus", sa Assad efter ett par minuter.

"Okej. Om du fixar att vänta i två minuter, så har jag ett litet ärende jag kan uträtta under tiden. Vi tar ändå vägen över Holte, så jag kör dig hem efteråt."

Det svarade Assad inte på.

Carl riktade blicken framför sig. Det var mörkt nu. Frågan var om de överhuvudtaget skulle släppa in honom.

"Jag tänkte besöka Viggas mor, förstår du. Det har jag lovat Vigga. Är det okej med dig? Hennes mamma bor på ett äldreboende här i närheten."

Assad nickade. "Jag visste inte att Vigga hade en mamma. Hur är hon? Är hon snäll?"

En fråga som i all sin enkelhet var så svår att besvara att Carl nästan missade rödljuset vid huvudgatan i Bagsværd.

"När du är klar där kan du väl sätta av mig vid stationen, Carl? Du ska trots allt norröver och bussen stannar utanför min dörr."

Jodå, Assad visste mycket väl hur man bevarade sin och sin familjs anonymitet.

*

"Nej, du får inte besöka fru Alsing nu, det är alldeles för sent för henne. Kom igen imorgon innan två och helst vid elvatiden, då är hon som piggast", sa kvällssköterskan.

Carl tog fram sin polisbricka. "Jag är inte här enbart av privata skäl. Det här är min assistent Hafez el-Assad. Det tar bara ett ögonblick." Sköterskan såg förvånat på brickan och sedan på den vinglande skepnaden intill Carl. Det var knappast vardagsmat för personalen på Bakkegården.

"Men jag tror hon sover nu. Hon har tacklat av rejält den senaste tiden."

Carl tittade på klockan. Den var tio över nio. Vad dillade hon om?

Dagen hade ju knappt börjat för Viggas mor. Man jobbar väl inte som servitris i det köpenhamnska nattlivet i över femtio år för ingenting. Nej, så dement kunde hon inte ha hunnit bli.

Vänligt, om än motvilligt, leddes de ner till demensbostäderna, där de visades till Karla Margrethe Alsings dörr.

"Ni får själva säga till när ni vill bli utsläppta igen", sa sköterskan och pekade. "Personalen är där nere."

De fann Karla i ett hav av chokladaskar och hårspännen. Med sitt långa, bångstyriga, gråa hår och sin slitna kimono påminde hon om en gammal Hollywoodstjärna som ännu inte insett att karriären är slut. Hon kände genast igen Carl och poserade tillbakalutad samtidigt som hon kvittrade hans namn och förklarade för honom hur underbart det var att han var där.

Äpplet faller sannerligen inte långt från trädet.

Assad bevärdigade hon inte ens med en blick.

"Kaffe?" frågade Karla och hällde ur en termos utan lock upp en skvätt i en väl använd kopp. Carl tackade nej, men insåg snabbt att det var lönlöst. Han vände sig därför mot Assad och gav honom koppen. Om någon behövde en kopp kallt gammalt kaffe så var det han.

"Här har du det ju fint", sa Carl och såg sig om i möbellandskapet. Förgyllda ramar och sirliga mahognymöbler med brokader. Det kunde aldrig bli för mycket i Karla Margrethe Alsings högtravande sfärer.

"Hur får du tiden att gå?" frågade han och inväntade en lektion i hur svårt det var att läsa och hur dåliga teveprogrammen var nuförtiden.

"Att gå?" Hennes blick blev avlägsen. "Tja, utöver att jag måste byta batterier på den här stup i kvarten …" Hon avbröt sig själv, stoppade in handen bakom kudden intill sig och drog fram en orange dildo med alla möjliga och omöjliga knoppar på.

"… så finns det snart inte ett skit att göra."

Bakom ryggen hörde Carl hur Assads kaffekopp skramlade till.

29

För varje timme som gick försvann krafterna sakta men säkert. Hon hade försökt skrika för full hals när ljudet av bilen försvann, men för varje gång hon tömde lungorna blev det allt svårare att fylla dem med luft igen. Lådornas tyngd var helt enkelt för stor. Långsamt blev andningen alltmer ytlig.

Hon vred sin högra hand en aning framåt och krafsade med naglarna på lådan vid ansiktet. Bara det att höra detta krafsande ljud gav henne hopp. Hon var inte helt hjälplös.

Efter att ha legat på detta sätt i några timmar tog krafterna att skrika slutligen slut. Nu handlade det enbart om att hålla sig vid liv.

Kanske skulle han förbarma sig över henne.

Efter ytterligare några timmar blev känslan av att kvävas alltför påtaglig. Det var en blandad känsla av panik och vanmakt, och på sätt och vis också lättnad. Minst tio gånger tidigare hade hon upplevt den. De gånger hennes tanklösa klumpeduns till pappa hade satt sig på henne när hon var liten och pressat luften ur henne.

"Kan du ta dig loss nu?" skrattade han alltid. Det var bara en lek för honom, men för henne var det stunder av skräck.

Eftersom hon älskade sin pappa sa hon aldrig något.

Plötsligt en dag var han borta. Det var slutlekt, men lättnaden uteblev. Rymt med ett annat fruntimmer, sa hennes mamma. Hennes härliga, snälla pappa hade stuckit med ett annat fruntimmer. Nu var det andra, nya barn han tumlade runt med.

När hon träffade sin make berättade hon för alla att han påminde så mycket om hennes pappa.

"Det är ingenting du ska önska dig, Mia", hade hennes mamma sagt.

*

När hon legat fastklämd under lådorna i ett dygn visste hon att hon skulle dö.

Hon hade hört hans steg utanför. Han hade ställt sig vid dörren och lyssnat och sedan gått därifrån.

Du borde ha stönat, tänkte hon. Då hade han kanske gjort slut på ditt lidande.

Under henne hade den vänstra axeln slutat att göra ont. I likhet med armen hade hon ingen känsel i den, men höften, som förmodligen fick ta emot det mesta av tyngden, smärtade henne varje sekund. Hon hade svettats de första timmarna i detta klaustrofobiska livtag, men inte nu längre. Den enda utsöndringen hon registrerade var den stilla rännilen av varm urin mot låret.

Där låg hon i sitt eget kiss och försökte vrida sig för att omfördela trycket mot höger knä, på vilket lådorna stod, en aning mot låret. Hon lyckades inte, men känseln var där. Som den gången hon bröt armen och bara kunde klia sig utanpå gipset.

Hon tänkte på dagarna och veckorna då hon och hennes man hade varit lyckliga tillsammans. Den allra första tiden när han låg på knä för henne och brukade tumla runt med henne till hennes stora förtjusning.

Nu höll han på att döda henne. Döda henne! Utan vare sig känslor eller tvekan.

Hur många gånger hade han gjort det tidigare? Det visste hon inte.

Hon visste ingenting.

Hon *var* ingenting.

Vem minns mig när jag är död?' tänkte hon och rörde fingrarna på höger hand, som om hon smekte sitt barn. Inte Benjamin, han är så liten. Min egen mamma, såklart, men om tio år då, när hon inte längre finns? Vem minns mig då? Ingen utom han som tog mitt liv? Ingen utom han, och möjligtvis Kenneth.

Det var det värsta, bortsett från själva döden. Det var det som, den uttorkade munnen till trots, fick henne att försöka svälja, det var det som fick hennes smärtande mellangärde att skaka av tårlös gråt.

Om några få år skulle hon vara bortglömd.

*

Emellanåt ringde mobilen, och vibrationerna i bakfickan fick henne att hoppas.

När ringsignalen tonade ut kunde hon ligga i ett par timmar och bara lyssna efter ljud utanför huset. Tänk om Kenneth stod där nere i detta nu? Tänk om han fattat misstankar? Det *måste* han väl ändå göra? Han hade ju sett hur uppriven hon var senast de träffades.

Hon hade sovit en smula när hon med ett ryck vaknade utan någon känsla i kroppen. Bara ansiktet var kvar. Just nu var hon bara ett ansikte. Torra näsborrar, klåda kring ögonen och blinkningar i det dunkla ljuset. Det var vad som fanns kvar.

Då registrerade hon vad som fått henne att vakna. Var det Kenneth eller drömde hon bara? Hon blundade och lyssnade noga. Något var det.

Hon höll andan och lyssnade igen. Jo, det var Kenneth. Flämtande öppnade hon munnen. Han stod nedanför fönstret vid ytterdörren och ropade. Ropade hennes namn, så att hela kvarteret hörde, och hon kände hur ett leende spred sig över läpparna. Så samlade hon sig för det sista skriket, som skulle rädda henne. Skriket som skulle få soldaten där nere att agera.

Och hon skrek allt vad hon orkade.

Så ljudlöst att inte ens hon själv hörde det.

30

Soldaterna kom i en repig jeep sent på eftermiddagen, och en av dem skrek att de lokala Doe-anhängarna hade gömt vapen i byskolan och att hon måste visa var.

Med huden glänsande av svett var de fullständigt likgiltiga när hon bedyrade att hon inget hade att göra med Samuel Does krahnregim och att hon inget visste om några vapen.

Rakel, eller rättare sagt Lisa som hon hette då, och hennes pojkvän hade hört skott hela dagen. Då ryktena gjorde gällande att Taylor-gerillans eftertrupper gick blodigt och grundligt till väga förberedde de sig för att fly. Vem vågade vänta för att se om den kommande regimens blodtörst frikände folk på grund av hudfärg?

Hennes pojkvän var uppe på ovanvåningen för att hämta jaktgeväret, när soldaterna överrumplade henne. Hon höll på att fördela skolböckerna på de olika annexen. Så många hus hade redan bränts ner att hon ville gardera sig.

Plötsligt stod de bara där, de som hade dödat hela dagen och som nu måste få utlopp för de fördämningar som byggts upp i kroppen.

De sa något till varandra som hon inte förstod, även om ögonen talade sitt eget tydliga språk. Hon var på fel plats vid fel tid. Alltför ung och alltför ensam i den tomma skolsalen.

Så fort hon kunde sprang hon mot fönstret i ett försök att hoppa ut, men de hann gripa tag om hennes fotleder. De drog in henne igen och sparkade henne ett antal gånger tills hon låg helt stilla.

Tre ansikten dansade ett ögonblick i luften ovanför henne, innan två kroppar kastade sig över henne.

Övermakt och övermod fick den tredje soldaten att luta sin kalasjnikov mot väggen för att hjälpa till att hålla isär hennes ben. De höll för hennes mun och trängde en åt gången in i henne till de båda andras hysteriska skratt. Hon försökte febrilt att andas genom tilltäppta näsborrar och hörde för ett ögonblick pojkvännen stöna i rummet bredvid. Hon var rädd för hans skull. Rädd att soldaterna hörde honom och gjorde processen kort med honom.

Men pojkvännen hade bara stönat tyst. Mer än så gjorde han inte.

När hon fem minuter senare låg i dammet på golvet, med blicken fäst på svarta tavlan där hon endast två timmar tidigare hade skrivit *I can hop, I can run*, var hennes pojkvän redan försvunnen med sitt gevär. Det hade egentligen inte varit så svårt för honom att skjuta ihjäl de svettiga soldaterna, som andfådda nu låg med uppknäppta byxor intill henne.

Men han fanns inte där för henne, inte heller när hon for upp och grep tag i soldatens AK-4 och avfyrade en lång skottsalva, som lemlästade männens svarta kroppar och lämnade rummet i ett sammelsurium av skrik, krutrök och varmt blod.

Hennes pojkvän fanns där när allt var frid och fröjd. När livet var lätt och morgondagen ljus. Inte när hon släpade de stympade kropparna ut på dynghögen och täckte över dem med palmblad. Inte heller när hon skurade blod och köttslamsor från väggarna.

Bland annat av den anledningen måste hon bort.

Det var dagen innan hon bekände sig till Gud och innerligt ångrade sin försyndelse. Men löftet hon gav sig själv den kvällen, när hon krängde av sig klänningen för att bränna den och skurade sitt sköte tills huden lossnade, skulle hon aldrig glömma.

Om djävulen korsade hennes väg igen skulle hon ta saken i egna händer.

Var det sedan ett brott mot Guds bud fick det bli en sak mellan honom och henne.

*

Medan Isabel, med blicken skiftande mellan vägbanan, GPS:en och backspegeln, trampade gasen i botten slutade Rakel att svettas. Från den ena sekunden till den andra slutade hennes läppar att darra. Hjärtat lugnade ner sig. Under bråkdelen av en sekund upplevde hon åter hur rädsla kan vändas till vrede.

Det var den hemska minnesbilden av NPFL-soldaternas sataniska andedräkt och gula och skoningslösa ögon som fortplantade sig i kroppen och fick henne att skära tänder.

Hon hade handlat förr och tänkte göra det igen.

Hon vände sig mot sin chaufför. "När vi har gett Joshua sakerna tar jag över bakom ratten. Är du med på det, Isabel?"

Isabel skakade på huvudet. "Det går inte, Rakel, du kan inte min bil. Det finns en massa saker som inte funkar. Varselljuset. Handbromsen tar dåligt. Ratten drar åt vänster." Hon nämnde några saker till, men Rakel brydde sig inte. Kanske trodde Isabel att den heliga Rakel inte var av samma förarkaliber som hon. Men det skulle hon snart bli varse.

De träffade Joshua på perrongen i Odense. Han var blek och såg mycket eländig ut.

"Jag går inte med på det!"

"Det må så vara, Joshua, men Isabel har rätt. Vi gör på det här viset. Han måste få veta att vi andas honom i nacken. Tog du med GPS:en som vi bad dig?"

Han nickade och såg på henne med rödgråtna ögon. "Jag skiter i pengarna", sa han.

Hon grep honom hårt i armen. "Det har inget med pengar att göra. Inte nu längre. Följ bara hans instruktioner. När han blinkar med ljuset kastar du ut säcken utan pengarna i. Dem låter du ligga kvar i sportbagen. Under tiden försöker vi hålla koll på tåget så gott det går. Du ska överhuvudtaget inte tänka, du ska bara upplysa oss om var tåget är, om vi frågar dig, förstått?"

Han nickade utan att riktigt mena det.

"Ge mig väskan med pengarna", sa hon. "Jag litar inte på dig."

Han skakade på huvudet, vilket betydde att hon haft rätt. Hon hade känt det på sig.

"Ge mig dem", ropade hon, men han vägrade. Då gav hon honom en hård och oväntad örfil över höger kind och slet åt sig bagen. Innan han hann fatta vad som hänt hade väskan skickats vidare till Isabel.

Rakel tog den tomma säcken och stoppade ner kidnapparens alla kläder, sånär som på skjortan med hårstråna. Sist av allt lade hon i hänglåset, beslaget och brevet som Joshua skrivit.

"Här. Och gör nu som vi kommit överens om. Annars får vi aldrig se våra barn igen. Tro mig, jag *vet*."

*

Det var svårare än hon trott att hålla jämn fart med tåget. Visserligen hade de haft ett försprång ut ur Odense, men redan vid Langeskov började de sacka efter. Joshuas rapporter var oroväckande och Isabels kommentarer medan hon jämkade GPS-positionerna för bilen och tåget blev mer och mer panikartade.

"Vi måste byta plats, Rakel", bräkte Isabel. "Du har inte nerverna till det här." Sällan hade ord haft en sådan direkt inverkan på Rakel. Hon tryckte gasen i botten och under ungefär fem minuter hördes bara den knackande motorn, som pressades till max.

"Jag ser tåget!" ropade en lättad Isabel, när E20:an korsade järnvägen. Hon tryckte fram ett nummer på mobilen och hörde efter några sekunder Joshuas röst.

"Titta ut till vänster, Joshua, vi är lite längre fram", sa hon. "Men motorvägen gör en stor sväng de följande kilometerna, så snart är du före oss. Vi ska försöka komma ifatt ute på bron, men det blir svårt. Vi måste också igenom betalstationen." Hon lyssnade en stund till honom. "Har han ringt dig?" frågade hon, innan hon slog igen mobilen.

"Vad sa han?" frågade Rakel.

"Han har fortfarande inte haft någon kontakt med kidnapparen. Men det lät inte som om Joshua mådde så bra, Rakel. Han vägrar tro att vi hinner fram. Han mumlade något om att det kanske i och för sig kunde kvitta. Huvudsaken var att kidnapparen förstod innebörden av brevet."

Rakel pressade ihop läpparna. Kvitta? Definitivt inte. De skulle vara där när kidnapparens lampa blinkade mot tåget. De skulle vara där så att svinet som tagit hennes barn fick veta vad hon verkligen var kapabel till.

"Du säger inte mycket, Rakel", sa Isabel. "Men det ligger något i det han säger. Vi *kommer* inte att hinna." Nu satt hustrun återigen med blicken klistrad vid hastighetsmätaren. Indikatorn hade nått sin maxgräns.

"Vad har du tänkt dig ute på Stora Bält-bron, Rakel? Där finns massvis av kameror och mycket trafik. Och hur gör vi med broavgiften på andra sidan?"

Rakel satt tyst en stund och övervägde alternativen medan hon med helljuset blinkade sig fram i ytterfilen.

"Det behöver du överhuvudtaget inte bekymra dig om, Isabel", sa hon sedan.

31

Isabel var skräckslagen.

Skräckslagen över Rakels vansinniga körning och sin egen totala brist på möjlighet att göra något åt det.

Om bara ett par hundra meter skulle de vara framme vid bommarna vid Stora Bält-brons betalstation och Rakel hade ännu inte börjat sakta in. Om några få sekunder skulle de passera trettioskylten och de höll hundrafemtio. Framför dem sprängde tåget med Joshua igenom landskapet och kvinnan bredvid henne hade gett sig den på att hinna.

"Du måste bromsa, Rakel!" ropade hon när de hade betalstationen rakt framför sig. "Bromsa!" Men Rakel satt där i sin egen värld, med ett hårt grepp om ratten. Hon tänkte rädda sina barn.

Inget annat betydde något.

De såg brovakterna i lastbilskurerna vifta med armarna och några av de framförvarande bilarna krängde in till sidan.

Därefter brakade de igenom bommen med en enorm smäll och ett moln av splitter slog upp på vindrutan.

Hade hennes gamla rishög till Ford Mondeo varit några år yngre än den var, eller för den delen skötts som den skulle, skulle de ha stoppats av krockkuddarna. De är defekta, hade mekanikern som ville byta ut dem sagt. Men det skulle ha blivit svindyrt. Länge hade Isabel ångrat att hon tackat nej, men inte nu längre. Om krockkuddarna exploderat i nyllet på dem i den höga farten kunde det ha gått riktigt illa. Det enda som nu visade att de gjort sig skyldig till åverkan på offentlig egendom var en stor buckla i fronten och en elak spricka i vindrutan, som sakta växte sig större.

Bakom dem pågick hektisk aktivitet. Det var ett under om polisen inte redan larmats om att en bil registrerad i hennes namn brakat igenom en bom på Stora Bält-bron.

Isabel gjorde en kraftig utandning och ringde upp Joshua. "Vi är över bron nu! Var är ni?"

Han uppgav GPS-koordinaterna, som hon jämförde med sina egna. Han kunde inte vara särskilt långt borta.

"Jag mår inte bra", sa han. "Jag tycker att det vi gör är fel."

Hon lugnade honom så gott hon kunde, men det tycktes inte hjälpa.

"Ring när du ser ljuset", sa hon och slog ihop mobilen.

*

Strax före avfart nummer 41 fick de syn på tåget till vänster om dem. Ett slingrande pärlband av ljus genom ett svart landskap. Där ute i den tredje tågvagnen satt en hårt ansatt man.

När tusan tänkte den jäveln kontakta dem?

Isabel kramade mobilen medan de vinande susade fram på motorvägen från Halsskov mot avfart 40. Inga blåljus än.

"Polisen kommer att stoppa oss i Slagelse, Rakel, var så säker. Varför var du tvungen att köra rakt igenom dem?"

"Du ser väl tåget där ute. Det hade du inte gjort om jag saktat ner och stannat, om så bara i tjugo sekunder. Därför!"

"Jag ser inte tåget nu." Isabel tittade på kartan i knäet. "Jäklar, Rakel. Tåget svänger norrut och sedan in i Slagelse. Om han blinkar till Joshua mellan Forlev och Slagelse har vi inte en chans, såvida vi inte kör av motorvägen *nu*!"

Isabel följde skylten för avfart 40 med blicken när den svischade förbi.

Hon bet sig i läppen. "Rakel, om det är som jag tror kommer Joshua att se det blinkande ljuset när som helst. Det finns tre landsvägar som korsar järnvägen före Slagelse. Perfekta ställen för en säck att bli utkastad på. Och nu kommer vi inte av motorvägen, eftersom vi precis missade avfarten."

Hon såg att Rakel förstod, eftersom ögonen åter fick ett uttryck av desperation. Med andra ord var mobilens ringsignal det sista hon ville höra under de kommande minuterna.

Plötsligt bromsade hon in kraftigt och svängde ut i vägrenen.

"Jag backar", sa hon.

Var hon alldeles galen? Isabel tryckte in knappen till bilens varningsblinkers och försökte lugna sig.

"Lyssna nu på mig, Rakel", sa hon så behärskat som möjligt. "Joshua fixar det nog. Vi behöver inte vara där när han kastar ut säcken. Joshua hade rätt. Svinet kommer att kontakta oss ändå, när han ser vad säcken innehåller", sa Isabel. Men Rakel reagerade inte. Hennes handlingsplan såg helt annorlunda ut, och Isabel förstod henne.

"Jag backar längs vägrenen", sa Rakel igen.

"Det gör du *inte*, Rakel."

Men det gjorde hon.

Isabel kopplade loss säkerhetsbältet och vände sig om. Bakom henne kom en lång rad av strålkastare henne tillmötes. "Är du knäpp, Rakel? Du kommer att ha ihjäl oss. Vad hjälper det Samuel och Magdalena?"

Men Rakel svarade inte. Hon bara satt där bakom en backande motor i högvarv på en vägren.

Det var då Isabel såg de blå ljusen bakom en kulle, närmare femhundra meter bakom dem.

"Stopp!" skrek hon så högt att Rakel tog foten från gaspedalen.

Rakel, som också såg blåljusen, insåg genast problemet. Växellådan protesterade vilt, när hon växlade direkt från backen till ettan. På några få sekunder var de åter uppe i hundrafemtio.

"Be till Gud att Joshua inte ringer oss de kommande minuterna för att säga att han kastat ut säcken, så är vi kanske med i matchen igen. Men du ska ta av vid avfart 38, inte 39", stönade Isabel. "Det finns en risk att polisen väntar vid 39:an. Kanske är de redan där. Ta 38:an så tar vi landsvägen, som dessutom går närmare järnvägen. Spåret går genom ren landsbygd, långt från motorvägen, ända till Ringsted."

Hon satte på sig säkerhetsbältet igen och satt med blicken fastklistrad vid hastighetsmätaren den följande milen. Blåljusen bakom var uppenbarligen inte inställda på att köra lika dödsföraktande som de. Det hade hon ta mig fan full förståelse för.

När de nådde avfart 39 mot Slagelse centrum lystes vägen in mot staden upp av blått blinkande ljus. Då var polisbilarna från Slagelse där när som helst.

Hon hade tyvärr haft rätt.

"De är någonstans där nere, Rakel. Gasa på så mycket det går nu", ropade hon och ringde upp Joshua.

"Hur långt har ni kommit nu, Joshua?" frågade hon.

Men Joshua svarade inte. Betydde det att han redan dumpat säcken eller innebar det något ännu värre? Att svinet var ombord på tåget? Den möjligheten hade inte slagit henne förrän nu. Kunde det vara så? Att allt det där med det blinkande ljuset och att kasta ut säcken genom fönstret var en ren avledningsmanöver? Att han nu hade säcken i sin ägo och visste att den inte innehöll pengar? Hon kastade en snabb blick mot sportbagen med pengarna i baksätet.

Vad planerade svinet i så fall att göra med Joshua?

*

De nådde avfart 38 i samma sekund som de skymtade blåljusen från utryckningsfordonen ett bra bit längre fram i den motsatta körbanan. Rakel rörde inte bromspedalen utan tog avfarten in på väg 150 med skrikande däck, så att de var oerhört nära att ramma en mötande bil. Vore det inte för den andra bilistens undvikande manöver hade det verkligen kunnat sluta illa.

Isabel kände hur svetten rann längs ryggraden. Kvinnan intill var inte galet desperat. Hon var galen, punkt slut.

"På den här vägen kommer vi inte undan, Rakel. När polisen också svänger av och ser dina baklyktor kommer de att kunna följa efter oss hur lätt som helst", ropade hon.

Rakel skakade på huvudet och körde så nära den framförvarande bilen att de nästan häktade sig fast i dess kofångare.

"Nej", sa hon lugnt och släckte ljusen. "Inte nu."

Smart gjort av henne. Det var tur att de automatiska varningsljusen inte fungerade.

De såg tydligt det äldre paret genom bilens bakruta ett par meter framför. Det var en underdrift att påstå att de var skräckslagna, att döma av deras fäktande armar.

"Jag svänger av så fort jag kan", sa Rakel.

"Då måste du tända strålkastarna igen."

"Låt mig sköta det här. Håll du koll på GPS:en. När kommer nästa avtagsväg, som inte är en återvändsgränd? Vi måste bort från vägen nu, jag ser polisen bakom oss."

Isabel vände sig om. Rakel hade rätt. Nu såg man blåljusen. En knapp halvkilometer bakom dem, vid motorvägens avfart.

"Där", ropade Isabel. "Ser du skylten?"

Rakel nickade. Den framförvarande bilens strålkastare hade träffat en skylt. *Vedbysønder* stod det på den.

Hon ställde sig på bromsen och svängde in i mörkret med släckta billyktor.

"Då så", sa hon, lade i friläget och rullade förbi en lada och några andra byggnader. "Vi svänger in bakom gården här, så att de inte ser oss. Och du ringer Joshua igen."

Isabel spanade tillbaka över landskapet, där det blåblinkande ljuset avtecknade sig som en olycksalig aura.

Sedan tryckte hon fram Joshuas nummer, den här gången med en olycksbådande känsla.

Det tutade ett par gånger innan han svarade.

"Ja", sa han bara.

Isabel nickade mot Rakel för att signalera att Joshua svarat.

"Har du kastat ut säcken?" frågade hon honom.

"Nej." Han lät besvärad.

"Vad står på, Joshua? Har du folk omkring dig?"

"Det sitter en till i kupén förutom mig, men han arbetar med hörlurar på. *Det* är inte problemet. Jag mår helt enkelt inte bra. Jag kan inte låta bli att tänka på barnen, det är bara så hemskt." Han lät andfådd och trött. Inte så konstigt kanske.

"Försök att ta det lugnt, Joshua." Hon visste att det var lättare sagt än gjort. "Snart är det över. Var är tåget just nu? Ge mig koordinaterna."

Han läste upp dem. "Vi är på väg ut ur staden nu", sa han.

Det var inte så svårt att räkna ut. Tåget kunde inte vara särskilt långt borta.

"Ner!" skrek Rakel samtidigt som polisbilarna rusade förbi avtagsvägen. Som om någon kunde se dem på det avståndet.

Men om en liten stund skulle det äldre paret bli stannade. De skulle då berätta om galningarna som legat dem i röven med släckta strålkastare och plötsligt svängt av. Då skulle polisen förstås vända om.

"Vänta, jag ser tåget", ropade Isabel.

Rakel flög upp. "Var?"

Isabel pekade åt söder, bort från vägen. Det kunde knappast bli bättre. "Där nere! Kör!"

Rakel tände ljuset, växlade upp tre gånger på fem sekunder och tog de två svängarna genom den lilla byn i en enda rörelse. Plötsligt korsade tågsättets ljusslinga och Mondeons halogenkägla varandra någonstans ute i landskapet.

"Åh, Gud, nu ser jag ljuset blinka!" ropade en mycket uppriven Joshua i mobilen. "Åh, Gud Fader i himlen, bevare oss!"

"Har han sett ljuset?" frågade Rakel intill henne. Hon hade också hört honom skrika i mobilen.

När Isabel nickade böjde Rakel lite på huvudet. "Åh, du enfödda Gudsmoder. Låt ditt blida ljus omfamna oss och visa oss vägen till din härlighet. Ta oss till dig som dina barn och värm oss vid din barm." Hon gjorde en kraftig utandning och fyllde sedan lungorna med luft igen samtidigt som hon gasade på.

"Jag ser ljuset framför mig. Nu öppnar jag fönstret", hördes det i mobilen.

"Så, nu lägger jag mobilen på sätet. Åh, Gud! Åh, Gud!" Hon hörde Joshua stöna i bakgrunden. Han lät som en gammal man, som bara hade några få steg kvar på livets väg. Alltför mycket att göra, alltför många tankar att hålla reda på.

Isabels blick flackade i mörkret. Hon såg inte det blinkande ljuset. Då måste det befinna sig på andra sidan tågsättet just nu.

"Landsvägen korsar banvallen två gånger där nere, Rakel. Jag är säker på att han befinner sig på samma väg som vi", ropade hon medan Joshua i den andra änden av förbindelsen kämpade för att få ut säcken genom fönstret.

"Jag släpper nu", ropade han i bakgrunden.

"Var är han, Joshua? Kan du se honom?" sa Isabel.

Så plockade han upp mobilen igen. Rösten var klar och tydlig.

"Ja, jag ser hans bil. Den står vid en träddunge där vägen viker av in mot spåret."

"Titta ut genom fönstret på andra sidan. Rakel blinkar med hellljuset." Hon gjorde ett tecken till Rakel, som satt med framåtböjt huvud i ett försök att se något på andra sidan det långa tåget.

"Ser du oss, Joshua?"

"Ja!" ropade han. "Jag ser er uppe vid bron. Ni är på väg ner mot oss. Ni är där om ett ögon…" Hon hörde honom stöna. Sedan lät det som om mobilen flög i golvet.

"Jag ser ett stroboskopljus nu", ropade Rakel.

Isabel gasade över bron och nerför den smala landsvägen. Ett par hundra meter till så var de framme.

"Vad gör mannen nu, Joshua?" ropade Isabel, men Joshua svarade inte. Hade mobilen gått sönder när han tappade den?

"Heliga Gudsmoder, förlåt mig mina synder", mässade Rakel intill henne.

De susade förbi några hus och en gård i svängen och ett hus längre fram, tätt inpå banvallen. Plötsligt träffade strålkastarna bilen.

Den stod parkerad i en sväng några hundra meter längre fram, endast femtio meter från rälsen. Bakom bilen stod svinet och tittade ner i den öppna säcken. Han var iklädd en vindtygsjacka och ljusa byxor. Om man inte visste bättre kunde man ha tagit honom för en turist som kört vilse.

I samma sekund som deras helljus for över honom tittade han upp. Man såg inte hans ansiktsuttryck på det här avståndet, men en miljon tankar måste snurra i hans huvud. Varför låg hans egna kläder i säcken? Kanske hade han hunnit se brevet. I så fall måste han också ha fattat att det inte fanns några pengar i säcken. Och så dessa strålkastare som kom rakt mot honom i en sjuhelvetes fart.

"Jag kör in i honom", ropade Rakel medan mannen kastade sig in i bilen med säcken.

De var bara några få meter ifrån honom när hans däck fick fäste och han med fullt rattutslag sköt ut på vägen med stora sladdar.

Det var en mörk Mercedes, precis som den Isabel sett uppe vid gården i Ferslev. Då var det alltså honom hon såg när Rakel kräktes.

Genast omgavs vägen av tät skog och ljudet från motorn och den framförvarande bilen vrålade bland trädkronorna. Mercedesen var nyare än Forden. Det skulle inte bli lätt att hålla jämn fart med den, och till vilken nytta, förresten? Hon tittade på Rakel, som satt mycket fokuserad bakom ratten. Vad tänkte hon egentligen?

"Håll avståndet, Rakel", ropade hon. "Det dröjer inte länge innan polisbilarna bakom har tillkallat förstärkningar. De hjälper oss. Vi ska nog få tag i honom. De spärrar av vägen någonstans."

"Hallå!" hördes det i mobilen, som vilade i hennes hand. Det var en främmande mans röst.

"Ja." Isabels ögon var klistrade vid de röda bakljusen som drog iväg framför dem, men resten av hennes kropp ägnade denna röst sin uppmärksamhet. År av besvikelser och nederlag hade lärt henne att vara på sin vakt för det minsta lilla. Varför var det inte Joshua?

"Vem är du?" frågade hon ilsket. "Är du i maskopi med svinet? Är du det?"

"Ursäkta, men jag vet inte vad du talar om. Var det du som alldeles nyss talade med mannen som äger den här mobilen?"

Isabel märkte hur pannan blev alldeles kallsvettig. "Ja, det var jag."

Hon kände hur Rakel ryckte till i förarsätet. Vad har hänt? utstrålade hela hon, alltmedan hon försökte hålla bilen kvar på den smala asfaltvägen och medan avståndet till svinet framför växte.

"Jag tror tyvärr att han föll ihop", sa rösten i mobilen.

"Vad säger du? Vem är du?"

"Jag bara satt här i kupén och arbetade när det hände. Jag är ledsen, men jag är ganska säker på att han är död."

"Hallå!" ropade Rakel. "Vad är det som händer? Vem pratar du med, Isabel?"

"Tack", var allt Isabel sa till mannen i mobilen, innan hon fällde ihop den.

Hon såg på Rakel och sedan på träden, som i den höga hastigheten smälte samman till en grå massa omkring dem. Om ett rådjur rusade ut ur skogen nu, eller om det bara låg en något för stor ansamling våta löv på vägen, skulle det vara kört. Det skulle inte krävas mycket. Hur skulle hon kunna berätta för Rakel det hon just fått höra? Vem visste hur hon skulle reagera? Hennes man hade dött för bara några sekunder sedan och hon körde som en vilde genom detta mörka landskap.

Isabel hade ofta deppat över sin tillvaro. Ensamheten vilade som en skugga över henne, och ofta var det de tunga vinterkvällarna som orsakade tunga tankar. Så kände hon det inte nu. För nu när hämndlystnaden lägrat sig över henne, nu när hon ansvarade för två barns liv och nu när deras kidnappare, Satan förkroppsligad, flydde i bilen framför dem, visste Isabel att hon ville leva. Hon visste att oavsett hur hemsk den här världen var gick det att hitta en plats i den.

Frågan var bara om det också gällde Rakel.

Då vände Rakel sig mot henne. "Nu säger du som det är, Isabel. Vad har hänt?"

"Jag tror att din man har fått ett slaganfall, Rakel." Mer finkänsligt än så kunde hon inte säga det.

Men Isabel såg att Rakel anade en fortsättning på meningen.

"Är han död?" ropade Rakel. "Åh, Gud, är han det, Isabel? Svara mig ärligt."

"Jag vet inte."

"Säg det! Nu! Annars ..." Hon såg fullkomligt galen ut. Redan nu hade bilen börjat slira något.

Isabel lyfte handen för att lägga den på Rakels arm, men stoppade sig själv.

"Håll ögonen på vägen, Rakel", sa hon. "Just nu är dina barn det viktiga, inte sant?"

Beskedet drabbade Rakels kropp som ett jordskalv. *"Neeeej!"* skrek hon. *"Neeej!* Det är inte sant. Åh, Gudsmoder, säg att det inte är sant!"

Hulkande och dreglande kramade hon ratten. Under ett ögonblick trodde Isabel att Rakel tänkte ge upp jakten och stanna, men så lutade hon sig tillbaka med ett ryck och trampade gasen så långt ner i botten som den överhuvudtaget kunde komma.

Lindebjerg Lynge, stod det på en skylt som dök upp i vägkanten, men Rakel saktade inte ner. Vägen gjorde en båge genom klungan av hus och plötsligt var de inne i skogen igen.

Nu såg man att svinet framför dem verkligen kände sig pressad. I en sväng fick han en rejäl sladd på bilen, och Rakel skrek att Maria, Gudsmodern, skulle förlåta henne för att hon tänkte bryta mot det sjunde budet och döda en människa för den goda sakens skull.

"Du är galen, Rakel, du är nästan uppe i tvåhundra kilometer i timmen. Det är livsfarligt, det här!" skrek Isabel och funderade ett slag på att helt enkelt dra ut startnyckeln.

Gud nej, då kommer rattlåset att aktiveras, tänkte hon. Hon pressade knogarna i sätet och förberedde sig på det värsta.

Första gången de körde in i Mercedesen for Isabels huvud framåt och sedan bakåt igen med ett fruktansvärt ryck. Men Mercedesen lyckades hålla sig kvar på vägen.

"Jaså!" ropade Rakel bakom ratten. "Så du tyckte inte *det* var något särskilt, din djävul", och rammade hans kofångare igen med sådan kraft att motorhuven bucklade sig. Den här gången spände Isabel nacken, men hon glömde bort säkerhetsbältets våldsamma ryck.

"Men stanna då!" skrek hon till Rakel och kände hur det smärtade i bröstkorgen. Men Rakel lyssnade inte. Hon var långt borta.

Framför dem sladdade Mercedesen till och var på väg ut i diket, men lyckades sedan räta upp sig igen på en raksträcka där vägen lystes upp av det gula skenet från en stor gårdsplan.

Sedan hände det.

I samma sekund som Rakel ännu en gång tänkte braka in i bakvagnen på den framförvarande bilen, svängde mannen i Mercedesen överraskande över i vänster körbana och tvärbromsade så att det skrek i däcken.

Deras bil for förbi och plötsligt var de främst.

Hon märkte hur Rakel drabbades av panik. Farten blev med ens alldeles för hög, när den jagade bilen inte längre fanns där för att ta emot stötarna och därmed hålla ner hastigheten.

När framhjulen gled åt sidan rätade hon upp bilen igen och bromsade lite, men inte tillräckligt. Samtidigt träffades de i sidan med ett skärande metalliskt ljud, vilket instinktivt fick Rakel att bromsa ännu mer.

Isabel vände förtvivlat blicken mot den krossade sidorutan och bakdörren, som tryckts halvvägs in i baksätet. Samtidigt kom Mercedesen bakifrån på nytt. Svinets undre ansiktshalva låg i skugga, men ögonen såg hon tydligt. Det var som om han befann sig i ett förklarat ljus. Som om alla pusselbitarna föll på plats.

Allt det som inte fick hända hade hänt.

Han rammade dem en sista gång, så att Rakel helt tappade kontrollen över bilen. Resten var smärta och en snurrande värld i mörkret omkring dem.

När allt blev stilla fann Isabel sig hängande i säkerhetsbältet med huvudet neråt. Vid hennes sida låg Rakel livlös med rattstången intryckt under sin blödande kropp.

Isabel försökte vrida sig, men kroppen vägrade lyda henne. Så hostade hon till och kände blodet rinna från näsa och mun.

Märkligt att det inte gör ont, tänkte hon en kort sekund innan hela kroppen exploderade i smärtimpulser. Hon ville skrika, men kunde inte. Nu dör jag, tänkte hon och hostade upp mer blod.

Utanför såg hon en skugga närma sig bilen. Stegen mot det krossade glaset var bestämda och noga avvägda. De förde inget gott med sig.

Hon försökte fokusera, men blodet som rann från mun och näsa skymde sikten. När hon blinkade kändes det som om hon hade sandpapper på insidan av ögonlocken.

Det var först när han befann sig så nära att hon hörde vad han sa, som hon också uppfattade metallföremålet han höll i händerna.

"Isabel", sa han. "Du var den sista jag förväntade mig att se idag. Varför skulle du blanda dig i det här? Se nu vad som hände."

Han satte sig på huk och tittade in genom sidorutan, förmodligen för att bättre kunna se hur han skulle rikta det dödande slaget. Hon försökte vrida ansiktet för att få en bättre bild av honom, men musklerna vägrade.

"Det finns andra som vet vem du är", stönade hon och slogs genast av en våldsam smärta i käken.

Han log. "Ingen vet vem jag är."

Han gick runt bilen och betraktade Rakels kropp från andra sidan. "Henne behöver jag visst inte bekymra mig om. Bra! Hon kunde lätt ha blivit till besvär."

Så reste han sig plötsligt upp. Isabel hörde sirener. Blåljusens reflektionerna mot hans byxben tvingade honom att backa ett par steg.

Sedan gled hennes ögon igen.

32

När den vedervärdiga lukten av bränt gummi gjorde sig allt mer påtaglig, svängde han in på en rastplats strax före Roskilde. Han slet loss den illa tilltygade högra framskärmen och gick en runda runt bilen för att bilda sig en uppfattning om skadorna. Bilen var naturligtvis inte oskadd, men han blev ändå förvånad över hur lite följderna av kollisionerna syntes.

När saker och ting lugnat ner sig fick han se till att få bilen lagad. Alla spår, och då menade han alla, måste bort. Det fick bli en mekaniker i Kiel eller i Ystad, vilket som nu passade bäst.

Han tände en cigarett och läste brevet som legat i säcken.

Detta brukade vara det speciella ögonblick han gått och längtat efter. Att stå någonstans ute i mörkret, med bilarna susande förbi sig, och veta att han ännu en gång lyckats. Pengarna i säcken och sedan upp till båthuset för att avsluta arbetet.

Men den här gången kändes det inte så. Känslan han upplevde när han stod där på landsvägen vid järnvägen, när han spanade ner i säcken och såg brevet och de egna kläderna, vägrade ge med sig.

De hade lurat honom. Pengarna var inte där, vilket inte alls var bra.

Han såg den kvaddade Ford Mondeon framför sig och tänkte att det var bra att den skenheliga bondmoran fått vad hon förtjänat, men det där med Isabel retade honom.

Ända från början hade denna händelseutveckling varit hans eget fel. Hade han bara lyssnat på sin instinkt skulle Isabel ha dött den gången i Viborg, då när hon avslöjade honom.

Men vem kunde ha räknat ut att det fanns ett samband mellan Rakel och Isabel? Det var ju långt mellan Frederiks och Isabels lilla viborgska radhus. Vad fan hade han missat?

Han tog ett djupt bloss på cigaretten och höll kvar röken i lungorna så länge som möjligt. Inga pengar och allt på grund av några korkade misstag. Korkade misstag och konstiga sammanträffanden som bara pekade åt ett håll: Isabel. Just nu visste han inte ens om hon var död. Hade han bara fått ytterligare tio sekunder på sig vid den där jävla bilen skulle han ha drämt domkraften i bakhuvudet på henne.

Då hade han varit säker.

Nu fick han hoppas att naturen hade sin gilla gång. Olyckan hade verkligen varit våldsam. Mondeon hade kört rakt in i ett träd och sedan voltat minst tio varv. Det skärande, skrapande ljudet av krasande metall mot asfalt hade fortfarande inte upphört när han klev ut ur Mercedesen. Hur skulle man kunna överleva något sådant?

Han tog sig åt de dunkande nackmusklerna. Satans jävla kärringar! Varför gjorde de inte bara som han sagt till dem?

Han knäppte iväg cigaretten mot buskarna, öppnade dörren till passagerarsidan och klev in. Han lade säcken i knäet och började plocka upp innehållet.

Hänglåset och beslaget från ladan i Ferslev. En del av hans kläder som hängt i skåpet, och så det här brevet. Det var allt.

Han läste brevet igen. Ingen tvekan om att det framkallade starka reaktioner. Vad de skrivit var helt enkelt för bra för att vara sant.

Men de hade känt sig för säkra, vilket var deras stora misstag. De hade varit övertygade om att rollerna var ombytta och att det var de som utpressade honom. Nu var de med största sannolikhet döda, men han måste naturligtvis förvissa sig om detta.

Det enda hotet nu var egentligen bara mannen, Joshua, och kanske Isabels bror, den där polisen.

Kanske. Ett ödesdigert ord.

Han satt kvar en kort stund och begrundade situationen, alltmedan halogenlampornas ljus från motorvägens ström av bilar avlöste varandra med att lysa upp rastplatsens kur.

Han fruktade inte att polisen hade satt efter honom. Han hade befunnit sig flera hundra meter bort från olycksplatsen när polisbilarna anlände, och även om han råkade på ytterligare några i full utryckning innan han nådde motorvägen skulle ingen av dem intressera sig för en ensam Mercedes i maklig fart.

Självfallet skulle de hitta spår efter kollisionen med Isabels bil, men från vad? Hur skulle de någonsin kunna hitta honom? Nej, nu gällde det först och främst Rakels man, den där Joshua, och så förstås pengarna. Sedan måste han se till att göra sig kvitt allt som kunde röja honom. Han fick helt enkelt bygga upp verksamheten från början igen.

Han suckade. Det hade inte varit något bra år.

Tio fall totalt hade han tänkt sig att genomföra på detta sätt, innan han slutade. Och han var skicklig på det han gjorde. De första årens miljoner placerades förnuftigt och hade gett en god avkastning. Men så kom finanskrisen och ödelade hans aktieportföljer.

Inte ens kidnappare och mördare kunde undgå de fria marknadskrafternas mekanismer, och nu måste han alltså i stort sett börja om från början.

"Helvete", mumlade han för sig själv, när ännu en aspekt dök upp.

Om hans syster inte fick sina pengar som hon brukade skulle han ha ytterligare ett problem att brottas med. Gamla saker från barndomen som helst inte skulle se dagens ljus. Namn som inte fick nämnas.

Vilken röra.

*

När han kom tillbaka från pojkhemmet hade hans mor skaffat sig en ny man, som de äldsta i församlingen valt ut åt henne bland änkemännen. En sotarmästare med två döttrar i Evas ålder. "En rekorderlig man", enligt den nye prästen, som inte hade någon koll på verkligheten.

I början slog hans styvfar inte, men när hans mor trappade ner på sömnpillren och blev mer foglig i sängen fick hans temperament större utrymme.

"Må Herren vända sitt anlete mot dig och skänka dig frid." De orden – ord som användes flitigt – avslutade han alltid med när han pryglat någon av sina döttrar. Om någon av dem gjorde något som gick emot Herrens ord, som idioten tydligen hade ensamrätt på att tolka, straffade han sin köttsliga avkomma. I regel var det inte de som gjorde fel utan deras styvbror. Kanske glömde han ett amen eller så råkade han le under bordsbönen. Sällan värre än så. Men denne store, starke pojke vågade han inte röra. Det tillät inte hans fysik.

Efteråt kom ångern, vilket nästan var det värsta av allt. Den hade hans far aldrig drabbats av. Honom visste man alltid var man hade. Styvfadern däremot smekte flickornas kinder och bad om ursäkt för sitt dåliga humör och deras ondskefulla bror. Sedan gick han in i kontoret och iklädde sig Gudskappan, som hans far kallat sin prästskrud, och bad till Gud om att beskydda dessa sårbara och oskyldiga flickor, som om de vore änglar.

Vad Eva angick bevärdigade han henne aldrig med ett ord. Han fann hennes blinda, mjölkvita ögon motbjudande, vilket hon också märkte.

Inget av barnen förstod honom. Förstod inte varför hans två egna flickor måste bestraffas, framför allt inte eftersom det var styvsonen han hatade och styvdottern han ringaktade. Ingen förstod varför deras mor inte ingrep och hur Gud kunde vara så elak och upprörande orättvis genom den här mannens handlingar.

Under en period försvarade Eva sin styvfar, men det slutade hon tvärt med när bestraffningarna av styvsystrarna blev så våldsamma att hon nästan inte stod ut själv.

Hennes bror bidade sin tid. Han samlade sig inför den slutliga striden, som skulle komma när de minst anade det.

På den tiden hade de varit fyra barn, man och hustru. Nu var det bara han själv och Eva kvar.

*

Han tog fram plastmappen med all information om familjen från handskfacket och letade snabbt upp Joshuas mobilnummer.

Nu tänkte han ringa upp honom och konfrontera honom med verkligheten. Att både hans fru och hennes kompanjon var oskadliggjorda, och att turen därmed hade kommit till hans barn, om pengarna inte föll på en ny avtalad plats inom tjugofyra timmar. Han tänkte berätta för Joshua att han var en död man om han skvallrat till andra än Isabel om kidnappningen.

Det var lätt att se den godmodiga killens rödblommiga ansikte framför sig. Mannen skulle bryta ihop och foga sig.

Det visste han av erfarenhet.

Han slog numret och väntade i vad som tycktes vara en evighet innan någon svarade.

"Ja, hallå", sa en röst som han inte omedelbart kunde koppla samman med Joshua.

"Får jag prata med Joshua?" sa han samtidigt som två strålkastare gled in bakom honom på rastplatsen.

"Vem talar jag med?" sa rösten.

"Är inte det här Joshuas mobil?" frågade han.

"Nej, det är det inte. Du måste ha slagit fel nummer."

Han tittade på mobilen. Nej, det hade han inte. Vad var nu detta? Då slog det honom. Namnet!

"Javisst ja, ursäkta. Jag sa Joshua, för att det är vad vi alla kallar honom, men han heter ju Jens Krogh. Det får du ursäkta, men det glömde jag bort. Är han där?"

Han satt tyst och stirrade ut i luften. Mannen i andra änden sa inget. Det här bådade inte gott. Vem fan var han?

"Jaha", sa rösten efter en lång tystnad. "Och vem är det jag talar med?"

"Hans svåger", sa han med en chansning. "Är det möjligt att få prata med honom?"

"Nej, tyvärr. Det här är polisinspektör Leif Sindal från Roskildepolisen. Hans svåger, säger du. Vad heter du?"

Polisen? Hade idioten nu kontaktat dem? Var han fullkomligt sinnesförvirrad?

"Polisen? Har det hänt något med Joshua?"

"Det kan jag inte upplysa dig om, om du inte ger mig ditt namn."

Något hade alltså hänt. Frågan var vad.

"Jag heter Søren Gormsen", sa han till slut. Det var huvudregeln. Uppge alltid ett ovanligt namn till polisen. Det tror de på. Det vet de att de kan kolla upp.

"Jaha", lät det. "Kan du beskriva din svåger för oss, herr Gormsen?"

"Javisst kan jag det. Han är en stor man. Nästan skallig, femtioåtta år, har alltid en olivgrön väst på sig och ..."

"Herr Gormsen", avbröt polisen honom. "Vi har tillkallats för att Jens Krogh hittades livlös på tåget. Vi har en hjärtläkare med oss här nu, och jag beklagar men jag måste meddela dig att din svåger precis har förklarats död."

Han lät ordet död hänga i luften en stund innan han talade igen.

"Ånej! Gud så hemskt! Hur har det gått till?"

"Vi är inte säkra. Enligt en medpassagerare föll han bara ihop."

Är det en fälla? hann han tänka.

"Vart för ni honom?" frågade han.

Han hörde polisinspektören och läkaren samtala i bakgrunden. "En ambulans kommer och hämtar honom. Man kommer av allt att döma begära en obduktion."

"Vart för ni Joshua? Till Roskilde sjukhus?"

"Vi kliver av tåget först i Roskilde, ja."

Han tackade för sig med sorgsen röst, innan han klev ut ur bilen och började torka av mobilen. Om det var ett bakhåll skulle de i alla fall inte kunna spåra honom via den. Sedan gjorde han en ansats att hiva iväg den in bland snåren.

"Tjenare", hördes det plötsligt bakom honom. Han vände sig om och såg ett par män stiga ut ur bilen som just stannat. Litauiska nummerplåtar, slitna joggingkläder och mycket magra ansikten som inte ville honom väl.

De kom gående mot honom med tydliga avsikter. Inom kort skulle de ha kastat honom till marken och tömt hans fickor. Detta var helt enkelt deras levebröd.

Han höll varnande upp handen och pekade på mobilen i handen.

"Här!" ropade han till dem och slungade iväg den mot den ene samtidigt som han tog ett språng snett framåt och placerade foten i skrevet på den andre. Med ett stön vek sig den taniga kroppen dubbel och stiletten gled honom ur näven.

Två sekunder senare hade han själv kniven i handen och högg den liggande mannen ett par gånger i underlivet och den andre i sidan.

Sedan plockade han upp mobiltelefonen och kastade den och kniven så långt han orkade in bland buskarna.

Livet hade lärt honom att slå till först.

Han lät de två blödande missfostren klara sig själva och knappade in Roskilde station på GPS:en.

Han kunde vara där om åtta minuter.

*

Ambulansen hade stått där ett tag innan de kom med båren. Han trängde sig fram bland alla nyfikna som studerade konturerna av Joshuas kropp under filten. När han såg den uniformerade polismannen som ledsagade båren med Joshuas rock och väska i famnen visste han.

Joshua var död och pengarna förlorade.

"Satans helvete", svor han oupphörligt medan han rattade Mercedesen mot Ferslev, som varit hans perfekta täckmantel i alla år.

Hans adress, hans namn, hans skåpbil, allt som gjorde det säkert att vara han, var förknippat med det huset. Och nu var det slut. Isabel hade registreringsnumret på skåpbilen och hade vidarebefordrat det till sin bror, vilket innebar att bilens ägare kunde knytas till huset. Det var helt enkelt inte säkert längre.

*

När han nådde byn och svängde in i allén som ledde upp till gården vilade lugnet över landskapet. Det lilla samhället hade för länge sedan gått in i den dvala som teveskärmen inbjöd till. Det var bara i fönstren i huvudbyggnaden till en gård långt ute på en åker som det lyste. Då blev det förmodligen därifrån larmsamtalet kom.

Han konstaterade att Rakel och Isabel brutit sig in i ladan och boningshuset, och gick sedan igenom allt och avlägsnade alla detaljer. Saker som kanske kunde överleva en eldsvåda. En liten spegel, en ask med syattiraljer och första hjälpen-lådan.

Därefter backade han ut skåpbilen ur ladan, fortsatte runt huset och backade sedan med full fart genom det stora panoramafönstret.

Ljudet när rutan krossades skrämde upp några fåglar, men det var också allt.

Han gick runt huset och in genom entrén med tänd ficklampa. Perfekt, tänkte han när han såg bilen på punkterade bakdäck med halva chassit inne på laminatgolvet. Han gick försiktigt över glasskärvorna, öppnade bakluckan och tog ut reservdunken. Sedan började han hälla ut bensin från vardagsrummet till köket, ut över hallgolvet och vidare uppför trappan till ovanvåningen.

Han rev ner en gardin, rev den i två bitar och dränkte in den ena halvan med bensin från golvet. Sedan skruvade han av bilens tanklock och petade ner trasan i tanken.

Ute på gårdsplanen stod han kvar ett ögonblick och såg sig omkring, innan han tände fyr på den andra gardinhalvan och kastade in den i hallen, så att den landade i bensinpölen som ledde fram till gasflaskorna.

Han hade kommit en bra bit på landsvägen med sin Mercedes när skåpbilens bensintank flög i luften med en enorm smäll. Efter ytterligare en och halv minut var det gasflaskornas tur. Explosionen var så kraftig att man nästan såg hur taket lyfte.

Först när han hade passerat byn och åter hade fri utsikt över åkrarna körde han in bilen till sidan och vände sig om.

Som en rejäl majbrasa, med gnistor som sköt upp mot himlen, brann gården bakom träden. Redan nu syntes elden milsvida omkring. Snart hade lågorna även nått trädgrenarna och då var det totala infernot ett faktum.

Det här stället behövde han inte längre bekymra sig om.

När brandkåren nådde fram skulle man konstatera att inget gick att rädda.

Man skulle rubricera det som ett pojkstreck som gått över styr.

Det gjorde man ofta här ute på landet.

*

Han ställde sig utanför dörren till rummet där hans fru låg begraven under flyttlådorna och konstaterade ännu en gång, med en konstig blandning av vemod och tillfredsställelse, att det var dödstyst där inne. De två hade haft det bra tillsammans. Hon var vacker och snäll och en bra mamma, så det kunde lätt ha slutat annorlunda. Återigen hade han bara sig själv att förebrå för att det inte funkat. Innan han hittade sig en ny kvinna att leva med skulle han först utplåna allt som han sparat i detta rum. Det förflutna hade dominerat hela hans liv fram till nu, men framtiden skulle det minsann inte få. Han tänkte utföra ett par kidnappningar till, sälja huset och slå sig ner långt borta från allt det här. Förhoppningsvis hade han lärt sig att inte ta liknande risker till dess.

Han lade sig i hörnsoffan några timmar och tänkte igenom vilka uppgifter han hade framför sig. Vibegården med båthuset var det ingen fara med, den kunde han behålla. Men huset i Ferslev måste han ersätta. Ett litet hus avsides från allmänna vägar. En plats dit folk inte kom, och ännu bättre om ägaren var traktens paria. En gammal fyllbult som skötte sig själv och inte gjorde något väsen av sig i övrigt heller. Han borde nog leta längre söderut den här gången. Han hade redan spanat in ett par lämpliga hus i trakterna kring Næstved, men erfarenheten sa honom också att det slutgiltiga valet inte skulle bli helt lätt.

Ägaren till gården i Ferslev hade varit perfekt. Ingen intresserade sig för honom, och han intresserade sig för ännu färre. Han hade arbetat huvudparten av sitt liv på Grönland, och någon nere i byn hade för sig att han hade en flickvän i Sverige. "Hade för sig" – denna fantastiska fras som fört in honom på rätt spår. En man som klarade sig själv med pengar han tjänat ihop under ett tidigare liv, påstods det. De kallade honom för "särlingen" och skrev därmed under hans dödsdom.

Det var nu mer än tio år sedan han dödade "särlingen", och sedan dess hade han varit mycket noga med att betala alla räkningar som emellanåt damp ner i gårdens brevlåda. Några år senare ringde han och sa upp el och sophämtning, och efter det kom det aldrig någon dit.

Han lät tillverka ett nytt pass och körkort med mannens namn, sina egna foton och ett mer trovärdigt födelsedatum hos en fotograf på Vesterbro i Köpenhamn. En bra och pålitlig karl, som liknade förfalskningsarbetet vid en konstart. En sann konstnär.

Namnet Mads Christian Fog, som följt med honom i tio år, var också det förbrukat.

Nu var han bara Chaplin igen.

*

Sexton och ett halvt år gammal förälskade han sig i den ena styvsystern. Hon var så sårbar och så skir, med en fin, hög panna och tunna blodkärl vid tinningarna. Raka motsatsen till sin styvfars grova genmaterial eller hans egen mors undersätsighet.

Han ville kyssa henne och hålla om henne, drunkna i hennes ögon och dyka ner i hennes inre, trots att han visste att det var förbjudet. I Guds ögon var de äkta syskon och Guds öga såg allt i det huset.

Till slut började han förlusta sig med de syndiga fröjder som försiggick i enrum under täcket eller på kvällarna uppe under snedtaket, när han förstulet smygtittade på henne genom springorna i taket till hennes rum.

Där tog de honom en dag på bar gärning. Han hade legat och lurat på skönheten nedanför i hennes tunna nattlinne, när hon en kort sekund tittade uppåt och deras blickar möttes. Så kraftig blev hennes reaktion att han ryckte bakåt med huvudet och träffade en spik i en av takstolarna, som nästan borrade sig rakt igenom hans högra öra.

De hörde honom jämra sig där uppe, och sedan var loppet kört.

I ett anfall av gudsfruktan skvallrade hans syster Eva för deras mor och styvfar.

Det hennes blinda ögon inte såg var den till hat angränsande vreden över denna befläckelse som rasade ur de bägge föräldrarna.

De förhörde honom först med hot om evig förbannelse, men han vägrade erkänna något. Att han hade smygtittat på sin styvsyster. Att han bara ville se sin drömbild utan kläder. Hur skulle förbannelser få honom att erkänna det? Dem hade han hört allt om, alldeles för ofta.

"Du har dig själv att skylla", ropade styvfadern när han hoppade på honom bakifrån. Kanske var han inte starkare, men det överrumplande polisgreppet under armar och runt nacke var som en rävsax.

"Ta korset", skrek han till sin fru. "Slå Satan ur hans förvända kropp. Slå honom tills alla syndens djävlar är utdrivna."

Han såg krucifixet höjas över hennes vilda blick och kände hennes unkna andedräkt i ansiktet när slaget föll.

"I härlighetens namn", ropade hon och höjde åter krucifixet. Svettpärlor samlades på hennes överläpp, och styvfadern tryckte till ytterligare medan han stönade och oupphörligt viskade sitt "i den allsmäktiges namn".

Efter tjugo slag på axlar och överarmar drog hans mor sig undan. Andfådd och utmattad.

Från den stunden fanns det ingen återvändo.

Hans två styvsystrar stod gråtande i rummet intill. De hade hört allt och verkade djupt skakade. Eva däremot låtsades som ingenting, trots att hon måste ha hört allt. Hon fortsatte oberörd att läsa sin blindskrift, men ansiktets förbittrade grimas lyckades hon inte dölja.

Samma kväll smög han ett par sömnpiller i moderns och styvfaderns kvällskaffe. Och när natten kom och de sov tungt löste han upp hela pillerburken i vatten. Det tog tid att vända dem om på rygg, och det tog tid att hälla den tunna pillergröten i dem. Men tid var allt han hade.

Han torkade av burken och såg till att styvfaderns fingeravtryck hamnade på den. Sedan pressade han de bägge medvetslösa föräldrarnas fingrar mot de två dricksglasen, ställde dem på nattygsborden, hällde vatten i dem och stängde dörren.

"Vad gjorde du där inne?" mötte honom en röst utanför.

Han spanade in i mörkret. Här var det Eva som hade en fördel. Fördelen av att vara vän med mörkret och äga en hunds hörsel.

"Ingenting, Eva. Jag ville bara be om ursäkt, men de sover så tungt. Jag tror att de har tagit sömntabletter."

"Då får man hoppas att de sover gott", var allt hon sa.

De hämtade liken dagen därpå. Självmorden var en stor skandal i den lilla byn, och Eva var tyst. Hon anade kanske redan då att denna händelse och det faktum att hennes bror också hade del i hennes blindhet, och att han på sitt tysta sätt sörjde över detta, skulle bli hennes försäkring mot ett liv i handlingsförlamning och fattigdom.

Vad styvsystrarna beträffade sökte de sig till evigheten några år senare. Hand i hand vandrade de ut i sjön, och sjön välkomnade dem. De befriades från alla smärtsamma minnen, men det gjorde inte han och Eva.

Föräldrarnas död låg nu mer än tjugofem år tillbaka i tiden, och ändå blev det bara fler och fler som i fanatismens mångfacetterade skepnad tolkade begreppet "kärlek till din nästa" på helt fel sätt.

Nej, åt helvete med dem. Han hatade dem mer än något annat. Åt helvete med dem som med Guds händers hjälp satte sig över andra.

De skulle alla utplånas från jordens yta.

*

Han lirkade ut bilnyckeln till skåpbilen och nyckeln till gården ur sin nyckelknippa, och efter att ha sett sig noga omkring kastade han dem i grannens soptunna, under den översta soppåsen.

Sedan tömde han brevlådan och gick in till sig.

Reklamen åkte genast ner i sophinken och resten slängde han på vardagsrumsbordet. Ett par fönsterkuvert, de två dagstidningarna och ett litet, handskrivet kuvert med bowlingklubbens logga på.

Naturligtvis stod det inget i tidningarna, det hade de inte hunnit få med. Lokalradion däremot var uppdaterad. Den berättade först något om två litauer som sårats allvarligt i en intern uppgörelse, därefter följde historien om kvinnornas olycka. Man sa inte så mycket, men tillräckligt. Informationen om olycksplatsen, kvinnornas ålder, att de bägge var allvarligt skadade efter flera timmars vansinneskörning, där de bland annat kört rakt igenom en bom vid bron. Inga namn nämndes, men det spekulerades i om ännu en bil kunde vara inblandad, men hittills hade polisen inte gått ut med någon sådan information

Han gick ut på nätet och sökte vidare på incidenten. På en av morgontidningarnas webbplatser stod att det efter nattens operationer fortfarande var ovisst om de bägge kvinnorna skulle överleva. Dessutom ställde man ett flertal frågor om kvinnornas vansinnesfärd över Stora Bält-bron. En namngiven läkare från Rigshospitalets traumaenhet uttalade sig mycket pessimistiskt om deras tillstånd.

Trots detta blev han rejält orolig.

Han sökte vidare på nätet och hittade en film om traumaenheten, vad de sysslade med och var de fanns. Slutligen studerade han översiktskartan över de olika sjukhusavdelningarna. Nu var han åtminstone förberedd.

Tillsvidare fick han hålla sig informerad om kvinnornas tillstånd. Istället läste han brevet med bowlingloggan och föreningsnumret.

Var förbi idag, men ingen hemma. Lagturneringen onsdag kl. 19.30 har flyttats en halvtimme till kl. 19. Glöm inte att ta med dig vinnarklotet! Eller du har kanske tillräckligt med bowlingklot som det är? Ha ha! Kommer ni bägge två? Ha ha ännu en gång!
Mvh
Påven

Han vände upp blicken mot ovanvåningen, där hans fru låg. Om han väntade ett par dagar med att föra liket till båthuset kunde han göra sig av med alla tre på en gång. Ett par dagar till utan vatten, sedan hade barnen garanterat dött av sig själva där uppe. Så fick det ju bli. Det var liksom deras föräldrar som valt detta.

Fullkomligt idiotiskt. Så mycket besvär för ingenting.

33

Han hade hört att det varit oroligt nere i vardagsrummet på natten, men inte att jourläkaren hade varit där en gång till.

"Hardy har lite vatten i lungorna", sa Morten. "Han har svårt att andas." Han såg bekymrad ut. Det var som om hans muntra, fetlagda ansikte helt hade havererat.

"Är det allvarligt?" frågade Carl. Han hoppades verkligen inte det.

"Läkaren vill lägga in Hardy på Rigshospitalet några dagar för observation, så att de får ta sig en titt på hans hjärta och annat. Man misstänker även lunginflammation. Det är ruskigt farligt för en man i Hardys situation."

Carl nickade. Naturligtvis fick de inte ta några risker.

Han strök sin vän över håret.

"Fy för den lede, Hardy! Vilken jäkla röra! Varför väckte ni mig inte?"

"Jag bad Morten låta bli", viskade han. Hans blick var sorgsen. Mer sorgsen än vanligt. "Jag får väl komma tillbaka när de skriver ut mig igen, va?"

"Självfallet, gamle gosse. Här är ju inget kul utan dig."

Hardy log svagt. "Det tror jag nog inte att Jesper tycker. Han hoppas nog att allt är som vanligt i vardagsrummet igen när han kommer i eftermiddag."

I eftermiddag? Det hade Carl lyckligtvis glömt.

"Hur som helst är jag inte här när du kommer hem från jobbet, Carl. Morten följer med mig till sjukhuset, så jag är i goda händer. Vem vet, kanske är jag tillbaka om några dagar?" Han försökte sig på ett leende medan han drog efter andan. "Carl, det är en sak jag har legat och grunnat på", sa han.

"Okej? Kör på."

"Minns du Børge Baks fall med den prostituerade som hittades död under Langebro? Det liknade en drunkningsolycka, rentav ett självmord, men så var det inte."

Jodå, Carl kom mycket väl ihåg fallet. En svart kvinna, inte mycket mer än arton år. Hon var naken – det enda hon hade på sig var en ring av tvinnad koppartråd runt ena fotleden. Det där smycket var inget man tog någon större notis om, eftersom det var vanligt bland afrikanska kvinnor. Däremot ägnade man större uppmärksamhet åt de många stickmärkena hon hade på armarna. Typisk knarkhora och inte alls ovanligt bland de afrikanska tjejerna på Vesterbro.

"Dödades hon inte av sin hallick?" sa Carl.

"Nej, snarare av dem som sålt henne till hallicken."

Ja, just det, nu kom han ihåg.

"Jag tycker det fallet påminner om ert fall med mordbränderna och de förkolnade liken."

"Jaså? Tänker du på kopparringen runt foten?"

"Precis." Han knep ihop ögonen hårt två gånger. Hans sätt att nicka. "Tjejen var trött på att gå på gatan. Hon ville hem, men kunde inte eftersom hon inte tjänat ihop tillräckligt med pengar."

"Och då dödade man henne."

"Ja, de afrikanska tjejerna tror på voodoo, men det gjorde inte den här tjejen. Dessutom var hon ett hot mot systemet. Hon måste bort."

"Och med ringen varnade man de övriga hororna för att göra motstånd mot sina herrar och mot voodoon."

Hardy knep ihop ögonen två gånger igen. "Ja. Någon hade tvinnat in fjädrar och hår och allt möjligt annat krimskrams i ringen. De övriga afrikanskorna förstod budskapet."

Carl strök sig över hakan. Hardy var definitivt något på spåret där.

*

Jacobsen stod med ryggen mot Carl och spanade ner på gatan. Det gjorde han ofta när han funderade. "Du menar att Hardy tror att liken i bränderna var efter indrivare? Att de allihop sysslade med att administrera och indriva betalningarna från de tre företagen, men att de inte gjorde tillräckligt bra ifrån sig? Att pengarna inte kom in som de skulle och att man därför dödade dem?"

"Ja. Ligan statuerade exempel för de övriga indrivarna. Och företagen som lånat pengar blev av med sin skuld till utlånarna via brandförsäkringen. Två flugor i en smäll."

"Om de här serberna nu inkasserade försäkringspengarna måste några av företagen ha saknat pengar för att bygga upp verksamheten igen", sa Jacobsen.

"Ja."

Kommissarien för våldsroteln nickade. Enkla förklaringar gav ofta enkla lösningar. Bestialiskt, visst, men de östeuropeiska ligorna var å andra sidan inte kända för sitt medlidande, i synnerhet inte de från Balkan.

"Vet du vad, Carl? Den teorin tror jag att vi går vidare med." Han nickade. "Jag kontaktar Interpol meddetsamma. De får hjälpa till att tvinga fram svar från serberna. Tackar du Hardy från mig? Hur är det förresten med honom? Har han kommit på plats hemma hos dig?"

Carl nickade med huvudet i sidled. Kommit på plats? Det var mycket sagt.

"Förresten, ett litet insidertips." Marcus Jacobsen stannade honom i dörren. "Arbetsmiljöverket tittar ner till er idag."

"Jaså? Hur vet du det? Jag trodde deras besök var oannonserade?"

Kommissarien log. "Vi är väl polisen, för fan. Det är vårt jobb att veta saker."

*

"Yrsa, du får sitta uppe på tredje våningen idag, okej?" sa Carl.

Det hörde hon uppenbarligen inte. "Jag skulle hälsa och tacka för lappen du lämnade hos oss igår", sa hon. "Från Rose alltså."

"Bra. Vad svarade hon då? Kommer hon tillbaka snart?"

"Det sa hon faktiskt inte."

Mycket tydligare svar än så var visst inte att vänta.

Han följde efter Yrsa.

"Var är Assad?" frågade han.

"Han sitter inne på sitt kontor och ringer till avhoppade sektmedlemmar. Jag har hand om stödgrupperna."

"Är de många?"

"Nej. Jag kan nog snart hjälpa Assad med att ringa upp gamla församlingsmedlemmar."

"Bra tänkt. Hur får ni tag i dem?"

"Gamla pressklipp. Sådana finns det gott om."

"Ta med dig Assad när du flyttar upp på andra. Arbetsmiljöverket kommer alldeles strax."

"Vem?"

"Arbetsmiljöverket. De med asbesten."

Det där sista ville inte riktigt komma över hennes horisont.

"Hallå!" Han knäppte med fingrarna. "Är du vaken?"

"Hallå själv. Låt mig få gå rakt på sak, Carl. Jag minns ingenting om någon asbest. Kan det inte ha varit Rose?"

Var det Rose? Herregud, han visste snart inte vem som var vem.

*

Tryggve Holt ringde till Carl medan han stod och övervägde om han skulle ställa ut en stol mitt på golvet, så han kunde slå ihjäl flugan nästa gång den satte sig på sitt favoritställe i taket.

"Var ni nöjda med teckningen?" frågade Tryggve.

"Ja, var du?"

Det sa han att han var. "Jag ringer för att en dansk polis, Pasgård, ringer mig hela tiden. Jag har redan berättat vad jag vet för honom. Kan du inte säga till honom att det är väldigt irriterande och att han ska lämna mig ifred?"

Med glädje, tänkte Carl.

"Men är det okej om jag först ställer några frågor till dig, Tryggve?" sa han. "Sedan ska jag se till att det inte blir fler."

Killen lät inte överdrivet road, men sa inte heller nej.

"Vi tror inte på det där med vindmöllorna, Tryggve. Kan du inte beskriva ljudet mer ingående?"

"Hur ska det gå till?"

"Hur lågt var ljudet?"

"Det har jag ingen aning om. Vad vill du att jag ska svara på en sådan fråga?"

Carl försökte åstadkomma ett surrande ljud. "Lät det *så*?"

"Ja, ungefär, tror jag."

"Men det var ju inte särskilt lågt."

"Nähä, men då *var* det kanske inte så lågt. Jag skulle ha kallat det lågt."

"Lät det metalliskt?"

"Vadå metalliskt?"

"Var tonen mjuk eller skarp?"

"Det minns jag inte. Lite skarp, tror jag."

"Som ett slags motor?"

"Ja, kanske. Men konstant. Det höll på i dagar."

"Och ljudet minskade inte under ovädret?"

"Jo, lite, men inte mycket. Men hör här, det här har jag också berättat för Pasgård. Det mesta i varje fall. Kan du inte snacka med honom? Jag står nästan inte ut med att tänka på det mer."

Gå till en psykolog, tänkte Carl och sa: "Det har jag full förståelse för, Tryggve."

"Jag ringer också av en annan anledning. Min pappa är i Danmark idag."

"Jaså?" Carl tog fram sitt block. "Var då?"

"På ett Jehovasmöte på huvudkontoret i Holbæk. Det är något om att han vill bli förflyttad. Jag tror att du har skrämt upp honom. Han fixar inte att ni har börjat rota i det gamla fallet."

Då är ni ju inte så olika, lille vän, tänkte Carl. "Okej? Och vad kan danska Jehovas vittnen tänkas göra åt det?" frågade han.

"Vad de kan tänkas göra? De kan till exempel skicka honom till Grönland eller till Färöarna."

Carl gjorde en frågande min. "Hur vet du allt det här, Tryggve? Har din pappa börjat prata med dig igen?"

"Nej. Min lillebror Henrik har berättat det. Och det får du inte heller berätta för någon, för då får han det inte lätt."

Efter att samtalet avslutats satt Carl kvar en stund och tittade på klockan. Om en timme och tjugo minuter skulle Mona komma dit med sin djuplodande superpsykolog, varför hon nu överhuvudtaget ville utsätta honom för något sådant. Trodde hon att han plötsligt skulle börja hoppa glädjeskutt och sjunga "halleluja, jag drabbas inte längre av svettningar på grund av att min gamle kollega blev skjuten mitt framför ögonen på mig medan jag bara stod och tittade på"?

Han skakade på huvudet. Vore det inte för Mona skulle han förmodligen ganska snabbt plocka ner den där nyfikna hobbypsykiatern på jorden igen.

Det knackade lätt på dörren. Laursen tittade in med en liten plastpåse i handen.

"Ceder", sa han bara och kastade påsen med träflisan från flaskposten på bordet framför honom. "Du ska leta efter ett båthus som är byggt av cederträ. Hur många sådana tror du byggdes på Nordsjälland innan den här kidnappningen? Inte många, kan jag säga dig. På den tiden använde nämligen alla tryckimpregnerat virke. Det var innan Silvan och alla de andra byggmarknaderna inbillade herr och fru Danmark att det inte var fint nog längre."

Carl tittade på den lilla biten. Cederträ?

"Vad säger att båthuset är byggt av samma material som träflisan Poul Holt skrev med?" frågade han.

"Inget. Men möjligheten finns ju. Jag tycker att du ska ta dig ett snack med trävaruhandlarna i närheten."

"Strålande jobbat, Tomas, men det kan ju vara en hel mansålder sedan huset byggdes. Ja, sannolikt längre än så till och med. I Danmark är vi tvungna att spara våra räkenskaper i fem år. Ingen byggmarknad eller trävaruhandlare kommer att kunna svara på vem som har köpt cederträ i halvstora mängder för så sent som tio år sedan, ännu mindre tjugo. Sådant händer bara i filmens värld, inte i verkligheten."

"Då kunde jag alltså ha besparat mig det här", log han. Som om den gamle listige räven inte redan visste hur hans gamle kollega funkade uppe i knoppen.

Vad borde han alltså göra med denna information? Vad?

"För övrigt kan jag berätta att de har kommit igång ordentligt uppe på A-avdelningen", fortsatte Laursen.

"Vadå?"

"De har knäckt en av ägarna till företagen som drabbats av bränderna. Han sitter där uppe i ett av förhörsrummen och skiter på sig. Han är övertygad om att de som lånat honom pengarna tänker döda honom nu."

Carl smakade på informationen. "Det har han nog också all anledning att tro."

"Då så, Carl, nu hör du inte från mig på några dagar. Jag ska på kurs."

"Jaså? Ska du lära dig att laga riktig institutionsmat?" Han skrattade möjligtvis något för högt.

"Ja. Hur kunde du gissa det?"

Då såg han glimten i Laursens ögon, en glimt han sett förut, nämligen ute på brottsplatserna, där liken hittats och där det myllrade av folk i vita dräkter. Den smärtsamma blicken, som Laursen vid det här laget borde ha lagt bakom sig, var tillbaka.

"Hur är det fatt, Tomas? Har du fått sparken?"

Han nickade kort. "Inte som du tror. Men matsalen går inte runt längre. Det arbetar åttahundra människor i huset och ingen vill äta hos oss. Så nu ska matsalen stängas."

Carl rynkade pannan. Han tillhörde inte själv den elit som efter lång och trogen tjänst i matsalen belönades med en extra citronskiva på fisk-pinnarna, men ändå. Om man stängde mässen, marketenteriet, sopp-köket, matsyltan, personalrestaurangen, kantinen, eller vad fan de nu valde att kalla den samling av ostadiga matbord och snedtak som man hela tiden drämde huvudet i, då hade det gått långt.

"Stängas?" sa han.

"Ja. Men polismästaren kräver att det ska finnas matsal, så nu läggs driften av den ut på entreprenad. Lone och alla de andra, undertecknad inbegripen, ska bre mackor och skära sallad från morgon till kväll, fram tills någon jävel i liberalismens namn tvingar oss ut i arbetslösheten."

"Så du passar på att smita redan nu?"

Laursen tvingade fram ett misslyckat leende i sitt redan ansträngda ansikte. "Smita? Fan heller! Jag har kommit in på en kurs som gör att jag kan ta över driften. Här smits det fanimej inte."

Han följde Tomas Laursen uppför trappan och stötte på tredje våningen på Yrsa i en häftig diskussion med Lis om vem som var snygg-gast, George Clooney eller Johnny Depp. Vilka de två nu var.

"Här arbetas det, ser jag", sa han surt och sprang på Pasgård i full galopp från kaffemaskinen till kontoret.

"Tack för ditt jobb, Pasgård", sa han inne på hans kontor. "Jag löser dig härmed från fallet."

Mannen såg misstroget på honom. Eftersom han själv gillade att driva med folk trodde han att alla andra också gjorde det.

"Bara en uppgift till, Pasgård, sedan kan du och Jørgen fortsätta ert sam-arbete med att knacka dörr ute i Sundby. Kan du ordna så att Poul Holts pappa hämtas in till förhör här på polishuset? Martin Holt befinner sig i detta ögonblick på Jehovas vittnens huvudkontor i Holbæk. Stenhusvej 28, om du inte redan visste det." Han tittade på klockan. "Det passar mig utmärkt att förhöra honom om exakt två timmar. Han kommer säkert att protestera, men han är trots allt ett av huvudvittnena i ett mordfall."

Carl snodde runt på hälarna. Han kunde nästan höra protesterna från Holbækpolisen. Storma in i Jehovas vittnens allra heligaste! Du milde! Men Martin Holt skulle nog följa med frivilligt. Av två onda ting var det värsta nog ändå att behöva erkänna sina lögner om sonens utstötning för själsfränderna i Jehovas vittnen.

Det var en sak att ljuga för dem som stod utanför sekten, en annan att göra det för de invigda.

Han hittade Assad vid skrivbordet i korridoren utanför Jacobsens kontor. En gammal dator, av den typen som man kasserade för fem år sedan, stod och surrade på skrivbordet. Å andra sidan hade de gett honom en förhållandevis ny mobiltelefon, så att han kunde sätta sig i kontakt med omvärlden. Jo, det var sannerligen fina förhållanden.

"Har du fått napp, Assad?"

Assad höll upp handen. Uppenbarligen var han i färd med att skriva klart något. Det där med att avsluta en sak innan man påbörjade nästa och glömde bort den första. Jo tack, Carl kände igen det.

"Det är konstigt, Carl. När jag pratar med folk som flytt från en sekt tror de bara att jag vill locka in dem i en ny. Kan det bero på min brytning?"

"Har du en brytning, Assad? Det har jag inte lagt märke till."

Assad tittade förvånat upp, men så fick han en glimt i ögat. "Ah, du driver med mig, Carl. Jag fattar nog det." Han höll upp ett varnande pekfinger i luften. "Mig lurar du inte så lätt."

"Alltså har vi inget som tar oss vidare i fallet", sa Carl och nickade. Det var åtminstone inte Assads fel. "Men, Assad, det kanske beror på att det inte finns något att komma vidare med. Vi kan ju trots allt inte vara säkra på att kidnapparen utfört sitt brott mer än denna enda gång, eller hur?"

Assad log. "Ha, där höll du på att sätta dit mig en gång till, Carl. Naturligtvis har kidnapparen gjort det mer än en gång. Jag såg minsann i dina ögon att du visste det."

Han hade rätt. Om den saken kunde det knappast råda något större tvivel.

En miljon kronor var mycket pengar, men inte hur mycket som helst. Inte om man skulle livnära sig på dem.

Självfallet hade mördaren gjort det mer än en gång. Varför skulle han inte det?

"Kör du bara vidare, Assad. Vi har ändå inget annat att gå på för tillfället."

När han nådde fram till disken, bakom vilken Lis och Yrsa skamlöst fortsatte sitt chauvinistiska pladder om hur riktiga karlar ska se ut, knackade han diskret i bordsskivan.

"Vad jag förstår kör Assad solo med rundringningen till de avhoppade sektmedlemmarna, så därför har jag en ny uppgift till dig, Yrsa. Och om du tycker att det är en för stor tugga att svälja kan väl du hjälpa henne, Lis?"

"Det ska du inte, Lis", hördes det tvärt från fru Sørensen i ena hörnet. "Herr Mørck här tillhör en annan avdelning. Det står inte i din jobbeskrivning att du ska springa hans ärenden."

"Det beror allt på", sa Lis och gav honom en sådan blick som hennes man tydligen hade gjort henne till specialist på under deras USA-resa. En blick som Mona skulle ha sett henne ge honom. Då hade hon kanske kämpat lite hårdare för sin nya fångst.

I ren självbevarelsedrift fokuserade han på Yrsas röda läppar.

"Yrsa. Du ska försöka hitta båthus på flygfoton. Kolla alla fotograferingar som lantmäteriet gjort i kommunerna Frederikssund, Halsnæs, Roskilde och Lejre. Du hittar dem säkert på respektive hemsida, men annars får du be dem mejla dig dem. Bra, högupplösta flygfoton över strandtomterna hela vägen runt om Hornsherred. Och när du ändå är igång, be dem också skicka förteckningar över alla tillstånd för vindkraftverk som utfärdats."

"Jag trodde vi var överens om att de stod stilla på grund av stormen."

"Korrekt, men man måste kolla upp det ändå."

"Äsch, sådana struntsaker fixar hon nog", sa Lis. "Så vad har du till mig då?" Hon gav honom den där blicken igen, som for som en ilning ända ner till skrevet. Vad fan svarade man på en sådan tvetydig fråga? Inför en hel folksamling! I hans huvud satte alla de kloka svaren krokben för varandra.

"Öh ... Du kan kanske fråga de tekniska förvaltningarna i de där kommunerna om de har utfärdat tillstånd att uppföra båthus längs kusten under 1996, och i så fall var."

Hon vickade på höfterna. "Inget annat? Det var minsann inte mycket." Sedan vände hon sin rejält attraktiva och tajta jeansbak mot honom och gick sakta bort till telefonen.

Hon visste fan vad hon gjorde.

34

Helmandprovinsen hade varit Kenneths personliga helvete. Ökendammet hans mardröm. En gång i Irak och två gånger i Afghanistan. Det var mer än nog.

Hans kompisar skickade mejl till honom varje dag. Många ord om kamratskap och gamla tider, men inga frågor om vad som egentligen försiggick. Alla ville bara hålla sig vid liv. Det var det allt gick ut på.

Därför fick det vara slut för hans del, det kände han. En lekplats vid sidan om vägen. Fel plats vid fel tillfälle på natten. Eller på dagen. Minor överallt. Ett öga som sattes till ett kikarsikte. Turen var en flyktig följeslagare, så var det bara.

Därför satt han nu här i sitt lilla hus i Roskilde och försökte döva sina sinnen, glömma och gå vidare.

Han hade dödat, men han hade inte berättat det för någon. Det hade gått av bara farten under en eldstrid. Inte ens hans kamrater hade sett det. Ett lik något avsides från de andra. Hans lik. Ganska ung och träffad av en kula i luftstrupen. På honom tog talibankrigarens skräckinjagande kännemärke sig uttryck i lite fjun på hakan och kinderna.

Nej, han hade inte berättat det för någon, inte ens för Mia.

Det är inte det första man drar upp när man är alldeles andfådd av nyförälskelse.

*

Första gången han såg Mia visste han att hon skulle få honom på rygg utan problem.

Hon hade sett honom djupt i ögonen när han rörde vid hennes hand. Redan där hände det. Denna fullkomliga kapitulation. Innestängd längtan och tillförsikt som plötsligt frigjordes. Och de hade lyssnat till varandra med vidöppna sinnen och visste att de måste träffas igen.

Hon rös till när hon berättade att hennes man var på väg hem. Även hon var redo för ett nytt liv.

Senast de träffats var i lördags. Han hade hälsat på spontant, och som de kommit överens om bar han en tidning under armen.

Hon var ensam men uppriven, och bad honom motvilligt att stiga in utan att berätta vad som hänt. Hon visste med andra ord inte vad som var på gång att hända.

Hade de bara fått några sekunder till hade han bett henne följa med. Bett henne packa ner det nödvändigaste, ta Benjamin på armen och sedan iväg.

Hon skulle ha sagt ja, om mannen inte samtidigt svängt in på uppfarten, det var han säker på. Och väl hemma i hans hus skulle de haft all tid i världen att lösa upp alla knutar från två tilltrasslade liv.

Istället tvingades han gå därifrån, för att hon bad honom. Ut genom terrassdörren. In i mörkret som en skrämd hund. Utan sin cykel.

Sedan dess hade han inte kunnat slutat att tänka på det.

*

Det hade gått tre dagar nu. Det hade hunnit bli tisdag och han hade varit där flera gånger sedan lördagens obehagliga överraskning. Det var inte omöjligt att han skulle springa på Mias man. Att det skulle bli bråk. Men han var inte längre rädd för andra människor, han var bara rädd för sig själv. Frågan var bara vad han skulle göra med mannen om det visade sig att han hade gjort Mia illa.

Men ingen var hemma när han återvände dit. Inte heller gången därpå, men trots det drogs han dit igen. En föraning, ja, en välgrundad instinkt grodde i honom. Samma instinkt som slagit honom när en av vännerna pekat in mot en gata, där tio av lokalbefolkningen strax därpå dödades. Han bara kände på sig att de inte borde ta sig in på den gatan, liksom han kände på sig att detta hus bar på hemligheter som aldrig skulle få se dagens ljus om inte han hjälpte till.

Han hade ställt sig utanför ytterdörren och ropat på henne. Om de hade åkt på semester borde hon ju ha berättat det för honom. Om hon inte längre var intresserad skulle hon inte ha vågat möta hans blick.

Men hon *hade* varit intresserad, och nu var hon bara borta. Hon svarade inte ens i mobilen. Först trodde han att hon inte vågade svara för att maken var i närheten. Sedan inbillade han sig att maken tagit den från henne, eftersom han fått reda på Kenneth.

Vet han var jag bor så låt honom komma bara, intalade han sig själv. Den striden är redan avgjord.

Så kom gårdagen när han för första gången insåg att det kunde finnas ett tredje svar.

Han hade nämligen hört oväntade ljud, och det var just de oväntade ljuden som soldaten i honom var tränad att uppfatta. Mycket svaga ljud som det krävdes att man uppfattade i precis rätt sekund. Ljud som kunde betyda döden om man inte gjorde det.

Och just ett sådant ljud hade han hört när han stod på framsidan av huset och ringde till hennes mobil.

En mobil som ringde mycket svagt inne i huset.

Han slog ihop sin mobil och lyssnade igen. Ingenting.

Sedan ringde han Mias nummer ännu en gång och väntade. Där var ljudet igen. Hennes mobil, som han just ringt till, låg någonstans där uppe bakom det stängda takfönstret och ringde.

Han hade stått kvar en stund och funderat.

Naturligtvis fanns möjligheten att hon glömt den, men det trodde han inte riktigt på.

Hon kallade den sin livlina till resten av världen, och livlinor lämnade man inte utan vidare.

Det visste han allt om.

Sedan hade han tagit sig dit ännu en gång och hört mobilen uppe i rummet innanför takfönstret ovanför ytterdörren. Inget nytt. Så varför denna envisa misstanke att något var på tok? Var det hunden i honom som vädrade fara? Var det soldaten? Eller var det bara förälskelsen som gjorde honom blind för möjligheten att han redan var en parentes i hennes liv? Trots alla frågor, trots alla möjliga svar, ville denna oroskänsla inte ge med sig.

Bakom gardinerna i grannhuset mitt emot satt ett äldre par och höll koll på honom. Så fort han ropade Mias namn var de där. Han kanske borde fråga dem om de sett något.

Det tog ett tag innan de öppnade, och de verkade inte särskilt glada att se honom.

"Varför kan du inte lämna familjen mitt emot ifred?" frågade hustrun.

Han försökte sig på ett leende och visade dem sedan hur hans händer skakade. Visade hur rädd han var och hur desperat han behövde deras hjälp.

De berättade att mannen varit hemma i flera omgångar de senaste dagarna, i alla fall hade hans Mercedes stått där, men hustrun och barnet hade de inte sett på ett bra tag.

Han tackade dem, bad dem fortsätta hålla koll på vad som hände och gav dem sedan sitt telefonnummer.

När de drog igen dörren bakom honom visste han att de inte tänkte ringa. Hon var ju trots allt inte hans fru.

En sista gång ringde han hennes mobil och en sista gång ringde den uppe i rummet.

Mia, var är du? tänkte han med växande oro.

Från och med imorgon tänkte han gå förbi huset flera gånger om dagen.

Om inget hände som dämpade hans oro tänkte han gå till polisen.

Inte för att han hade något konkret att komma med.

Men vad annat kunde han göra?

35

Spänstig gång. Maskulina ansiktsfåror på de rätta ställena. Dyra kläder, av allt att döma.

En genial kombination av allt det som fick Carl att känna sig som något katten släpat in.

"Det här är Kris", presenterade hon mannen och besvarade Carls kram något för stelt.

"Kris och jag var tillsammans i Darfur. Han är specialist på krigstrauman och arbetar mer eller mindre permanent för Läkare utan gränser. Inte sant, Kris?"

Hon sa "var tillsammans i Darfur". Inte "arbetade tillsammans i Darfur". Det behövde man ta mig fan inte vara psykolog för att fatta vad det betydde. Han hatade redan den parfymstinkande idioten.

"Jag är någorlunda väl insatt i saken", sa han och visade sina något för jämna och något för vita tandrader. "Mona har konfirmerat med sina överordnade att hon kan orientera mig."

Konfirmerat med sina överordnade? Prata som folk, tänkte Carl. Något fel i att fråga mig, eller?

"Är det okej med dig också?"

Lite väl sent att fråga det nu. Han såg på Mona, som gav honom ett förföriskt och knappt märkbart leende. Helt klart under bältet.

"Ja, naturligtvis", svarade han. "Jag litar fullt och fast på att Mona gör vad som är bäst för alla." Han log tillbaka mot mannen, vilket Mona såg. Bra tajmat.

"Jag har fått beviljat trettio timmar att försöka få dig på rätt köl igen. Jag har förstått att din chef tycker att du är guld värd." Han log brett. Med andra ord fick han en mycket bra timpeng.

"Sa du trettio timmar?" Skulle han sitta med den här mallgrodan i sammanlagt mer än ett dygn? Han måste ju vara helt rubbad.

"Ja, låt oss först se hur illa ställt det är med dig. Men trettio timmar är under alla omständigheter nog i de allra flesta fall."

"Jaha." Det skulle de fanimej bli två om.

De slog sig ner mitt emot honom. Mona med ett förbannat härligt leende.

"När du tänker på Anker Høyer, Hardy Henningsen och dig själv tillsammans i kolonistugan ute på Amager, när du blev skjuten, vilken är då den första känslan som kommer till dig?" frågade mannen.

Carl fick ilningar längs ryggen. Den första känslan? Trans. Slowmotion. Fastfrusna armar.

"Att det är länge sedan", sa han.

Den där Kris nickade och visade varför han hade skrattrynkor. "Garden uppe, Carl, eller? Men jag är förvarnad. Jag ville bara se om det stämde."

Vad nu då? Skulle han leka boxningsmatch? Det här kunde bli intressant.

"Visste du att Hardy Henningsens fru har ansökt om bodelning?"

"Nej. Det har inte Hardy berättat."

"Vad jag har förstått var hon visst lite svag för dig. Men du avvisade hennes närmanden. Du kom dit för att stötta henne, var visst hennes ord. Det säger något om dig, att du har ett djup innanför den där hårdkokta fasaden. Vad anser du själv?"

Carl antog en bister min. "Vad i hela friden har Minna Henningsen med det här att göra? Du springer väl inte runt och snackar med mina vänner bakom min rygg? Det är jag fan inte säker på att jag gillar."

Killen vände sig mot Mona. "Vad var det jag sa?" Sedan log de mot varandra.

Ett felaktigt ord till från den här skithögen och Carl skulle linda hans tunga ett antal varv runt halsen på honom. Det kunde ju se riktigt helfestligt ut tillsammans med guldkedjan som dinglade innanför den uppknäppta skjortan.

"Just nu vill du bara dänga till mig, Carl, inte sant? Jag ser att du vill slå mig på käften och kasta ut mig med huvudet före." Han stirrade Carl så stint i ögonen att det ljusblå i dem nästan slukade honom.

Sedan flyttade han blicken och blev allvarlig. "Ta det lugnt, Carl. Jag vet att du mår skit, men jag står verkligen på din sida." Han höll upp en hand för att tysta Carl. "Jag kan lugna dig med en sak till. Om du vill veta vem i det här rummet som jag helst sätter på, så är det dig."

För ett ögonblick tappade Carl hakan.

Lugna mig, sa han. Naturligtvis var det försonande att få veta åt vilket håll den här pajasen lutade, men helt okej blev det aldrig.

Efter att de sagt adjö till varandra efter att ha kommit överens om ett samtalsschema, smög Mona upp tätt intill honom, så att hans ben nästan vek sig.

"Vi ses väl hemma hos mig ikväll, va? Ska vi säga vid tiotiden? Kan du komma hemifrån då eller måste du se till pojkarna där hemma?" viskade hon.

För sitt inre såg Carl hur bilden av Monas nakna kropp gled in framför Jespers envetna nylle.

Vilket utomordentligt okomplicerat val.

*

"Ja, jag tänkte nog att jag skulle hitta folk här nere", sa kontorsråttan när han sträckte fram sin underdimensionerade, babyskära kontorshand mot honom. "John Studsgaard, Arbetsmiljöverket."

Trodde han att Carl var dement, eller? Det var knappt en vecka sedan han senast varit där.

"Carl Mørck", presenterade han sig. "Vice poliskommissarie på avdelning Q. Vad förskaffar mig den äran?"

"För det första har vi ju det här med asbesten." Han pekade in i korridoren mot den provisoriska skiljeväggen. "För det andra är de här lokalerna inte godkända som arbetsplats för polishusets anställda, och ändå sitter du fortfarande här."

"Hör nu här, Studsgaard, låt oss prata ur skägget. Sedan du senast var här har det inträffat tio skottlossningar ute på våra gator. Två döda. Haschhandeln har rusat i höjden. Justitieministern har beordrat ut tvåhundra polismän som inte finns. Tvåtusen har förlorat sina arbeten, skattereformen skinnar de fattiga, lärarna får stryk av eleverna, unga killar lemlästas i Afghanistan, liv går upp i rök på tvångsauktioner, pensionerna är inte värda ett ruttet lingon och bankerna går omkull, om de inte lurar kunderna så det står härliga till. Under tiden tomtar statsministern runt och försöker hitta ett nytt jobb på skattebetalarnas bekostnad. Vad fan spelar det för roll om jag sitter här eller hundra meter längre bort i några andra källarlokaler, där allt är tillåtet? Det kan väl ..." Här drog han ett djupt andetag. "... *för helvete kvitta* var jag sitter, så länge jag utför mitt jobb?"

Studsgaard hade tålmodigt stått kvar och lyssnat till utläggningen. Nu öppnade han sin mapp och drog fram ett papper. "Kan jag sätta mig här?" sa han och pekade på en av stolarna på andra sidan bordet. "Som du förstår måste jag skriva en rapport om det här", sa han torrt. "Det må vara att resten av landet håller på att spåra ur, men då är det väl bara tur att några av oss håller oss kvar på spåret?"

Carl suckade djupt. Mannen hade ju en poäng där.

"Okej, Studsgaard. Ursäkta att jag höjde rösten. Jag har bara så förbannat mycket att göra. Naturligtvis har du rätt."

Kontorsråttan tittade upp.

"Jag vill väldigt gärna samarbeta med dig. Kan du berätta för mig vad vi behöver göra för att få stället godkänt som arbetsplats?"

Mannen lade pennan från sig. Nu väntade förmodligen en lång tirad om det omöjliga i detta och hur stor del av dagens vårdkostnader som berodde på dåliga arbetsmiljöer.

"Mycket enkelt. Du ber din chef att ansöka om det. Sedan kommer ytterligare en från oss för att inspektera och instruera."

Carl sköt fram huvudet. Han upphörde aldrig att förvånas.

"Kan du hjälpa mig med en sådan ansökan?" frågade Carl mycket mer ödmjukt än han hade tänkt sig.

"Jamen, då får vi ju ta oss ännu en titt i väskan", log han och gav Carl ett formulär.

*

"Hur gick det med Arbetsmiljöverket?" frågade Assad.

Carl ryckte på axlarna. "Jag gav mannen en rejäl duvning, sedan var det slutsnackat om det!"

Duvning? Han såg tydligt att Assad inte förstod vad detta betydde. Vad hade det med duvor att göra? tänkte han förmodligen.

"Hur går det för dig då, Assad?"

Han nickade. "Jag fick ett namn av Yrsa, som jag har ringt. En man som tidigare var medlem av Kristushuset. Har du hört talas om Kristushuset?"

Carl skakade på huvudet. I alla fall inte vad han kunde minnas.

"Också en mycket märklig samling, tycker jag. De tror alltså att Jesus ska återvända till jorden i ett rymdskepp tillsammans med liv från alla möjliga världar, som vi människor sedan ska fortsätta plantera oss med."

"Fortplanta. Jag tror du menar fortplanta, Assad."

Assad ryckte på axlarna. "Den här killen påstod att många hade lämnat kyrkan frivilligt det senaste året. Att det hade varit en massa bråk. Men ingen han kände hade blivit utsatt på något slags utstötning. Men sedan berättade han om ett par som fortfarande var medlemmar i kyrkan och som hade ett barn som blivit utstött. För en fem, sex år sedan, trodde han."

"Och vad är så speciellt med den upplysningen?"

"Pojken var bara fjorton år."

Carl såg styvsonen Jesper framför sig. Man kunde min själ ha egna åsikter redan när man var fjorton.

"Nej, det låter inte normalt. Men jag ser på dig att det är något annat som snurrar i huvudet, Assad."

"Jag vet inte, Carl. Det är bara den där magkänslan." Han slog sig för det trinda mellangärdet. "Visste du att det faktiskt är mycket ovanligt med utstötning inom religiösa sekter i Danmark, bortsett från Jehovas vittnen?"

Carl ryckte på axlarna. Utstött eller utfrusen – vad var egentligen skillnaden? Han kände folk där han kom från, som inte ens var välkomna i det egna inremissionistiska hemmet. Vad klassades det som?

"Det *inträffar* dock på ett eller annat sätt", sa Carl. "Officiellt eller inofficiellt."

"Ja, inofficiellt." Assad höll upp ett pekfinger. "Kristushuset är mycket fanatiskt och hotar folk med allt möjligt, men de stöter ogärna ut folk, fick jag veta."

"Hur har det gått till då?"

"Det var mamman och pappan själva som stötte ut sitt barn, sa han jag pratade med. Föräldrarna fick kritik för det av församlingen, men de struntade i det."

Deras ögon möttes. Nu hade även Carls egen magkänsla börjat infinna sig.

"Fick du en adress till de här människorna, Assad?"

"En gammal adress som inte gäller längre. Lis kollar upp det."

*

Kvart i tio blev Carl uppringd av slussvakten. Han hade Holbækpolisen hos sig med en man de plockat in till förhör på begäran av Carl. De ville veta vad de skulle göra med honom. Det var Poul Holts pappa.

"Skicka ner honom till mig, men låt honom för guds skull inte smita."

Det var två poliser i gröna uniformer, som fem minuter senare lätt desorienterade stod ute i korridoren med mannen mellan sig.

"Det var inte det lättaste stället att hitta till", sa den ene med en dialekt som skrek västra Jylland.

Carl nickade mot dem och bjöd med en handrörelse Martin Holt att sätta sig. "Varsågod och sitt", sa han.

Han såg på poliserna. "Om ni går in i det lilla kontoret tvärs över korridoren, så sitter min assistent där. Han lagar med glädje en kopp te till er, kaffet rekommenderar jag däremot inte. Jag utgår från att ni stannar här tills jag är klar, så att ni kan ta Martin Holt med er tillbaka."

Varken teet eller väntetiden tycktes roa dem.

Martin Holt såg annorlunda ut än häromdagen uppe i Hallabro. Då hade han varit obstinat, vilket han inte gav sken av att vara nu. Snarare omskakad.

"Hur visste ni att jag var i Danmark?" var det första han sa. "Bevakar ni mig?"

"Martin Holt. Jag kan nästan föreställa mig vad du och din familj har genomlidit de senaste tretton åren. Du ska veta att vi här på avdelningen hyser stor sympati för dig, din hustru och era barn. Ni har redan lidit vad ni ska och vi tänker inte bidra till något ytterligare lidande. Men du ska också veta att vi inte skyr några som helst medel för att ta fast mannen som dödade Poul."

"Poul är inte död. Han befinner sig någonstans i Amerika."

Om mannen bara vetat hur mycket som talade för att han ljög skulle han förblivit tyst. Händerna som knöt sig. Huvudet som ryckte bakåt. Pausen strax innan han sa Amerika. Det och fyra, fem andra saker som Carl hade lärt sig att reagera på, efter år av arbete med den del av den danska befolkningen för vilken det här med att berätta sanningen inte föll sig naturligt.

"Har du någonsin tänkt på att andra kanske befinner sig i samma situation som du?" frågade Carl. "Att Pouls mördare fortfarande är på fri fot. Att han kan ha mördat andra både före och efter Poul."

"Jag sa ju att Poul är i Amerika. Om jag haft kontakt med honom skulle jag ha berättat var. Får jag gå nu?"

"Hör nu på mig, herr Holt. Nu glömmer vi världen utanför. Jag vet att ni följer ett antal dogmer och regler, men jag vet också att om du en gång för alla kunde frigöra dig så skulle du ta den möjligheten. Har jag rätt?"

"Du kan kalla in poliserna nu. Det här är ett enda stort misstag. Det försökte jag förklara för dig i Hallabro."

Carl nickade. Mannen var fortfarande rädd. Tretton år av ångest hade härdat honom för allt som försökte sticka hål på bubblan han och hans familj hade omgett sig med.

"Vi har talat med Tryggve", sa Carl samtidigt som han sköt över den tecknade fantombilden till mannen. "Som du ser har vi redan ett ansikte på gärningsmannen. Jag vill gärna ha din version av saken, så att vi kan komma vidare med fallet. Vi vet att du känner dig hotad av den här mannen." Han knackade fingret så hårt mot teckningen att Martin Holt ryckte till.

"Jag försäkrar dig att inga utomstående vet att vi är honom på spåren, så du kan vara lugn."

Martin Holt lyckades slita blicken från teckningen och såg Carl rakt i ögonen. Hans röst darrade. "Hur lätt tror du det blir att förklara för tillsynsmännen i kretsen varför polisen kommer och hämtar mig? Om de vet finns säkert andra som också vet, *eller hur*? Ni är ju inte direkt diskreta."

"Om du bara hade släppt in mig i ditt hem i Sverige hade du sluppit allt det här. Jag körde hela den långa vägen dit för att få hjälp med att ta fast Pouls mördare."

Martin Holts axlar sjönk när han såg på teckningen igen. "Det är likt honom", sa han. "Men ögonen var inte så mörka. Mer har jag inte att säga till dig."

Carl reste sig. "Jag ska visa dig något du aldrig har sett tidigare." Han bad honom följa med.

Det kom skratt från Assads kontor. Detta säregna, mullrande, västjylländska skratt, vars ursprungliga syfte, i tidernas begynnelse, givetvis hade varit att överrösta oljudet från fiskekutterns motor i full storm. Jodå, den där Assad kunde minsann underhålla de flesta. Carl hade med andra ord inte bråttom.

"Kolla hur många ouppklarade fall vi har här inne", sa han och riktade Martin Holts uppmärksamhet mot Assads journalsystem på väggen. "Vart och ett av dessa fall inbegriper en hemsk händelse, och sorgen som den har orsakat skiljer sig inte särskilt mycket från din egen."

Han såg på Martin Holt, men han var helt oberörd. De här fallen hade inte med honom att göra och människorna bakom var inte hans bröder eller systrar. Det som hände utanför Jehovas vittnens krets var kort sagt så främmande för honom att det inte överhuvudtaget existerade.

"Inser du att vi kunde valt att arbeta med vilket som helst av dessa fall? Men vi valde fallet med din son. Och jag ska visa dig varför."

Han följde motvilligt med de sista meterna. Som en dödsdömd som närmar sig schavotten.

Carl pekade på Roses och Assads jättekopia av flaskpostbrevet. "Därför", sa han kort och drog sig bakåt ett par steg.

Martin Holt stod länge och läste brevet. Så långsamt gled hans blick över raderna att man kunde följa var i brevet han befann sig. När han var färdig med att läsa började han om från början. Den stolta kroppshållningen bröts sakta men säkert ner. En människa för vilken principerna gick före allt annat. Men också en människa som försökte beskydda sina kvarvarande barn med tystnad och lögner.

Nu stod han där och tog sin döde sons ord till sig. I all sin klumpighet klamrade de sig fast om hans hjärta. Med ett plötsligt ryck tog han ett steg bakåt, famlade med händerna och stödde sig mot väggen för att inte ramla omkull. För här ljöd hans sons vädjan om hjälp lika högt som Jerikos basuner. Hjälp som fadern inte hade förmått ge sin son.

Carl lät Martin Holt stå kvar en stund i stilla gråt. Sedan klev mannen fram och lade försiktigt sin hand mot sonens brev. Hans händer skakade vid beröringen, och mycket sakta och så högt han överhuvudtaget kunde nå, drog han fingrarna från det ena ordet till det andra.

Så föll hans huvud något åt sidan. Tretton år av smärta fick sitt utlopp.

När Carl visat tillbaka honom till stolen på kontoret bad han om ett glas vatten.

Sedan berättade han allt han visste.

36

"Då är trupperna åter samlade", vrålade Yrsa utifrån korridoren sekunden innan hennes huvud dök upp i Carls dörr. Hon måste verkligen ha skyndat sig nerför trappan, så som lockarna stack ut åt alla håll.

"Säg att ni älskar mig", kvittrade hon och dängde en hög med flygfoton i bordet framför Carl.

"Betyder det att du har hittat huset, Yrsa?" ropade Assad, som kom springande från sin städskrubb.

"Nej. Jag har hittat flera bra kandidater, men synbarligen utan båthus. Fotona ligger i den ordningen som jag skulle ha börjat kolla upp dem, om jag vore ni. Jag har gjort ringar runt husen jag hittat."

Carl tog högen och räknade fotona. Femton ark och inga båthus, sa hon. Det var ju själva fan.

Han kollade datumen. De flesta var tagna i juni 2005.

"Men du, Yrsa", sa han. "De här fotona är tagna nio år efter mordet på Poul Holt. Båthusen kan ju ha rivits och byggts upp hundra gånger sedan dess."

"Hundra?" invände Assad. "Nej, Carl, inte hundra."

"Det är bara ett talesätt, Assad", sa Carl med en suck. "Har vi inga äldre flygfoton än de här?"

Yrsa blinkade några gånger. Hon borde väl se om han drev med henne?

"Vet du vad, herr vice kriminalinspektör", sa hon. "Det är väl strunt samma om båthuset har rivits sedan dess, eller hur?"

Han skakade på huvudet. "Nej, Yrsa, det är det inte. Tänk om mördaren fortfarande äger huset. Då är det ju möjligt för oss att gripa honom, inte sant? Alltså upp igen till Lis och leta fram äldre foton."

"På de femton utsnitten?" Hon pekade på högen.

"Nej, Yrsa. Vi behöver foton på *hela* kustlinjen runt fjordarna före 1996. Det är väl inte så svårt att förstå."

Hon drog lite i lockarna och var inte fullt så självsäker som innan, när hon vände på klacken och lunkade tillbaka.

"Det blir inte lätt att få henne på gott humör igen", sa Assad och viftade med den ena handen i luften, som om han hade bränt den. "Du såg väl hur irriterad hon blev över att hon själv inte hade tänkt på det där med datumet?"

Carl hörde ett surrande ljud och såg spyflugan sätta sig i taket. Då var det dags igen.

"Snack, Assad! Hon hämtar sig snart."

Assad såg uppgiven ut. "Visst, Carl, men det spelar ingen roll hur hårt du sätter dig på gärdsgårdsstören – det gör lika ont i röven när du reser dig igen."

Carl rynkade pannan. Han var inte säker på att han fattade vart han ville komma med den metaforen.

"Säg mig, Assad", sa han undvikande, "kretsar alla dina ordspråk kring röven?"

Assad skrattade. "Jag kan några som inte gör det. Men de är dåliga."

Okej. Om det var ett uttryck för syrisk humor skulle smilbanden sannerligen få en välbehövlig semester ifall han hade oturen att bli inbjuden till Syrien.

"Vad berättade Martin Holt under förhöret, Carl?"

Carl drog blocket till sig. Där stod inte mycket, men det var nog så användbart.

"Martin Holt är, i motsats till vad jag trott, inte någon osympatisk man", sa Carl. "Ert stora brev där ute fick definitivt ner honom på jorden."

"Han ville alltså tala om Poul Holt?"

"Ja. Oavbrutet i en halvtimme och han hade svårt att kontrollera rösten." Carl tog fram en cigg ut bröstfickan och fingrade lite på den. "Jäklar vad den mannen hade behov av att prata. Han har inte pratat om sin äldsta son på åratal. Det gjorde helt enkelt för ont."

"Vad står det på din lapp då, Carl?"

Carl tände cigaretten medan han nöjt tänkte på Jacobsens oförtäckta nikotinbehov. Tänk att somliga kunde skaffa sig ett sådant beroende att man inte längre var herre över sig själv. Det skulle han minsann inte göra.

"Martin Holt sa att vår fantombild var okej, men att kidnapparens ögon satt något för tätt. Mustaschen var för stor och håret förmodligen lite längre vid öronen."

"Måste vi göra om den?" frågade Assad medan han viftade bort röken.

Carl skakade på huvudet. Tryggves redogörelse kan vara lika bra som pappans. Alla ögon har sin tolkning.

"Det viktigaste i Martin Holts utsaga var att han kunde berätta exakt hur och var kidnapparen fick sina pengar. Det gick helt enkelt till så att pengarna kastades ut i en säck från ett tåg. Mannen blinkade med ett stroboskopljus, och …"

"Vad är ett stroboskopljus?"

"Vad det är?" Carl tog ett rejält bloss. "Jo, det är ett blinkande ljus i stil med dem som finns på diskoteken. Det blinkar som en blixt."

"Aha!" Assad log. "Så att det ser ut som om man rör sig ryckigt, precis som i gamla filmer. Då vet jag."

Carl såg på ciggen. Smakade den sirap?

"Holt kunde peka ut exakt ställe för överlämningen", sa han. "Det var på en vägsträcka intill järnvägen mellan Slagelse och Sorø." Carl tog fram sin karta och pekade. "Precis här mellan Vedbysønder och Lindebjerg Lynge."

"Det verkar vara en noga utvald plats", sa Assad. "Nära järnvägen och inte så långt från motorvägen, så att man snabbt kommer därifrån."

Carl lät blicken glida vidare längs järnvägen på kartan. Assad hade rätt. Det var en helt perfekt plats.

"Hur fick kidnapparen Pouls pappa till den där platsen?" frågade Assad.

Carl tog upp sitt cigarettpaket och granskade det. Visst fan satt det sirapsklet i botten.

"Han blev tillsagd att ta ett visst tåg från Köpenhamn till Korsør och hålla utkik efter ljuset. Han skulle sitta i en kupé i första klass på vänster sida och när han såg ljuset skulle han kasta ut säcken med pengarna genom fönstret."

"När fick han veta att Poul var död?"

"När? Via telefon fick han veta var han kunde hämta upp barnen. Men när han och hustrun kom dit fann de bara Tryggve liggande på marken. Han hade blivit sövd med något, förmodligen kloroform. Det var Tryggve som berättade för föräldrarna att Poul mördats och att inget om kidnappningen fick komma ut, såvida de inte ville förlora fler barn. Förutom det hemska beskedet om Pouls död gjorde även Tryggves chock över allt som hänt ett outplånligt intryck på Martin Holt och hans hustru."

Assad drog upp axlarna mot öronen, som om han genomfors av en rysning. "Om det var mina barn så …" Han drog pekfingret över halsen och lät huvudet falla åt sidan.

Carl tvivlade inte ett dugg på att han menade det. Han tittade på blocket igen. "Just det, Martin Holt berättade en sak till, som kan visa sig att vara värdefull."

"Vadå?"

"I sin nyckelknippa till bilen hade kidnapparen ett litet bowlingklot med siffran ett på."

Telefonen på Carls skrivbord började ringa. Förmodligen Mona, som ville tacka för att Carl varit så tillmötesgående.

"Vice poliskommissarie Mørck", sa den mullrande stämman, som visade sig tillhöra Klaes Thomasen. "Carl, jag vill bara berätta att vi drog nytta av det fina vädret tidigt på morgonen, så nu har jag och frugan klarat av resten av rundan. Vad vi kunde avgöra fanns det inget att se från båten, men på flera platser längs kusten var vegetationen relativt tät, så dessa har vi markerat som osäkra."

Nu hade det inte skadat med lite gammal, hederlig tur.

"I vilket område anser du att sannolikheten är som störst?" frågade Carl och fimpade sirapscigaretten i askkoppen.

"Tja …" Carl hörde att det var fullt liv i bakgrunden. Förmodligen stod Thomasen fortfarande kvar ute på piren i sina seglarkläder. "Vi bör nog koncentrera oss på Østskov nere vid Sønderby samt Bognæs och Nordskoven. Där finns det flera platser där vegetationen är tät ända ut till strandkanten, men som sagt hittade vi inte något som med säkerhet kan klassas som ett napp. Senare idag ska jag ta mig ett snack med skogsmästaren i Nordskoven. Vi får se om det ger något."

Carl noterade de tre lokaliteterna och tackade. Han lovade att hälsa till några av Thomasens gamla kolleger, som visserligen inte hade jobbat i Huset i flera år, men det behövde han ju inte berätta. Sedan var utväxlingen av hövligheter överstånden.

"Noll", sa Carl och såg på Assad. "Inget konkret från Thomasen, men han antydde att det fanns goda möjligheter i tre områden." Han pekade ut dem på kartan. "Vi får se om Yrsa dyker upp med något lite mer hållbart än tidigare och sedan jämföra data. Under tiden kan du ju fortsätta med ditt."

*

En halvtimmes vederkvickande vila, med benen på bordet, hann han med innan en kittling någonstans vid näsroten kallade tillbaka honom till verkligheten. Han skakade på huvudet, öppnade ögonen och såg sig själv i epicentrum av en svärm av grönblå, skinande spyflugor på jakt efter något annat än det intorkade sockret på cigarettpaketet.

"Vad i helvete!" utbrast han och slog omkring sig, så att ett par flugor föll till golvet med alla sex benen i vädret.

Nu fick det jävlar i mig vara nog.

Han stirrade ner i papperskorgen. Det var veckor sedan han hade kastat något i den – det låg ännu kvar där – men några organiska substanser, som kunde tänkas fresta en utsvulten spyfluga, fanns där inte.

Carl såg ut i korridoren – ännu en fluga. Kunde det vara Assads exotiska måltider som börjat få eget liv? Hade hans tahini börjat krypa av sig själv? Hade småkrypsäggen i den importerade, rosenvattensstinkande turkiska konfekten kläckts?

"Vet du var alla flugorna kommer från?" spottade han ur sig innan han ens hunnit in i Assads tändsticksask.

Rummet var uppfyllt av en genomträngande lukt. Långt från den sedvanliga sockerstandarden. Snarare som om han lekt med en Zippotändare.

Assad höll upp ena handen. Han satt i djup koncentration med telefonluren mot örat. "Ja", sa han flera gånger i telefonen. "Men vi måste komma dit och se det med egna ögon", sa han med något djupare tonfall och ett något mer myndigt utseende än normalt. Han kom överens om en tidpunkt, innan han lade på telefonen.

"Jag frågade om du vet var alla flugor kommer från", sa Carl och pekade upp mot två av insekterna, som satt sig på en vacker plansch av dromedarer och en jädrans massa sand.

"Carl, jag tror minsann att jag har hittat en familj", sa han. Hans min uttryckte närmast skepsis. Som någon som stirrar på sin lottolapp och försöker inse att han prickat in alla siffrorna och vunnit tio miljoner. Som någon som närmast smärtsamt tvingas erkänna att hans livs dröm just håller på att gå i uppfyllelse.

"En vad?"

"En familj som varit i vår kidnappares händer, tror jag."

"Pratar du om dem från Kristushuset?"

Han nickade. "Lis hittade dem. Ny adress och nytt namn, men det är de. Hon kollade med personregistret. Fyra barn, varav den yngste, Flemming, var fjorton år för fem år sedan."

"Frågade du var pojken befann sig idag?"

"Nej, det tyckte jag inte verkade så klokt."

"Vad var då det där med att vi måste komma och se det med egna ögon?"

"Jaså det? Jag sa bara till hustrun att jag ringde från skattemyndigheterna och att vi ville veta varför deras yngsta son, som av allt att döma är det enda av barnen som inte emigrerat, inte har skickat in sin deklaration, trots att han fyllt arton för länge sedan."

"Det duger inte, Assad. Vi kan inte utge oss för att vara ämbetsmän vi inte är. Hur vet du förresten det där med deklarationen?"

"Det gör jag inte. Det var bara något jag hittade på." Han satte ett finger till näsan.

Carl skakade på huvudet, men Assad hade trots allt hittat något. Såvida man inte direkt begått ett brott fanns det inget som skrämde upp en som ett samtal från skattemyndigheterna. Det kunde verkligen få folk att flippa ut och förlora omdömet.

"När och var ska vi ut dit?"

"Ett samhälle som heter Tølløse. Hustrun sa att mannen var hemma vid halv fem."

Carl tittade på klockan. "Bra, vi åker dit tillsammans. Bra jobbat, Assad! Mycket bra!"

Carl log under bråkdelen av en sekund och pekade sedan upp på flugriksdagen på planschen. "Assad, kom igen nu. Har du något liggande här inne som de där jävlarna betraktar som sitt hem?"

Assad slog ut med sina korta armar. "Jag vet inte var de kommer ifrån." Han stelnade plötsligt till. "Men den där vet jag var den kommer ifrån", sa han och pekade på en liten, ensam insekt som var mycket mindre dimensionerad än spyflugorna. Ett bräckligt, tanklöst väsen som i samma sekund mötte en mycket plötslig död, när det mötte Assads två seniga och bruna händer.

"Där fick jag dig!" triumferade Assad och torkade malen mot sitt anteckningsblock. "Dem har jag hittat massor av där." Han pekade på sin bönematta och såg med förbittring mattans dödsdom stå skriven i Carls ögon.

"Men, Carl, det finns inte så många insekter kvar i mattan nu. Mattan var min pappas och jag är så otroligt glad för den. Jag bankade den imorse, innan du kom. Nere bakom dörren vid asbesten."

Carl lyfte upp ena hörnet på mattan. Räddningsaktionen hade sannerligen inletts i sista sekunden. Det återstod inte mycket mer än fransar.

Under en tankeväckande sekund såg Carl framför sig polisarkiven nere i asbestlandet. Skulle några av brottslingarnas eftermälen finnas kvar för eftervärlden om de här rovlystna malen fått smak på gulnat papper?

"Har du besprutat mattan?" frågade han. "Jag tycker det stinker här." Assad log. "Fotogen gör susen."

Lukten tycktes inte bekomma honom. Kanhända en av fördelarna med att vara uppvuxen med bubblande olja under fötterna. Om det nu fanns olja i Syrien.

Carl skakade på huvudet och lämnade stanken. Alltså Tølløse om två timmar. Då fick han tid att titta närmare på flugmysteriet.

Han stod kvar ett ögonblick ute i korridoren. Ett tyst surrande fortplantade sig ovanför röret i taket. Han tittade upp och fick återigen syn på sin korrekturlacksprydda alfafluga. Den var fanimej med överallt.

"Vad gör du, Carl?" kväkte Yrsa bakom honom. "Har du lust att komma hit?" fortsatte hon och drog honom i ärmen.

På hennes skrivbord stod en uppsjö av flaskor med nagellack, nagelbandskräm, nagellackborttagningsmedel, hårsprej och andra starka lösningsmedel.

"Titta!" sa hon. "Här har du dina flygfoton, och det kan jag berätta för dig att det var slöseri med tid." Hon höjde ögonbrynen så att hon kom att likna hans gamla griniga moster Adda. "Exakt samma längs hela kustlinjen, inget nytt under solen där inte."

Carl såg en spyfluga surra in genom dörren och sedan söka sig fram längs taket.

"Detsamma gäller med vindmöllorna." Hon knuffade en halvfull kaffekopp med vackra ränder åt sidan. "Om det är som du säger, att lågfrekventa ljudvågor hörs inom en radie av två mil, har vi ingen användning för det här." Hon pekade på en rad kryss på kartan.

Han förstod vad hon menade. De befann sig i vindkraftverkens land.

Det fanns alldeles för många av dem för att de skulle kunna användas till att avgränsa sökandet.

En fluga for förbi hans synfält och satte sig sedan på kanten av Yrsas kaffekopp. Gynnaren med lacket. Den kom verkligen ut i världen.

"Schas!" sa Yrsa. Och utan att ens titta på flugan lyckades hon med sina långa, blodröda naglar vispa ner den i koppen. "Lis har ringt runt till alla kommunerna", fortsatte hon obekymrat, "men inga byggnadstillstånd har utfärdats för båthus i de områdena vi fokuserar på. Strandskyddsområde och allt det där, du vet."

"Hur långt tillbaka i tiden har Lis egentligen gått?" frågade Carl samtidigt som han följde flugans ryggsimsövningar i koffeinhelvetet. Fantastiskt så effektiv den där Yrsa kunde vara. Här hade han gått hela dagen ...

"Till 1970 års kommunreform."

1970! Det var ju en hel mansålder sedan. Då kunde han definitivt glömma det där med att leta reda på leverantörer av cederträ.

Han stirrade något vemodigt på flugans dödskamp, innan han kunde konstatera att problemet numera var löst.

Då drämde Yrsa handen i bordet på ett av flygfotona. "Enligt min åsikt ska vi leta här!"

Carl såg ner på cirkeln hon gjort kring ett hus i Nordskoven. *Vibegården*, stod det. Synbarligen ett fint hus intill vägen som gick genom skogen, men där fanns inget båthus vad han kunde se. Det låg verkligen perfekt inne bland alla träd och buskar och ända ut till fjorden. Men dock. Inget båthus.

"Jag vet vad du tänker, men det skulle kunna ligga där", sa hon och bankade handen mot ett grönt område i ena änden av tomten.

"Vad i helv...!" sa Carl. Omkring dem surrade plötsligt flera flugor. Hon hade väckt dem till liv med sitt bankande i bordet.

Han drämde knytnäven i bordet med resultatet att luften fick liv.

"Vad gör du?" utbrast Yrsa irriterat och slog ihjäl ett par flugor mot musmattan.

Carl dök ner under bordet. Sällan hade han sett så mycket liv på en sådan liten yta. Om flugorna hade gjort gemensam sak skulle de hur lätt som helst kunnat flyga iväg med papperskorgen i vilken de kläcktes till liv.

"Vad tusan har du i papperskorgen?" frågade han upprört.

"Inget. Jag använder den inte ens. Det måste vara Rose."

Aha, tänkte han. Nu visste han i varje fall vem som inte städade i Roses och Yrsas lägenhet, om nu någon av dem gjorde det.

Han såg på Yrsa, som irriterat slog ihjäl flugor till höger och vänster med bara händerna, med en förträfflig precision. Det här skulle sannerligen bli ett riktigt städprojekt för Assad.

*

Två minuter senare stod han där i sina gröna gummihandskar och med en stor, svart sopsäck som flugorna och papperskorgens innehåll var tänkta att hamna i.

"Äckligt!" sa Yrsa och studerade flugsörjan på sina fingrar. Carl var benägen att hålla med.

Hon fuktade en bomullsstuss med aceton från en av flaskorna och började rengöra händerna. Snart luktade det som på en bombad fernissafabrik där inne. Han hoppades verkligen inte att Arbetsmiljöverket tänkte avlägga ett besök hos dem idag.

Då såg han hur nagellacket började upplösas på Yrsas högra pek- och långfinger, och framför allt såg han vad som hade dolt sig under nagellacket.

Ögonblicket efter tittade Assad upp från flughelvetet under bordet. När han såg hur Carl satt och gapade följde han hans blick över bordet.

Även Assad tappade hakan.

"Kom", sa Carl och låtsades som ingenting medan han drog med sig Assad ut i korridoren.

"Såg du?"

Assad nickade med en chockad min, som man normalt bara förknippar med illamående och en havererande mage.

"Yrsa har målat sina naglar med en svart spritpenna under nagellacket, precis som Rose. Kryssen från spritpennan häromdagen. Såg du?"

Han nickade igen.

Det var helt sinnessjukt, och inte en enda gång hade de fattat några som helst misstankar.

Såvida inte ett universellt mode med svarta kryss på naglarna höll på att erövra landet rådde det inga tvivel.

Yrsa och Rose var en och samma person.

37

"Kolla här vad jag har åt er", sa Lis och räckte fram en cellofaninpackad jättebukett med rosor till Carl.

Carl lade på telefonluren. Vad i all sin dar var nu detta? "Friar du till mig, Lis? Det var på tiden att du insåg mina kvaliteter."

Hon blinkade flörtigt. "De kom till A-avdelningen, men Marcus tyckte att ni hade förtjänat dem bättre."

Carl såg frågande ut. "För vad?"

"Äsch, gör dig inte till, Carl. Du vet."

Han ryckte på axlarna och skakade på huvudet.

"De har hittat det sista lillfingerbenet med en fördjupning i. De gick igenom brandplatsen en gång till och hittade det i en askhög."

"Så därför får vi rosor?" Carl kliade sig i nacken. Kom de kanske också från fyndplatsen?

"Nej, inte därför. Men det kan Marcus själv få berätta. Den här buketten är i alla fall från Torben Christensen, han den där brandförsäkringsmannen. Polisens resultat har besparat hans företag en hel del pengar idag."

Som en gammal faster, som inte vet hur man annars utdelar beröm, knep hon Carl i kinden och dansade sedan tillbaka igen.

Carl lutade sig i sidled, så att han kunde följa det härliga bakverket ännu en liten bit på vägen.

"Vad händer?" frågade Assad ute i korridoren. "Vi måste snart köra."

Carl nickade och ringde upp kommissarien för våldsroteln.

"Jag skulle hälsa från Assad och fråga varför vi får rosor", sa han när kommissarien svarade.

Något som kunde tolkas som ett glädjetjut hördes. "Carl, vi har förhört de tre ägarna till de brandhärjade företagen idag och har fått tre erkännanden. Ni hade helt rätt. De utpressades att ta lån till ockerräntor, och när de sedan inte kunde betala räntorna tog indrivarna i med hårdhandskarna och ville ha in hela lånesumman. Trakasserier, telefon-hot, ännu värre hot. Indrivarna blev mer och mer desperata, men till vilken nytta? Företag med likviditetsproblem har inte så många ställen att gå till idag för att låna pengar."

"Vad hände med indrivarna?"

"Det vet vi inte, men vår teori är att huvudmännen fick dem likvide-rade. Det var inte första gången den serbiska polisen sett något liknan-de. Stora bonusar till indrivarna som kammade hem pengarna i tid och kniven till dem som inte lyckades leverera godset."

"Kunde de inte bara ha bränt ner skiten utan att göra sig av med sin arbetskraft?"

"Jo, men en annan teori är att de skickade de sämsta indrivarna till Skandinavien, för att marknaden här uppe har rykte om sig att vara lätt-hanterlig. När det sedan visade sig vara fel fick man statuera exempel som man visste uppmärksammades i Belgrad. Inget är så farligt för kredithajar-na som kassa indrivare eller folk som man inte kan kontrollera eller lita på. Å andra sidan hjälper inget upp disciplinen som ett litet mord då och då."

"Hm. De dödar alltså sin undermåliga arbetskraft här i Danmark. Och det är förstås ingen slump att det inträffar i en rättsstat med rela-tivt låga straff, kan jag tänka, ifall gärningsmännen mot all förmodan skulle åka fast." Han kunde nästan se hur Jacobsen höll upp en bekräf-tande tumme mot honom.

"Nåväl, Carl", sa kommissarien. "Idag har vi åtminstone löst några fall som innebär att försäkringsbolagen inte behöver betala ut full ersätt-ning. Det rör sig om mycket pengar, så därför skickade försäkringsbola-get rosor till oss. Och vem har förtjänat dem mer än ni?"

Det erkännandet var säkert inte alldeles lätt att göra.

"Bra. Då har du ju frigjort mannar till annat", sa Carl. "Jag tycker du ska skicka ner några hit och hjälpa mig."

Något som påminde om ett skratt hördes i andra änden. Det var nog inte vad kommissarien själv hade tänkt sig. "Ja ja, Carl. Det återstår självfal-let en del arbete med de här fallen. Vi måste hitta dem som ligger bakom. Men du har rätt. Vi har ju också en gängkonflikt att ta itu med, så det är kanske bättre att vi sätter de så kallade frigjorda mannarna på den?"

Assad stod i dörren när Carl lade på. Uppenbarligen hade han till slut kommit underfund med det danska klimatet. I alla fall hade Carl aldrig sett någon lufta en tjockare täckjacka i mars månad.

"Jag är klar", sa han.

"Två minuter, så kommer jag", sa Carl och slog Brandur Isaksens nummer. Halmtorgets istapp kallade man honom och syftade på hans synnerligen sparsamma charm. Han var mannen som visste allt om vad som försiggick inne på Station City, polisstationen som Rose kommit från när hon överfördes till Q-avdelningen.

"Ja", var allt Isaksen sa.

Carl förklarade sitt ärende och innan han var klar vrålade mannen av skratt.

"Jag vet ta mig fan inte vad det är för fel på Rose, men hon var bra konstig. Drack för mycket och hoppade i bingen med de unga aspiranter från Polishögskolan. Du vet, ett vilddjur med klor både här och där. Varför?"

"Inget särskilt", sa Carl och lade på luren. Sedan loggade han in på folkbokföringen. *Sandalparken 19*, skrev han i adressfältet.

Svaret gick inte att ta fel på. *Rose Marie Yrsa Knudsen*, stod det efter personnumret.

Carl skakade på huvudet. Då fick man fan hoppas att inte den där Marie helt plötsligt också dök upp. Två versioner av Rose fick räcka.

"Oj!" sa Assad över axeln på honom. Han hade också sett det.

"Kalla in henne hit, Assad."

"Du tänker väl inte avslöja henne, va, Carl?"

"Är du galen? Då hoppar jag hellre i ett badkar fullt med kobror", svarade han. Berätta för Yrsa att de visste att hon var Rose? Då hade han förmodligen satt sin sista potatis.

När Assad kom tillbaka med Yrsa var även hon fullt påklädd. Jacka, vantar, halsduk och mössa. Om man nu diskuterade att förbjuda användningen av burka kunde man ju börja med hans två assistenter. Maken till helkroppstäckande klädsel fick man leta efter.

Carl tittade på klockan. Det här blev bra. Arbetsdagen var över. Yrsa var på väg hem.

"Jag skulle bara …" Hon stannade upp när hon såg buketten i Carls famn. "Nämen, vad är det för blommor? Så vackra!"

"Den här buketten är till Rose från Assad och mig", sa Carl och överräckte blomsterorgien till henne. "Be henne krya på sig. Säg att vi hoppas få se henne här mycket snart igen. Säg att det är rosor till en ros. Vi har verkligen tänkt mycket på henne."

Yrsa stelnade till och stod tyst ett ögonblick samtidigt som hennes jacka sakta gled av axlarna. Kanhända var hon överväldigad.

Sedan var arbetsdagen slut.

*

"Tror du att hon är sjuk på riktigt, Carl?" frågade Assad medan motorvägen mot Holbæk allt mer korkades igen.

Carl ryckte på axlarna. Han var specialist på mycket, men den enda personlighetsklyvning han kunde säga sig känna till var den förvandling som styvsonen genomgick på tio sekunder, från en snäll och skrattande kille, som frågade om en hundring, till gnällspiken som vägrade städa sitt rum.

"Vi berättar det inte för någon", sa han bara.

Resten av vägen, ända fram till Tølløse-skylten, satt de i sina egna tankar. Samhället var mest känt för sin järnvägsstation, äppelmustfabriken och en fuskande tävlingscyklist som blev fråntagen den gula ledartröjan i Tour de France.

"Bara en liten bit till", sa Assad och pekade längs huvudgatan, Tølløses obestridliga centrum och alla provinsiella tätorters pulsåder. För tillfället pulserade här inte särskilt mycket. Kanske hade invånarna fastnat i Nettos flaskhals eller så hade de flyttat. Definitivt en ort som sett livligare dagar.

"Där borta, mitt emot fabrikstomten ", sa Assad och pekade på en röd tegelvilla, som utstrålade lika mycket liv som en självdöd daggmask i ett vinterlandskap.

Den en och en halv meter korta frun i huset, med ögon större än Assads, öppnade. I samma sekund som hon såg Assads mörka skäggstubb tog hon förskräckt ett steg tillbaka in i hallen och ropade på sin man. Förmodligen hade hon läst om alla rån som skedde i hemmet och trodde nu att oturen kommit till henne.

"Ja?" sa mannen, men gjorde ingen ansats att vare sig bjuda på kaffe eller vara tillmötesgående.

Jag får nog köra vidare på skattelinjen ett tag till, tänkte Carl och stoppade tillbaka polisbrickan i fickan.

"Ni har en son, Flemming Emil Madsen, som såvitt vi kan se inte någonsin har betalat skatt. Eftersom han varken har kontakt med de sociala myndigheterna eller skolväsendet har vi valt att komma hit och prata med honom personligen."

Här tog Assad vid. "Ni är grönsakshandlare, herr Madsen. Arbetar Flemming hos er?"

Carl förstod taktiken. In med mannen i hörnet meddetsamma.

"Är du muslim?" frågade mannen. Den överrumplande frågan var ett strålande motdrag. För en gångs skull tycktes Assad mållös.

"Det tror jag är min kollegas ensak", sa Carl.

"Inte i mitt hus", svarade mannen och gjorde en ansats att dra igen dörren.

Carl blev tvungen att visa brickan trots allt.

"Hafez el-Assad och jag arbetar med ett antal ouppklarade mord. Om du så mycket som grimaserar det minsta hånfullt kommer jag att anhålla dig på studs för mordet på din egen son, Flemming, för fem år sedan. Vad svarar du på det?"

Mannen sa inget, men han var tydligt skakad. Inte som någon som blir beskylld för något han inte gjort utan snarare som någon som faktiskt är skyldig.

De klev in och visades till ett brunt mahognybord, som hade varit alla familjers stora dröm för femtio år sedan. Visserligen ingen vaxduk, men å andra sidan ett överflöd av bordstabletter.

"Vi har inte gjort något fel", sa hustrun och fingrade med korset runt halsen.

Carl såg sig om. I alla fall ett trettiotal inramade foton av barn i alla åldrar stod uppradade på diverse ekmöbler. Barn och barnbarn. Leende varelser under bar himmel.

"Är det era övriga barn?" frågade Carl.

De nickade.

"Har de alla emigrerat?"

De nickade igen. Inte särskilt talföra, tänkte Carl.

"Australien?" frågade Assad.

"Är du muslim?" frågade mannen igen.

Det var mig en envis jävel. Var han rädd för att blotta åsynen av en alternativ religionsutövare skulle förvandla honom till sten?

"Jag är vad Gud har gjort mig till", svarade Assad. "Och du? Är du också det?"

Mannens redan kalla blick smalnade av ytterligare. Kanske var han van vid den här sortens diskussioner på andras dörrtrösklar, men inte hemma hos sig själv.

"Jag frågade om det var Australien dina barn har emigrerat till", sa Assad.

Då nickade hustrun. Hennes huvud funkade trots allt.

"Här", sa Carl och lade fantombilden av kidnapparen på bordet framför dem.

"I Jesu namn", viskade hustrun och gjorde korstecknet.

Mannen såg sammanbiten ut. "Vi har inte berättat för någon", sa han kort.

Carl knep ihop ögonen. "Om du tror att vi har något med honom att göra tror du fel. Men vi är honom på spåret. Vill ni hjälpa oss att fånga honom?"

Hustrun undslapp sig en kort flämtning.

"Ursäkta detta bryska sätt", sa Carl. "Vi var bara tvungna att få er att lägga korten på bordet." Han knackade ett finger mot bilden. "Kan ni bekräfta att det var han som kidnappade er son Flemming och givetvis också ett av era andra barn, och att han dödade Flemming efter att ni gett honom en stor lösesumma?"

Mannen bleknade. All den styrka han genom åren mobiliserat för att hålla näsan ovanför vattenytan rann ur honom. Styrkan att motstå sorgen, styrkan att ljuga för sina trosbröder och styrkan att flytta från allt, låta isolera sig, ta farväl av alla de övriga barnen och förlora en förmögenhet. Och slutligen styrkan att leva med vissheten om att deras älskade Flemmings mördare fortfarande var på fri fot och höll koll på dem.

Allt det slapp han från och med nu.

*

De satt tysta en stund i bilen, innan Carl tog till orda.

"Jag tror aldrig jag har sett så utslocknade människor som de två", sa han.

"Jag tyckte det var hemskt när de beslöt sig för att ta upp Flemmings bild ur byrån", sa Assad. "Tror du verkligen inte att de har tittat på det sedan han blev bortrövad?" Han tog av sig täckjackan. Då var den för varm trots allt.

Carl ryckte på axlarna. "Jag vet inte. Men de vågade i varje fall inte riskera att någon anade ugglor i mossen, hur mycket de än älskade pojken. Det var ju de själva som stötte ut honom."

"Ugglor? Nu förstår jag inte vad du menar, Carl."

"Ana ugglor i mossen. Att det ligger en hund begraven."

"En hund?"

"Glöm det, Assad. De var bara noga med att hålla sin saknad hemlig. Andra fick inte veta. De visste ju inte vem som var vän och vem som var fiende."

Assad satt tyst en stund och betraktade de bruna åkrarna, under vilka det nu sjöd av spirande liv. "Hur många gånger tror du han har gjort det, Carl?"

Vad fan skulle han svara på den frågan? Det fanns inget svar.

Assad kliade sig på de blåsvarta kinderna. "Vi kommer att ta honom, inte sant, Carl? Det måste vi bara."

Carl bet ihop. Ja, det måste de. De hade fått ett nytt namn av paret i Tølløse. Birger Sloth, kallade han sig den gången. Och för tredje gången hade de fått signalementet någorlunda bekräftat. Martin Holt hade haft rätt. Ögonen satt för tätt på teckningen. Det andra – mustaschen, håret, blicken – kunde de inte räkna med. Bara att han var en man med skarpa drag och ändå lite diffus. Det enda de med hundra procents säkerhet visste om honom var att han vid två tillfällen hade plockat upp pengarna på samma ställe. På en liten bansträcka mellan Sorø och Ringsted, som de redan kände till. Martin Holt hade tydligt beskrivit den.

De hade kunnat vara där om högst tjugo minuter, men det var för mörkt. Förbannat irriterande.

Det var under alla omständigheter det första de skulle ta tag i imorgon.

"Vad gör vi med vår Yrsa och Rose?" frågade Assad.

"Vi gör inget. Vi försöker bara leva med det."

Assad nickade. "Hon är sannerligen en kamel med tre pucklar", sa Assad.

"En vad?"

"Så säger man där jag kommer ifrån. Lite egen. Svår att rida, men rolig att titta på."

"En kamel med tre pucklar, tja, varför inte? Det låter trevligare än schizofren."

"Schizofren? Där jag kommer ifrån används schizofren för den som står i talarstolen och ler mot dig med munnen samtidigt som han skiter på dig med röven."

Jaha, då var vi där igen.

38

Det var så otydligt och långt borta. Som slutet på en dröm som aldrig fick ta slut. Som mammas röst, som man inte riktigt minns.

"Isabel. Isabel Jønsson, vakna!" rungade det, som om huvudet var alltför rymligt för att förmå samla orden.

Hon vred något på kroppen, men kände inget annat än sömnens fängslande grepp. Den dåsiga känslan av att sväva mellan då och nu.

Någon skakade ömt och försiktigt hennes axlar upprepade gånger.

"Är du vaken, Isabel?" sa rösten. "Försök dra ett djupt andetag." Hon uppfattade knäppande ljud framför sitt ansikte, men kunde inte se dem.

"Du har varit med om en olycka, Isabel", sa någon.

På något sätt förstod hon det.

Hade den inte just inträffat? En virvlande känsla och så odjuret som närmade sig i mörkret. Var det så?

Hon kände ett stick i armen. Var det verkligt eller drömde hon? Plötsligt märkte hon hur blodet forsade upp i huvudet. Hur medvetandet samlade sig och hur tankarna skapade ordning i kaoset. En ordning som hon inte önskade.

Sedan kom hon ihåg. Han! Mannen! Minnet av honom började klarna.

Hon flämtade till. Kände hur det stack i halsen och hur behovet av att hosta framkallade kväljningskänslor.

"Ta det lugnt, Isabel", sa rösten. Hon kände en hand gripa tag om hennes och krama den. "Vi har gett dig en spruta för att du ska vakna. Inget annat." Handen kramade igen.

Ja, sa allt i henne. Kläm tillbaka, Isabel. Visa att du lever, att du ännu är här.

"Du är svårt skadad, Isabel. Du befinner dig på intensiven på Rigshospitalet. Förstår du vad jag säger?"

Hon höll andan och samlade alla sina krafter för att kunna nicka. Bara en liten rörelse. Bara så att hon själv kände det.

"Det är bra, Isabel. Vi såg det." Ännu en kram från handen.

"Vi har lagt dig i sträck, så du kan inte röra dig även om du försöker. Du har brutit många ben, Isabel, men det kommer att bli bra igen, ska du se. Just nu har vi lite att stå i, men om ett tag kommer en sjuksköterska för att förbereda dig inför flytten till en annan avdelning. Förstår du vad jag säger, Isabel?"

Hon försökte få halsmusklerna att rycka.

"Bra. Vi vet att det är svårt för dig att kommunicera, men var inte orolig, du kommer att kunna prata igen. Du har ett brott på käkbenet, så vi har fixerat käken för säkerhets skull."

Nu kände hon att hon hade något slags anordning kring huvudet och att låren klämdes fast av något. Det var som att vara nergrävd i sand. Hon försökte öppna ögonen, men de vägrade lyda henne.

"Jag ser att du försöker öppna ögonen, Isabel, men vi var tvungna att lägga ett förband om dem. Du har fått mycket glassplitter i ögonen. Det kommer att dröja några veckor innan vi kan ta av förbandet."

Några veckor! Varför var nu det inte så bra? Varför denna oro i kroppen, som om den protesterade? Som om just tid var det hon inte hade?

Kom igen nu, Isabel, viskade en röst inombords. Vad är det som inte får hända? Vad är det som har hänt? Just det, mannen. Vad mer?

Hon försökte erinra sig vad hennes verklighet bestod av. Pojkvännen som aldrig dök upp, men som levde i hennes drömmar. Klätterrepen som hon aldrig lyckades ta sig uppför i den gamla gymnastiksalen. Men verkligheten var också det som ännu inte hade hänt. Trycket mot tinningarna vägrade ge med sig. Oroskänslan var fortfarande väldigt konkret.

Hon andades sakta och lyssnade till alla dessa intryck, som tillsammans utgjorde hennes medvetande. Först kom obehaget, sedan oron och till sist en bävan, som drog in ansikten och ljud och ord i hennes kokande tankekittel.

Ofrivilligt flämtade hon till igen.

Barnen.

Mannen, som också var en kidnappare.

Och Rakel.

"Hmnnnnn", hörde hon sig själv säga bakom den låsta tandställningen.

"Ja, Isabel!"

Hon kände handen släppa och varm luft träffa hennes ansikte.

"Vad säger du?" sa ansiktet tätt intill henne.

"Aaaäähhh."

"Förstår någon vad hon försöker säga?" frågade en röst lite längre bort.

"Aaarrglll."

"Försöker du säga Rakel nu, Isabel?"

Hon utstötte ett kort ljud. Ja, det var vad hon försökte säga.

"Är det vad du kallar kvinnan som du var tillsammans med?"

Samma ljud igen.

"Rakel lever, Isabel! Hon ligger här bredvid dig", sa en ny röst vid fotändan. "Hon är också allvarligt skadad. Allvarligare än du. Men hon verkar ha en stark kropp, så vi hoppas på det bästa."

*

Det kunde ha gått en timme eller en minut, likaväl som en hel dag, sedan de senast var hos henne, så svårt var det att uppskatta tiden. Omkring henne hördes tysta maskiner och det svaga pipet av hennes egna hjärtslag. Det kändes fuktigt under henne och det var varmt i sjuksalen. Kanske var det innehållet i sprutan som fick henne att känna sig så här. Kanske var det bara hon.

Utanför i korridoren rasslade vagnar, och rösterna rasslade liksom med. Var det dags att äta eller var det natt? Hon hade ingen aning.

Hon muttrade lite, men ingenting hände. Istället koncentrerade hon sig på intervallet mellan hjärtslagen och dunkandet i långfingret, på vilket något slags klämma satt. Rörde det sig om hundradelar eller hela sekunder? Det gick inte att avgöra.

Men en sak förstod hon. Pipen från maskinen räknade inte hennes hjärtslag, det kunde hon räkna ut. De stämde ju inte alls, så pass medveten var hon åtminstone.

Hon låg ett ögonblick och höll andan. Pipmaskinen pep: pip, pip, lät den. En annan maskin ploppade tyst. Ett sugande ljud som avbröts tvärt och sedan utlöstes igen, som hydrauliken i en bussdörr.

Hon hade hört det ljudet förr. Ändlösa timmar vid mammans sjukbädd, innan de slutligen stängde av respiratorn och skänkte henne frid.

Patienten hon delade salen med kunde med andra ord inte andas för egen maskin. Den patienten var Rakel. Var det inte så de hade sagt? Hon ville så gärna vända sig. Öppna ögonen och leta sig ut ur mörkret. Se människan som kämpade för sitt liv.

"Rakel", skulle hon sagt om hon kunnat. "Rakel, vi klarade det", skulle hon tillägga utan att egentligen mena det.

Kanske fanns det inget för Rakel att vakna upp till. Nu mindes hon blott alltför väl.

Att Rakels man var död.

Att någonstans där ute väntade två barn.

Att kidnapparen inte längre hade någon anledning att hålla dem vid liv.

Det var fruktansvärt, och hon kunde inget göra.

Hon kände vätska i ögonvrån – tjockare än tårar, men ändå lättflytande. Kände hur gasbindan, som bundits kring hennes huvud, plötsligt vägde tungt mot ögonlocken.

Gråter jag blod? tänkte hon och försökte låta bli att ge efter för sorgen och vanmakten. För vad skulle detta hulkande tjäna till? Nej, det orsakade bara en smärta som allt det som de gett henne inte kunde dämpa.

Hon hörde dörren försiktigt öppnas och kände hur luft och ljud från korridoren sipprade in i det tysta rummet.

Steg över det hårda golvet. Behärskade och tvekande. Nästan alltför tvekande.

Stod en bekymrad läkare nu och betraktade Rakels hjärtrytm? Eller var det kanske en sjuksköterska som funderade på om inte respiratorn snart gjort sitt?

"Är du vaken, Isabel?" viskade en röst över maskinernas eviga pumpande.

Den fick henne att rycka till. Varför visste hon inte.

Hon nickade nästan omärkligt, men dock tydligt nog.

Någon tog hennes hand. Som den gången då hon var barn och kände sig undanskuffad på skolgården. Som den gången då hon stod utanför dansskolan, men inte vågade ta steget över tröskeln.

Då som nu var det samma hand som tröstade henne. En varm, kärleksfull och givmild hand. Hennes brors hand. Hennes härliga, beskyddande storebror.

Och just i detta ögonblick, när hon visste att hon äntligen kunde känna sig trygg, infann sig behovet av att skrika igen.

"Såja", sa brodern. "Bara gråt, Isabel. Bara gråt ut. Allt kommer att bli bra igen. Ni kommer att klara er bägge två, du och din väninna."

Klara oss? tänkte hon och försökte få kontroll över sin röst, tunga och andning.

Hjälp oss, ville hon säga. Sök igenom min bil. Du kommer att hitta hans adress i handskfacket. På min GPS kan du se var vi varit. Du kommer att få ditt livs fångst.

Hon skulle falla på knä inför Rakels herre i himlen om han lät henne återfå talförmågan, om så bara för ett ögonblick. Om så bara för ett andetag.

Hon låg stum och lyssnade till sitt eget raljerande. Till ord som övergick i konsonanter, till konsonanter som övergick i visselljud och bubblande spott mellan tänderna.

Varför hade hon inte ringt sin bror medan hon kunde? Varför hade hon inte gjort det hon skulle? Trodde hon att hon var en supermänniska som kunde sätta stopp för självaste Djävulen?

"Det var tur att det inte var du som körde bilen, Isabel. Du slipper nog inte undan det rättsliga efterspelet, men jag tror inte att de kommer att döma dig för den vårdslösa bilfärden före olyckan. Fast du måste nog se dig om efter en ny bil", skämtade hennes bror med ett lite osäkert skratt.

Men det här var knappast något att skratta åt.

"Vad hände egentligen, Isabel?" frågade han utan att bekymra sig för att hon ännu inte svarat honom.

Hon snörpte lite med munnen. Kanske skulle han förstå. Lite, åtminstone.

Då hördes en mörk röst bortifrån Rakels säng.

"Jag är ledsen, men jag måste be er lämna salen, herr Jønsson. Isabel ska flyttas nu. Ni kanske kan gå ner i kafeterian så länge. Vi informerar er om var hon har hamnat när ni kommer tillbaka. Låt oss säga en halvtimme."

Det var inte någon av rösterna hon hört tidigare under dagen. Men när den upprepade sin begäran och hennes bror äntligen reste sig och med en tryckning av hennes hand förkunnade att han tänkte komma tillbaka lite senare, visste hon att det inte tjänade något till.

Hon kände nämligen igen rösten, som nu var den enda i rummet.

Jo, den kände hon tyvärr igen alltför väl.

Under en kort tid hade hon trott att den skulle ge henne det hon längtade efter.

Nu visste hon att inget kunnat vara mer fel.

39

Carl hade tillbringat natten hos Mona och var helt mörbultad. Den här gången hade hon inte inväntat kärleksfulla ord eller bedyranden om att hon var den enda för honom. Istället hade hon bara krängt blusen över huvudet och slitit av sig trosorna med sinnessjukt ofattbar akrobatik.

Efteråt tog det honom en halvtimme att inse var han befann sig och ännu en halvtimme att begrunda om han trodde sig kunna överleva ännu ett försök.

Hon var en helt annan kvinna än den som rest till Afrika. Plötsligt så synlig och så nära. Fina linjer runt ögonen, som fick honom att tappa andan när de drogs samman. Krusningar längs läppstiftskanten, som strax därpå skulle övergå i ett leende och fullkomligt tömma honom på tankar.

Om det överhuvudtaget fanns en kvinna för honom, så var det hon, tänkte han när hon återigen kröp intill honom med sin heta andedräkt och sina lockande smekningar.

*

Morgonen därpå, när hon väckte honom, var hon redan påklädd och redo för dagen. Sensuell, leende och svävande lätt.

Vilka ytterligare bevis krävdes det, när täcket naglade fast honom och benen var tunga som bly? Denna kvinna var honom totalt överlägsen.

"Vad är det med dig?" frågade Assad när de träffades vid tjänstebilen.

Carl orkade inte svara. Hur skulle han kunna det? Kroppen kändes fortfarande som en klubbad råbiff och kulorna dunkade som tandbölder.

"Då kommer Vedbysønder här framme", sa Assad efter att frånvarande ha betraktat vägens mittlinjer under en halvtimme.

Carl lät blicken vandra mellan GPS:en och en liten klunga gårdar och hus och sedan vidare ut över åkerlandskapet. Några få hus och en bra, asfalterad landsväg. Träd och buskage i dungar av varierande storlek. Inte alls någon dålig plats att plocka upp en lösesumma på.

"Du ska ner till den där byggnaden." Assad pekade framför sig. "Vi ska bara över bron, sedan får vi hålla ögonen öppna."

I samma sekund som första gården dök upp vid järnvägsbron kände Carl igen Martin Holts beskrivning. Hus både till höger och vänster om vägen. Banvallen bakom husen in till höger. Något längre fram ett par friliggande byggnader och så återvändsgränden som löpte på tvären ända fram till järnvägen.

Därefter ett smalt stråk av träd och tätare vegetation i svängen.

Detta var platsen där i alla fall två av kidnapparens offer hade kastat ut sina pengar genom tågfönstret.

De parkerade bilen vid återvändsgränden ner mot en smal viadukt och satte på blåljusen, så att andra bilister med säkerhet skulle se bilen i morgondiset.

Carl klev med besvär ur bilen och tyckte sedan att han måste stärka sig med en cigg. Assad däremot stod redan med blicken fäst på grästuvorna omkring sina fötter.

"Här är lite vått", sa Assad och talade närmast till sig själv. "Lite vått. Det har visserligen regnat nyligen, men inte särskilt mycket. Se själv."

Han pekade på ett antal djupare hjulspår.

"Där! Bilen har lugnt och stilla rullat fram till hit", sa han och satte sig på huk. "Men sedan har den gasat på, som om den plötsligt fått bråttom."

Carl nickade. "Ja, eller så hade hjulen helt enkelt svårt att fästa, eftersom det var vått." Carl tände sin cigg och såg sig omkring. De kände till två män som kastat ut sin säck med pengar genom tågfönstret här, men ingen av dem hade sett bilen. De hade bara sett det blinkande ljuset.

Vid dessa två tillfällen hade tåget kommit österifrån, så säcken kunde lika gärna ha hamnat borta vid det friliggande huset ett par hundra meter därifrån. Det såg nyrenoverat ut. Kanske hade husets ägare flyttat in först efter 2005, när Flemming Emil Madsens pappa kastade ut sin säck. Men det spelade ingen roll, för erfarenheten sa honom att de knappast skulle ha sett något av någon större betydelse.

Carl satte händerna bakom nacken och sträckte på sig medan röken från ciggen i mungipan blandade sig med dunsterna som marsvärmen tvingade upp ur jorden. Han hade fortfarande Monas doft i näsborrarna. Inte konstigt att han inte fick styr på sina tankar. Inte konstigt att han bara tänkte på nästa gång de skulle träffas.

"Titta, Carl. Nu lämnar en bil huset där uppe." Assad pekade upp mot det friliggande huset. "Ska vi inte stoppa den?"

Carls släppte ciggen och trampade den mot asfalten.

Damen bakom ratten såg skrämd ut, när hon visades in bakom den blinkande polisbilen.

"Vad gäller det?" frågade hon. "Har lyset slutat fungera?"

Carl ryckte på axlarna. Hur skulle han kunna veta det? "Vi är intresserade av det här området. Tillhör det er?"

Hon nickade. "Ja, bort till träden. Hur så?"

"Goddag, mitt namn är Hafez el-Assad", sa Assad och sträckte in sin ludna hand genom hennes fönster. "Har du sett någon kasta ut något från ett tåg här?"

"Nej, när skulle det ha varit?" frågade hon. Ögonen lyste lite mer än tidigare. Det var alltså inte henne det gällde.

"Flera gånger. För några år sedan, kanske. Kanske har du sett en bil som stått här och väntat?"

"Inte för några år sedan. Vi har nyligen flyttat in." Nu log hon lättat. "Ja, vi har precis blivit färdiga med ombyggnaden. Ni kan kan fortfarande se ställningarna på baksidan." Hon pekade bakåt och vände blicken mot Carl. Såg han ut att bättre begripa sig på byggnadsställningar än Assad?

Carl tänkte tacka för hjälpen, tänkte kliva åt sidan som en tullare och låta henne fortsätta sin bilfärd. Tänkte tända en ny cigarett och tänka lite mer på Mona.

"Fast en bil stod här i förrgår, i samband med den där fasansfulla trafikolyckan borta vid Lindebjerg Lynge", fortsatte kvinnan.

Carl nickade avfärdande. Därav hjulspåren i jorden.

Hennes ansiktsuttryck förändrades. "Jag hörde att den föregicks av en biljakt. Kvinnorna i den ena bilen blev allvarligt skadade. Min svåger är kusin med den ene av ambulansförarna. Han sa att de förmodligen inte skulle klara sig."

Ja, tänkte Carl. Även på landet körde folk som idioter. Vad fan skulle man annars fördriva tiden med här ute, om man inte fick trycka gasen i botten på bilen?

"Hur såg bilen ut som stod här?" frågade Assad.

Kvinnan drog ner mungiporna. "Vi hann bara se de röda bakljusen, innan de släcktes. Vi ser ändå hit från vardagsrummet, när vi sitter och tittar på teve. Min man och jag tänkte att det säkert var några som satt och hånglade." Hon nickade i sidled. Förmodligen betydde det att lite hångel tog man minsann inte skada av, för det hade hon själv sysslat med på sin tid.

"Men så var den med ens borta", fortsatte hon. "Vi såg några andra baklyktor, men de försvann också. Senare sa min man något om att det kunde ha varit en av bilarna från olyckan." Hon log ursäktande. "Fast han överdramatiserar förstås det mesta."

"Sa du att det hände i måndags?" Carl tittade bort mot hjulspåren. Den som stått där med bilen stod på ett, på många sätt, strategiskt ställe. Fin överblick. Nära banvallen. Skulle något oväntat inträffa var man ute på vägen igen på nolltid. "Du sa något om en olycka", fortsatte han. "Var inträffade den?"

"Borta på andra sidan av Lindebjerg Lynge. Min syster bodde bara några hundra meter därifrån." Hon skakade lite på huvudet. "Men nu har hon flyttat till Australien."

Kvinnan sa att eftersom hon ändå skulle åt det hållet kunde de ju bara följa efter.

Hon körde högst femtio kilometer i timmen genom skogen, med Carl liggandes tätt bakom.

"Borde du inte slå av blåljusen?" frågade Assad några kilometer längre fram.

Carl skakade uppgivet på huvudet. Jo, såklart. Vad tänkte han på? Denna snigelkortege måste sannerligen ha sett komisk ut.

"Titta där!" Assad pekade mot en bit av vägbanan där solen äntligen börjat värma bort daggen.

Carl såg det också. Bromsspår i den motsatta körbanan och tio meter längre fram ännu fler, men på deras sida av vägen.

Assad lutade sig fram mot vindrutan och knep ihop ögonen. I hans huvud pågick förmodligen en fiktiv biljakt i talande stund. Det var nästan så att han började snurra på sin inbillade ratt och trampa mot golvmattorna. "Där också", ropade han och pekade på nya spår, som tydde på en kraftig inbromsning.

Damen stannade framför dem och klev ur bilen.

"Det var här det hände", sa hon och pekade på ett träd där barken helt skalats av.

När de gick runt och letade hittade de krossat glas från lyktorna och kraftiga skåror i asfalten. En våldsam och ganska oförståelig olycka. För en närmare förklaring fick de nog kolla med kollegerna inom trafikenheten.

"Ska vi köra?" sa Carl.

"Vart då? Vill du att jag kör?"

Carl såg på sin partner. Framför sig såg han sin mörkhyade assistents vådliga användning av gaspedalen, vilket inte talade till hans fördel. Definitivt inte. "Vi kollar först med trafikenheten", sa han och satte sig i förarsätet.

*

Han kände inte mannen som haft hand om fallet och som stått för mätningarna, men han var ingalunda dum.

"Vi tog vraket till Kongstedsvej, så att vi kunde titta närmare på det", sa kollegan. "Vi hittade lite lack från en annan bil vid några av kollisionspunkterna, men vi vet ännu inte vilken sorts lack det rör sig om. Färgen är mörk, förmodligen antracit, men friktionen i kollisionsögonblicket kan naturligtvis ha påverkat nyansen."

"Och olycksoffren? Lever de?"

Han fick två personnummer. Det kunde han ju själv kolla.

"Du anser alltså att ytterligare en bil var inblandad i olyckan?" frågade Carl.

Kollegan i andra änden skrattade. "Nej, jag anser inget. Jag *vet*. Vi har bara inte gått ut med det ännu. Det finns tydliga indikationer på biljakt på vägsträckan åtminstone två och en halv kilometer före olycksplatsen. Det kördes fort och hänsynslöst. Om de två kvinnor ännu är i livet är det ett mirakel."

"Och alltså inga spår efter smitaren?"

Detta bekräftade mannen.

"Fråga honom om kvinnorna, Carl", viskade Assad intill honom.

Så då gjorde han det. Vilka var de? Vad hade de för relation till varandra? Sådana saker.

"Ja", svarade mannen i den andra luren. "Faktiskt kommer bägge från Viborgtrakten, så det är naturligtvis lite lustigt att de kolliderar på en landsväg långt i helskotta ute på den sydsjälländska vischan. Vi kan se att de har varit över bron flera gånger samma dag, men det är inte det märkligaste."

Carl förstod att snubben sparat det bästa till sist. Typiskt trafikpoliser. Kriminalare ska veta att de inte är de enda med spännande jobb.

"Vad är det märkligaste?" frågade han.

"Det märkligaste är att de strax innan brakade igenom bommen på Stora Bält-bron och därefter gjorde allt för att undvika polisen."

Carl vände blicken ut mot vägen igen. Det var som fan!

"Skulle du kunna mejla mig rapporten? Jag tar emot den på datorn här i bilen."

"Nu? Det måste jag först kolla med min överordnade."

Sedan lade han på.

*

Fem minuter senare satt de och läste polisens genomgång av kvinnornas bilfärd, och det var definitivt inte vardagsmat. De hade registrerats i fyra fartkameror, två gånger var som förare, och detta på en och samma dag. En sprängning av en bom på Stora Bält-bron. Vårdslös körning på E20:an. Förföljd av flera patruller på samma vägsträcka. De körde tillsynes en lång sträcka med släckta strålkastare, innan det hela slutade i en ödesdiger olycka på en skogsväg.

"Varför kör man från Viborg till Själland, tillbaka till Fyn och sedan återigen till Själland i hundranittio? Kan du svara på det, Assad?"

"Nej, det kan jag inte, Carl. Just nu tittar jag på det här."

Han pekade på listan över fartfällorna kvinnorna hamnat i. Så olika platser som E45 söder om Vejle, E20 halvvägs mellan Odense och Nyborg och sedan E20 igen söder om Slagelse.

Assads finger gled ner en rad i rapporten.

Carl tittade på adressen han pekade på. Tydligen hade kvinnorna även fångats i en provkamera ute på landet. Han hade i alla fall aldrig hört talas om byn ifråga. Ferslev, hette den, och de hade hållit åttiofem kilometer i timmen på en femtioväg. Lade man samman alla dessa förseelser och att det dessutom rörde sig om två olika förare, innebar det också att två kvinnor åtminstone skulle komma att förlora sina körkort.

Carl skrev in Ferslev på GPS:en och studerade kartan. Byn låg strax utanför Skibby. Ungefär halvvägs mellan Roskilde och Frederikssund.

Då lade Assad sitt finger på kartan och gled sakta upp till Nordskoven. Samma plats som Yrsa ansåg att ett båthus kunde vara placerat på.

Det här var besynnerligt.

"Ring Yrsa", sa Carl och lade i ettans växel. "Säg att hon måste skaffa fram upplysningar om de två kvinnorna. Ge henne personnumren och be henne att skynda sig. Säg också att hon ska ringa tillbaka och berätta var de två kvinnorna är inlagda och vilket deras tillstånd är. Det här har fått hela min kropp att börja klia."

Han hörde Assad prata, men noterade inte vad han sa. Bilden av de två kvinnornas vansinnesfärd genom landet körde i repris i hans huvud.

Förmodligen narkomaner, viskade hans lilla snusförnuft. Narkomaner eller i alla fall knarkkurirer. Något i den stilen och säkerligen påverkade också.

Han nickade för sig själv. Naturligtvis förhöll det sig så. Varför skulle de annars köra av vägen? Vad talade ens för att en smitare var inblandad? Det kunde väl likaväl handla om ännu en skräckslagen stackare som torpederades av vettvillingar med knark i blodet? En stackare som blivit rädd och bara ville bort därifrån.

"Okej", hörde han Assad säga och sedan avsluta samtalet.

"Fick du tag i henne?" frågade han. "Fattade hon vad hon skulle göra?"

Han försökte fånga Assads mycket fundersamma blick.

"Hallå! Assad! Vad sa Yrsa?"

"Vad Yrsa sa?" Han tittade upp. "Det vet jag inte. Jag pratade med Rose."

40

Han var inte nöjd. Inte alls nöjd.

Det hade gått knappt två dygn sedan olyckan och enligt nyheterna på radion höll den ena av den skadade kvinnorna på att återhämta sig. Den andra gav man inte stora chanser, men vem som var vem nämndes inte.

Oavsett vad kunde han inte längre vänta med sitt motdrag.

Dagen före hade han inhämtat information om en potentiell ny familj och sedan övervägt att köra upp till Isabels hus i Viborg och bryta sig in. Hennes dator måste försvinna. Fast vad spelade det för roll om hon ändå hade vidarebefordrat alla upplysningar om honom till sin bror? Dessutom var frågan hur mycket Rakel visste. Hade Isabel berättat allt för henne? Självklart hade hon det.

Nej, kvinnorna måste bort, det förstod han nu.

Han vände blicken mot himlen. Brottningsmatchen mellan honom och Gud pågick fortfarande och hade alltid gjort det. Ända sedan han var liten.

Varför kunde Gud inte bara låta honom vara ifred? Han samlade sina tankar, startade datorn och sökte upp numret till traumaenheten på Rigshospitalet. Där fick han tag i en myndig sekreterare, som inte hade mycket nytt att komma med.

Hon kunde i alla fall berätta att de bägge flyttats över till intensiven.

Han satt och studerade sitt anteckningsblock en stund.

Intensiven. ITA 4131.

Telefon 35454131.

Tre små upplysningar som betydde döden för vissa och livet för honom. Så enkelt kunde det formuleras, oavsett vilka ögon som vilade på honom från den allsmäktiga himlen.

Han googlade Rigshospitalets avdelningsnummer och fick upp webbplatsen för intensivvårdsavdelningen nästan överst i sökningen.

Det var en lättöverskådlig webbplats. Ren och klinisk som Rigshospitalet självt. Han klickade på *Praktisk info* och sedan *Information_för_ anhöriga.pdf*. Den här handledningen innehöll allt han behövde veta.

Han skummade igenom sidan.

Skiftbyte 15.30–16, stod det. Det var alltså då han skulle slå till. Då, när allt var som mest hektiskt.

I denna otroliga handledning stod det vidare att de anhörigas besök och blotta närvaro kunde vara till stor tröst och stort stöd för patienten. Han log. Alltså var han anhörig från och med nu. En blomsterbukett skulle ju vara tröstande. Sedan skulle han anta den rätta minen, så de tydligt såg hur illa berörd han var.

Han läste vidare. Det blev bara bättre. Det stod att familjemedlemmar och nära vänner till en inlagd patient var välkomna dygnet runt.

Nära vänner och dygnet runt! Han funderade ett slag. Det var kanske bättre att utge sig för att vara en vän, det var svårare att kolla upp. En nära vän och förtrogen till Rakel.

En i församlingen. Han skulle lägga sig till med en fin, sjungande och dryg mittjylländsk dialekt, vilket rättfärdigade att han stannade kvar länge. Så pass länge som nöden krävde. Han hade trots allt kommit långväga ifrån.

Allt detta och mer stod i gästhandledningen. Att man skulle vänta i anhörigrummet. Att man kunde laga te och kaffe. Att samtal med läkare var möjliga under dagtid. Det fanns inbjudande foton över sjuksalarna, noggranna anvisningar om hur sondapparater och observationsutrustning fungerade.

Han studerade bilderna av dessa mätinstrument och visste att det handlade om att döda snabbt och sedan se till att avlägsna sig därifrån så fort som möjligt. I samma sekund som en patient dog på en intensivvårdsavdelning som denna skulle larmen gå på alla instrumenten. Personalen i observationsrummet skulle veta det i samma sekund som det hände och vara där på nolltid. Inom loppet av sekunder skulle återupplivningsförsöken vara igång. De var proffs, vilket förstås var en självklarhet.

Alltså måste han inte bara döda snabbt, han måste också döda så att det inte gick att återuppväcka den döda, och framför allt var det viktigt att man inte omgående fattade misstankar om att dödsorsaken inte var naturlig.

Han tillbringade en halvtimme framför spegeln. Målade rynkor i pannan, satte på sig en peruk och förändrade området kring ögonen.

När han var färdig såg han på resultatet med tillfredsställelse. Detta var en man som drabbats av sorg. En äldre man med glasögon, gråsprängt hår och dålig hy. Ganska långt från verkligheten.

Han öppnade spegeldörren till sitt medicinskåp, drog ut en låda och letade fram fyra plastförpackningar bland många andra.

Helt vanliga kanyler av det slaget man köpte receptfritt på apoteket och som tusentals narkomaner sticker sig själva med dagligen, med samhällets goda minne.

Mer behövdes inte.

Det var bara att fylla kanylen med luft, ett snabbt stick i en åder och sedan trycka till. Döden skulle infinna sig inom loppet av sekunder. Han skulle hinna ta sig från den ena salen till den andra och göra sig av med dem bägge, innan alla larm ljöd.

Det handlade bara om tajming.

*

Han letade efter avdelning 4131. Instruktiva planscher och en hiss i stort sett jämte dörren, hoppades han. Kunde man bara numret på avdelningen visste man också ingång, våning och sektion, stod det i Rigshospitalets handledningsskrift.

Trappa 4, våning 13, sektion 1. Så borde det ha varit, men hissen gick bara upp till sjunde våningen.

Han såg på klockan. Det började bli ont om tid, skiftbytet närmade sig.

Han passerade ett par sjuklingar och hittade informationen vid huvudingången. Mannen innanför fönstret ansåg sig naturligtvis vara överkvalificerad för jobbet, men var effektiv och vänlig.

"Nej, du läser det fel. Det är trappa 41, våning 3, sektion 1. Gå bort till hissen vid trappan där borta."

Han pekade och skrev för säkerhets skull ner informationen på en lapp, som han sköt ut genom luckan. *Patienten ligger på avdelning*, stod det tryckt och sedan siffrorna antecknade med en kulspetspenna.

Vilken perfekt anvisning till gärningsplatsen. Nu så!

Han klev ur hissen på tredje våningen och kunde äntligen konstatera att skylten till intensivvårdsavdelning 4131 fanns här. En stängd dubbeldörr med vita förhängen. Hade man inte vetat bättre kunde det lika gärna ha varit en begravningsbyrå.

Han log. Det skulle det ju på sätt och vis också bli.

Var tempot detsamma innanför som utanför i korridoren, där inte en levandes själ syntes till och där det stod tomma gallervagnar överallt, passade det honom utmärkt.

Han slog upp svängdörrarna.

Avdelningen var större än han trott. Inte heller hade han förutsett en sådan aktivitet där inne. Han hade räknat med folk i djup koncentration som jobbade i det tysta, men så var det inte. Inte just nu i alla fall.

Kanske var tidpunkten inte den bästa trots allt

Han passerade två små öppna väntrum för de anhöriga och styrde stegen direkt mot receptionen. En färggrann, svängd sak som stoppade de flesta.

Sekreteraren nickade mot honom – hon skulle bara bli färdig med sina papper.

Han såg sig omkring under tiden.

Överallt fanns läkare och sjuksköterskor. Somliga inne i sjuksalarna, andra sittande i de små datorbåsen som fungerade som entréer in till de olika salarna. Dessutom människor som målmedvetet hastade fram och tillbaka i korridoren.

Det beror nog på skiftbytet, intalade han sig själv.

"Kommer jag oläglig?" frågade han sekreteraren på bred jylländska.

Hon tittade på sitt armbandsur och därefter vänligt på honom igen. "Kanske lite. Vem söker du?"

Nu växte den bekymrade minen, som han hade övat in. "Jag är vän med Rakel Krogh", sa han.

Hon lade huvudet på sned. "Rakel? Här finns ingen Rakel Krogh. Du menar inte Lisa Krogh?" Hon tittade på sin skärm. "Lisa Karin Krogh står här."

Vad fan tänkte han på? Rakel hette hon ju bara i församlingen, inte på riktigt. Det visste han ju.

"Åh, javisst ja, ursäkta. Lisa, såklart. Du förstår, vi tillhör samma församling, och där använder vi våra bibliska namn. Lisa kallar sig Rakel."

Sekreterarens ansiktsuttryck förändrades en smula, men inte så mycket som han hoppats. Trodde hon inte på vad han sa eller kände hon olust inför religiösa människor? Tänkte hon be om legitimation?

"Ja, jag känner ju även Isabel Jønsson", tillade han i ett försök att förekomma henne. "Vi är vänner alla tre. De kom hit tillsammans, om jag förstod dina kolleger nere på traumaenheten rätt. Var det så?"

Hon nickade. Ett litet sammanbitet leende, men ett leende trots allt. "Ja", sa hon. "De ligger där inne bägge två." Hon pekade mot salen och sa numret.

På samma sal? Det kunde inte bli bättre.

"Du får vänta ett litet ögonblick. Isabel Jønsson ska flyttas till en annan avdelning och läkaren och sjuksköterskorna håller på att förbereda det. Dessutom måste du vänta tills Isabel Jønssons andra besökare är klar. Vi ser helst inte att det är fler än en besökare åt gången." Hon pekade mot väntrummet närmast utgången. "Han sitter där nere. Du kanske känner honom?"

En bekymmersam upplysning.

Han vände sig snabbt om mot väntrummet. Jodå, ensam i rummet satt en man med armarna i kors. Han var polisklädd. Förmodligen Isabels bror, ja, nästan helt säkert. Samma höga kindben, samma ansiktsform och näsa. Det var verkligen inte bra.

Han såg på sekreteraren med en hoppfull min. "Isabel mår kanske bättre?"

"Om jag har förstått saken rätt, ja. Vi flyttar normalt inte på patienter om det inte förhåller sig så."

Om jag har förstått saken rätt, sa hon. Naturligtvis visste hon. Hon visste bara inte när överflyttningen skulle ske, men den kunde säkerligen ske när som helst.

Mycket olyckligt. Och så var hennes bror här.

"Är det möjligt att få prata med Rakel? Om hon är vid medvetande? Ursäkta, Lisa, menar jag förstås."

Hon skakade på huvudet. "Nej, Lisa Krogh ligger fortfarande djupt medvetslös."

Han böjde huvudet. "Men Isabel är väl vaken?" frågade han tyst.

"Det vet jag inte. Fråga sjuksköterskan där." Hon pekade mot en blond kvinna som såg mycket trött ut och som skyndade förbi med en hög journaler under armen. Sekreteraren vände sig mot en ny besökare som närmat sig disken. Audiensen var med andra ord över.

"Åh, ursäkta." Han sträckte upp handen för att stanna sjuksköterskan. *Mette Frigaard-Rasmussen*, stod det på namnskylten. "Kan du säga mig om Isabel Jønsson är vid medvetande? Är det möjligt att få prata med henne?"

Kanske var det inte hennes patient, kanske var det inte hennes vakt, kanske var det inte hennes dag eller så var hon bara slutkörd, men hon blängde på honom genom smala springor och svarade med en minst lika smal mun.

"Isabel Jønsson? Få se. Hon ..." För en sekund blev hennes blick tom. "Jo, hon är vid medvetande, men hon är starkt medicinerad och har brott på käkbenet. Hon kan alltså inte prata. Faktiskt kan hon inte kommunicera överhuvudtaget."

Sedan log hon mot honom med en kraftansträngning. Han tackade och lät henne kämpa vidare med resten av denna säkert tuffa dag.

Äntligen en god nyhet – Isabel kommunicerade inte. Då gällde det bara att dra nytta av situationen.

Han knep ihop munnen och smög bort från väntrummen och vidare in i korridoren. Alldeles strax skulle han få bråttom att komma därifrån. Han föredrog att ta hissarna utanför i godan ro, men det var bra att förvissa sig om alternativen.

Han gick förbi några salar med tillsynes svårt skadade människor, där läkare och sjuksköterskor lugnt och metodiskt arbetade runt omkring dem. I observationsrummet satt flera personer i vita rockar och stirrade på sina skärmar under dämpade samtal. Man hade full koll.

En sjukskötare passerade honom och undrade möjligtvis vad han hade där att göra. Så log de mot varandra och han gick vidare.

Väggarna pryddes av färger. Färger och intensiva tavlor. Till och med glasmålningar. Allt här utstrålade liv. Döden var inte välkommen.

Han rundade ett rött hörn och konstaterade att en korridor löpte parallellt med den han just befunnit sig i. Till vänster fanns uppenbarligen bara små rum, där personalen höll till. Det satt i all fall namnskyltar med titlar vid sidan av dörrarna. Han tittade till höger och trodde först att han skulle komma tillbaka till receptionen igen om han gick åt det hållet. Men när han tittade närmare såg det avspärrat ut. Å andra sidan fanns där ännu en hiss. En möjlig flyktväg.

Den vita rocken hängde innanför dörren till ett rum där det låg sängkläder och andra plagg på hyllorna. Förmodligen skulle den till tvätten tillsammans med allt det andra i rummet.

Han tog ett steg åt sidan, grep tag i rocken och lade den över armen. Sedan väntade han ett ögonblick innan han riktade stegen mot receptionen.

På tillbakavägen nickade han mot samma sjukskötare som tidigare och kände efter så att kanylerna låg kvar i jackfickan.

Naturligtvis gjorde de det.

Han satte sig i en blå soffa i det närmaste och minsta väntrummet utan att polisen i det större rummet bakom lyfte på blicken. Exakt fem minuter senare reste sig polisen från sin plats i väntrummet och gick ner mot receptionen. Två läkare och ett par skötare hade just lämnat salen som hans syster låg i, och under tiden höll nya ansikten bland personalen på att inta sina respektive poster.

Skiftbytet var i full gång.

Polisen nickade mot sekreteraren och hon nickade tillbaka. Jodå, kusten var klar. Isabel Jønssons bror kunde gå in.

Han följde mannen med blicken och såg honom försvinna in i sjuksalen. Om en liten stund skulle någon komma och hämta systern. Inte direkt den bästa utgångspunkten för vad han hade i åtanke.

Om Isabel verkligen var så bra att hon kunde flyttas, måste han döda henne först. Kanske blev det inte ens tid till annat.

Allt handlade om att skaffa sig tid. Därför måste han få ut brodern omgående, trots att det var riskabelt. Han gillade förstås inte tanken på att behöva närma sig mannen. Kanske hade Isabel berättat om honom, det sa hon ju att hon hade. Kanske var det här lite väl magstarkt. Åtminstone måste han se till att dölja ansiktet när han närmade sig mannen.

Han väntade tills sekreteraren började packa samman sina personliga saker för att lämna över platsen till nya krafter.

Då drog han på sig den vita rocken.

Det var nu det gällde.

*

Han kände inte omedelbart igen kvinnorna när han steg in, men längst in satt polisen och pratade med sin syster Isabel, samtidigt som han höll hennes hand.

Då måste alltså kvinnan vid dörren, med en mängd av masker, sonder och dropp omkring sig, vara Rakel.

Bakom henne tronade en vägg av avancerade maskiner med blinkande lampor och pipande ljud. Ansiktet var nästan helt övertäckt, liksom hennes kropp. Hur skadorna såg ut under täcket kunde man bara föreställa sig.

Han tittade bort mot Isabel och hennes bror. "Vad hände egentligen, Isabel?" hade brodern precis frågat.

Han förflyttade sig in mellan väggen och Rakels säng och böjde sig ner. "Jag är ledsen, men jag måste be er lämna salen, herr Jønsson", sa han medan han lutade sig över Rakel och drog upp hennes ena ögonlock, som om han undersökte hennes pupiller. Hon verkade sannerligen vara djupt medvetslös.

"Isabel ska flyttas nu", fortsatte han. "Ni kanske kan gå ner i kafeterian så länge. Vi informerar er om var hon har hamnat när ni kommer tillbaka. Låt oss säga en halvtimme."

Han hörde mannen resa sig och säga ett par avskedsord till systern. En man som förstod en order.

Han nickade kort mot polisen med bortvänt ansikte, när mannen försvann ut genom dörren. Sedan stod han kvar ett ögonblick och såg på kvinnan framför sig. Han skulle bli mycket förvånad om denna kvinna någonsin skulle komma att utgöra ett hot igen.

Då öppnade Rakel ögonen. Hon stirrade rakt på honom, som om hon var vid fullt medvetande. Stirrade med tom men ändå så intensiv blick att den skulle bli svår att skaka av sig. Sedan slöts ögonen igen. Han stod stilla under ett ögonblick för att se om det hände igen, men det gjorde det inte. Då hade det förmodligen rört sig om en reflex av något slag. Han lyssnade till pipljuden från instrumenten. Hjärtfrekvensen hade garanterat ökat den senaste minuten.

Då vände han sig mot Isabel, vars bröstkorg hävdes och sänktes allt snabbare. Hon visste alltså att han var där. Hon hade känt igen hans röst, men vad hjälpte det henne nu? Käken var fixerad och ögonen förbundna med gasbinda. Hon låg fast förankrad med en rad dropp och mätutrustningar kopplade till sig, dock inga sonder i munnen och inte heller någon respirator. Hon skulle snart komma att prata igen. Hon svävade inte i någon egentlig livsfara längre.

Så ironiskt att alla dessa livstecken kommer att bli hennes död, tänkte han. Redan när han närmade sig henne hade han börjat leta efter någon lämplig och tillräckligt pulserande blodåder på hennes arm.

Han tog upp en kanyl ur fickan, krängde ut delarna ur förpackningen och monterade ihop dem. Sedan drog han ut kolven helt och fyllde sprutan med luft.

"Du borde ha nöjt dig med det jag kunde ha gett dig, Isabel", sa han och konstaterade att hennes andning och hjärtrytm ökade ytterligare.

Inte bra, tänkte han och gick runt till den andra sidan om sängen och knuffade bort stödkudden från hennes arm. De såg ju Isabels reaktioner nere i observationsrummet.

"Lugn, Isabel", sa han. "Jag vill dig inget illa. Jag kom bara för att berätta att jag inte tänker skada barnen. Jag tar väl hand om dem. När du är bra igen skickar jag ett besked till dig om var de befinner sig. Tro mig. Det var bara för pengarna. Jag är ingen mördare. Det var bara det jag kom för att säga."

Han kunde konstatera att andningen fortfarande var häftig, men att hjärtrytmen hade gått ner något. Bra.

Han tittade bort mot Rakels instrument. Nu hördes nästan bara ett konstant pipande. Uppenbarligen hade hennes hjärta plötsligt rusat iväg.

Nu börjar det bli stressigt, hann han tänka.

Han grep hårt tag om Isabels arm, hittade en pulserande blodåder och stack in kanylen. Den gled in hur lätt som helst.

Hon reagerade inte det minsta. Förmodligen var hon så fullproppad av mediciner att han kunde ha stuckit nålen rakt igenom armen utan någon nämnvärd reaktion.

Han försökte trycka in kolven utan att lyckas. Då hade han alltså missat ådern.

Han drog ut kanylen och stack in den igen. Den här gången ryckte Isabel till. Nu visste hon vad han höll på med. Att han ville henne illa. Återigen steg hjärtrytmen. Han tryckte till igen, men kolven ville helt enkelt inte gå in. Det var väl själva fan! Då fick han hitta en ny blodåder.

Just då slogs dörren upp.

"Vad pågår här?" ropade en sjuksköterska med en blick som irrade mellan Rakels mätinstrument och den vilt främmande karlen i vit rock, som satt med en kanyl mot Isabels arm.

Han stoppade sprutan i fickan och for upp så snabbt att kvinnan inte hann reagera. Slaget mot hennes hals var kort men hårt, nästan som ett hugg, och hon föll till golvet innanför den öppna dörren.

"Se hur det är med henne, hon bara föll ihop. Jag tror att hon är överansträngd", ropade han till sjuksköterskan som kom springande från observationsrummet för att kolla upp varningssignalerna från de två kvinnornas mätinstrument. Inom loppet av sekunder var avdelningen som en myrstack. Myllrande människor i vitt samlades vid dörren till sjuksalen medan han snabbt skyndade mot hissarna.

Det här var helt sanslöst. För andra gången hade Isabel sekunderna på sin sida. Tio sekunder till och han hade pumpat en ny åder full med luft. Tio sekunder. Skulle tio sketna sekunder bli hans undergång?

Han hörde hektiska rop bakom sig innan dubbeldörren slog igen. Utanför hissrummet satt en mager man med mörka ringar under ögonen och väntade på besked från plastikkirurgen. Han nickade kort när han såg den vita rocken. Fantastiskt hur mycket de betydde på ett sjukhus.

Han tryckte på hissknappen samtidigt som han letade efter brandtrappan, men sedan kom hissen. Han nickade mot ytterligare ett par män i vita rockar och några besökare med sorgsna miner i hissen och lutade sig mot väggen för att dölja att han inte bar någon namnskylt.

På bottenvåningen höll han på att springa in i Isabels bror utanför hissen. Han hade uppenbarligen inte kommit längre.

De två männen han stod och talade med var tydligen några kolleger till honom. Ja, kanske inte den lille brune mannen, men åtminstone dansken. De verkade alla vara väldigt besvikna.

Det var de fanimej inte ensamma om.

Väl utomhus såg han en helikopter hovra högt ovanför byggnaden.

Traumaenheten kunde med andra ord förbereda sig för nästa laddning.

Perfekt, tänkte han. Ju fler olyckor, desto färre resurser att ta hand om dem som han hade placerat här.

Den vita rocken tog han av sig först när han stod under trädkronornas skugga på parkeringen där han hade ställt bilen.

Peruken kastade han i baksätet.

41

Han och Assad hade knappt hunnit ner i källaren, innan Carl lade märke till förändringarna, och de var inte till det bättre. Redan nere i slutet av trappan i rotundan låg kartonger och allt möjligt annat bråte och skräp. En massa stålhyllor stod uppradade längs väggarna och det klingande ljudet längre bort i källaren avslöjade att röran och oväsendet den här dagen förmodligen inte var slut på långa vägar.

"Vad i helvete!" utbrast han när han spanade in i den egna korridoren. Var fan hade nu dörren till asbesthelvetet blivit av? Var tusan var skiljeväggen de nyligen satt upp? Var det skivorna som stod lutade mot deras journalsystem och jättekopian av flaskpostbrevet?

"Vad händer här?" ropade han när Rose stack ut huvudet från sitt kontor. Gudskelov såg hon åtminstone ut att vara sig själv. Korpsvart kort hår, något slags vitt puder i ansiktet och massor av ögonskugga. Samma härliga mord i blicken som alltid.

"De tömmer källaren", sa hon oberörd. "Väggen stod i vägen."

Det var Assad som kom ihåg att hälsa henne välkommen tillbaka.

"Härligt att se dig igen, Rose. Du ser ..." Han stod en stund och letade efter rätt ord. Sedan log han. "Skönt att se att du är dig själv igen."

Kanske inte den formuleringen som Carl skulle ha valt.

"Tack för rosorna", sa hon. Hennes redan så målade ögonbryn reste sig ytterligare. Det måste vara någon form av känsloyttring.

Carl log snabbt. "Varsågod. Vi har saknat dig. Inte för att det var något fel på Yrsa", skyndade han sig att tillägga. "Men ändå."

Han pekade in i korridoren. "Det där med väggen innebär att Arbetsmiljöverket kommer igen", sa han. "Vad tusan är det som pågår här? Du säger att de tömmer källaren. Vad menar du med det?"

"Allt ska bort. Utom vi då, alltså. Arkivet, hittegods, postavdelningen och begravningsföreningen. Polisreformen, du vet. Det man ger med ena handen, du vet."

Då blev det i all fall gott om plats här nere.

Carl såg på henne. "Har du något åt oss? Vilka är de två kvinnorna från olyckan och hur är det med dem?"

Hon ryckte på axlarna. "Jaha, det. Det har jag inte hunnit med än, jag blev ju tvungen att få undan Yrsas grejer först. Är det bråttom då?"

Någonstans i ögonvrån såg Carl hur Assads avvärjande hand for upp. Ta det nu lugnt, annars sticker hon igen, betydde det. Så Carl räknade till tio inombords.

Jäkla kossa. Alltså hade hon ännu en gång vägrat göra det han bad henne om. Skulle hon köra den stilen igen?

"Jag ber så hemskt mycket om ursäkt, Rose", tvingade han sig själv att säga. "I framtiden ska vi med otvetydigt mycket större bestämdhet precisera våra behov. Vill du vara en ängel och skaffa fram upplysningarna till oss nu? För jo, det är faktiskt lite bråttom."

Han nickade omärkligt mot Assad, som svarade med tummen upp.

Rose knyckte med huvudet och visste inte riktigt vad hon skulle svara. Jaha, *nu* hade de lärt sig hur man tilltalade folk.

"För övrigt ska du vara hos psykologen om tre minuter, Carl, men det har du kanske glömt?" sa hon och tittade på sitt armbandsur. "Jag skulle hälsa och säga att du verkligen får lägga på ett kol."

"Vad menar du?"

Hon gav honom adressen. "Om du springer så hinner du nätt och jämnt. Mona Ibsen hälsar att hon är jättestolt över dig att du samarbetar."

Det var ett slag under bältet. Med andra ord kom han inte undan.

*

Anker Heegaardsgade låg bara två gator bort från Huset, men det var tillräckligt långt för att det skulle kännas som om någon tryckt in en vakuumpump i käften på Carl. Han var övertygad om att lungorna skulle kollapsa. Om det var så här Mona gjorde honom tjänster, fick hon gärna hålla igen lite på den fronten.

"Vad bra att du kom", sa psykologen Kris. "Var det svårt att hitta?"

Vad svarade man på sådant? Två gator bort. Utlänningsavdelningen, där han varit tusentals gånger tidigare.

Men vad gjorde psykologen där?

"Skämt åsido, Carl. Jag vet mycket väl att du hittar här som i din egen ficka. Du frågar säkert dig själv vad jag gör här i byggnaden. Men som psykolog händer det att man har ärenden hit till utlänningsavdelningen. Men det behöver jag säkert inte förklara för dig."

Den här var ta mig fan kusligt. Avlyssnade han hans tankar, eller vad var det frågan om?

"Jag har bara en halvtimme på mig", sa Carl. "Vi håller på med ett mycket brådskande fall."

Och då ljög han inte ens.

"Jaha." Kris skrev något i sin journal. "Nästa gång får du gärna se till så att du kan vara här hela den avtalade tiden, okej?"

Han tog fram en mapp som det måste ha tagit i alla fall två timmar att kopiera.

"Vet du vad det här är? Har du blivit informerad om det?"

Carl skakade på huvudet, men han hade en vag aning.

"Du kanske har en vag aning. Det är dina huvuddata och dessutom alla dokument i fallet som ledde fram till beskjutningen av dig och dina kolleger i kolonistugan ute på Amager. I samband med detta bör jag nämna att jag sitter på information som jag tyvärr inte får delge dig."

"Vad menar du?"

"Jag har rapporter från både Hardy Henningsen och Anker Høyer, som du jobbade med i utredningen. Av dem framgår det att du var mer insatt i fallet än de."

"Jaså? Det vet jag inte om jag håller med om. Varför skriver de så? Vi arbetade tillsammans med det fallet från dag ett."

"Ja, det är alltså en av sakerna vi kan komma att titta lite närmare på under de här sessionerna. Jag tror att det finns något i det här fallet som plågar dig, något som du antingen har förträngt eller som du kanske inte vill ut med."

Carl skakade på huvudet. Vad fan var nu det här? Stod han anklagad för något?

"Jag är överhuvudtaget inte plågad av något", sa han, alltmedan irritationen fick fäste i ansiktet, i form av hetta. "Det var ett helt vanligt fall. Bortsett då från att vi blev beskjutna. Vart är du på väg med det här?"

"Vet du varför du reagerar så starkt på nedskjutningen så här lång tid efter, Carl?"

"Ja, det skulle du fanimej också ha gjort, om du var en millimeter från att bli dödad medan två av dina bästa vänner inte hade samma tur."

"Menar du att Hardy och Anker var två av dina bästa vänner?"

"De var mina partner, ja. Mina pålitliga kolleger."

"Men jag anser faktiskt att där är en betydelseskillnad."

"Det kan du väl få. Men jag vet inte hur kul *du* skulle tycka det var att ha en förlamad man boende i ditt vardagsrum. Det har jag. Men det innebär kanske inte att man är en god vän enligt dig?"

"Missförstå mig inte. Jag är övertygad om att du är en lojal människa på alla sätt och vis. Dessutom har du säkert haft dåligt samvete för det här med Hardy Henningsen, så jag förstår mycket väl att du behöver göra en extra insats för honom. Men frågan är hur det egentligen stod till med ert partnerskap på den tiden när ni arbetade tillsammans. Var det bra då också?"

"Ja, det tycker jag." Satan i helvete vad den här mannen gick honom på nerverna.

"Vid obduktionen fann man att Anker Høyer hade kokain i blodet. Visste du det?"

När Carl hörde detta sjönk han längre ner i det som skulle föreställa en fåtölj. Nej, det hade han inte den blekaste aning om.

"Har du också tagit kokain, Carl?"

Plötsligt framstod dessa klarblå ögon som nu omslöt honom inte alls lika tillmötesgående. Ogenerat hade han flörtat med honom medan Mona såg på. Förtäckta bögblinkningar och läppar som putade och log på en och samma gång. Och nu det här, som mest påminde om ett tredje gradens korsförhör.

"Kokain? Det ska gudarna veta att jag inte har. Jag hatar skiten."

Psykologen Kris höll upp handen. "Okej, vi försöker med en annan tråd. Hade du någon kontakt med Hardys fru innan hon gifte sig med Hardy?"

Ska vi nu prata om henne igen? Han studerade mannen, som satt orörlig som en staty.

"Ja, det hade jag", sa han sedan. "Hon var väninna med en jag dejtade. Det var så Hardy och hon träffade varandra."

"Men ingen sexuell kontakt?"

Carl log. Nu hade han visst blivit varm i skorna. Hur allt det här skulle hjälpa mot åtstramningarna i bröstet var svårt att begripa.

"Du tvekar. Vill du inte svara?"

"Jag svarar att det här är den märkligaste form av terapi jag någonsin varit med om. När sätter du på tumskruvarna? Men nej, bortsett från lite kel och gos så hände det ingenting."

"Kel och gos? Vad inbegriper det?"

"Jamen för fan, Kris! Även om du är bög måste du väl kunna föreställa dig lite heterosexuellt betonad, ömsesidig kroppsutforskning."

"Du fick alltså …"

"Nej, ärligt talat, Kris. Jag tänker inte ge dig några detaljer. Vi kysstes och kände lite på varandra, men vi knullade inte. Okej?"

Även detta skrev han ner i sin journal.

Sedan riktade han sina klarblå ögon mot Carl. "Om vi återgår till fallet som går under namnet Spikpistolfallet framgår det av Hardy Henningsens anteckningar att du kanske hade kontakt med dem som sedan sköt ner dig. Stämmer det?"

"Nej, det gör det jävlar i mig inte. Det måste han ha missuppfattat."

"Okej." Han såg på Carl med ett ansiktsuttryck som förmodligen skulle mana till förtroende. "Nu är det ju faktiskt så här, Carl, att även om man kliar sig i röven när man går och lägger sig på kvällen, luktar fingrarna likförbannat morgonen därpå."

Herre Jesus! Skulle nu han också börja med det där?

*

"Jaha, är du kurerad nu?" frågade Rose ute i korridoren när han återvände. Hennes leende var något för brett.

"Mycket roligt, Rose. När jag går dit nästa gång kan du ju passa på att skriva in dig själv på en kurs i vett och etikett."

"Jaha." Hon var redan på väg ner i skyttegraven. "Räkna inte med att jag ska vara både vänlig och politiskt korrekt på en och samma gång."

Vänlig? Herregud!

"Vad har du kommit på om de två kvinnorna, Rose?"

Hon nämnde deras namn, adresser och åldrar. Medelålders bägge två. Inget kriminellt förflutet, helt vanliga människor.

"Jag har ännu inte kontaktat intensiven på Riket. Det ska jag strax."

"Vem ägde bilen de körde vid olyckan? Det glömde jag själv att fråga om."

"Har du inte läst olycksrapporten? Det gjorde Isabel Jønsson, men det var den andra, Lisa Karin Krogh, som körde."

"Jo, det vet jag. Är båda medlemmar i danska kyrkan?"

"Du kastar visst ur dig frågorna lite på måfå idag, va?"

"Är de det, frågade jag?"

Hon ryckte på axlarna.

"Ta reda på det, Rose. Och om de inte är det vill jag att du tar reda på vilken tro de i så fall bekänner sig till."

"Tror du jag är journalist, eller?"

Han kände hur irritationen steg, men blev avbruten av höga rop och skrik som kom från postavdelningen till.

"Vad händer?" ropade Assad.

"Ingen aning", svarade Carl. Han såg bara att det längst nere i korridoren stod en man med ett stålrör från en av de nya bokhyllorna över huvudet och att en uniformerad polis kom störtande mot honom från en sidokorridor. Så föll slaget från röret och polisen for bakåt.

Samtidigt upptäckte våldsmannen Q-avdelningens trojka, och utan att tveka började han rusa rakt mot dem med stålröret i högsta hugg. Rose drog sig undan, men Assad stod lugnt kvar intill Carl och väntade.

"Borde vi inte låta folket i vakten ta hand om honom, Assad?" sa Carl medan mannen började ropa något som de inte förstod.

Men Assad svarade inte. Han böjde sig framåt och höll ut armarna som en brottare. Dessvärre inte en pose som avskräckte angriparen, men han skulle nog önska att den hade gjort det. För i samma ögonblick som mannen nådde dem och måttade ett slag med röret över huvudet tog Assad ett språng snett uppåt och fångade vapnet med båda händerna. Med ytterst förvånande resultat.

Mannens armar böjde sig, så att stålröret for bakåt och med stor kraft träffade den egna axeln. Man hörde mycket tydligt hur något inuti honom brast.

Förmodligen för att vara på säkra sidan avslutade Assad sin motattack med att sparka tån rakt in i bukhålan på muskelberget. Det såg inte så trevligt ut. Ljuden som den desperata mannen undslapp sig ville man definitivt slippa att höra alltför ofta. Carl hade aldrig sett någon så hotfull bryta ihop så totalt på så kort tid.

Samtidigt som mannen låg där på sidan och vred sig med sitt brutna nyckelben och svåra smärtor i mellangärdet, skyndade fler poliser dit.

Det var först då Carl såg handfängslen som dinglade från mannens högra handled.

"Vi kom just in med honom på gård fyra – han skulle upp i Dommervagten", sa den ene medan de fick handfängslet på plats igen. "Jag fattar inte hur han fick av sig handbojorna, men han hoppade in genom lastluckan och ner till posten."

"Han hade ändå aldrig kommit undan", sa den andre polisen. Carl kände honom. En utmärkt skytt.

Poliserna dunkade Assad i ryggen. Det bekymrade dem inte att han tämligen enkelt hade skickat deras fånge till en längre sjukhusvistelse.

"Vem är killen?" frågade Carl.

"Han? Han har tydligen dödat tre serbiska indrivare de senaste två veckorna."

Först då såg Carl ringen, som grävt sig in i köttet på mannens lillfinger.

Carl fångade Assads blick. Inte heller nu såg han särskilt förvånad ut.

"Jag såg det nog", hördes en röst bakom dem, när poliserna släpade iväg med den stönande serben åt samma håll som de kommit från.

Carl vände sig om. Det var Valde, en av de pensionerade poliser som förestod begravningsföreningen. Vice ordförande, om Carl inte missminde sig.

"Vad tusan gör du här en onsdag, Valde? Träffas ni inte på tisdagar?"

Valde flinade och rev sig i skägget. "Jo, men det var kalas hos Jannik igår. Sjuttio år, du vet. Då får man ju rucka lite på traditionerna."

Sedan såg han på Assad. "Jäklar, kompis, det där skulle jag vilja se igen. Var har du lärt dig det tricket?"

Assad ryckte på axlarna. "Reaktion och aktion. Vad annars?"

Valde nickade. "Följ med in till oss. Du har gjort dig förtjänt av en gammeldansk."

"En gammal dansk?"

Assad såg oförstående ut.

"Assad dricker inte sprit, Valde", avbröt Carl. "Han är muslim. Men jag tar gärna en."

*

Där satt hela ligan. Mest gamla trafikpoliser, men också maskinchefen Jannik och några av polischefens gamla chaufförer.

Franskbröd, cigg, svart kaffe och gammeldansk. Pensionärerna hade det fanimej bra här i Huset.

"Mår du bra nuförtiden, Carl?" frågade en av dem, en man han lärt känna i Gladsaxes polisdistrikt.

Carl nickade.

"Ryslig grej, det där med Hardy och Anker. Hela fallet var rysligt. Löste ni det någonsin?"

"Tyvärr inte." Han vände sig mot fönstret ovanför skrivborden. "Vilken lyx med fönster. Det kunde vi behövt inne hos oss." Han konstaterade att alla fem rynkade pannan samtidigt.

"Vad?" sa han.

"Ja, du får förlåta mig, men här nere i källaren finns det fönster i alla rummen", svarade en av dem.

"Inte inne hos oss", sa Carl.

Maskinchef Jannik reste sig. "Jag har varit här trettiosju år och kan varenda liten vrå i den här fallfärdiga bunkern. Jag ska strax bege mig, så är du snäll och visar mig det där källarrummet med en gång?"

Vad hände egentligen med den utlovade gammeldansken?

"Här inne", sa Carl minuten senare. Han pekade upp på väggen, där hans platteve hängde. "Jag ser inget fönster."

Maskinchefen lutade sig något åt sidan. "Vad kallar du det?" Han pekade på väggen.

"Öh, en vägg?"

"Gipsskivor, Carl Mørck. Det är för fan gipsskivor. Mina män satte upp dem när vi använde rummen som reservdelslager. På den tiden stod det hyllor överallt här inne. Här och nere hos din trevliga lilla sekreterare. Samma hyllor som man senare använde för piketpolisens visir och hjälmar, som nu ligger och skräpar överallt." Han skrattade. "Kanske dags att kalla hem hönsen, Carl. Vill du att jag knackar hål åt dig, så att du får utsikt ut mot gatan, eller klarar du det själv?"

Det var som fan. "Men på andra sidan då?" Han pekade mot Assads lilla kyffe.

"Det där? Det är för böveln inget kontor, Carl. Det är en städskrubb. Självklart finns det inga fönster där inne."

"Jaha. Men då klarar säkert Rose och jag oss utan ett också. Kanske senare när de är färdiga med att kasta ut saker ur källaren och Assad fått en annan plats att sitta på."

Maskinchefen skakade på huvudet och skrattade för sig själv.

"Det är en jäkla röra här ute", sa han när de stod i korridoren. "Vad fan har ni gjort där?" Han pekade på resterna av skiljeväggen, som stod lutade mot Assads journalvägg och ner förbi Roses kontor.

"Vi byggde en skiljevägg på grund av rören där. Det faller asbest från dem. Arbetsmiljöverket bråkar om det som bara den."

"De där rören?" Jannik pekade upp i taket och vände sedan på klacken för att återgå till sin gammeldansk. "Det är bara att riva ner dem. Alla värmeledningar ligger nere i krypgrunden. Rören där fyller ingen som helst funktion."

Hans skratt ekade över stora delar av källaren.

Carl hade inte slutat svära när Rose kom gående mot honom. Då hade hon kanske gjort sitt jobb för en gångs skull.

"De lever bägge två, Carl. Den ena, Lisa Karin Krogh, svävar fortfarande mellan liv och död, men den andra ser ut att klara sig."

Han nickade. Bra, då fick de köra dit och prata med henne.

"Och när det gäller deras religiösa tillhörighet, så är Isabel Jønsson medlem av danska kyrkan och Lisa Krogh är med i något som kallas Moderkyrkan. Jag har ringt och pratat med deras granne i Frederiks. Det rör sig visst om någon sorts konstig sekt, som försöker hålla sig för sig själv. Något som Lisa Kroghs man, enligt grannfrun då, lockades in i av Lisa Krogh. De har också antagit nya namn. Mannen kallar sig Joshua och kvinnan Rakel."

Carl drog ett djupt andetag.

"Men det är inte allt", sa hon och skakade på huvudet. "Våra kolleger nere i Slagelse har hittat en sportbag i buskarna vid olycksplatsen. Den har av allt att döma slungats ut ur bilen vid olyckan. Gissa vad den innehöll. En miljon kronor i använda sedlar."

"Jag kunde inte låta bli att lyssna", sa Assad bakom Carl. "Allsmäktige Allah!"

Allsmäktige Allah! Han tog orden ur munnen på Carl.

Rose lade huvudet på sned. "Jag har fått information om att Lisa Karin Kroghs man dog på måndagskvällen på tåget mellan Slagelse och Sorø. Mer eller mindre samtidigt som hans hustru körde av vägen. En hjärtattack, enligt obduktionen."

"För helvete!" utbrast Carl. Allt det här lät ju fullständigt vansinnigt. Alla möjliga onda aningar smög sig på honom och kalla kårar for upp och ner längs ryggen.

*

"Vi tittar in till Hardy först, innan vi tar hissen upp till Isabel Jønsson", sa Carl. Han tog "slickepinnen", som man brukade vinka in lagöverträdarna med, ur handskfacket och placerade den i framrutan. Perfekt att mota bort lapplisorna med om man behövde felparkera.

"Är det okej att du väntar utanför? Jag måste fråga honom ett par saker."

Carl fann Hardy i ett rum med utsikt, som man sa. Enorma fönster där man såg stora delar av himlen och molnen som höll på att slita sig loss från varandra, likt bitarna i ett förstört pussel.

Enligt Hardy var det inget fel på honom. Lungorna var torrlagda och undersökningarna snart klara. "Men de tror mig inte när jag säger att jag kan röra på handleden", sa han.

Det kommenterade inte Carl. Om det nu var en fix idé från Hardys sida var det definitivt inte hans uppgift att slå den ur huvudet på honom.

"Jag har varit hos psykologen idag, Hardy. Inte hos Mona, men hos en liten skit som heter Kris. Han informerade mig om att du har skrivit saker om mig i en rapport som du inte visat mig. Minns du något om det?"

"Jag skrev bara att du kände till fallet bättre än Anker och jag."

"Varför skrev du det?"

"För att du gjorde det. Du kände den gamle mannen, Georg Madsen, som vi hittade mördad."

"Det gjorde jag ju inte, Hardy. Jag visste ingenting om den där Georg Madsen."

"Jo, det gjorde du. Du hade använt honom som vittne i ett annat fall, jag kommer inte ihåg vilket, men det hade du."

"Då minns du fel, Hardy." Han skakade på huvudet. "Men det är skit samma. Jag är här i ett annat ärende och ville bara titta till dig. Jag skulle hälsa från Assad, han är också här."

Hardy höjde på ögonbrynen. "Innan du går, Carl, måste du lova mig en sak."

"Fram med det, så får vi se vad jag kan göra."

Hardy svalde ett par gånger, innan han klämde fram det. "Du måste låta mig få komma hem till dig igen. Jag dör om du inte gör det."

Carl såg honom i ögonen. Fanns det någon som med viljans makt kunde påskynda sin hädanfärd, så var det han.

"Naturligtvis, Hardy", viskade han.

Då fick Vigga fanimej också hålla sig till den där turbanesen Gurkmeja.

*

De väntade på hissen vid trappa 3, när dörren öppnades och en av Carls gamla instruktörer från Polishögskolan klev ut.

"Karsten!" utbrast Carl och höll fram näven.

Han belönades med ett leende när han slutligen blev igenkänd. "Carl Mørck", sa Karsten efter ett par sekunders betänketid. "Se där, även du blir visst äldre med åren."

Carl log. Karsten Jønsson. Ännu en lovande karriär som slutat på trafikenheten. Ännu en man som visste hur man undgick att bli uppäten av systemet.

De pratade om den gamla goda tiden och hur svårt det efter hand hade blivit att vara polis, innan de tog varandra i hand igen för att säga adjö.

På något underligt sätt borrade sig Karsten Jønssons handslag in i honom som en föraning, innan hjärnan registrerade varför. Denna oroväckande och odefinierbara känsla, som bromsade upp allt annat. Först känslan och därefter vissheten om att något höll på att gå upp för honom.

Allt kom på en gång. Såklart. Det var helt enkelt för bra för att vara sant.

Karsten ser ledsen ut, tänkte Carl. Han har stigit ut ur hissen som leder upp till intensivvårdsavdelningen. Han heter Jønsson. Naturligtvis hänger det ihop, blev hans slutsats.

"Säg mig, Karsten, är du här på grund av Isabel Jønsson?" frågade han.

Han nickade. "Ja, det är min lillasyster. Arbetar du med henne?" Carl skakade oförstående på huvudet. "Men du jobbar väl på avdelning A?"

"Nej, inte nu längre. Men lugn, jag vill bara fråga henne ett par saker."

"Det tror jag blir svårt. Hennes käke är fixerad och hon är tungt medicinerad. Jag kommer just därifrån och hon sa inte ett ord. Jag har precis blivit utkörd därifrån, eftersom hon tydligen ska flyttas till en annan avdelning. Jag blev ombedd att vänta en halvtimme eller så i kafeterian."

"Jaha. Men då tror jag att vi ska skynda oss upp innan hon flyttas. Det var trevligt att se dig igen, Karsten."

Det plingade till och dörrarna till ytterligare en hiss gick upp. En man i vit rock klev ut.

Han såg kort på dem med en mörk blick.
Sedan tog de hissen upp.

*

Carl hade varit på denna avdelning många gånger förut. Folk som oturligt nog korsade vägen för idioter med vapen hamnade ofta här. Det här var våldets näst yttersta konsekvens.

Här arbetade skickliga människor. Det här var kanske det ställe där han helst ville hamna om det skulle gå riktigt illa för honom.

Han och Assad öppnade dörren och stirrade ut över ett myller av sjukhuspersonal. Tydligen var det just nu frågan om en nödsituation av den mer allvarliga karaktären. Inget bra tillfälle att dyka upp på, det förstod han.

Han visade sin bricka vid disken och presenterade även Assad. "Vi är här för att ställa några frågor till Isabel Jønsson. Jag är rädd att det är ganska bråttom."

"Och jag är rädd att det inte är möjligt just nu. Lisa Karin Krogh, som ligger i samma sal som Isabel Jønsson, har just avlidit och Isabel Jønsson mår inte heller hon särskilt bra. Dessutom har en av sjuksköterskorna blivit överfallen. Vi misstänker att någon försökt mörda de två kvinnorna, men vi är ännu inte säkra. Sjuksköterskan är fortfarande medvetslös."

42

De hade suttit i väntrummet i en halvtimme medan intensiven kämpade för att hamna på rätt köl igen.

Då reste sig Carl och gick bort till receptionen. De kunde helt enkelt inte vänta längre.

"Du råkar inte ha den avlidna Lisa Karin Kroghs kontaktinformation?" frågade han sekreteraren och höll fram polisbrickan. "Jag behöver hennes hemnummer."

Ett ögonblick senare stod han med en lapp i handen.

Han tog fram sin mobil och återvände till Assad, vars ben efter hand hade börjat påminna om en trummis ben.

"Stannar du här och håller koll på läget?" sa han. "Jag är ute vid hissarna. Hämta mig när vi får klartecken att komma in i salen, okej?"

Sedan ringde han Rose. "Jag skulle gärna vilja ha all information som går att få fram för det här telefonnumret. Namn och personnummer på alla personerna som bor på adressen. Och, Rose, jag behöver den nu, är det uppfattat?"

Hon muttrade lite, men sa att hon skulle se vad hon kunde göra.

Han tryckte på hissknappen och tog sig ner till bottenvåningen igen.

Minst femtio gånger under årens lopp hade han passerat kafeterian utan att besöka den. Alldeles för feta leverpastejmackor till alldeles för feta priser, åtminstone för den allmosa som var hans tjänstemannalön. Den här gången var inte annorlunda. Hungrig var han, men han hade så att säga annat för sig.

"Karsten Jønsson!" ropade han och såg hur den blonde mannen sträckte på sig för att se vem det var som ropade hans namn.

Carl bad honom följa med och berättade under tiden vad som hänt på avdelningen sedan han blev ombedd att gå ner och vänta.

Efter det verkade den sturska polisen inte så stursk längre. Oron i hans ansikte var påtaglig.

"Ett ögonblick", sa Carl när de nådde tredje våningen och hans mobil ringde.

"Gå du in så länge, Karsten. Hämta mig om det behövs."

Han föll på knä intill väggen, höll fast mobilen mot det ena örat med axeln och lade anteckningsblocket på golvet. "Ja, Rose, vad har du hittat?"

Hon nämnde adressen och därefter sju namn och deras respektive personnummer. Pappa, mamma och fem barn. Josef som var arton år, Samuel som var sexton, Miriam, fjorton, Magdalena, tolv, och Sarah, tio. Han skrev ner allt.

Var det mer han ville veta? Han skakade på huvudet och slog ihop mobilen utan att riktigt ha svarat på hennes fråga.

Det här var upprörande information.

Fem barn utan en mamma och en pappa, och två av barnen svävade med största sannolikhet i livsfara. Samma mönster som de andra gångerna. Kidnapparen hade slagit till mot en sektanknuten familj med många barn. Skillnaden den här gången var bara att han knappast tänkte skona det ena av de kidnappade barnen, som han brukade. Varför skulle han det?

Carl visste att de brottades med svåra och känsliga frågor, men alla instinkter i honom skrek för full hals. Nu handlade det om att förhindra fler mord och en hel familjs utplåning. Det fanns ingen tid att förlora. Fast vad kunde han göra? Utöver den döda kvinnans barn och sekreteraren, som tagit emot mördaren och som nu var på väg hem med en avstängd mobil, fanns det bara en till som möjligtvis kunde identifiera mördaren, och hon låg där inne någonstans bakom dörrarna. Blind, stum och i ett tillstånd av dödlig chock.

Mördaren hade varit där samma dag. En sjuksköterska hade sett honom, men hon var fortfarande inte vid medvetande. Situationen var mer än hopplös.

Han läste i sitt anteckningsblock och ringde upp hemnumret i Frederiks. Det var i stunder som dessa som han verkligen hatade sitt jobb.

"Det är Josef", svarade en röst. Carl tittade i blocket. Det äldsta barnet. Gudskelov!

"Hej, Josef. Du talar med vice poliskommissarie Carl Mørck från avdelning Q i Köpenhamn. Jag …"

Det klickade till i luren.

Carl stod kvar en stund och försökte komma på vad han gjort för fel.

Han borde förstås inte ha gett sig till känna på det sättet. Polisen hade garanterat redan varit där och berättat för barnen att deras pappa var död. Josef och hans syskon var utan tvivel chockade.

Han tittade ner i golvet. Hur skulle han komma nära inpå den här killen utan att förlora dyrbar tid?

Han ringde Rose.

"Ta din väska, Rose", sa han. "Skaffa en taxi. Du ska till Rigshospitalet, och fort ska det gå."

*

"Ja, det är en mycket beklaglig situation", sa läkaren. "Så sent som i förrgår hade vi en fast stationerad polis här på avdelningen, eftersom vi hade offer för gängkriget liggande här. Vore han här idag hade det inte hänt. Tyvärr, måste jag väl säga, skickade vi de två sista våldsmännen vidare i systemet igår kväll."

Carl lyssnade. Läkaren hade ett vänligt och varmt ansikte. Inga onda aningar där inte.

"Vi förstår naturligtvis att polisen vill fastställa angriparens identitet så fort som möjligt, vilket vi, i den mån vi kan, också gärna vill vara er behjälpliga med, men den överfallna sjuksköterskans situation är tyvärr sådan att vi ur läkarsynpunkt måste sätta hennes hälsa i första rummet. Hon har möjligtvis ett brott på en halskota och befinner sig i ett chocktillstånd. Henne får ni helt enkelt vänta med att förhöra till tidigast imorgon förmiddag. Låt oss hoppas att vi snart får tag i sekreteraren som såg angriparen tidigare idag. Hon bor i Ishøj och är väl hemma om tjugo minuter, om hon åker raka vägen hem."

"Vi har redan en man som väntar vid hennes bostad, för att inte förlora tid. Men Isabel Jønsson?" Carl såg frågande på hennes bror och fick en nickning i retur. Det var okej med honom att Carl frågade ut henne.

"Ja. Hon är av förståeliga skäl säkerligen mycket upprörd. Hennes andning och hjärtrytm är ännu instabil, men det är vår bedömning att det kanske kan vara bra för henne att komma i kontakt med sin bror. Om fem, tio minuter är vår undersökning av henne klar och då kan han få komma in till henne."

Carl hörde hur det väsnades borta vid entrén. Det var Rose som med sin väska försökte lösgöra sig från det vita draperiet innanför dörrarna.

Kom, vi går ut, sa hans vinkningar till Assad och Rose.

"Vad ska du med mig till?" sa Rose ute i korridoren. Hela hon utstrålade att den sista plats hon ville vara på var i detta hissrum utanför en intensivvårdsavdelning. Hon kanske hade problem med sjukhus.

"Jag har en svår uppgift åt dig", sa Carl.

"Vad?" sa hon redo att vända på klacken och rusa därifrån.

"Du ska ringa till en pojke och berätta för honom att han måste hjälpa oss här och nu, annars dör två av hans syskon. Det är i alla fall min bestämda åsikt. Han heter Josef och är arton år. Hans pappa dog i förrgår och hans mamma är inlagd här på intensiven, vilket han säkert redan har fått veta av Viborgpolisen. Däremot vet han inte att hans mamma dog inne i den där salen för en stund sedan. Det skulle vara mycket oetiskt att ge honom det beskedet över telefonen, men kanske blir det ändå nödvändigt. Det är nu upp till dig, Rose. Han måste bara svara på dina frågor. Oavsett vad."

Hon tycktes lamslagen och försökte protestera ett par gånger, men nöden verkade stå emot hennes rädsla. Hon såg ju på Carl hur bråttom det var.

"Varför jag? Varför inte Assad eller du själv?"

Han förklarade att pojken redan kastat luren i örat på honom. "Vi behöver en neutral röst. En vacker och mjuk kvinnoröst som din."

Om han vid vilket annat tillfälle som helst sagt detta om hennes röst, hade han aldrig klarat att hålla sig för skratt. Men i den här stunden fanns det inget att skratta åt. Hon måste bara göra det.

Han instruerade henne om vad han behövde få veta av pojken och drog sig sedan undan några steg med Assad.

Det var första gången han sett Roses händer skaka. Kanske skulle Yrsa ha hanterat det bättre? Märkligt nog var oftast de mest hårdkokta de mjukaste inuti.

De såg henne prata långsamt och försiktigt lyfta handen, som om hon ville stoppa pojken från att avbryta henne. Flera gånger pressade hon samman läpparna och tittade upp i taket, för att inte själv bryta ihop och börja gråta. Det var inte lätt att betrakta på avstånd. Så många saker rasade just nu. Hon hade just berättat för grabben att han och hans syskons liv aldrig skulle bli detsamma igen. Carl förstod blott alltför väl vad hon kämpade mot.

Sedan öppnade hon munnen och lyssnade uppmärksamt samtidigt som hon torkade ögonen. Hon andades djupare, ställde den ena frågan efter den andra och gav pojken i andra änden tid att svara. Efter några minuter vinkade hon sedan till sig Carl.

Hon höll för luren. "Han vill inte prata med dig, bara med mig. Han är mycket, mycket upprörd. Men du får gärna ställa frågor."

"Snyggt gjort, Rose! Bägge två. Har du frågat honom om det vi pratade om?"

"Ja."

"Har vi ett aktuellt signalement och ett namn?"

"Ja."

"Något som leder oss direkt till mannen?"

Hon skakade på huvudet.

Carl tog sig för pannan. "Oj, då tror jag inte att jag har något att fråga om. Ge honom ditt nummer och be honom ringa om han kommer på något." Hon nickade och Carl drog sig undan.

"Inte mycket till hjälp därifrån", sa han och lutade sig mot väggen. "Det här är verkligen illa."

"Vi kommer att ta honom, ska du se", svarade Assad. Men han hade samma farhågor som Carl. De skulle inte hinna innan barnen var borta.

"Ge mig en minut bara", sa Rose när hon avslutat samtalet.

Hon stirrade ut i luften med tom blick, som om hon för första gången fått se världens baksida och nu inte ville se mer.

Hon stod så länge, helt frånvarande, medan hennes ögon simmade i tårar. Carl försökte med ren viljekraft att få sekundvisaren på sin klocka att gå långsammare.

Hon svalde ett par gånger. "Okej, jag är redo", sa hon slutligen. "Kidnapparen har två av Josefs syskon. Samuel, som är sexton, och Magdalena, som är tolv. Kidnapparen tog dem i lördags och hans mamma och pappa försökte skrapa ihop lösesumman. Isabel Jønsson ville hjälpa dem, men Josef vet inte riktigt hur hon passar in i bilden. Hon dök upp först i måndags. Mer visste han inte. Föräldrarna har inte berättat så mycket."

"Kidnapparen då?"

"Josef beskrev honom precis som på fantombilden. Han är över fyrtio och möjligtvis något längre än genomsnittet. Han går inte på något speciellt sätt. Dessutom tror Josef att han färgar håret och ögonbrynen. Han är också mycket väl insatt i teologiska frågor." Hon stirrade rakt framför sig. "Om jag någonsin stöter på det jävla svinet ska jag …" Hon avslutade inte meningen. Hennes ansiktsuttryck sa allt.

"Vem var hos barnen?" frågade Carl.

"Någon från deras kyrka."

"Hur tog Josef det?"

Hon viftade med handen framför ansiktet. Hon ville inte prata om det. I alla fall inte just nu.

"Han sa också att mannen inte kunde sjunga", fortsatte hon med darrande nattsvarta läppar. "Han hade hört honom sjunga under mötena och det lät inte bra. Han kör en skåpbil. Inte diesel, det frågade jag om. Den lät i alla fall inte som en dieselbil, sa han. En ljusblå skåpbil utan några direkta kännetecken. Han kom inte ihåg registreringsnumret och visste inte heller vilken modell det rörde sig om. Han är inte särskilt intresserad av bilar."

"Var det allt?"

"Kidnapparen kallade sig Lars Sørensen, men en gång när Josef ropade på honom hade han inte omedelbart reagerat på förnamnet, så grabben trodde inte att det var hans riktiga namn."

Carl antecknade i sitt block.

"Ärret då?"

"Det var inget han lagt märke till." Hon pressade ihop läpparna igen. "Det kan inte ha varit särskilt utmärkande."

"Inget mer?"

Med slokande ögonbryn skakade hon på huvudet.

"Tack, Rose! Du kan åka hem nu. Vi ses imorgon." Rose nickade, men blev stående. Hon behövde säkert mer tid att återhämta sig.

Han vände sig mot Assad. "Då har vi bara hon där inne i sjuksalen att klamra oss fast vid, Assad."

*

När de smög in i salen samtalade Karsten Jønsson med systern i ett dämpat tonläge. En sjuksköterska höll fingrarna mot Isabel Jønssons handled. Enligt displayen var hennes hjärtrytm normal. Hon hade med andra ord lugnat sig.

Carl vände blicken mot sängen bredvid. Ett vitt lakan med konturen av en kropp under. Inte en fembarnsmamma eller en kvinna som höll på att dö med en stor sorg inom sig. Bara en kropp under ett lakan. Bråkdelen av en sekund i en bil och nu låg hon där. Allt var slut.

"Får vi komma närmare?" frågade han Karsten.

Han nickade. "Isabel vill gärna tala med oss, men vi har problem att förstå henne. Det funkar inte med en pektavla, så nu håller sjuksköterskan på att avlägsna bandagen från höger hand. Isabel har benbrott på båda underarmarna och på flera av fingrarna, så frågan är om hon ens kan hålla i en penna."

Carl såg på kvinnan i sängen. En haka som påminde om broderns, i övrigt var det svårt att skapa sig en bild av denna människa.

"Hej, Isabel! Jag är vice poliskommissarie Carl Mørck från avdelning Q på Köpenhamns polishus. Förstår du vad jag säger?"

"Mmmmm", kom det från henne och sjuksköterskan nickade.

"Jag ska kort försöka förklara varför jag är här." Sedan började han berätta om flaskposten och de övriga kidnappningarna och att han nu befann sig mitt uppe i ett liknande fall. De märkte alla hur samtliga mätinstrument påverkades av hans ord.

"Jag är ledsen för att du ska behöva höra allt det här, Isabel. Jag vet hur svårt det redan är för dig, men det är trots allt mycket bråttom. Har jag rätt om jag påstår att du och Lisa Karin Krogh är djupt involverade i något som påminner om fallet med flaskposten jag nyss berättade om?"

Hon nickade svagt och mumlade något som hon upprepade ett antal gånger innan hennes bror satte sig upp och såg på dem. "Jag tror hon säger att kvinnan heter Rakel."

"Det stämmer", sa Carl. "Vi vet att hon använde ett annat namn inom sin församling."

Kvinnan i sängen nickade lätt.

"Stämmer det att du och Rakel i måndags försökte rädda Rakels två barn Samuel och Magdalena och att det var då ni körde av vägen?" frågade han sedan.

De såg hur hennes läppar började darra. Hon nickade svagt igen.

"Vi tänker sätta en penna i din hand nu, Isabel. Din bror hjälper dig."

Sjuksköterskan försökte få henne att greppa blyertspennan, men fingrarna vägrade lyda henne.

Sköterskan skakade på huvudet och såg på Carl.

"Då blir det svårt", sa hennes bror.

"Låt mig försöka", hördes det bakom dem. Det var Assad som klev fram.

"Ja, ursäkta, men min pappa fick afasi när jag var tio år. En blodpropp, bara så där! Sedan var alla orden borta. Bara jag kunde förstå honom. Ända fram tills han dog."

Carl såg fundersam ut. Då var det alltså inte pappan Assad hade skajpat med häromdagen.

Sjuksköterskan reste sig och överlät platsen åt Assad.

"Ja, ursäkta, Isabel. Jag heter Assad och kommer från Syrien. Jag är Carl Mørcks assistent och jag tänkte att vi skulle prata lite. Carl talar och jag lyssnar till din mun. Är det okej?"

Det kom en närmast omärklig nick.

"Såg du vilket slags bil det var som körde in i er?" frågade Carl. "Märke och färg? Gammal eller ny?"

Assad lade örat nära hennes mun. Hans ögon följde livfullt med i varenda väsning och vissling som kvinnan åstadkom genom sin tandställning.

"En mörk Mercedes. Ganska gammal", upprepade Assad.

"Kommer du ihåg registreringsnumret, Isabel?" frågade Carl.

Om hon gjorde det fanns det ännu hopp.

"Nummerplåten var skitig. Hon såg nästan inget i mörkret", svarade Assad efter en längre stund. "Men det slutade förmodligen på 433, fast Isabel är osäker på treorna. Det kan lika gärna ha rört sig om åttor eller bägge."

Carl funderade. 433, 438, 483, 488. Bara fyra kombinationer. Det verkade överkomligt.

"Fick du med det, Karsten?" frågade han. "En mörk Mercedes av en inte helt ny årgång, där registreringsnumret slutar på 433, 438, 483 eller 488. Den uppgiften är som klippt och skuren för en kommissarie inom trafikenheten."

Han nickade. "Visst, Carl, och vi kan snabbt ta reda på hur många äldre Mercedesbilar som kör runt med dessa slutsiffror. Men det blir lite knivigare med färgen. Dessutom är inte Mercedes någon vidare ovanlig syn på de danska vägarna längre. Det kan med andra ord finnas en hel del med de sifferkombinationerna."

Han hade förstås rätt. Det var en sak att hitta bilarna, en annan att kolla upp ägarna. Det skulle ta mer tid än de hade.

"Har du något annat som kan hjälpa oss, Isabel? Ett namn eller något annat?"

Hon nickade igen. Det gick långsamt och var uppenbarligen mycket mödosamt för henne. Flera gånger hörde de Assad viskande be henne upprepa vad hon just sagt.

Sedan kom alla tre namnen samtidigt: Mads Christian Fog, Lars Sørensen och Mikkel Laust. Tillsammans med det fjärde från Poul Holt-fallet, Freddy Brink, och det femte från Flemming Emil Madsen-fallet, Birger Sloth, hade de totalt elva för- och efternamn att arbeta med. Det bådade inte gott.

"Jag tror inte att han heter något av de här namnen", sa Carl. "Om vi letar efter hans namn är det antagligen just allt annat än de här."

Assad fortsatte att lyssna till Isabels ansträngningar att hjälpa dem.

"Hon säger att det ena namnet står på hans körkort. Hon vet också var han har hållit till", sa Assad.

Carl ryckte till. "Har hon en adress?" frågade han.

"Ja, och en sak till", svarade Assad efter ännu ett koncentrerat ögonblick. "Han hade en ljusblå skåpbil. Det numret kan hon i huvudet." Det dröjde en minut innan de hade antecknat hela numret.

"Jag sätter igång meddetsamma", sa Karsten, innan han reste sig och gick.

"Isabel säger att mannen har ett ställe i en by på Själland", fortsatte Assad. Han vände sig åter mot Isabel. "Jag förstår inte vad du försöker säga att byn heter, Isabel. Slutar den på löv? Nähä, inte det? Slev? Är det vad du säger?"

Isabel nickade.

Byns namn slutade alltså på slev. Det första hade Assad inte uppfattat.

"Vi tar en paus tills Karsten kommer tillbaka. Är det okej?" sa Carl till sjuksköterskan.

Det var det. En paus var mer än välkommen.

"Jag tyckte det pratades om att Isabel skulle flyttas?" fortsatte Carl.

Sjuksköterskan nickade. "Ja, men med tanke på omständigheterna tror jag att vi väntar."

Det knackade på dörren och en kvinna steg in. "Det är telefon till en Carl Mørck. Är han här?"

Carl höll upp ett finger och fick en trådlös telefon i handen.

"Hallå!" sa han.

"Hej. Mitt namn är Bettina Bjelke. Vad jag förstår har ni sökt mig. Jag är sekreterare på ITA 4131. Jag gick av mitt skift för en liten stund sedan."

Carl vinkade till sig Assad, så att även han kunde höra.

"Vi behöver signalementet på mannen som besökte Isabel Jønsson i samband med skiftbytet", sa han. "Inte polisen utan den andre. Kan du beskriva honom för oss?"

Assad knep ihop ögonen medan han lyssnade. När hon var klar och de hade avslutat samtalet såg de på varandra och skakade bägge på huvudet.

Beskrivningen av mannen som överfallit Isabel stämde till punkt och pricka med mannen som klivit ut ur hissen nere på bottenvåningen då de samtalat med Karsten.

Gråsprängt hår och glasögon, runt de femtio, gulblek hy och lätt framåtböjd. Ganska långt från den bild av en spänstig, lång man i fyrtioårsåldern med stort hår som Josef gett dem.

"Mannen var förklädd", sa Assad.

Carl nickade. De hade inte känt igen honom, trots att de studerat fantombilden hundratals gånger. Trots det breda ansiktet. Trots de nästan sammanväxta ögonbrynen.

"Milde himmel", utbrast Assad intill honom.

Minst sagt. De hade sett honom, de hade kunnat röra vid honom och de hade kunnat gripa honom och rädda livet på två barn. Enbart genom att sträcka ut en hand och gripa tag i honom.

"Jag tror att Isabel vill säga någonting mer", sa sjuksköterskan. "Men sedan får det vara stopp. Hon är mycket trött." Hon pekade på mätinstrumenten. Aktiviteten hade avtagit.

Assad gick bort till henne och lade huvudet intill hennes mun under en minut eller två.

"Ja", sa han sedan och nickade. "Ja, det ska jag berätta, Isabel."

Han tittade på Carl.

"En del av kidnapparens kläder låg i baksätet på den kvaddade bilen. Kläder med hår på. Vad tycks om det, Carl?"

Han sa inget. Användbart i ett längre perspektiv, men inte här och nu.

"Isabel berättar också att kidnapparen hade ett litet bowlingklot med en etta på i nyckelringen till bilen."

Carl putade med underläppen. Bowlingklotet! Han hade det alltså fortfarande. I minst tretton år hade han gått omkring med klotet i sin nyckelring. Det måste verkligen betyda något för honom.

"Jag har adressen", sa Karsten när han kom in med ett anteckningsblock i handen. "Ferslev, norr om Roskilde." Han gav adressen till Carl. "Ägaren heter Mads Christian Fog, ett av namnen som Isabel nämnde."

Carl for upp från stolen. "Då har vi ingen tid att förlora", sa han och gjorde ett tecken till Assad.

"Nja", sa Karsten tvekande. "Så bråttom är det tyvärr inte. Jag har också fått in en rapport om en utryckning från Skibby brandkår till samma adress under måndagskvällen. Vad jag förstår har stället brunnit ner till grunden."

Brunnit ner! Då låg monstret återigen ett steg före.

Carl suckade tungt. "Vet du om stället du nämner ligger nära vattnet?"

Jønsson tog upp sin iPhone och slog in adressens koordinater på GPS:en. Efter ett tag skakade han på huvudet. Han höll upp mobilen framför Carl och pekade på platsen. Nej, det kunde inte vara där båthuset låg. Det var flera kilometer från Ferslev till havet.

Självklart var det inte där. Men var i så fall?

"Vi får nog ändå ta oss upp dit, Assad. Där måste finnas folk som känner mannen."

Han vände sig mot Karsten. "Noterade du en man som klev ut ur hissen samtidigt som vi gick in, när vi sågs nere i entrén innan? Gråsprängt hår och glasögon. Det var han som överföll din syster."

Jønsson såg chokad ut. "Herregud! Nej, det gjorde jag inte. Är du säker?"

"Sa du inte att du blev utslängd från sjuksalen för att din syster skulle flyttas? Det var förmodligen han som kastade ut dig. Men du såg honom inte?"

Han skakade på huvudet och såg uppriktigt ledsen ut. "Nej, jag beklagar. Han stod böjd över Rakel och jag misstänkte ju inget. Han hade en vit rock på sig."

De vände alla blicken mot skepnaden under lakanet. Den här röran blev bara värre och värre.

"Jaha, Karsten", sa Carl och sträckte fram handen. "Jag skulle önska att vi mötts under bättre omständigheter, men det var tur att du var här."

De skakade hand.

Då slogs Carl av en sak. "Vänta! Assad! Isabel! En fråga till bara. Mannen ska ha ett synligt ärr någonstans. Vet du var?"

Han såg på sjuksköterskan, som satt intill sängen och skakade på huvudet.

Isabel sov redan tungt. Den frågan fick de vänta med.

"Då har vi tre saker att uträtta, Carl", sa Assad när de lämnade salen. "Vi måste köra runt och kolla upp alla platserna som Yrsa pekade ut. Och även ha i åtanke vad Klaes Thomasen berättade. Går det? Och så det med bowlingklotet. Vi får helt enkelt åka runt till alla bowlingställen med teckningen, och så förstås höra med folket omkring det utbrända huset om allt möjligt."

Carl nickade. Han hade just sett att Rose fortfarande stod lutad mot väggen ute i hissrummet. Då hade hon alltså inte kommit längre.

"Mår du inte bra, Rose?" frågade han när de nådde henne.

Hon ryckte på axlarna. "Det var inte så roligt att behöva berätta för pojken om hans mamma", sa hon tyst. Att döma av de svarta ränderna som löpte från hennes ögon och ner över kinderna hade hon gråtit en hel del.

"Åh, Rose, vad jobbigt för dig", sa Assad och lade försiktigt armen om henne. Så stod de en bra stund, innan Rose drog sig undan och torkade näsan med sina långa ärmar. Sedan såg hon Carl rakt i ögonen.

"Vi kommer väl att ta svinet? Jag vägrar åka hem. Säg vad jag ska göra. Jag ska fanimej visa den lilla pissråttan vad han har att se fram emot." Hennes ögon brann.

Rose var med i matchen igen.

*

Carl instruerade först Rose om hur hon skulle gå vidare med bowlinghallarna. Hon skulle fokusera på dem som fanns på Nordsjälland och faxa dem fantombilden och de olika namnen, som de efter hand lyckats knyta till mördaren. Sedan gick Assad och han ner till bilen och ställde in GPS:en på Ferslev.

Arbetsdagen började lida mot sitt slut. För herr och fru Kontorsråtta var det goda nyheter. Men inte för dem.

Åtminstone inte idag.

De anlände till det nerbrunna huset lagom till att solen gav upp för dagen. En halvtimme till och det skulle vara beckmörkt.

Branden hade haft ett ytterst våldsamt förlopp. Inte bara boningshuset var utbränt – bara ytterväggarna stod kvar – utan också ladan och allt inom trettio, fyrtio meters radie från boningshuset. Likt sotiga totempålar pekade träden upp mot himlen.

Inte konstigt att det krävts utryckningsfordon från både Lejre, Roskilde, Skibby och Frederikssund. Det hade lätt kunnat utveckla sig till en veritabel katastrof.

De gick runt huset ett par gånger. När Assad såg vraket efter skåpbilen i vardagsrummet blev han upprörd. Det påminde honom alltför mycket om Mellanöstern.

Carl hade själv aldrig sett något liknande.

"Vi hittar inget här, Assad. Han har sett till att inte lämna några spår efter sig. Vi kör till närmaste granne och förhör oss om denne Mads Christian Fog."

Mobilen ringde. Det var Rose.

"Vill du höra vad jag kommit fram till?" frågade hon.

Han hann inte svara.

"Ballerup, Tårnby, Glostrup, Gladsaxe, Nordvest, Rødovre, Hillerød, Valby, Axeltorv och DGI-byen i Köpenhamn, Bryggen på Amager, Stenløse köpcentrum, Holbæk, Tåstrup, Frederikssund, Roskilde, Helsingör och så Allerød, där du själv bor. Det är de bowlinghallar som ligger i området du efterlyste. Jag har faxet materialet till dem alla, och om två minuter börjar jag ringa runt. De ska få det hett om öronen, kan jag lova. Jag hör av mig igen."

Stackars bowlare.

*

Paret på gården ett par hundra meter från det nerbrunna huset släppte in dem mitt i kvällsmaten. En ymnig uppvisning av potatis, fläsk och annat gott – garanterat egenproducerat. Breda människor med breda leenden. Här led man ingen nöd.

"Mads Christian? Ärligt talat har jag inte sett till den gamle knarren på några år nu. Han har en fästmö i Sverige, så det är förmodligen där han befinner sig", sa mannen i huset. En av dessa män som ständigt gick i rutiga flanellskjortor.

"I och för sig händer det då och då att man ser hans skrangliga ljusblå skåpbil komma körande", tillade frun. "Jodå, och så då Mercedesen. Han tjänar visst sina pengar på Grönland, så han har väl råd med det. Skattefritt, ni vet?" Hon log.

Skattefritt var uppenbarligen ett ord hon var bekant med.

Carl stödde armbågarna mot det massiva bordet. Om han och Assad inte hittade någonstans att äta snart skulle denna jakt inom kort få ett abrupt slut. Doften av grishals skulle få honom att ta saken i egna händer.

"Gammal knarr, sa du. Undrar om vi pratar om samma man?" sa han och kände hur det vattnades i munnen. "Mads Christian Fog, inte sant? Enligt våra upplysningar är han högst fyrtiofem år."

Det skrattade både hustrun och mannen åt.

"Det kan kanske vara ett syskonbarn", sa mannen. "Men två minuter framför datorn, så har ni väl tagit reda på det?" Han nickade. "Det kan ju hända att han lånar ut stället till någon. Visst har vi diskuterat det innan, Mette?"

Frun nickade. "Jo, det var mest att ibland kom först skåpbilen och strax därpå körde Mercedesen iväg. Sedan såg man inget på ett bra tag och så kom plötsligt Mercedesen tillbaka och så körde skåpbilen iväg igen." Hon skakade på huvudet. "Och sådant där kackalorum är minsann Mads Christian Fog för gammal för, säger jag till mig själv varje gång."

"Det är han här vi tänker på", sa Assad och tog upp fantombilden ur fickan.

Det äkta paret studerade teckningen utan den minsta reaktion.

Nej, det var inte Mads Christian. Han borde snart närma sig de åttio och var en jädrans svinpäls. Han här såg ju närmast snygg och proper ut.

"Tack. Branden då? Såg ni den?" frågade Carl.

De log. Ett högst märkligt sätt att reagera på.

"Om du frågar mig", sa mannen, "såg man den ända borta från Orø. Och Nykøbing för den delen också."

"Jaha. Då såg ni kanske någon köra till eller från gården samma kväll?"

De skakade på huvudet. "Nä du", sa mannen med ett leende. "Vid den tiden ligger vi i sängen. Du får tänka på att vi här ute på landet stiger upp tidigt. Inte som ni stadsbor, som ligger och drar er till sex på morgonen."

*

"Vi får köra in på en mack", sa Carl, när de åter stod ute vid tjänstebilen. "Jag håller på att dö av hunger. Gör inte du det?"

Assad ryckte på axlarna. "Nej, jag äter sådana här." Han stack handen i fickan och drog upp ett par mycket mellanösterliga förpackningar. Av teckningen att döma bestod innehållet företrädesvis av dadlar och fikon. "Vill du ha?" frågade han.

Carl suckade förnöjt där han satt bakom ratten och tuggade. De smakade riktigt gott.

"Vad tror du har hänt med gubben som bodde där uppe?" Assad pekade mot den utbrända gården. "Inget gott, om du frågar mig."

Carl nickade och svalde. "Jag tror vi ska ha dit en massa folk och leta", svarade han. "Letar de bara tillräckligt noga är jag övertygad om att de kommer att hitta kvarlevorna efter en man som borde ha varit i åttioårsåldern, om han levt."

Assad satte upp fötterna på instrumentbrädan. "Du tog orden ur munnen på mig", sa han. "Vad händer nu, Carl?"

"Ingen aning. Vi får ringa Klaes Thomasen och höra om han har pratat med segelsällskapen och skogsmästaren i Nordskoven. Kanske borde vi också ringa Karsten och be honom kolla upp om en mörk Mercedes har kört för fort och fastnat i någon av fågelholkarna här uppe. Som Isabel och Rakel gjorde."

Assad nickade. "Men kanske hittar de Mercedesen på registreringsnumret. Med lite tur, även om Isabel Jønsson inte var helt säker."

Carl startade bilen. Han tvivlade på att det skulle gå så lätt.

Då ringde mobilen. Det kunde den väl gjort en halv minut tidigare? tänkte han irriterat och lade växeln i friläge.

Det var Rose och hon var upphetsad.

"Jag har ringt till alla bowlinghallarna, men ingen visste vem mannen på bilden var."

"Skit!" sa Carl.

"Vad?" sa Assad och tog ner fötterna.

"Men det är inte allt, Carl", fortsatte hon i luren. "Naturligtvis fanns det ingen med de namnen, bortsett från Lars Sørensen som det ju finns en hel del av."

"Såklart."

"Men jag pratade med en vaken snubbe i Roskilde. Han var ny och kallade till sig en av de gamla lirarna, som just fått sig en 'lille en' i andra benet. Det är turnering där ikväll. Han tyckte att bilden liknade någon han kände, men det var en annan sak han hängde upp sig på."

"Ja, Rose. Vilken sak var det?" Fan vad hon kunde dra ut på saker och ting.

"Mads Christian Fog, Lars Sørensen, Mikkel Laust, Freddy Brink och Birger Sloth. Han skrattade när han hörde namnen."

"Vad menar du?"

"Ja, han kände inte personerna ifråga, men det fanns både en Lars, en Mikkel och en Birger i laget som skulle spela ikväll. Det var faktiskt han själv som hette Lars. Dessutom hade det funnits en Freddy för några år sedan, som brukade spela för en annan bowlingklubb, men han var för gammal nu. Det fanns ingen Mads Christian, men ändå … Tror du det kan vara värt att kolla upp?"

Carl lade halva sin dadelgrej på instrumentbräden. Nu var han klar-vaken. Det var inte första gången en brottsling lät sig inspireras av sin omedelbara omgivning när han valde namn. Namn som nämndes i omvänd ordning, ett K som blev till ett C, för- och efternamn som blandades ihop. Psykologerna skulle säkert kunna gräva djupt i de bak-omliggande orsakerna, men Carl kallade det brist på fantasi.

"Då frågade jag om han kände någon med ett bowlingklot med en etta på i nyckelknippan, och då skrattade han igen. Det hade de alla i hans lag, sa han. De hade uppenbarligen spelat tillsammans under många år och på flera olika ställen."

Carl satt och stirrade ut i strålkastarskenet från deras bil. Samman-träffandet med namnen och så detta bowlingklot.

Han tittade på GPS:en. Hur långt kunde det vara till Roskilde? Tre och halv mil?

"Carl! Kan det vara något? Mads Christian fanns inte bland dem han nämnde."

"Nej, Rose. Men det namnet har vi å andra sidan fått från ett helt annat håll, och den mannen vet vi vem han är. Och ja för fan, Rose. Naturligtvis tror jag att det är något. Fan, Rose, det här är riktigt bra! Ge mig adressen till bowlinghallen."

Hon bläddrade i bakgrunden medan Carl pekade på Assad att han skulle vara beredd med GPS:en.

"Ja", svarade han henne. "Det är bra, Rose. Ja, jag lovar att ringa sedan."

Han såg på Assad.

"Københavnsvej 51 i Roskilde", sa han och trampade gasen i botten. "För helvete, Assad! Nu är det bråttom!"

43

Tänk dig för, sa han flera gånger till sig själv. Gör det rätt. Förhasta dig aldrig, det kommer du bara att få ångra.

Han rullade sakta genom villakvarteret. Nickade mot folk som nickade tillbaka och svängde sedan in på uppfarten med katastrofen tungt vilande på sina axlar.

Han var ute på öppen mark. Där vakna rovfågelblickar på långt avstånd bevakade alla hans rörelser. Uppdraget på Rigshospitalet kunde nästan inte ha gått sämre.

Han tittade bort mot gungan som hängde livlös i sina linor. Det var mindre än tre veckor sedan han hängt upp den i björken. Föreställningen om en sommar när han gungade sin lille pojke i den hade ryckts bort från honom. Han plockade upp en röd liten plastsked från sandlådan och kände hur sorgen överväldigade honom. En känsla han inte hade haft sedan han själv var en liten pojke.

Han satte sig en stund på bänken i trädgården och slöt ögonen. För några månader sedan hade här doftat rosor och en kvinnas närvaro.

Han kunde fortfarande känna den innerliga glädjen av barnets armar om sin hals, den lugna andedräkten mot sin kind.

Stopp nu, sa han till sig själv och skakade på huvudet. Det där tillhörde det förflutna. Liksom allt annat.

Att hans liv blivit som det blev var helt och hållet föräldrarnas fel. Föräldrarnas och styvfaderns. Men han hade hämnats ett otal gånger sedan dess. Hur ofta hade han inte slagit till mot män och kvinnor som var precis som dessa tre människor? Varför skulle han känna samvetskval? Nej, alla strider krävde sina offer. Därför fick han också leva med sina.

Han kastade ut plastskeden på gräsmattan och reste sig. Det fanns andra kvinnor där ute. Det var inga problem att hitta en ny mamma åt Benjamin. Han måste bara fullfölja det han påbörjat, sedan kunde de två skaffa sig ett gott liv någonstans i världen, tills tiden var inne för honom att fortsätta sitt kall och tjäna pengar igen.

Just nu var det bara att anpassa sig till verkligheten.

Isabel levde och var på bättringsvägen. Hennes bror var polis och hade befunnit sig på sjukhuset när han anlände dit. Det var det största hotet. Han kunde de här människorna. De tänkte skapa sig sitt eget kall, som gick ut på att hitta honom. Men det skulle de inte lyckas med, det skulle han min själ se till.

Sjuksköterskan han golvade borde förstås komma ihåg honom. Varje gång hon i framtiden stod inför en vilt främmande människa med en blick som hon inte förstod, skulle hon dra sig undan. Chocken efter det huggande slaget mot halsen hade etsat sig fast i hennes inre. Tilliten till andra hade fått sig en knäck. Han var den sista människan på jorden som hon skulle glömma, för att inte tala om sekreteraren, som sannerligen också skulle komma ihåg honom. Men dessa två oroade han sig knappast för.

När allt kom omkring hade de ingen aning om hur han verkligen såg ut.

Han ställde sig framför spegeln och betraktade sitt ansikte medan han sminkade av sig.

Det skulle fixa sig. Om det var någon som visste vad folk lade märke till, så var det han. Hade man bara tillräckligt djupa fåror i ansiktet var det bara dem folk såg. Satt det bara ett par glasögon framför blicken skulle ingen känna igen en utan.

Hade man däremot en stor och vanprydande vårta i ansiktet såg folk den direkt, och konstigt nog registrerade de inte att den sedan var borta igen.

Vissa saker maskerade, andra gjorde det inte, men en sak var säker: den bästa förklädnaden var den som fick en att se alldaglig ut, för det alldagliga väcker inte så lätt uppmärksamhet. Och just det alldagliga var han specialist på. Några rynkor på de rätta ställena, lite skugga på kinderna och runt ögonen. Kamma håret annorlunda, manipulera ögonbrynen och låta hy och hår ange ålder och hälsa, så uppnådde man överraskande goda resultat.

Idag hade han sminkat sig som vem som helst. De skulle komma ihåg hans ålder, dialekten och de mörka glasögonen. Om hans läppar var smala eller fylliga, kindbenen svaga eller markanta spelade ingen roll. Han kände sig med andra ord säker. Naturligtvis skulle de inte glömma händelsen eller för den delen vissa drag hos honom, men de skulle aldrig känna igen honom när han såg ut som sig själv.

Nej, de kunde sätta igång alla utredningar de ville, de visste ändå ingenting. Ferslev och skåpbilen var borta, liksom han själv snart. Sorti för en vanlig man i ett helt vanligt villakvarter i Roskilde. En av en miljon villaägare i detta lilla land.

Om några dagar, när Isabel kunde tala igen, skulle de förvisso få reda på vad den här mannen sysslat med under alla dessa år, men de skulle fortfarande inte veta vem han var. Det visste bara han själv och så skulle det förbli. Men det skulle komma att diskuteras i medierna. Länge och väl, rentav. De skulle varna potentiella offer för framtida brott, så därför måste han ligga lågt ett tag framöver. Leva ett blygsamt liv för besparingarna samtidigt som han byggde upp nya baser.

Han såg sig omkring i det stilfulla hemmet. Hans fru hade skött om det och vårdat det väl, och de hade lagt ner mycket pengar på renoveringar, men nu var knappast ett bra tillfälle för husförsäljning. Det var ju kristider. Men säljas måste det.

Erfarenheten sa honom att om man måste försvinna räckte det inte med att bara bränna några broar. Det krävdes ny bil, ny bank, nytt namn, ny adress och nytt umgänge. Allt måste förnyas. Och hade man bara förberett en fullt godtagbar förklaring för omgivningen, så att de förstod varför man valde att ge sig av, var det inga problem. Ett nytt välbetalt jobb i ett främmande land med ett härligt klimat hade alla förståelse för. Ingen skulle misstänka något.

Kort sagt, inga plötsliga och irrationella handlingar.

*

Han ställde sig i dörröppningen framför berget av flyttlådor och uttalade sin hustrus namn högt ett par gånger. När han stått där ett par minuter utan att hon gett något livstecken ifrån sig, vände han sig om och gick därifrån.

Det passade honom utmärkt. Att avliva ett husdjur som man älskade var inte kul, men ibland måste det göras.

Det hade varit en trevlig tid, men nu var den över.

Ikväll, när bowlingturneringen var slut, skulle han lägga hennes lik i bilen och köra upp till Vibegården och få det hela överstökat. Både hustrun och barnen måste bort. Och när liken sedan lösts upp om ett par veckor och oljetanken rengjorts skulle allting vara över.

Hans svärmor skulle få ett tårdrypande avskedsbrev från sin dotter.

Av brevet skulle det framgå att dotterns och mammans dåliga förhållande var en bidragande orsak till beslutet att flytta utomlands. Hon skulle bli kontaktad när såren läkt.

När sedan det oundvikliga inträffade, att hans svärmor började agera, kanske rentav började fatta misstankar, tänkte han resa hem och tvinga henne att skriva sitt eget självmordsbrev. Det skulle inte bli första gången han fick folk att somna in.

Men i ett inledande skede gällde det att förstöra flyttlådorna, laga och sälja bilen och lägga ut huset till försäljning. Han skulle googla fram en mysig bungalow på Filippinerna, hämta Benjamin, informera systern om att hon skulle få pengar av honom även i fortsättningen och sedan köra ner genom Europa till Bulgarien i en gammal rishög. Den kunde han lämna på vilken gata som helst där, tryggt förvissad om att man inom kort fullständigt skulle ha slaktat den.

Flygbiljetterna med de nya falska namnen skulle inte avslöja vem de egentligen var. Nej, en liten pojke och hans pappa som reste från Sofia till Manila skulle ingen fästa någon uppmärksamhet vid. Det gjorde man bara om resan gick åt motsatt håll.

Fjorton timmars flygning med destination framtiden.

*

Han gick ut i hallen och tog fram bowlingväskan av märket Ebonite. I den förvarade han utrustningen som han firat många triumfer med, och de hade varit många genom åren. Om det var något med detta liv han skulle komma att sakna, var det just bowlingen.

Egentligen hade han inte mycket till övers för lagkamraterna. Några av dem var direkta idioter som han gärna hade bytt ut. De var alla simpla män med simpla tankar och simpla liv. Alldagliga till utseendet och alldagliga till namnet. För honom betydde de egentligen ingenting, om det inte vore för att de alla hade ett genomsnittsresultat på en bra bit över tvåhundratjugofem, något som också visade sig i bowlingförbundets rankinglista. Ljudet av de tio käglorna som brakade in i maskinen var ljudet av framgång, och så kände de alla sex.

Och det var själva grejen.

Laget gick ut på banan för att dominera. Av det skälet missade han sällan tävlingarna. Det och så naturligtvis hans mycket speciella vän Påven.

*

"Hej", sa han vid baren. "Sitter ni här?" Som om de skulle sitta någon annanstans.

De höll alla upp en hand i luften så att han kunde gå high-five-rundan.

"Vad dricker ni?" frågade han. Det var lösenordet in i gemenskapen.

I likhet med de andra höll han sig till mineralvatten före match. Det gjorde inte motståndarna, vilket var deras stora misstag.

De satt kvar några minuter och diskuterade motståndarlagets fördelar och nackdelar, och sedan skröt de lite om hur säkra de var på att vinna distriktsmästerskapen på Kristi Himmelsfärdsdag.

Sedan klämde han det ur sig.

"Nu blir det nog så att ni får se er om efter en ny man istället för mig innan dess." Han slog ursäktande ut med armarna. "Jag är ledsen, pojkar."

De såg på förrädaren med djupt anklagande blickar. Under en stund var det ingen som sa något. Svend tuggade ännu intensivare på sitt tuggummi. Både han och Birger såg mycket irriterade ut, vilket naturligtvis var förståeligt.

Det blev Lars som bröt tystnaden. "Det låter inte bra, René. Vad har hänt? Är det frugan? Det slår ta mig fan aldrig fel."

En samstämmig kör backade upp detta uttalande.

"Nej." Han kostade på sig ett kort leende. "Nej, det är faktiskt inte hon. Jag är erbjuden att bli verkställande direktör i ett helt nytt slags solarforskningsprojekt i Tripoli i Libyen. Men lugn bara, jag är tillbaka om fem år, längre än så löper inte kontraktet på. Till dess måste det väl finnas en plats ledig i oldboyslaget?"

Ingen skrattade, men det hade han inte heller räknat med. Det han just hade gjort var det absolut värsta man kunde göra mot laget strax före en match, eftersom irritationsmoment som detta såklart påverkade spelet.

Utåt beklagade han sin dåliga tajming, men det kunde inte ha blivit bättre.

Redan nu var han på väg ut ur gemenskapen. Som planerat.

Jodå, han visste precis vad de tänkte. Bowlingen var deras ventil. De hade ingen interkontinental direktörspost som väntade på dem. Nu när han skapat en klyfta mellan dem kände de sig alla som instängda möss. Så hade han också känt det en gång, men det var länge sedan.

Nu var han katten.

44

Hon hade sett morgonljuset tränga ner mellan flyttlådorna tre gånger och visste att fler skulle det inte bli.

Emellanåt hade hon gråtit, men det kunde hon inte längre. Inte ens det hade hon krafter till.

När hon försökte öppna munnen vägrade läpparna att lossna från varandra. Tungan satt fast i gommen. Det måste vara ett dygn sedan hon senast hade haft tillräckligt med saliv i munnen för att kunna svälja.

Nu framstod döden nästan bara som en befrielse. Sova för evigt, inte längre denna smärta. Inte längre denna ensamhet.

"Låt den man som står inför döden, låt den man som vet vad som strax ska ske, låt den man som ser ögonblicket komma stormande mot sig när allt förklingar, låt honom uttala sig om livet", hade hennes man en gång hånfullt citerat sin egen far.

Hennes man! Hur vågade han som aldrig själv levt ifrågasätta dessa ord? Kanske skulle hon själv dö alldeles strax, det kändes så, men hon hade åtminstone levt. Visst hade hon?

Eller hade hon det? Hon försökte komma ihåg när, men allt var en enda röra. År blev till veckor, och fragmentariska minnen hoppade fram och tillbaka i tid och rum och smälte samman i omöjliga konstellationer.

Först dör mitt huvud, det vet jag nu, tänkte hon.

Hon kunde inte längre känna sin andedräkt. Andningen var så ytlig att hon inte ens kände något i näsborrarna. Det enda hon kände var ryckningarna i fingrarna på den lediga handen. Fingrar som dagarna innan hade rivit hål i lådan ovanför och stött på metall. Länge försökte hon räkna ut vad det kunde vara, men till sist gav hon upp.

Nu ryckte det i fingrarna igen. Som om dessa rörelser styrdes direkt av Guds marionettrådar. De ryckande fingrarna slog lätt mot varandra, likt fjärilsvingar.

Vill du mig något, Gud? undrade hon. Är det här vår första beröring, innan du lyfter upp mig till dig? Hon skrattade inombords. Så nära Gud hade hon aldrig tidigare varit. Inte någon annan heller för den delen. Men hon var varken rädd eller ensam, bara trött. Lådornas tyngd kändes nästan inte längre. Bara denna trötthet.

Plötsligt smärtade det i bröstet. Ett styng så överraskande smärtsamt att hon vildsint spärrade upp ögonen i mörkret. Då var den här dagen förbi, min sista dag, tänkte hon under bråkdelen av en sekund.

Hon hörde sig själv stöna, alltmedan musklerna i bröstkorgen drog ihop sig kring hjärtat. Hon kände fingrarna krampa och ansiktsmusklerna stelna.

Åh, det gör så ont. Åh, Gud, låt mig bara dö nu, bad hon om och om igen tills dessa dödsryckningar med ett hugg, nästan mer smärtsamt nu än när det började, helt slutade.

Under de följande sekunderna var hon helt säker på att hjärtat stannat. Hon förväntade sig till och med att mörkret en gång för alla skulle sänka sig över henne och uppsluka henne. Hennes läppar särades i ett sista krampaktigt försök att dra ett flämtande andetag. Men denna flämtning fortplantade sig till den lilla punkt i hennes inre där de sista resterna av hennes självbevarelsedrift gömde sig.

Hon kände pulsen i tinningen. Kände den i sitt smalben. Ännu var kroppen för stark för att ge efter. Gud var inte färdig med sina prövningar.

Och skräcken för hans nästa drag fick henne att börja be. En kort bön om att det inte skulle göra ont och att det skulle ske snart.

Hon hörde sin man öppna dörren och säga hennes namn, men den tiden då hon kunde formulera ett svar var för länge sedan förbi. Vad skulle det förresten tjäna till?

Hon kände hur pekfingret och långfingret sträckte ut sig med ryckande reflexer. Kände hur de träffade hålet i lådan ovanför, hur nagelspetsen rörde vid den lilla metallsaken hon känt tidigare. Den var fortfarande glatt och overklig, tills hon i ett krampanfall, som fick alla fingrarna att rycka och sedan stelna, plötsligt kände att det i den glatta, kalla ytan fanns en liten utbuktning i form av ett V.

Under ett ögonblick försökte hon tänka rationellt. Försökte sortera ut saker och ting, så att nervimpulserna från tarmar som upphört att fungera, från celler som skrek efter vätska, från hud som slutat förnimma, inte skulle förstöra bilden hon kände och måste få rätsida på. Bilden av en metallsak med ett litet V på.

Så tappade hon fokus. Återigen detta ingenting som fortsatte att gro i hennes hjärna. Denna tomhet som besökte henne med allt kortare mellanrum.

Men plötsligt sköljde bilderna över henne. Bilder av glatta föremål – menyknappen på hennes mobil, urtavlan på hennes armbandsur, spegeln i hennes låda på toaletten – dök upp i hennes inre och lekte kurragömma med varandra. Allt det glatta hon hade registrerat genom hela livet kämpade om en plats i hennes medvetande för att kunna bli bekräftat. Och sedan fanns det där. Föremålet hon aldrig själv använt, men som män med stolthet plockat upp ur fickan när hon var liten. Även hennes man hade i en svunnen tid fallit för denna statussymbol, och nu låg den där, Ronsontändaren med V:et, nerslängd i botten av en låda, kanske enbart med syftet att finnas där för henne. Finnas där för att knuffa till hennes tankar då och då och ja, rentav finnas där för att skapa en ny och slutgiltig lösning på resten av hennes avgränsade liv.

Om jag bara kunde få ut den och tända den skulle det ta slut fortare, tänkte hon. Och allt han äger skulle försvinna med mig.

Någonstans inombords skrattade hon. Tanken var på något konstigt sätt väldigt upplyftande. Om hon satte fyr på allt skulle hon åtminstone ha gjort ett avtryck. Hon skulle plantera en tistel i hans liv som han aldrig någonsin kunde göra sig kvitt. Han skulle förlora allt han begått sina ogärningar för.

Vilken underbart ljuv hämnd.

Hon höll andan medan hon fortsatte att riva kartong, som hon först nu insåg kunde vara mycket hård. Vansinnigt hård. Hon krafsade bort små, små bitar åt gången. Som getingarna som gnagde trä från deras trädgårdsmöbel. Hon kunde föreställa sig hur kartongdammet drev förbi hennes ansikte. Knappnålsstora partiklar som tillsammans, om fingrarna nu höll för det, förhoppningsvis skulle utgöra den mängd som fick tändaren att glida ut genom hålet och, med lite tur, rakt ner i hennes hand.

*

Till sist, när hålet var så stort att tändaren faktiskt förflyttade sig några millimeter, orkade hon inte mer.

Hon blundade och såg för ett ögonblick Benjamin framför sig. Större än nu, talför och med säker gång. En vacker pojke som sprang henne tillmötes, med en fin läderboll i handen och spjuveraktig blick. Så gärna hon hade velat uppleva detta. Hans första riktiga mening. Hans första skoldag. Första gången han såg henne i ögonen och sa att hon var den bästa mamman i hela världen.

Känslorna yttrade sig inte i annat än lite fukt i ögonvrån, men de fanns där. Känslorna för Benjamin. Pojken som skulle leva sitt liv utan henne.

Benjamin som skulle leva sitt liv med … honom.

Nej! skrek hennes kropp. Men till vilken nytta? Fast tanken återkom hela tiden. Mer intensiv för varje gång. *Han* skulle leva med Benjamin, och det skulle bli det sista hon tänkte på innan hjärtat helt stannade.

Det ryckte i hennes fingrar igen och långfingernageln fastnade i en kartongflik under tändaren. Hon började riva med fingret tills nageln bröts. Hon hade berövats sitt enda verktyg. Och kämpandes med denna insikt domnade hon av.

*

Ropen nerifrån gatan kom samtidigt som mobilen åter ringde i hennes bakficka. Den lät svagare nu. Snart skulle batteriet vara helt slut. Hon kände igen ljudet.

Det var Kenneths röst. Kanske var hennes man fortfarande i huset. Kanske skulle han öppna dörren. Kanske ville Kenneth veta om allt stod rätt till. Kanske …

Hennes fingrar rörde sig något. Det var tecknet hon förmådde ge ifrån sig.

Men ytterdörren öppnades inte där nere. Bråket började aldrig. Det enda hon noterade var den ringande mobilen, den allt svagare tonen och att tändaren lugnt och fint gled ut från sitt gömställe och ner i hennes hand.

Där låg den och gungade på hennes tumme. En enda felaktig rörelse och den skulle glida utmed armen och försvinna ner i mörkret under henne.

Hon försökte bortse från Kenneths rop. Försökte ignorera att vibrationerna i bakfickan sakta försvagades. Bara en liten rörelse med pekfingret och hon hade den i handen.

När hon var säker på att tändaren låg där den skulle vred hon handleden så mycket det var möjligt. Förmodligen rörde det sig bara om en centimeter, men det kändes bra. Trots att ringfingret och lillfingret var livlösa trodde hon att hon skulle klara det.

Hon tryckte så hårt hon kunde, och när tändarens lucka öppnade sig hörde hon svagt gasen läcka ut. Alldeles för svagt.

Hur skulle hon orka trycka så hårt att det orsakade en gnista? Hon försökte kanalisera allt vad hon hade kvar av krafter till tummens yttersta led. Denna sista viljeyttring skulle visa omvärlden hur hon levt sina sista timmar och hur hon dött.

Så tryckte hon. Hon levde och dog med denna tryckning. Och som ett stjärnskott slog gnistan ut framför henne i mörkret och antände gasen. Sedan blev allt klart.

Hon böjde handleden denna enda fria centimeter bakåt mot kartongen och lät flamman slött slicka lådans sida. Sedan släppte hon och såg hur den smala, blå flamman blev allt gulare och bredare.

Mycket långsamt vandrade den som en ljusstrimma upp mot toppen av kartongen. För varje centimeter den kröp uppåt lämnade den ett svart sotspår efter sig. Det slocknade där det just brunnit. Som ett krutstreck mot ingenting.

Till sist nådde den svaga lågan toppen, och där dog den sedan. Endast en rand av mörkröd, kallt pyrande glöd på lådans sida återstod. Men så försvann även den.

Hon hörde honom ropa och visste att det var över.

Kraften att tända tändaren ytterligare en gång fanns helt enkelt inte.

Hon slöt ögonen och föreställde sig Kenneth nere på gatan utanför huset. Vilka vackra syskon till Benjamin han hade kunnat ge henne. Vilket vackert liv.

Hon drog in lukten av rök, och nya bilder for genom hennes huvud. Scoutlägret vid sjön. Midsommarfester med pojkar som var ett par år äldre än hon. Doften av torgmarknaden i Vitrolles den enda gången föräldrarna tog henne och brodern på campingsemester.

Lukten blev allt kraftigare.

Hon öppnade ögonen och såg ett gult sken, som överst på högen av lådor blandade sig med ett tindrande blått ljus.

Kort därefter kom lågornas sken krypande ner mot henne.

Det brann.

Hon hade hört att nästan alla innebrända dog av rökförgiftning, och att om man ville undvika det skulle man åla fram längs golvet, under röken.

Hon ville gärna dö av rökförgiftning. Det lät som en skonsam och smärtfri död.

Problemet var bara att hon inte kunde åla någonstans och att röken steg uppåt. Lågorna skulle göra slut på henne innan röken hann. Hon skulle brinna ihjäl.

Då kom skräcken.

Den sista, slutgiltiga skräcken.

45

"Där, Carl!" Assad pekade på den sienafärgade byggnaden ut mot Københavnsvej. Den höll på att renoveras.

ÖPPET! Ursäkta röran! stod det på en skylt ovanför entrén till det stora köpcentret.

"Carl, sväng in här mot Ros Torv och sedan direkt till höger. Vi måste runt om hela den här byggarbetsplatsen", sa Assad och pekade mot ett mörkare parti i nybebyggelsen.

De parkerade på den svagt upplysta och nästan helt fulla parkerings-platsen utanför bowlinghallen.

Inte mindre än tre mörka Mercedesar stod parkerade där, men ingen av dem såg krockskadad ut.

Hinner man få en bil lagad så snabbt? tänkte Carl. Han tvivlade. Plötsligt kom han att tänka på tjänstepistolen i Husets vapenskåp. Han borde förstås ha tagit med sig den, men vem hade kunnat veta vad som väntade imorse? Dagen hade ju varit lång och högst nyckfull.

Han spanade upp mot byggnaden.

Förutom en skylt med ett par enorma bowlingkäglor fanns det inget på den stora byggnadens baksida som avslöjade att en bowlinghall låg här.

Det fanns det inte heller när de steg in och såg sig omkring i ett trapprum fullt av stålskåp. De påminde närmast om bagageboxarna på en järnvägsstation.

Bortsett från dessa såg de bara nakna, trista väggar, ett par dörrar utan skyltning samt en trappnedgång målad i blått och gult. Hela våningen låg öde.

"Jag tror vi ska ner i källaren", sa Assad.

Tack för besöket – Välkommen åter till Roskilde Bowling Center – *Sport, skoj och spänning,* stod det på dörren.

Var det verkligen bowling de tre sista orden syftade på? I Carls värld stämde det inte. För honom var bowling varken sportigt, skojigt eller spännande. Fatöl, svårsmält mat och träningsvärk i skinkorna, det var vad det var.

De gick rakt fram till receptionen, där ordningsregler, godispåsar och en påminnelse om att inte glömma ställa p-skivan ramade in mannen bakom disken. Han pratade i telefon.

Carl såg sig om. Det var fullt i baren och det stod sportbagar överallt. Folk stod i grupper och det rådde febril aktivitet på tjugotalet banor, så som det förmodligen gick till under turneringar.

Massor av män och kvinnor i vida byxor och olika enfärgade pikétröjor med respektive klubblogga.

"Vi skulle vilja prata med en Lars Brande. Känner du honom?" frågade Carl, när mannen bakom disken lagt på luren.

Han pekade på en av männen i baren. "Det är han med brillorna uppe på huvudet. Om du ropar på Puppan får du se."

"Puppan?"

"Ja, han kallas så." De närmade sig männen och fick några ifrågasättande blickar om deras skor, kläder och ärende.

"Lars Brande? Eller jag kanske ska säga Puppan?" sa Carl och höll fram handen. "Carl Mørck, avdelning Q, Köpenhamnspolisen. Kan vi växla ett par ord?"

Lars Brande log och tog hans hand. "Visst ja, det höll jag på att glömma. En av killarna har nämligen just kommit med en dålig nyhet. Han har beslutat sig för att lämna laget precis före distriktsmästerskapen, så jag har lite annat att tänka på."

Han dunkade mannen vid sin sida i ryggen. Då var det förmodligen han som var svikaren.

"Är det här dina lagkamrater?" frågade han och nickade mot de fem övriga.

"Bästa laget i Roskilde", svarade han och höll upp tummen.

Carl nickade mot Assad. Han skulle stanna där och hålla koll på resten, så att ingen smet undan. Här togs inga risker.

*

Lars Brande var en reslig och senig man, men tämligen mager. Ansiktsdragen var distingerade, som hos någon med ett stillasittande inomhusarbete, till exempel urmakare eller tandläkare, men huden var väderbiten och händerna oproportionerligt breda och valkiga. Ett mycket förvirrande helhetsintryck.

De ställde sig vid kortsidan och studerade spelarna på banorna ett ögonblick, innan Carl började.

"Du har talat med min assistent, Rose Knudsen. Jag förstod att du tyckte det här med namnsammanträffandet var lustigt och att vi frågade om ett bowlingklot som nyckelring. Men du ska veta att det här definitivt inte rör sig om några lustigheter. Vi är här i ett mycket brådskande och allvarligt ärende. Allt du säger kan komma att protokollföras."

Lars Brande såg plötsligt ut att bli illa till mods. Glasögonen på huvudet började sakta glida framåt.

"Vad rör det sig om? Är jag misstänkt för något?"

En märklig fråga, tyckte Carl. Det var tydligt att mannen kände sig träffad. Fast så här inledningsvis kunde han inte klassas som huvudmisstänkt. Varför vara så medgörlig när Rose pratade med honom i telefon, om han hade något att dölja?

"Misstänkt? Nej. Jag vill bara ställa några frågor, om det är okej?"

Killen tittade på sin klocka. "Alltså, egentligen inte. Du förstår, vi ska spela om tjugo minuter och vi brukar ladda tillsammans. Kan det inte vänta till efteråt, även om jag förstås vill veta vad det rör sig om?"

"Beklagar. Men skulle du vilja följa med mig bort till domarbordet?"

Han tittade misstänksamt på Carl, men nickade.

Domarna uppvisade samma ansiktsuttryck, men när Carl drog fram sin polisbricka blev de genast samarbetsvilliga.

De två hade återvänt till kortväggen och ett antal uppradade bord, när ett meddelande ljöd i högtalarna.

"På grund av oförutsedda omständigheter har en ändring gjorts i spelschemat", hördes den ene domaren, som därefter drog den nya spelordningen.

Carl såg bort mot baren, där fem par ögon med allvarliga och undrande miner stirrade mot dem. Bakom stod Assad om i sin tur bevakade de fem, likt en hungrig hyena.

Mannen de var ute efter fanns bland dessa män, det var Carl säker på. Så länge de hölls kvar här var barnen trygga. Om de fortfarande var i livet, vill säga.

"Jag har förstått att du är lagkapten. Hur väl känner du dina spelare?"

Han nickade och svarade utan att se på Carl. "Vi spelade tillsammans redan innan hallen öppnade, på den tiden i Rødovre. Men sedan kom ju den här hallen att ligga närmare. Vi var några till i laget då, men de flesta som bodde här i Roskildetrakterna valde att fortsätta här. Och ja, jag känner dem ganska väl. Speciellt Kupan, han med guldklockan där borta. Det är min bror, Jonas."

Carl tyckte att han verkade nervös. Visste han något? "Kupan och Puppan – lite ovanliga namn?" sa Carl. Kanske kunde en liten vänlig avledning lätta på spänningen. Det var viktigt att de fick honom att öppna sig så fort som möjligt.

Det fungerade. Lars Brande log snett.

"Jo, förvisso, men Jonas och jag är biodlare, så egentligen är det inte så konstigt", sa han. "Alla i laget har smeknamn. Du vet hur det är."

Carl nickade trots att han inte alls visste hur det var. "Jag ser att ni alla är hyfsat stora grabbar. Ni är kanske allihop släkt med varandra på något vis?"

I så fall skulle de skydda varandra till vilket pris som helst.

Han log igen. "Nej då. Bara Jonas och jag. Men visst är vi alla något längre än genomsnittsdansken. Långa armar ger bra sving, du vet." Han skrattade. "Men nej, det är faktiskt en ren slump. Det är ju inget man tänker på annars, liksom."

"Jag kommer förstås att ta era personnummer, men jag vill ändå fråga: Vet du om någon av er är straffad sedan tidigare?"

Han såg chockad ut. Kanske började det först nu gå upp för honom att det här var på riktigt.

Han drog ett djupt andetag. "Vi känner inte varandra på det sättet", sa han. Uppenbarligen var det inte helt sant.

"Kan du säga mig hur många av er som kör runt i en Mercedes?"

Han skakade på huvudet. "Inte jag och Jonas i alla fall. Vad de andra kör för bil får du fråga dem om."

Försökte han skydda någon? "Du måste väl veta vilka bilar de andra har? Brukar ni inte köra till turneringarna tillsammans?"

Han nickade. "Jo, men vi träffas alltid här. Vissa har sina grejer i skåpen där uppe, och Jonas och jag har en folkabuss som vi alla sex får plats i. Det är billigare att samåka."

Svaren lät uppriktiga, men själv såg mannen ut som om han ville sjunka ner i jorden.

"Kan du peka ut vilka de andra i laget är?" Han fortsatte själv innan Lars hann svara. "Nej, förresten. Berätta först hur ni har fått de där nyckelringarna med bowlingkloten ni alla har. Är de vanliga? Kan man köpa dem i vilken hall som helst?"

Lars Brande skakade på huvudet. "Nej, inte de här. Det står en etta på alla för att vi är så bra." Han log snett. "Vanligtvis står det ingenting alls på dem, eller så en siffra som syftar på klotets storlek. Aldrig en etta, eftersom det inte finns så små bowlingklot. Nej, de här köpte en av oss i Thailand för länge sedan." Han drog upp sin egen nyckelknippa och höll upp klotet. Litet, mörkt och slitet. Inget speciellt, förutom den ingraverade ettan.

"Det är vi och några till från det gamla laget som har en", fortsatte han. "Jag har för mig att han köpte tio totalt."

"Vem är han?"

"Svend. Han i den blå blazern. Han som tuggar tuggummi och ser ut att förestå en konfektionsaffär. Vilket han visst också gjorde en gång i tiden."

Carl lokaliserade mannen. I likhet med de övriga satt han och höll noga koll på vad deras kompis sysslade med tillsammans med polisen.

"Okej. Ni är i samma lag, betyder det att ni också tränar tillsammans?"

Det hade varit bra att veta om någon av dem ofta lämnar återbud, tänkte han.

"Tja, Jonas och jag gör det, men ibland brukar några av de andra också vara med. Det är mest för gemenskapens skull. Förr gjorde vi det nästan alltid, men inte så mycket nuförtiden." Han log igen. "Bortsett från att vissa brukar träna tillsammans inför en turnering, så tränar vi faktiskt inte särskilt mycket alls. Det borde vi kanske, fast å andra sidan ... prickar man in en tvåhundrafemtioserie i stort sett varje gång kan det ju kvitta."

"Vet du om någon av er har några synliga ärr?"

Han ryckte på axlarna. Då fick de helt enkelt syna dem alla efteråt.

"Tror du vi kan sitta där?" Han pekade in i restaurangdelen, där en rad bord med vita dukar stod redo.

"Det tror jag säkert."

"Bra, då sätter jag mig där. Kan du be din bror komma dit?"

*

Jonas Brande var tydligt förvirrad. Vad rörde det sig om? Varför var det så viktigt att man ändrade i spelschemat?

Carl svarade honom inte. "Kan du redogöra för var du befann dig i eftermiddags mellan klockan 15.15 och 15.45?"

Carl studerade hans ansikte. Maskulint. Cirka fyrtiofem år. Var det honom de såg utanför hissen på Rigshospitalet? Var det honom fantombilden föreställde?

Jonas Brande lutade sig fram något. "Mellan 15.15 och 15.45, sa du? Det har jag ingen aning om."

"Nähä, du. Det är ju annars ett jäkligt fint armbandsur du har, Jonas. Men du tittar kanske inte på det så ofta?"

Helt oväntat började han flina. "Jo, såklart att jag gör. Men jag har det inte på mig när jag jobbar. Det är värt över trettiofemtusen kronor. Jag ärvde det av farsan."

"Du jobbade alltså mellan 15.15 och 15.45?"

"Ja, det gjorde jag."

"Varför vet du då inte var du befann dig?"

"Tja, jag vet inte om jag var i verkstaden och lagade bikupor eller om jag var ute i ladan och bytte kugghjul på slungan." Han var knappast den smartare av de två bröderna. Eller var han det?

"Säljer ni mycket svart?" Hans reaktion på denna plötsliga vändning avslöjade att de gjorde det. Inte för att Carl brydde sig. Det var inte hans avdelning. Han ville bara skapa sig en bild av den han pratade med.

"Är du tidigare straffad, Jonas? Och glöm inte att jag kollar upp det, så här." Han gjorde ett misslyckat försök att knäppa med fingrarna.

Killen skakade på huvudet.

"Vet du om någon av de andra är det?"

"Varför frågar du?"

"Vet du?"

Han drog ut på svaret. "Jag tror att både Go Johnny, Gashandtaget och Påven är det."

Carl nickade lite lätt. Vilka jävla namn. "Och vilka är de?"

Jonas Brande kisade när han vände blicken mot männen i baren. "Birger Nielsen är han den skallige. Han är krogpianist, det är därför vi kallar honom Go Johnny. Gashandtaget sitter bredvid honom och heter Mikkel. Han är motorcykelmekaniker inne i Köpenhamn. Jag tror inte det var något allvarligt de åkte dit för. Birger hade väl sålt smuggelsprit till en krog och Mikkel sålde visst vidare stulna bilar. Men det är en hel del år sedan."

"Och den tredje du nämnde? Påven, va? Det måste vara Svend, han i den blå blazern."

"Ja. Han är katolik, men jag är inte riktigt säker när det gäller honom. Något i Thailand, har jag för mig."

"Vem är då den siste? Han som din bror sitter och snackar med. Är det inte han som tänker lämna laget?"

"Jo, René. Jävla skit, han är ju lagets bäste spelare. René Henriksen, som han den gamle backen i fotbollslandslaget. Det är därför vi kallar honom för Trean."

"Jaha, för att René Henriksen spelade i tröja nummer tre, gissar jag?"

"Ja, i alla fall under en period."

"Får jag se din legitimation, Jonas? Jag behöver ditt personnummer." Han drog lydigt upp plånboken ur fickan och tog fram sitt körkort. Carl skrev ner numret.

"Vet du förresten vem av er som kör Mercedes?"

Han ryckte på axlarna. "Nä, vi brukar ju träffas ..."

Det orkade Carl inte höra en gång till.

"Tack, Jonas. Du kan be René komma hit."

*

De såg på varandra från ögonblicket han reste sig i baren tills han satte sig mitt emot Carl.

En mycket stilig och välvårdad karl med fast blick, inte för att man skulle fästa någon större vikt vid sådant.

"René Henriksen", presenterade han sig och drog upp byxorna i pressvecken när han satte sig. "Jag förstod av Lars Brande att det gäller något slags utredning. Inte för att han sa det i direkta ordalag, det var bara en känsla jag fick. Har det med Svend att göra?"

Carl studerade honom. Detta kunde vara mannen de sökte. Möjligtvis var han något för smal i ansiktet, men valpfettet kunde ju ha runnit av honom under årens lopp. Det nyklippta håret hade ett högt fäste, men inget en peruk inte kunde dölja. Det var något med hans ögon som fick det att klia i kroppen på Carl. De små rynkorna vid ögonen var inte enbart skrattrynkor.

"Svend? Du menar väl Påven?" log Carl, trots att han ville allt annat än le.

Då höjde den andre på ögonbrynen.

"Varför frågar du om det har med Svend att göra?" frågade Carl.

Mannens ansiktsuttryck ändrades. Inte till ett misstänksamt och försvarsinriktat uttryck utan snarare det motsatta. Nästan den lite skamsna blick man kan få när ens egen okunnighet blottas.

"Aha", sa han. "Fel av mig, jag skulle inte ha nämnt Svend. Kan vi börja om från början?"

"Visst. Du tänker lämna laget. Ska du flytta?" frågade Carl.

Återigen denna blick som gav honom känslan av att motparten kände sig naken.

"Ja", sa han. "Jag har blivit erbjuden ett jobb i Libyen. Jag ska starta upp en enorm spegelanläggning ute i öknen, som ska generera ström via en enda central enhet. En mycket revolutionerande utveckling, men det där kanske du redan har hört talas om?"

"Intressant. Vad heter företaget?"

"Tja, knappast något upphetsande." Han log. "Tillsvidare är det aktiebolagets registreringsnummer som gäller. Man har svårt att enas om ifall namnet ska vara arabiskt eller engelskt, men för din vetskap kan jag berätta att bolaget heter 773 PB 55."

Carl nickade. "Hur många i laget, mer än du, äger en Mercedes?"

"Vem har sagt att jag äger en Mercedes?" Han skakade på huvudet. "Vad jag vet är det bara Svend som kör en Mercedes. Å andra sidan brukar han oftast gå hit. Han har inte så långt."

"Hur vet du att Svend har en Mercedes? Jonas och Lars gav intrycket av att ni alltid kör tillsammans i deras folkabuss."

"Sant. Men Svend och jag brukar träffas utanför laget. Det har vi gjort en del år nu. Eller gjorde, borde jag kanske säga. Jag har inte varit hos honom de senaste två, tre åren, du vet säkert varför, men förr om åren i alla fall. Vad jag vet har han inte bytt bil sedan dess. Förtidspensionärer har det inte särskilt gott ställt."

"Vad är det du menar att jag 'säkert vet' om Svend?"

"Hans resor till Thailand, såklart? Är det inte det vi pratar om?"

Det lät som en undanmanöver. "Vilka resor? Jag tillhör inte narkotikapolisen, om det är det du tror?"

Nu tycktes mannen rasa samman helt, men det kunde förstås vara ett spel för galleriet.

"Narkotika? Nej, nej!" sa han. "För tusan, jag vill inte sätta honom på pottan, det är säkert bara något jag har fått för mig."

"Vill du vara så vänlig att genast förklara dig. Annars tvingas jag plocka in dig till förhör på polishuset."

Mannen lutade huvudet åt sidan. "Herregud, nej! Jag menar bara att

Svend vid ett tillfälle råkade avslöja en sak för mig, om vad hans många resor till Thailand egentligen handlar om, om att han får lokala kvinnor att eskortera spädbarn till Tyskland. Barn som valts ut för adoption av på förhand godkända, barnlösa par. Han står för allt pappersarbete och säger själv att han gör en god gärning, men jag tror inte han är så noga med hur barnen skaffas fram. Det var bara det jag syftade på." Han nickade i Svends riktning. "Han är en duktig bowlare, så det är okej att spela med honom, men sedan jag fick veta det här med barnen har jag alltså inte besökt honom."

Carl tittade bort mot mannen i blå blazer. Kunde det vara en rökridå som denne Svend använde för något helt annat? Högst troligt.

Håll dig nära sanningen, men inte för nära, var de flesta brottslingars mantra. Kanske åkte han inte alls till Thailand. Kanske var han kidnapparen som behöver ett alibi gentemot bowlingpolarna medan han utövade sitt motbjudande hantverk.

"Har du koll på vem som sjunger bra eller dåligt i laget?"

Det fick mannen att slå sig för knäna i ett plötsligt skrattanfall. "Nej, vi sjunger inte särskilt mycket tillsammans."

"Själv då?"

"Jodå, jag sjunger väl hyfsat bra. När jag var yngre jobbade jag som kyrkovaktmästare i Fløng. Jag var även med i kyrkokören. Vill du ha ett smakprov?"

"Nej tack. Svend då? Sjunger han bra?"

Han skakade på huvudet. "Ingen aning. Men säg mig, är det för att kolla det som ni är här?"

Carl försökte sig på ett snett leende. "Vet du om någon av er har några synliga ärr?"

Mannen ryckte på axlarna. Nej, Carl kunde inte avskriva honom. Inte ännu.

"Har du en legitimation jag kan få låna? Jag behöver ditt personnummer."

Han svarade inte utan stack istället handen i fickan och fiskade upp ett av de där små etuierna som man förvarar plastkort i. Lars Bjørn på polishuset hade också ett sådant. Säkert en statussymbol, vad visste han?

Carl antecknade personnumret. Fyrtiofyra år. Det stämde in på deras profil.

"Förresten, vad var det nu du kallade ditt nya företag?"

"773 PB 55. Hurså?"

Carl ryckte på axlarna. Om han själv hade gripit ett sådant vansinnigt namn ur luften hade han knappast kommit ihåg det två minuter senare. Så det verkade i alla fall stämma.

"En sista grej bara. Vad gjorde du mellan klockan tre och fyra idag?"

Han tänkte till.

"Mellan tre och fyra? Då var jag hos frisören på Allehelgensgade. Jag har ett viktigt möte imorgon och behöver se presentabel ut."

Killen drog handen över den ena tinningen för att illustrera det. Jodå, visst såg han nyfriserad ut. Men det var nog ändå bäst att kolla med frisören efteråt.

"René Henriksen, jag vill att du sätter dig där borta vid det vita bordet i hörnet, okej? Vi kanske får anledning att talas vid mer."

Killen nickade och sa att han naturligtvis gärna hjälpte till.

Det sa nästan alla som pratade med polisen.

Carl vinkade till Assad att han skulle skicka bort mannen i blå blazer. Ingen tid att spilla.

*

Det var en man som knappast liknade en förtidspensionär. Långt ifrån. Axlarna fyllde ut jackan väl, och då rörde det sig inte om några axelvaddar från åttiotalet.

Han hade ett framträdande ansikte med käkmuskler som spelade varje gång han tuggade på sitt tuggummi. Hans huvud var brett och han hade kraftiga, lätt sammanväxta ögonbryn. Dessutom var han snaggad och gick något framåtlutad. En man som garanterat hade mer i bakfickan än vad han omedelbart gav intryck av.

Han luktade gott. Hans blick var något undfallande med mörka ringar under ögonen, som fick avståndet mellan dem att se kortare ut än det egentligen var.

Sammantaget definitivt en profil och ett utseende att titta närmare på.

Innan mannen satte sig nickade han bort mot René Henriksen i hörnet.

En närmast hjärtlig hälsning.

46

Han var inte särskilt gammal när han förstod att han kunde kontrollera sina känslor så att ingen annan såg dem.

Livet i prästgården påskyndade processen. Där levde man inte i Guds ljus utan i hans skugga, och där blev känslorna oftast missförstådda. Glädje förväxlades med ytlighet, vrede med ovilja och trots. Och för varje gång han missförstods blev han straffad. Därför höll han sina känslor för sig själv. Det var bäst så.

Sedan dess hade det varit honom till stor hjälp. När orättvisorna gjorde sig gällande och när besvikelserna slog till.

Därför visste ingen vem han var inuti.

Och idag hade det räddat honom.

Vilken chock att se de två poliserna komma gående.

En riktig chock. Men det visade han förstås inte.

Han såg dem direkt när de ställde sig i bowlinghallens reception. Han var helt säker på att männen var desamma som stått och pratat med Isabels bror utanför hissen i entrén på Rigshospitalet samma eftermiddag, när han hade bråttom att komma bort. Detta omaka radarpar glömde man inte i första taget.

Frågan var om de kom ihåg honom.

Han trodde inte det. I så fall borde deras frågor ha varit mycket mer ingående än de var. Polisen skulle ha betraktat honom på ett helt annat sätt.

Han såg sig omkring. Det fanns två vägar ut om det skulle hetta till. Ner i maskinrummet, ut genom bakdörren och sedan uppför brandtrappan, förbi den löjliga stolen utan ben som någon ställt där för att visa att detta inte var en utgång. Han kunde också välja raka vägen förbi polisassistenten. Toaletterna låg där borta mellan receptionen och utgången. Vad kunde vara mer naturligt än att gå åt det hållet?

Men i så fall skulle den mörke mannen se att han passerade toalettdörrarna. Han skulle bli tvungen att lämna kvar bilen. Som vanligt stod den parkerad en bit därifrån i parkeringshuset i köpcentret. Han skulle helt enkelt inte hinna ta sig ut ur parkeringshuset. De skulle hinna skära av honom.

Nej, med det alternativet fick han lämna kvar bilen och springa därifrån. Visserligen kände han till en del flyktvägar i den egna staden, men risken var stor att han inte var tillräckligt snabb. Mycket stor.

Det bästa var om fokus riktades åt ett annat håll, bort från honom. Därför, om han kom undan och fortfarande hade kontroll över situationen, skulle han definitivt ta till mer radikala medel.

En sak var säker: han måste ta sig så långt bort som möjligt från dessa två poliser, som lyckats spåra honom hit. Hur i helvete det nu hade gått till.

Helt klart misstänkte de honom. Varför skulle de annars fråga om Mercedesen och hans sångröst och två gånger om namnet på det påhittade bolaget? Tur att han kom ihåg numret.

Alldeles nyss hade han visat den ene polisen sitt falska körkort och uppgett det falska namn han använt i klubben under alla dessa år, något som polisen tillsvidare hade accepterat. När det väl kom till kritan visste de alltså inte så mycket.

Problemet var att de bokstavligt talat hade trängt in honom i ett hörn. Saker som han ljugit om kunde hur lätt som helst kontrolleras, och vad värre var, han hade snart gjort slut på alla sina identiteter och baser. Det skulle inte bli lätt att komma undan. Han var på ett ställe där alla såg om han försökte något.

Han tittade bort mot Påven, som satt mitt emot kriminalaren och tuggade som en galning och såg ut som om han bad om ursäkt för sin existens.

Den mannen var det eviga offerdjuret, och han hade åtskilliga gånger använt honom som förebild. En man som Påven var just sinnebilden för genomsnittsdansken. Så skulle man se ut om man inte ville bli uppmärksammad. Helt vanlig, liksom han själv. Ja, faktiskt liknade de varandra på mer än ett sätt. Samma huvudform, längd, kroppsbyggnad och vikt. Stiliga. Trovärdiga till utseendet, men åt det tråkiga hållet. Personer som förstod att vårda sig själva, men som inte överdrev. Det var från Påven han fått idén att sminka sig, så att det såg ut som om ögonen satt tätare och som om ögonbrynen var sammanväxta. Sminkade han dessutom kinderna en smula kom de att se lika tjocka ut som Påvens.

Jo, exakt dessa drag hade han använt ett antal gånger.

Men utöver dessa karaktäristika hade Påven ännu en egenhet, som han nu använt mot honom.

Svend reste nämligen till Thailand flera gånger om året, och inte enbart för den vackra naturens skull.

*

Kriminalinspektören skickade bort Påven till bordet intill hans eget. Han var helt vit i ansiktet och av minen att döma var han djupt och innerligt sårad.

Det hade nu blivit Birgers tur, och därmed återstod endast en av dem. Det skulle bli knappt med tid efter att förhören avslutats.

Han reste sig och satte sig vid Påvens bord. Även om polisen skulle försöka stoppa honom hade han satt sig där ändå. Han skulle ha börjat gapa om polisstatsmetoder, och hade det kommit till ytterligare ordväxlingar skulle han helt sonika ha lämnat hallen med beskedet att de kunde kontakta honom i hemmet. Hur svårt kunde det vara att hitta adressen, om de hade fler frågor? De hade ju hans personnummer.

Alltså ännu en utväg. De kunde inte gripa honom på så lösa grunder. Och om det var något de inte hade på honom, så var det konkreta bevis. Även om mycket i det här landet hade förändrats fick man i alla fall ännu inte arrestera medborgare om man inte kunde underbygga anklagelserna. Han var säker på att Isabel inte hade hunnit ge dem något än.

Visst, det skulle komma att ske – det var nästan oundvikligt – men inte än. Han hade sett Isabels tillstånd.

Nej, de hade inga bevis. De hade inga lik och kände inte till hans båthus. Och snart skulle fjorden ha slukat hans ogärningar.

Med andra ord handlade det bara om att hålla sig borta några veckor och röja undan alla spår.

Påven blängde på honom. Händerna var knutna, halsmusklerna spända och han andades flåsande. En helt naturlig reaktion som var mycket användbar i den här situationen. Om det här sköttes på rätt sätt skulle det hela vara över på tre minuter.

"Vad hade du att berätta för honom, ditt svin?" viskade Påven.

"Inget de inte redan visste, Svend", viskade han tillbaka. "Jag lovar. Han vet ju uppenbarligen allt redan. Glöm inte att du dessutom står med i registret för gamla synders skull."

Han märkte att Påvens andning blev alltmer ansträngd.

"Men det är ditt eget fel, Svend. Pedofiler är inte särskilt populära nuförtiden", sa han något högre.

"Jag är inte pedofil. Är det vad du har berättat?" Röstläget höjdes.

"Han vet allt. De är dig på spåren. De vet att du har barnporr i datorn."

Hans händer var helt vita. "Det *kan* de inte veta." Han sa det kontrollerat men högre än han tänkt sig. Han såg sig om.

Jo, det funkade. Precis som han räknat med höll polisen koll på dem. Han var en listig jävel, den där snuten. Han hade garanterat placerat dem bredvid varandra för att se vad det hela kunde utveckla sig till. De var båda misstänkta. Helt klart.

Han vände blicken mot baren, men kunde inte riktigt se partnern därifrån. Det betydde att partnern inte heller kunde se honom.

"Polisen vet mycket väl att du inte laddar ner din barnporr från nätet, Svend, att du får bilderna på ett USB-minne från dina kompisar", sa han med normal röst.

"Det får jag inte alls!"

"Men det var vad han sa till mig, Svend."

"Varför frågar han ut alla, om det handlar om mig? Du ska inte vara så säker på att det gör det." Under ett ögonblick glömde han bort att tugga på sitt tuggummi.

"Han har säkert frågat ut andra i din bekantskapskrets, Svend. Nu gör han det här på stället och helt öppet för att du ska avslöja dig själv."

Han skakade. "Jag har inget att dölja. Jag gör inget som ingen annan gör. Så funkar det i Thailand. Jag skadar inte barnen. Jag bara umgås med dem. Inget sexuellt. Inte medan jag umgås med dem."

"Det *vet* jag, Svend, det har du redan sagt, men han påstår att du bedriver handel med barnen. Att det finns fullt med bevis i din dator. Att du köper och säljer bilderna och också barnen. Sa han inte det till dig?" Han rynkade pannan. "Det är väl inte sant, Svend? Du har alltid så mycket att göra när du är där nere, det har du själv sagt."

"Påstår han att jag *handlar* med dem?" Han sa det något för högt och såg sig om igen. Sedan dämpade han sig. "Var det därför han frågade mig om jag var duktig på formulär och annat? Var det därför han frågade mig om hur jag hade råd att resa så mycket på en förtidspension? Det är ju något som *du* har tutat i honom, René. Jag går inte på någon förtidspension, som han sa att du sagt, vilket jag också sa till honom. Jag har ju sålt mina affärer, det *vet* du."

"Han tittar på dig nu. Nej, titta inte tillbaka. Om jag var du, Svend, skulle jag lugnt och försiktigt resa mig och gå. Jag tror inte att de stoppar dig."

Han stack handen i fickan och fällde ut kniven. Sedan drog han sakta upp den.

"När du sedan är hemma förstör du alla bevis, Svend. Allt som är komprometterande. Det är bara ett gott råd från en god vän. Namn, kontakter och gamla flygbiljetter, allt måste bort, förstått? Gå hem och gör det. Res dig bara upp och gå. På studs, annars kommer du att få ruttna i fängelset. Fattar du vad de andra fångarna gör med sådana som du?"

Påven stirrade på honom en stund med galen blick, innan han lugnade ner sig. Sedan sköt han bak stolen och reste sig. Budskapet hade gått hem.

Han reste sig själv och räckte fram handen mot Påven, som om han tänkte skaka hand med honom. Den dolda kniven höll han med bladet riktat mot sig själv.

Påven studerade tvekande handen ett ögonblick och log sedan. Alla tveksamheter var som bortblåsta. Han var stackaren med en drift han inte själv styrde över. En religiös människa som kämpat med skammen och som bar den katolska kyrkans alla dogmer på sina axlar. Här stod hans vän nu inför honom och höll fram handen. Han ville honom bara väl.

I samma sekund som Påven som tog hans hand skulle han slå till. Han skulle lägga kniven i mannens hand, gripa tag om hans fingrar och klämma ihop dem, så att Påven fick ett fast grepp om skaftet, och sedan dra den förvirrade mannens hand mot sig själv med en stöt som träffade muskeln ovanför höften. Ett ytligt men rent stick. Det skulle inte göra särskilt ont.

Däremot kom det att se ut så.

"Vad gör du? Aj! Aj!" skrek han. "Akta, han har kniv!" ropade han och drog ännu en gång Påvens arm mot sig. De två sticken satt perfekt i sidan på honom. Redan nu blödde det ymnigt genom pikétröjan.

Polisen for upp så att stolen flög bakåt. Alla i deras del av hallen vände ansiktet mot tumultet.

Samtidigt sköt han Påven från sig, och Påven började gå åt sidan medan han stirrade på blodet på sina händer.

Han var i chock. Allt hade gått så snabbt. Han fick inte grepp om det.

"Stick, din mördare", viskade René medan han höll sig för sidan.

Då snurrade Påven runt i panik, slog omkull ett par bord i flykten och fortsatte bort mot banorna.

Det var tydligt att han hittade i bowlinghallen som i sin egen ficka, och nu ville han bara ut i maskinrummet och bort.

"Akta! Han har kniv!" ropade han igen medan människor drog sig undan den flyende mannen.

Han såg Påven springa in på bana nitton med den lille mörke polisassistenten från baren efter sig som ett rovdjur. Det skulle inte bli mycket till jakt.

Då gick han fram till hyllan och valde ut ett klot.

När polisassistenten var ifatt Påven i slutet av banan viftade Påven som en galning med kniven framför sig. Han hade drabbats av total kortslutning. Men assistenten kastade sig fram mot hans ben och med ett brak föll de bägge omkull rakt över klotrännan mellan de två yttersta banorna.

Den överordnade polisen var redan halvvägs mot de kämpande männen, men bowlingklotet som lagets bästa spelare kastade iväg på den yttersta banan var snabbare.

Man hörde tydligt krasljudet när klotet träffade Påvens tinning. Det lät som om någon trampade på en påse chips.

Sedan gled kniven ur Påvens hand och ner på banan.

Blickar vändes från den livlösa gestalten till honom. De som hört tumultet visste att det var han som kastat klotet. Några visste till och med varför han föll på knä på golvet och tog sig för sidan.

Allt var precis som det skulle vara.

*

Kriminalinspektören verkade skakad när han kom fram till honom en stund senare.

"Det är mycket allvarligt", sa han. "Svend överlever av allt att döma inte den skallfrakturen. Be en bön att ambulanskillarna där nere vet vad de sysslar med." Han vände blicken mot banan, där man var i full gång med upplivningsförsöken på Påven.

Be en bön att de vet vad de sysslar med, hade polisen sagt. Men det tänkte han verkligen inte göra.

En av ambulanskillarna tömde Påvens fickor och gav innehållet till

397

den mörke assistenten. Det var tydligt att man gick grundligt till väga. Snart skulle de två poliserna rekvirera ytterligare assistans och skaffa fram upplysningar. De skulle kolla upp både Påvens och hans eget namn och personnummer.

Kolla upp deras alibi. Ringa till en frisör han aldrig träffat. Det skulle ta lite tid innan de började fatta misstankar, och denna tid var allt han hade.

Polisen intill honom stod med pannan i djupa veck och tänkte så att det knakade. Sedan såg han honom rakt i ögonen.

"Mannen du kanske har dödat har kidnappat två barn. Det är möjligt att han redan har dödat dem, men om han inte har det kommer de dö av törst eller hunger, om vi inte hittar dem fort. Inom kort kommer vi att åka hem till honom och söka genom hans hus. Men kanske kan du hjälpa oss? Vet du om han äger ett avsides beläget sommarställe eller liknande? Med ett båthus?"

Han lyckades med nöd och näppe dölja den chock som frågan utlöste hos honom. Hur kunde polisen känna till båthuset? Det hade han verkligen inte räknat med. Hur i helvete hade de fått reda på det?

"Jag är ledsen", sa han kontrollerat. Han vände blicken mot den döende mannen på golvet. "Jag är verkligen ledsen, men jag har ingen aning."

Polisen skakade på huvudet. "Omständigheterna till trots slipper du inte undan utredningen kring det här. Det hoppas jag att du förstår."

Han nickade mycket sakta. Varför protestera mot något så självklart? Han ville ju visa sig så medgörlig som möjligt. Då blev de i sin tur mer medgörliga.

Den mörke assistenten kom bort till dem. Han skakade på huvudet. "Är du helt hjärndöd, eller?" sa han och såg rakt på honom. "Allt var lugnt, jag hade honom ju. Varför kastade du iväg klotet? Fattar du ens vad du har ställt till med?"

Han skakade på huvudet och höll upp sina blodiga händer mot polisen. "Men han var helt galen", sa han. "Jag såg ju att han tänkte sticka kniven i dig." Han satte handen mot höften igen och knep ihop ögonen, så att de såg hur ont det gjorde.

Sedan såg han på assistenten med en förorättad och ilsken min. "Du borde snarare tacka mig och vara glad för att jag är så träffsäker."

De två poliserna konfererade ett ögonblick.

"Den lokala polisen kommer strax, och då får du avlägga en preliminär rapport för dem", sa den överordnade. "Vi ska se till att du snabbt kommer under behandling. Ytterligare en ambulans är på väg. Håll dig lugn bara, så att du inte förblöder. Fast det ser inte så allvarligt ut, om du frågar mig."

Han nickade och drog sig undan något.

Det hade blivit dags för nästa drag.

Ett meddelande lästes upp i högtalarna. Domarna hade tagit beslutet att ställa in tävlingen på grund av den våldsamma händelseutvecklingen.

Han tittade bort mot sina lagkamrater, som satt med tomma blickar och knappt registrerade polisernas instruktioner om att inte lämna stället.

Jodå, poliserna hade mycket att stå i. Det hela hade skenat iväg. Innan natten var över skulle de ha en del att förklara för sina överordnade.

Han reste sig och tog sig så lugnt som möjligt längs ytterväggen mot ambulanskillarna som arbetade i slutet av bana tjugo.

Han nickade kort mot dem, böjde sig snabbt bakom dem och tog upp kniven. När han försäkrat sig om att ingen höll honom under uppsikt, slank han in genom den smala passagen in till maskinrummet.

Mindre än tjugo sekunder senare hade han via brandtrappan tagit sig upp till parkeringsplatsen och var på väg mot parkeringshuset i köpcentret.

Samtidigt som ambulansens blåljus försvann bort längs Københavnsvej svängde Mercedesen ut på gatan.

Tre ljuskorsningar till, sedan var kusten klar.

47

Det var en skrämmande händelseutveckling. Mycket skrämmande.

Han hade låtit de två männen sitta vid samma bord, och allt hade gått åt helvete.

Carl skakade på huvudet. Fan också! Han hade varit alldeles för ivrig, alldeles för låst. Hur skulle han å andra sidan kunnat veta att det skulle sluta så här? Han hade ju bara velat göra dem nervösa.

Bägge männen hade kunnat vara kidnapparen, men han hade inte vetat vem av dem det var. Bägge påminde på sitt sätt om fantombilden. Därför ville han se hur de reagerade under press. Han var ju specialist på att känna igen skuldtyngda människor. Åtminstone hade han trott att han var det.

Nu hade allt gått åt helvete. Den ende som kunde berätta var barnen fanns låg nu på sitt yttersta på båren som i detta nu bars ut till ambulansen, och allt var hans fel. Det var helt enkelt för jävligt.

"Kolla här, Carl." Han vände sig om mot Assad, som stod med Påvens plånbok i handen. Han såg inte glad ut.

"Vad, Assad? Jag ser på dig att du inte har hittat något. Ingen adress ens?"

"Det är inte det, det är något annat. Något som inte alls är bra. Titta själv!"

Han gav honom ett kvitto från Netto. "Kolla klockslaget."

Carl lokaliserade tidpunkten och kände genast svetten samla sig på halsen.

Assad hade rätt. Ännu en sak som definitivt inte var bra.

Det var ett kassakvitto från Netto i Roskilde – ett ganska så blygsamt inköp dessutom. En lottokupong, en kvällstidning och ett paket Stimorol. Inhandlat samma dag klockan 15.25. På några minuter när samma klockslag som överfallet på Isabel Jønsson inne på Rigshospitalet i Köpenhamn. Mer än tre mil därifrån.

Om detta var Påvens kvitto kunde han inte vara kidnapparen. Och varför skulle det inte vara hans kvitto, om det låg i hans plånbok?

"Men vad i helvete!" stönade Carl.

"Ambulanskillarna hittade ett halvt paket Stimorol i hans fickor alldeles nyss, när jag bad dem tömma dem", sa Assad och såg sig dystert omkring.

Plötsligt ändrades hans ansiktsuttryck och visade ren förvåning. "Var är René Henriksen?" utbrast han.

Carl såg sig om i hallen. Vart fan hade han tagit vägen?

"Där!" ropade Assad och pekade på den smala passagen in till maskinrummet, där det automatiska kägelsystemet fanns.

Carl såg också. Ett fem centimeter brett streck på väggen. I höfthöjd. Utan tvekan blod.

"Satan också!" utbrast han och började springande korsa bowlingbanorna. Han halkade till på det inoljade underlaget, men lyckades hålla sig på benen.

"Var försiktig, Carl!" ropade Assad. "Kniven ligger inte kvar. Han har tagit den."

Snälla, låt honom vara här inne, tänkte Carl när han tog sig in i ett rum som bara var ett par meter brett och var fullt av maskiner, verktyg och annat bråte. Där var alldeles för tyst.

Han rusade förbi ventilationsrör, stegar och ett bord i teak med sprejburkar och ringpärmar och befann sig plötsligt innanför bakdörren.

Med onda aningar fattade han handtaget, gläntade på dörren och tittade upp. Bara ett svart ingenting som brandtrappan slutade i.

Mannen var borta.

*

Assad återvände efter tio minuter, svettig och tomhänt.

"Jag upptäckte en blodfläck borta vid parkeringshuset", sa han.

Carl suckade tungt. De senaste minuterna hade varit katastrofala. Han hade just fått besked från vakthavande inne på polishuset.

"Nej, tyvärr. Det finns ingen med det personnumret", hade han sagt.

Ingen med det personnumret! René Henriksen existerade överhuvudtaget inte, men det var honom de letade efter.

"Okej, tack, Assad", sa han trött. "Jag har ringt efter hundförarna, som är här när som helst. Då har de åtminstone något att utgå från. Från och med nu är det vårt enda hopp."

Han briefade Assad. De hade ingen information om mannen som kallade sig René Henriksen. En seriemördare gick lös.

"Ta reda på numret till polischefen här i Roskilde. Han heter Claes Damgaard", sa Carl. "Under tiden ringer jag till Marcus Jacobsen."

Det var inte första gången han störde sin chef i hemmet. Kommissarien fick kontaktas dygnet runt. Det var en underförstådd överenskommelse.

"Våldet vilar aldrig i en storstad som Köpenhamn, så varför skulle jag göra det?" brukade Marcus säga.

Men han lät långt ifrån glad över att bli störd i kvällsmyset, innan han fick veta vad det rörde sig om.

"För helvete, Carl. Du måste få tag i Damgaards nummer. Roskilde är inte mitt distrikt."

"Nej, Marcus, jag vet, och Assad håller på att fixa numret, men det är en av dina underordnade som klantat till det."

"Se där, en sak som jag aldrig trodde jag skulle få höra från Carl Mørck." Han lät nästan skadeglad.

Carl skakade av sig tanken. "Journalisterna är här när som helst", sa han. "Vad ska jag göra?"

"Sätt in Damgaard i fallet och ryck upp dig. Du har låtit mannen undkomma, så nu får du ta mig fan också se till att ta honom igen. Kalla in de lokala enheterna. God natt, Carl, och god jakt. Resten tar vi imorgon."

Carl kände ett visst tryck över bröstet. Han och Assad stod helt enkelt ensamma i det här, och de var tillbaka på ruta ett.

"Här är överintendent Damgaards hemnummer", sa Assad. Han behövde bara trycka på mobilen.

Medan Carl lyssnade på signalerna kände han hur trycket över bröstet tilltog. Inte nu, för helvete!

"Det här är Claes Damgaard. Jag är tyvärr inte hemma. Var god lämna ett meddelande efter signalen", lät det på hans mobilsvar.

Carl slog ilsket ihop mobilen. Varför fick man aldrig tag i en polischef när man verkligen behövde det?

Han suckade. Nu fick han helt enkelt nöja sig med de lokala förmågorna när de väl dök upp. Kanske visste någon av dem hur de skulle få stopp på den här cirkusen, helst innan samtliga Själlands journalister stod och knackade på dörren till trapphuset, där några av de lokala gamarna redan var igång med att plåta för fulla muggar. Herregud! I dagens multimediasamhälle hann för fan ryktet fram fortare än själva händelsen. Hundratals vittnen hade sett episoden och lika många hade mobiltelefoner. Naturligtvis var blodsugarna redan där.

Han nickade mot de två lokala utredarna, som ordningspoliserna vid receptionen släppt in.

"Carl Mørck." Han visade dem sin legitimation, och båda kände tydligen igen namnet utan att i övrigt kommentera det. Han satte in dem i situationen. Det var inte helt enkelt.

"Om jag förstår saken rätt", sa den ene, "letar vi alltså efter en man som kan förklä sig till oigenkännlighet, en man som vi inte kan namnet på och där vår enda egentliga hållpunkt är en Mercedes. Det låter som en närmast omöjlig uppgift. Jag tror vi börjar med att ta fingeravtrycken på flaskan med mineralvatten och hoppas att det ger något. Hur gör vi med rapporten? Ska vi ta den nu?"

Carl klappade sin kollega på axeln samtidigt som han spanade över den. "Det kan vänta. Mig når ni ju alltid. Om ni börjar med dem som jobbar här, så pratar jag med de fyra bowlingkompisarna."

De släppte motvilligt iväg honom. Men han hade förstås rätt.

Carl nickade mot Lars Brande, som såg ganska skakad ut. Två man borta på en och samma gång. Knivhugg och dödsfall. Hans lag låg i spillror. Folk han trodde sig ha känt hade svikit honom på ett helt oförlåtligt sätt.

Jo, nog var han skakad alltid, liksom hans bror och pianisten. Alla tre var tysta och nedstämda.

"Vi behöver veta vem den här René Henriksen verkligen är, så tänk till nu. Kan ni komma på något som kan hjälpa oss? Vad som helst. Har han barn? Vad heter de? Är han gift? Var har han arbetat? Var handlar han? Vilket konditori brukar han köpa med sig kakor från? Tänk!"

Tre av bowlingpolarna reagerade inte, men den fjärde, mekanikern som de kallade Gashandtaget, rörde lite på sig. Han var kanske inte lika tagen som de övriga.

"Ibland har jag faktiskt undrat varför han aldrig pratar om sitt jobb", sa han. "Det gör faktiskt alla vi andra."

"Ja, och ...?"

"Tja, han verkade ha det lite bättre ställt än vi andra, så man har ju alltid tänkt att han måste ha ett bra jobb. Han bjuder på fler öl än vi, efter tävlingarna. Så han har helt säkert mer pengar än någon av oss. Ta bara hans väska."

Han pekade bakom barstolen han satt på.

Carl ryckte till. Han stirrade på den konstiga väskan med de många utrymmena kopplade till varandra.

"Det är en Ebonite Fastbreak", sa mekanikern. "Vad tror du en sådan kostar? Trettonhundra, minst. Du ska se min. Sedan ska vi inte snacka om hans klot, de …"

Carl hade slutat lyssna. Det var helt enkelt för bra för att vara sant. Varför hade de inte tänkt på det tidigare? Här stod hans väska.

Han knuffade undan barstolen och släpade fram väskan. Den påminde om en hjulförsedd resväska, men med alla möjliga sorters utrymmen.

"Är du säker på att den är hans?"

Mekanikern nickade, något överraskad över att hans upplysning togs på så stort allvar.

Carl vinkade till sig kollegerna från Roskilde. "Gummihandskar, snabbt", ropade han.

Han fick ett par av den ene.

Carl kände hur svetten i pannan droppade på den blå väskan medan han öppnade den. Det var som att bryta inseglet till en sedan länge förseglad gravkammare.

Det första han hittade var ett mångfärgat, blankpolerat klot som såg mycket modernt ut. Därefter ett par ombytesskor, en burk talk och en liten flaska japansk pepparmyntsolja.

Han höll upp flaskan framför lagkamraterna. "Vad använder man den här till?"

Mekanikern stirrade på flaskan. "Det vet bara han. Varje gång innan vi började spela hällde han en droppe av det där i vardera näsborren. Han påstod att det ökade syreupptagningen, något med koncentrationsförmågan. Men testa själv. Det stämmer inte för fem öre."

Under tiden öppnade Carl de andra facken. Ytterligare ett klot i det ena. Övriga var tomma. Det var allt.

"Jag får titta", sa Assad när Carl backade därifrån. "Ytterfacken då? Har du kollat dem?"

"Jag tänkte precis göra det", sa Carl, men tankarna var redan någon annanstans.

"Vet ni var han har köpt väskan?" frågade han ingen särskild.

"På internet", hördes tre röster i kör.

På internet! Fan ta det där jävla nätet.

"Skorna och det andra då?" frågade han medan Assad fiskade upp en bläckpenna ur fickan, som han började peta i ett av klothålen med.

"Alla handlar sina saker på nätet. Det är billigare", sa mekanikern.

"Pratade ni aldrig om privata saker? Om er barndom och ungdom, eller när ni började spela? Ert första resultat över tvåhundra?"

Ge mig nu något, era idioter. Det får bara inte vara så här.

"Nä. Faktiskt pratade vi bara om vad vi höll på med här och nu", fortsatte mekanikern. "Och när vi var klara pratade vi om hur det hade gått."

"Här, Carl", sa Assad.

Carl tittade på papperslappen han höll upp mot honom. Den var sammanskrynklad till en liten, hård boll.

"Den låg i botten på klotets tumhål", sa Assad.

Carl såg på honom. Han kände sig helt tom i skallen. Sa han tumhål?

"Ja, just det", sa Lars Brande. "Det var så sant. René brukar fodra sina tumhål. Hans tummar är ganska korta, och han har en märklig idé om att fingret måste ha kontakt med hålets botten. Han säger att det ger honom en bättre känsla för klotet när han ska skruva."

Här avbröt hans bror Jonas honom. "Han hade många ritualer för sig. Pepparmyntsoljan, tumfodringen, färgen på kloten. Han kunde till exempel absolut inte spela med ett rött klot. Han sa att det störde hans fokusering på käglorna i själva kastögonblicket."

"Ja", instämde pianisten. Det var första gången han öppnade munnen. "Och sedan stod han kvar tre, fyra sekunder på ett ben när han tog sats. Han borde inte ha kallats Trean utan Storken. Det skojade vi ofta om."

De skrattade alla till, innan de insåg stundens allvar.

"Här är den från andra klotet", sa Assad och höll fram ännu en pappersboll. "Jag har varit väldigt försiktig."

Carl jämnade ut de två pappersbitarna på bardisken.

Sedan såg han på Assad. Vad skulle han göra utan honom?

"Det ser ut som kvitton, Carl. Bankomatkvitton."

Carl nickade. Ett antal bankanställda hade övertidsarbete att se fram emot.

Ett kvitto från Netto och två bankomatkvitton från Danske Bank. Tre små, oansenliga lappar.

De var med i matchen igen.

48

Han andades lugnt. Det var så han tyglade kroppens försvarsmekanismer. Började adrenalinet väl spruta in i ådrorna slog hjärtat fortare, och det behövde han inte just nu. Dessutom blödde det redan alltför ymnigt från höften.

Han gick igenom situationen.

Det viktigaste var att han undkommit. Han förstod inte hur de hade kommit honom så nära, men den analysen fick han ta itu med senare. Just nu var det viktiga att inget syntes i backspegeln som antydde att han var förföljd.

Frågan var vad polisens nästa drag skulle bli.

Det fanns tusentals Mercedesar av den modellen han körde. Bara antalet friköpta taxibilar var enormt. Men om de spärrade av vägarna i och omkring Roskilde skulle det inte bli svårt att stoppa alla Mercedesar.

Därför måste han snabbt iväg. Hem så fort som möjligt. In med hustruns lik i bagageutrymmet och därefter leta fram de tre mest komprometterande flyttlådorna och in med dem också. Låsa huset och sedan direkt upp till gården vid fjorden.

Den fick bli hans bas under de kommande veckorna.

Om han sedan blev tvungen att ge sig ut utanför tomtgränsen fick han helt enkelt sminka sig. Han hade såklart protesterat när de vann tävlingar och laget skulle fotograferas, och de allra flesta gångerna hade han också sluppit undan. Men icke desto mindre fanns det foton av honom, om man bara var ihärdig nog. Vilket de förstås skulle vara.

Därför var ett par veckors isolering uppe på Vibegården på alla sätt och vis en bra idé. Ordna med likens upplösning och sedan iväg.

Huset i Roskilde fick han ge upp och Benjamin fick bli kvar hos sin faster. Tids nog skulle han skaffa tillbaka honom. Två, tre år i polisens arkiv, sedan skulle det växa mossa på fallet.

Han hade haft framförhållning och stoppat undan saker på Vibegården för nödsituationer som denna. Nya id-papper och en rejäl summa pengar. Inte så att han kunde leva i sus och dus, men nog för att han skulle kunna försvinna till en av världens avkrokar och stanna där tills det så småningom var dags att börja om på nytt. Det skulle inte skada med ett par års lugn och ro.

Han tittade i backspegeln igen och kunde inte låta bli att le.

De hade frågat honom om han kunde sjunga.

"Såklart att jag kan sjuuunnnga", sjöng han så att det rungade i kupén. Han skrattade och tänkte på Moderkyrkans församlingsmöten i Frederiks. Nej, ingen glömde någon som sjöng falskt, så därför gjorde han det. Då trodde folk att de visste något väsentligt om en, vilket de förstås inte gjorde.

Sanningen var nämligen den att hans sångröst var mer än bara genomsnittlig.

Men en sak måste han fixa – en plastikkirurg som kunde avlägsna ärret bakom höger öra. Där spiken nästan gått helt igenom när de tog honom på bar gärning med att tjuvkika på styvsystern. Hur i helvete kunde de känna till det ärret? Hade han vid något tillfälle inte haft tillräckligt med smink på? Fast det hade han ju haft ända sedan den där konstiga pojken han dödade frågade honom hur han fått det. Vad var det nu grabben hette? Han började få svårt att hålla isär dem.

Han släppte tanken och funderade istället på händelserna i bowlinghallen.

De skulle inte hitta några fingeravtryck på mineralvattenflaskan, om de nu trodde det, för den hade han torkat av med en servett under tiden de förhörde Lars Brande. Inte heller skulle de hitta några avtryck på vare sig stolar och bord. Där hade han varit väldigt omsorgsfull.

Han log ett ögonblick för sig själv. Nej, han hade varit synnerligen noggrann.

Men plötsligt kom han ihåg bowlingväskan. Och att det fanns fingeravtryck på kloten. Och att det satt kvitton i tumhålen som kunde spåras till adressen i Roskilde.

Han drog ett djupt andetag och påminde sig ännu en gång om att hålla sig lugn. Han fick inte börja blöda för mycket.

Trams, intalade han sig sedan. De kvittona kommer de inte att hitta. Inte med en gång i alla fall.

Nej, han hade gott om tid. Möjligtvis skulle de om ett dygn eller två hitta huset här i Roskilde. Fast han behövde bara en halvtimme.

Han svängde in på gatan och såg den unge mannen på gräsmattan framför huset. Han ropade Mias namn.

Ännu ett streck i räkningen.

Han måste röjas undan, tänkte han och övervägde om han skulle parkera på en av sidogatorna.

Han tog fram den blodiga kniven i handskfacket. Sedan rullade han lugnt förbi huset samtidigt som han tittade åt andra hållet. Killen lät som en hormonstinn hankatt med sina trånande rop. Föredrog hon verkligen den spolingen framför honom? Det var då han upptäckte det äldre paret, som bodde mitt emot, bakom gardinerna. De hade lagt åren bakom sig, men knappast nyfikenheten.

Han gasade på.

Han kunde inget göra. Det skulle finnas för många vittnen om han anföll den unge mannen.

De fick helt enkelt hitta liket i huset, punkt slut. Vad spelade det för roll? Polisen misstänkte honom ändå för allvarliga saker – han visste inte vilka, men allvarliga var de.

Möjligtvis skulle de hitta en flyttlåda med broschyrer om sommarhus till salu, men vad skulle de göra med dem? De visste ju inget. Det fanns inga papper som avslöjade vilket hus han i slutändan beslutat sig för att köpa.

Nej, det oroade han sig inte särskilt för. Lagfarten till Vibegården låg där uppe i boxen tillsammans med pengarna och passen. Han kunde vara lugn.

Bara han snart fick stopp på blödningarna och inte blev stoppad på vägen upp, skulle allt fixa sig.

*

Han letade fram första förbandslådan och tog av kläderna på överkroppen.

Sticken var djupare än han först trott. Speciellt det sista. Han hade beräknat hur hårt han skulle dra i Påvens arm, men inte hur lite motstånd mannen skulle göra.

Det var därför han blödde som han gjorde, och det var därför han förmodligen måste lägga ner en hel del tid på att undanröja spåren i Mercedesens förarsäte innan han sålde den.

Han hittade sprutan och ampullen med det smärtstillande medlet och injicerade det efter att ha desinficerat såren.

Han satt kvar en stund och såg sig om i stugan. Han hoppades verkligen inte att de lokaliserade Vibegården. Det var här han kände sig som mest hemma. Fri från världen, fri från dess svek och bedrägeri.

Han gjorde klar nål och tråd. Om en minut kunde han sy sig själv utan att det kändes.

Ett par ärr till åt plastikkirurgen, tänkte han med ett leende.

När han var färdig studerade han stygnen med ett skratt. Snyggt var det knappast, men det hade i alla fall slutat blöda.

Han fäste en kompress över såren med plåstertejp och lade sig sedan i soffan. Först lite vila, sedan skulle han gå ut och slå ihjäl barnen. Ju snabbare, desto bättre. Ju fortare kropparna löstes upp, desto snabbare kom han härifrån.

Tio minuter på rygg bara, sedan skulle han gå ut i uthuset och hämta hammaren.

49

Det tog tjugo minuter innan de fick reda på vem som tagit ut pengarna och var han bodde. Claus Larsen, hette han, och han bodde så nära att de kunde vara i samma bostadsområde på mindre än fem minuter.

"Vad tänker du, Carl?" sa Assad, när Carl svängde ut i rondellen på Kong Valdemars Vej.

"Jag tänker på hur bra det är att vi har ett antal kolleger i bakhasorna, som har sina tjänstepistoler med sig."

"Tror du att det kan komma till det?"

Han nickade.

De svängde in på gatan i villaområdet, och redan när de hade hundra meter kvar till huset såg de en man stå och skrika i den skumma gatubelysningen.

Det var definitivt inte mannen de sökte. Han var yngre, smalare och fullkomligt desperat.

"Skynda er! Hjälp mig! Det brinner där uppe!" skrek han när de kom springande mot honom.

Carl såg hur kollegerna i den bakomvarande bilen bromsade och omedelbart anropade brandkåren, vilket det äldre grannparet, som stod i morgonrockarna på den motsatta trottoaren, säkerligen också gjort.

"Vet du om det finns folk i huset?" ropade Carl.

"Jag tror det. Det är något mycket fel med det här huset." Han var alldeles andfådd. "Jag har gått förbi här flera dagar i rad nu, men ingen öppnar, och när jag ringer till Mias mobil hör jag den där uppe. Fast hon svarar inte." Han pekade upp mot ett takfönster och tog sig förtvivlat för pannan.

"Varför brinner det?" skrek han.

Carl spanade upp mot lågorna, som nu tydligt kunde ses igenom takfönstret som killen pekat ut på ovanvåningen, rakt ovanför ytterdörren.

"Du har inte sett en man gå in i huset alldeles nyss?" frågade han.

Killen skakade på huvudet och hade svårt att stå stilla. "Jag slår in dörren, jag lovar", skrek han desperat. "Jag slår in den nu, okej?"

Carl såg på sina kolleger. De nickade.

Han var stor, stark och vältränad och tycktes veta vad han gjorde. Han tog sats, och i samma sekund som han nådde dörren hoppade han upp och riktade en stenhård spark med hälen mot låset. Han stönade högt och utstötte en rad förbannelser när han föll till marken. Dörren hade inte gett med sig.

"Satan också! Den rubbar sig inte." Han vände sig i panik mot polisbilen bakom. "Men hjälp till då! Jag tror att Mia är där inne", ropade han.

Samtidigt hördes ett högljutt brak. Carl snurrade runt mot ljudet och hann se Assad försvinna in genom ett krossat fönster på nedervåningen.

Carl sprang dit med den unge killen tätt i hälarna. Assad hade varit effektiv, eftersom hela det krossade treglasfönstret, med spröjsverk och allt, låg innanför på golvet tillsammans med reservhjulet han hivat genom det.

De hoppade in.

"Hitåt", ropade killen och drog med sig Assad och Carl ut i hallen.

Det fanns inte så mycket rök i trappan, men däremot på ovanvåningen, där det knappt gick att se handen framför sig.

Carl drog upp skjortan över munnen och sa åt de andra att göra likadant, när han hörde Assad hosta bakom sig i trappan.

"Gå ner, Assad", ropade han, men Assad vägrade.

Utanför hörde de brandbilarna närma sig, men det var knappast någon tröst för den unge mannen, som famlade sig fram längs väggen.

"Jag tror att hon är där inne. Hon har sagt att hon bär med sig mobilen vart hon än går", hostade han i den tjocka röken.

"Hör här." Av allt att döma ringde han henne från sin mobil, för efter ett par sekunder hördes en svag ringsignal bara några få meter ifrån dem.

Killen letade sig fram till dörren. Då hörde de takfönstret innanför explodera av hettan.

Samtidigt kom en av kollegerna från Roskilde hostande uppför trappan. "Jag har en liten brandsläckare här", ropade han. "Var brinner det?"

Svaret lät inte vänta på sig. Killen slet upp dörren till rummet så att

lågorna slog ut mot dem. Sedan hördes det fräsande ljudet av brand-
släckaren, men den gjorde inte mer nytta än att tillfälligt dämpa elden
så att de nätt och jämnt kunde se in i rummet.

Det såg inte bra ut. Lågorna hade fått fäste i taket och i de många
kartonger som stod där inne.

"Mia!" skrek killen desperat. "Mia, är du där?"

I samma sekund brakade en vattenstråle genom takfönstret. Den var
så kraftig att Carl slogs till golvet, och han kände en brännande smärta
i den arm och axel som han instinktivt hade skyddat ansiktet med.

De hörde rop utifrån och sedan kom skummet.

Allt var över på några sekunder.

"Vi måste öppna fönstren", hostade Roskildepolisen.

Carl for upp och letade sig fram till en dörr, medan den andre poli-
sen hittade ytterligare en.

När röken skingrades gick Carl tillbaka till rummet där det hade
brunnit. I dörren stod den unge mannen på det våta golvet och hivade
panikartat ut kartonger i korridoren. Det pyrde fortfarande i flera av
lådorna, men det tycktes inte hindra honom.

Då stötte Carl emot den livlösa kroppen som låg på trappavsatsen.
Assad.

"Akta dig!" skrek han till en polis som just gick förbi och knuffade
honom åt sidan.

Han klev ner ett trappsteg och fick tag i Assads ben. Med ett ryck
drog han honom till sig och kastade honom över axeln.

"Hjälp honom!" skrek han åt två ur räddningspersonalen. Han lade
sin assistent på gräsmattan utanför huset och Assad fick snabbt en syr-
gasmask för munnen.

Se för helvete till att hjälpa honom, tänkte han om och om igen, allt-
medan ropen från ovanvåningen tilltog.

Han såg aldrig när de kom ner med den unga kvinnan. Han lade
märke till henne först när de placerade henne på en bår intill Assad.

Hennes kropp såg ut som om likstelheten redan hade satt in.

Så kom de med den unge mannen. Han var svart av sot och stora
delar av håret hade svetts bort, men ansiktet var oskatt.

Han grät.

Carl lämnade Assad och gick bort till killen. Han såg ut som om han
när som helst skulle bryta samman.

"Du gjorde vad du kunde", tvingade Carl sig att säga.

Då började killen att skratta och gråta på en och samma gång.

"Hon lever", sa han och föll på knä. "Jag kände hennes hjärta slå."

Bakom sig hörde Carl Assad hosta.

"Vad händer?" ropade han och fäktade med armar och ben.

"Ligg stilla", sa en av räddningspersonalen. "Du är rökförgiftad, och det är inte alldeles ofarligt."

"Jag är inte rökförgiftad. Jag ramlade i trappan och slog i huvudet. Det gick ju inte att se röven på en elefant i all den röken."

*

Det gick tio minuter innan kvinnan öppnade ögonen. Syrgasen och droppet, som akutläkaren gav henne, hade gjort verkan.

Brandmännen ordnade med eftersläckningen. Under tiden sökte Assad, Carl och kollegerna från Roskilde igenom huset, men de hittade inga dokument rörande René Henriksen, alias Claus Larsen. Inte heller fann de några upplysningar om ett hus i närheten av vattnet.

Det enda de hittade var lagfarten på huset de befann sig i, och den var utfärdad på en tredje person.

Benjamin Larsen.

De kontrollerade om en Mercedes kunde knytas till adressen. Återigen förgäves.

Mannen hade helt enkelt skaffat sig så många nödutgångar att det var närmast osannolikt.

De hade sett några foton av ett brudpar i vardagsrummet. Hon leende med en stor bukett, han stilig och uttryckslös. Alltså var kvinnan på båren hans fru.

Stackars Mia.

"Vilken tur att du var här när vi kom, annars kunde det ha gått riktigt illa", sa han till den unge mannen, som nu satt i ambulansen och höll kvinnans hand. "Vem är du? Vad är ditt förhållande till kvinnan?" frågade Carl.

Han svarade att han hette Kenneth, men sa inte mycket mer än så. Han fick förklara resten för kollegerna.

"Du blir tvungen att flytta dig lite, Kenneth. Jag har några mycket brådskande frågor att ställa till Mia Larsen." Han såg frågande på akutläkaren, som höll upp två fingrar.

Två minuter var allt han fick.

Carl tog ett djupt andetag. Det här var kanske deras sista chans.

"Mia", sa han. "Jag är polis. Du är i goda händer nu, så du behöver inte vara rädd. Vi letar efter din man. Var det han som gjorde det här mot dig?"

Hon nickade sakta.

"Vi behöver veta om din man äger ett hus eller håller till på en plats som ligger nära havet. Ett sommarställe, kanske. Vet du något om det?"

"Kanske", sa hon sammanbitet och mycket svagt.

"Var?" frågade han i ett försök att inte låta otålig.

"Vet inte. Broschyrer uppe i lådorna." Hon nickade ut genom de öppna ambulansdörrarna i riktning mot huset.

Vilken omöjlig uppgift.

Carl vände sig mot en av Roskildepoliserna och informerade dem om vad de skulle hålla utkik efter. Ett hus med ett båthus intill fjorden. Om de hittade ett sådant prospekt eller något liknande i någon av lådorna som Kenneth hivat ut i korridoren, måste de omgående kontakta honom. Lådorna som ännu stod kvar i rummet behövde de inte bry sig om i nuläget. De var förmodligen redan förstörda.

"Vet du om din man går under andra namn än Claus Larsen, Mia?" frågade han slutligen.

Hon skakade på huvudet. Sedan lyfte hon armen mycket långsamt och målinriktat mot Carls huvud. Hon skakade av ansträngningen, men hon lyckades till slut lägga handen mot Carls kind.

"Snälla, hitta Benjamin!" Sedan sjönk handen igen och hon slöt ögonen av utmattning.

Carl såg frågande på den unge mannen.

"Benjamin är hennes son", sa han. "Mias enda barn. Han är bara drygt ett och ett halvt år."

Carl suckade och kramade försiktigt kvinnans arm med handen.

Vilket lidande hennes man hade utsatt världen för! Vem skulle stoppa honom nu?

När han var klar kollade man hans brännskadade arm och axel en sista gång. Det skulle göra mycket ont de kommande dagarna, varnade läkaren.

Då fick det väl göra det.

"Hur mår du, Assad?" frågade han medan brandmännen rullade in slangarna och ambulansen lämnade dem.

Hans assistent himlade med ögonen. Bortsett från lite huvudvärk och sot både här och där mådde han hur fint som helst.

"Han kom undan, Assad."

Assad nickade.

"Vad mer kan vi göra?"

Assad ryckte på axlarna. "Det är mörkt nu, men jag tycker att vi ska köra upp till fjorden och kolla upp de där platserna som Yrsa ringade in."

"Har vi fotona med oss?"

Assad nickade och plockade fram en mapp som legat i baksätet. Alla flygfotona av kusten. Femton totalt. Och ännu fler inringade ställen.

"Varför ringde han inte tillbaka, den där Klaes Thomasen, tror du?" frågade Assad, när de satte sig i bilen. "Han sa att han tänkte prata med skogsmannen."

"Skogsmästaren, menar du. Ja, det sa han. Han kanske inte fick tag i honom."

"Vill du att jag ringer upp Klaes och hör efter, Carl?"

Carl nickade och gav Assad sin mobil.

Det tog ett tag, men till slut fick Assad kontakt. Det var tydligt att något inte stod rätt till. Han slog igen mobilen och såg dystert på Carl. "Klaes Thomasen var mycket överraskad. Redan igår berättade han för Yrsa att skogsmästaren i Nordskoven hade bekräftat att det åtminstone förr låg ett båthus på vägen upp mot skogvaktaren." Han såg ut att fundera över det sista ordet. Sedan fortsatte han.

"Han sa till Yrsa att hon skulle säga det till oss. Jag tror det var i samma veva som du gav henne rosorna, Carl. Hon glömde berätta."

Glömde berätta? Hur fan kunde man glömma något sådant? Så viktig information! Var kvinnan fullkomligt sinnessjuk?

Han samlade sig. Han kunde ändå inte göra något åt det i det här läget. "Var ligger det där båthuset, Assad?"

Assad placerade kartan på instrumentbrädan och pekade. Vibegården på Dyrnæsvej i Nordskoven, med dubbla cirklar omkring. Platsen Yrsa själv pekat ut. Det kunde bara inte vara sant.

Men hur skulle de ha kunnat veta att hennes vilda gissning var korrekt? Och hur skulle de då ha kunnat veta att det var bråttom? Att en ny kidnappning hade skett?

Han skakade på huvudet. Men en ny kidnappning hade verkligen skett. Och det innebar … Han vågade inte ens slutföra tankegången.

Allt tydde nämligen på att två barn just nu befann sig i samma situation som Poul och Tryggve Holt gjort för tretton år sedan. Två barn i allra yttersta nöd! Exakt i detta nu!

50

Inne i Jægerspris tog de av vid en röd paviljong på vilken det stod *Skulpturer och målerier*, och sedan befann de sig med ens i skogen.

De körde en bra bit på den regnvåta asfalten, innan de nådde en skylt med texten *Obehöriga motorfordon äga ej tillträde*. En perfekt väg om man ville syssla med något ostört.

De körde sakta. GPS:en visade att det fortfarande var en bra bit till huset, men halogenljuset från strålkastarna nådde långt framför dem. Om några veckor skulle trädens knoppar slå ut, men för tillfället fanns där inte så mycket att gömma sig bakom, så det gällde att ingen såg dem komma.

"Vi kommer snart till en väg som heter Badevej, Carl. Efter det tar skogen slut, med öppen mark ända ner till fjorden och huset. Vi måste nog släcka strålkastarna nu."

Carl pekade på handskfacket där stavlampan låg. När Assad tagit fram den släckte Carl bilens lyktor.

Det var nätt och jämnt att de kunde orientera sig i skenet från stavlampan, så de tvingades krypa fram.

De skymtade ett stycke våtmark ut mot fjorden. Förmodligen också en del boskap som låg i gräset. Plötsligt dök en liten transformatorstation upp på vänster sida av vägen. Den surrade svagt när de passerade den.

"Kan det vara den som har åstadkommit det surrande ljudet?" frågade Assad.

Carl skakade på huvudet. Nej, den lät för svagt. Det gick inte ens att höra den längre.

"Där, Carl." Assad pekade mot några svarta konturer, som sekunden efter visade sig vara ett skogsparti som löpte från vägen och ända ner till vattnet. Då låg alltså Vibegården där bakom.

De parkerade bilen i dikeskanten och stod sedan kvar en stund på vägen, som för att stålsätta sig.

"Vad tänker du på, Carl?" frågade Assad.

"Jag tänker på vad vi kommer att hitta. Och så tänker jag på pistolen som ligger kvar i vapenskåpet på Huset."

*

Bakom skogspartiet fanns en inhägnad och bakom inhägnaden fanns ännu en skogsdunge, som bredde ut sig ända ner till stranden. Det var ingen stor egendom, men den låg perfekt. Här fanns alla möjligheter att leva ett lyckligt, ensamt liv, eller för den delen att dölja de mest vedervärdiga ogärningar.

"Titta!" Assad pekade och Carl såg. Konturerna av ett litet hus tätt intill vattnet.

Förmodligen ett uthus eller ett lusthus.

"Och där", sa Assad och pekade in bland träden.

Ett svagt ljussken.

De trängde sig igenom trädsnåren och stod snart framför det röda tegelhuset som legat dolt bakom vegetationen. Nergånget, på gränsen till förfallet. Det lyste i två av fönstren ut mot vägen.

"Tror du att han är inne i huset?" viskade Assad.

Carl svarade inte. Hur fan skulle han kunna veta det?

"Enligt kartan ska det finnas en infart lite längre fram bakom huset. Kanske borde vi kolla om Mercedesen står där", viskade Assad.

Carl skakade på huvudet. "Tro mig, Assad, det gör den."

Då hörde de ett lågt surrande ljud som kom från någonstans längre ner i trädgården. Som en långsamtgående motorbåt. Ett tyst, lågt surr bara en bit bort.

Carl knep ihop ögonen. Där var det surrande ljudet. "Det kommer från uthuset, där nere i trädgården. Ser du det, Assad?"

Han grymtade jakande.

"Tror du båthuset kan ligga inne bland buskarna intill uthuset?" sa Assad. "Strandlinjen bör gå där någonstans."

"Kanske. Men jag är rädd för att han också kan vara där nere. Och för vad han i så fall sysslar med just nu", sa Carl.

Tystnaden från boningshuset och det kusliga ljudet från uthuset gav honom rysningar.

"Vi måste ta oss ner dit, Assad."

Hans partner nickade och gav den släckta stavlampan till Carl. "Du kan använda den till att försvara dig med, Carl. Jag använder hellre händerna."

De trängde igenom busksnår som rev mot Carls brännskadade arm. Han tackade den fuktiga skjortan och jackan och det kylande duggregnet.

När de närmade sig uthuset hörde de ljudet ännu tydligare. Monotont, lågt och oupphörligt. Som en nyoljad motor på lägsta varvtal.

Under dörren skymtade de en tunn ljusstrimma. Då var det något som försiggick där inne.

Carl pekade på dörren och fattade den tunga ficklampan. Om Assad ryckte upp dörren kunde han storma in med lampan i högsta hugg.

De stod ett par sekunder och såg på varandra, sedan gav Carl tecken. Ett rejält grepp om dörrhandtaget och upp med dörren. Sekunden efter stod Carl i det lilla rummet.

Han såg sig om och sänkte sedan stavlampan. Där fanns ingen. Bortsett från en pall, några verktyg på en hyvelbänk, en stor oljetank, några slangar och så generatorn på golvet – en surrande kvarleva från förr, när saker och ting gjordes för att hålla – fanns där ingenting.

"Vad är det som luktar, Carl?" viskade Assad.

Även Carl kände den mycket fräna lukten. Men det var länge sedan han senast känt den. För en herrans massa år sedan när han skulle luta av alla furumöblerna och rumsdörrarna. Denna starka, lukt som fick näsborrarna att klibba ihop. Lukten av lut.

Han tittade på oljetanken samtidigt som hans inre fylldes av ohyggliga bilder. Sedan tog han pallen med sig bort till tanken. Han klev upp på den och lyfte av locket. Han var livrädd för vad han skulle få se, om han tryckte på ficklampans strömbrytare.

Han riktade ljuskäglan ner i oljetankens djup, men såg inget. Bara vatten och ett meterlångt värmeelement, som hängde ner längs tankens insida. Med tanke på den starka lukten av lut var det inte svårt att räkna ut vad tanken skulle användas till.

Han släckte ficklampan, klev försiktigt ner igen och såg på Assad.

"Jag tror att barnen fortfarande är i båthuset", sa han. "Kanske lever de ännu." De spanade försiktigt ut genom dörren, innan de lämnade uthuset. Väl ute stod de tysta kvar en stund för att vänja sig vid mörkret. Om tre månader skulle det vara ljust som på dagen vid det här klockslaget. Men just nu såg de bara otydliga konturer avteckna sig mellan dem och fjorden. Kunde det verkligen ligga ett båthus där nere i de låga buskagen? Han vinkade åt Assad att han skulle följa efter. När han började gå kände han hur stora skogssniglar mosades under skorna. Av Assads äcklade uttryck att döma kände han det också.

Snart nådde de snåret. Carl böjde sig fram och vek en gren åt sidan. Där, mitt framför ögonen på dem, en halvmeter ovanför marken, fanns dörren. Han rörde vid de tjocka plankorna som dörren var infälld i. De var glatta och fuktiga.

Det luktade tjära. Den hade antagligen använts som tätningsmedel i springorna. Samma tjära som Poul Holt hade förseglat sin flaskpost med.

De hörde vatten skvalpa alldeles intill dem, vilket alltså innebar att huset stod på vattnet.

Ingen tvekan om att det var byggt på pålar. Det här var båthuset.

De hade hittat det.

Carl drog i handtaget, men dörren gick inte att öppna. Han kände över den och fann en sprint som satt nerstucken i ett beslag. Han drog försiktigt upp den och lät den sedan falla ner i sin kedja. En sak var säker – den jäveln var inte i båthuset.

Han gläntade sakta på dörren och hörde genast någon som andades. Stanken av rutten tång, urin och avföring slog emot honom.

"Är någon här?" viskade han.

Ett ögonblicks tystnad, innan ett undertryckt stönande hördes.

När han tände lampan möttes han av en hjärtslitande syn.

Två meter ifrån varandra satt två hopkrupna skepnader i sin egen avföring. Våta byxor och fett hår. Två små levande vrak som gett upp.

Pojken stirrade på honom med stora, vilda ögon. Inklämd under taket, framåtböjd, bakbunden och fastkedjad. Hans mun var täckt med silvertejp, som rörde sig lätt när han andades. Hela han skrek på hjälp. Carl vände lampan mot flickan vid sidan om, som hängde framåt i sin kedja. Huvudet var livlöst mellan axlarna, som om hon sov, men det gjorde hon inte. Ögonen var öppna och reagerade blinkande på ljuset. Hon orkade bara inte lyfta huvudet. Så kraftlös var hon.

"Vi är här för att hjälpa er", sa han, drog sig upp på golvet och kröp in. "Var alldeles tysta, så kommer det här att ordna sig."

Carl slog ett nummer på sin mobil. Två sekunder senare svarade man på polisstationen i Frederikssund.

Han förklarade sitt ärende och bad om assistans. Sedan slog han igen mobilen.

Pojken lät axlarna falla ner. Samtalet hade lugnat honom.

Under tiden hade Assad tagit sig in. Han låg på knä under snedtaket och drog tejpen av flickans mun. Han hade redan lösgjort den rem som hennes händer var bundna med, när Carl började frigöra pojken. Han hade förstått vad som gällde och sa ingenting när tejpen revs av. Istället lutade han sig åt sidan så att Carl kom åt läderremmen på ryggen.

De fick ut barnen en bit från väggen och drog i kedjan som låg om livet på dem. Den var fastlåst i ytterligare en kätting, som i sin tur satt fast i väggen.

"Han lade dem om oss igår och låste ihop dem. Innan satt väggkedjan fast direkt i remmen. Han har nycklarna", sa pojken med hes röst.

Carl tittade på Assad.

"Jag såg en kofot i uthuset. Kan du hämta den, Assad?" frågade han.

"En kofot?"

"Ja, för helvete, Assad." Carl såg på Assads min att han mycket väl visste vad en kofot var. Han ville helt enkelt inte trampa på en massa sniglar igen, om han kunde undvika det.

"Håll lampan, så hämtar jag den själv."

Han drog sig ut ur båthuset. Kofoten borde de förstås ha tagit med sig från första början. Om inte annat för att det var ett utmärkt vapen.

Han var på väg genom sörjan av levande och döda sniglar ännu en gång när han märkte ett svagt ljussken från ett av boningshusets fönster ut mot fjorden. Det hade han inte sett tidigare.

Han stannade upp och lyssnade.

Nej, han hörde inget utöver generatorn.

Han smög försiktigt fram till uthuset och drog sakta upp dörren.

Kofoten låg framför honom på hyvelbänken under en hammare och en skiftnyckel. Han lyfte bort hammaren, men när han knuffade undan skiftnyckeln råkade den tippa över kanten och föll till golvet med en öronbedövande, metallisk klang.

Han ryckte till. Så stod han tyst kvar ett ögonblick i den skumma belysningen och lyssnade.

Sedan tog han kofoten och smög ut igen.

*

De såg lättade på honom när han återvände. Som om alla rörelser som Carl och Assad utfört sedan de öppnade dörren in till dem var ett mirakel i sig själva. Vilket förstås var ytterst förståeligt.

De bröt försiktigt loss kedjorna från väggen.

Pojken kröp omgående ut från snedtaket, men flickan låg bara orörlig kvar.

"Hur är det med henne?" frågade Carl. "Behöver hon vatten?"

"Ja. Hon är helt slut. Det har vi varit länge."

"Du bär flickan, Assad", viskade Carl. "Håll upp kedjorna så att de inte rasslar. Jag hjälper Samuel."

Han märkte hur pojken stelnade till. Hur han vred sitt skitiga huvud mot Carl och stirrade på honom, som om han hade uppenbarat sin diaboliska själ.

"Vet du vad jag heter?" sa pojken misstänksamt.

"Jag är polis, Samuel. Jag vet mycket om er."

Han ryggade tillbaka. "Hur? Har du pratat med mamma och pappa?" frågade han.

Carl tog ett djupt andetag. "Nej, det har jag inte."

Samuel drog tillbaka armarna. Knöt nävarna. "Det är något som inte stämmer", sa han. "Du är inte polis."

"Jo, det är jag, Samuel. Vill du se min bricka?"

"Hur visste du var vi var? Det kan du inte ha vetat!"

"Vi har arbetat länge med att få tag i er kidnappare, Samuel. Men kom nu, vi har ont om tid", bönföll Carl medan Assad krånglade ut flickan genom dörröppningen.

"Om ni är poliser, varför har vi då så ont om tid?" Nu såg han skräckslagen ut. Det var tydligt att han var utom sig. Var det chocken?

"Vi var tvungna att bryta loss er från väggen, Samuel. Är inte det bevis nog? Vi hade ingen nyckel."

"Vad är det med mamma och pappa? Har de inte betalt? Har något hänt dem?" Han skakade på huvudet. "Vad har hänt med mamma och pappa?" sa han igen, nu alldeles för högt.

"Sch!" sa Carl.

De hörde en dov smäll utanför. Assad måste ha halkat på den glatta trädgårdsgången. "Hur gick det?" viskade Carl. Han vände sig mot Samuel. "Kom nu, Samuel. Det är bråttom."

Pojken såg misstroget på Carl. "Du pratade inte med någon i mobilen alldeles nyss, va? Ni för bort oss för att döda oss, inte sant? Är det inte så?"

Carl skakade på huvudet. "Nu drar jag mig ut, sedan kan du ju själv kika ut och se att allt är i sin ordning", sa han och gled ut i den friska luften.

Han hörde ett ljud och kände ett hårt slag i nacken. Sedan blev allt svart.

51

Kanske hade han hört något utanför, kanske var det smärtorna från höften där han sytt sig själv. I alla fall vaknade han med ett ryck och såg sig förvirrat omkring i vardagsrummet.

Sedan kom han ihåg vad som hänt och tittade på klockan. Det hade gått nästan en och en halv timme sedan han lagt sig för att vila.

Fortfarande sömndrucken drog han sig upp i soffan och lade sig på sidan för att se om det blött igenom bandaget.

Han nickade nöjt. Det såg torrt och fint ut. Inte illa för att vara första gången.

Han ställde sig upp och sträckte på sig. Ute i köket fanns juicepaket och burkmat. Ett glas granatäpplejuice och lite tonfisk på knäckebröd skulle nog göra susen efter blodförlusten. En knäckemacka bara, sedan skulle han ta sig ner till båthuset.

Han tände ljuset i köket och stirrade snabbt ut i mörkret. Sedan drog han ner rullgardinen. Dumt om någon ute på sjön såg att det lyste i huset. Bäst att inte ta några risker.

Han stannade upp med en undrande min. Vad var det för ljud? Lät det som en klang? Han stod tyst ett ögonblick. Nu hördes inget.

Kanske någon sjöfågel? Men inte brukade de hålla på vid den här tiden på dygnet? Han lyfte på rullgardinen och spanade mot det hållet han tyckte sig ha hört ljudet komma ifrån. Han stod blickstilla och försökte se något.

Där! Det var inte lätt att urskilja något där nere i mörkret, men nog var det en stor mörk skepnad i rörelse.

Precis utanför uthuset. Men så var den borta igen.

Med ett ryck drog han sig bort från fönstret.

Hans hjärta hade börjat klappa mer än han gillade.

Försiktigt drog han ut en av kökslådorna och valde ut en lång och smal trancherkniv. Ett välriktat hugg från en kniv som denna överlevde man inte.

Han knäppte byxorna och smög barfota ut i mörkret.

*

Han hörde ljuden nere från båthuset tydligt nu. Som om någon försökte bryta loss något där inne. Någon som gick hårt åt trävirket.

Han stod kvar en stund och lyssnade. Nu visste han vad det var. Det var kedjorna man gav sig på. Någon höll på att slita ut skruvarna som höll fast kedjorna i väggen.

Någon? Om det var polisen stod han inför vapen som var överlägsna hans, å andra sidan var det han som kände till terrängen, han som kunde utnyttja mörkrets fördelar.

Han passerade uthuset och såg genast att ljusstrimman under dörren var bredare än tidigare.

Jodå, visst stod dörren på glänt. Han var säker på att han stängt den när han senast varit där och kollat temperaturen i oljetanken.

Kanske var de flera stycken. Kanske fanns någon där inne just nu.

Han drog sig kvickt intill väggen för att tänka. Han kunde sitt uthus som sin egen byxficka. Om någon befann sig där inne skulle han kunna sticka ner honom på nolltid. Det räckte med ett hugg mot mjukdelarna under bröstbenet. Dessutom skulle han inom loppet av sekunder hinna hugga flera gånger, från olika håll. Och han skulle inte tveka. Det här gällde livet.

Han smög in i uthuset med kniven framför sig och lät blicken glida över det tomma utrymmet.

Det hade varit någon där. Pallen stod på fel plats och det var oreda bland verktygen. En skiftnyckel låg på golvet. Då var det den han hade hört.

Han tog ett steg åt sidan och såg hammaren på hyvelbänken. Den var han trots allt mest förtrolig med. Man fick bättre grepp om den, och det var ju inte första gången han använde den heller.

Han gick några steg på trädgårdsgången och kände sniglarna mosas mellan tårna. Jävla kryp! Han fick komma ihåg att utrota dem vid tillfälle.

Han böjde sig lite lätt framåt och skymtade det svaga ljuset i springorna runt den lilla dörren i båthuset. Det kom svaga röster där inifrån, men han hörde inte vad som sades, eller hur många de var. Det kunde i och för sig kvitta.

Det fanns bara en väg ut för dem som befann sig där inne. Allt han behövde göra var att gå fram till dörren och sätta sprinten i beslaget, så hade han låst in dem. De skulle inte hinna skjuta sig ut innan han hämtat bensindunken i bilen och tänt fyr på huset.

Visserligen skulle man se eldsvådan från milsvida omkring, men vad var alternativet? Nej, han tänkte tända på båthuset, hämta alla sina papper och pengar och ta sig mot gränsen så fort det gick. Så fick det bli. Den som inte var flexibel överlevde knappast någon längre tid.

Han stoppade kniven innanför bältet och började smyga fram till dörren, när den plötsligt öppnades och ett par ben stacks ut.

Han tog ett snabbt steg åt sidan. Jaha, då fick han alltså ta dem en och en, allt eftersom de kom ut.

Han såg hur gestalten satte fötterna i marken och sträckte sig in i båthuset.

"Vad har hänt med mamma och pappa?" sa pojken plötsligt högljutt. Någon hyssjade.

Samtidigt såg han hur den lille, mörke polisassistenten drog ut flickan genom dörren, tog henne i sin famn och backade rakt mot honom. Samme mörke man som varit i bowlinghallen. Han som fällde Påven på banan. Hur hade detta gått till? Hur kunde de känna till det här stället? Han höjde hammaren och träffade mannen i nacken med den flata sidan. Utan ett ljud föll han och flickan till marken. Hon såg upp på honom, men blicken var tom. Hon hade för länge sedan förlikat sig med sitt öde. Nu blundade hon. Ett slag från döden. Men det fick vänta. Hon skulle ändå inte ställa till med något.

Sedan väntade han på att utlänningens partner skulle komma ut.

Sekunden senare dök polisens ben upp i dörren samtidigt som mannen försökte förvissa pojken om att allt var som det skulle.

"Nu drar jag mig ut, sedan kan du ju själv kika ut och se att allt är i sin ordning", sa han.

Då drämde han till.

Kriminalaren segnade lugnt och stilla till marken.

Han släppte hammaren och stirrade på de två medvetslösa männen. Under några sekunder lyssnade han till trädens sus och regnet som föll mot stenplattorna. Han hörde pojken röra på sig inne i båthuset, men annars ingenting.

I en rörelse drog han upp flickan och knuffade in henne i båthuset. Sedan drog han igen dörren och placerade sprinten i beslaget.

Han sträckte på sig och såg sig omkring. Det var lugnt bortsett från pojkens protester. Inga utryckningsfordon. Inga fler ljud som inte hörde hemma där. Åtminstone inte än.

Han drog ett djupt andetag. Vad väntade honom nu? Kom det fler eller var dessa två bara ett par ensamvargar som ville imponera på sina överordnade? Han hade förstås inte råd att chansa.

Om de här två männen var ensamma om detta kunde han fortsätta planenligt, om inte, måste han ge sig av meddetsamma. Under alla omständigheter måste han, så fort han visste mer, göra sig av med alla fyra.

Han sprang tillbaka till uthuset och häktade av bindgarnet som hängde ovanför dörren.

Han hade bundit folk förr. Det tog inte lång tid.

Det väsnades inne från båthuset när han bakband de två medvetslösa männen. Det var pojken som ropade och skrek att han skulle släppa ut dem. Att deras föräldrar inte skulle betala förrän de fick se dem igen.

En hårdhudad gosse. Bra försök.

Då började grabben sparka på dörren.

Han tittade på beslaget. Det var många år sedan han skruvat fast det, men träet såg fortfarande friskt ut. Det skulle nog hålla för hans sparkar.

Han drog bort männen en bit från båthuset, så att ljuset från uthuset träffade deras ansikten. Sedan drog han upp den störste av dem i sittande läge. Överkroppen tippade framåt över benen.

Han lade sig på knä framför polisen och slog honom flera gånger i ansiktet. "Hallå! Vakna!" befallde han medan han slog.

Slutligen kvicknade polisen till.

Han blinkade några gånger, innan han lyckades fokusera blicken.

De såg varandra i ögonen. Rollerna var ombytta. Han var inte längre den som satt vid ett bord med vit duk i en bowlinghall och tvingades redogöra för sina förehavanden.

"Ditt jävla svin", sa polisen. Han snörvlande till. "Du kommer inte undan. Utryckningsfordon är på väg hit. Vi har dina fingeravtryck."

Han såg polisen i ögonen. Mannen var tydligt tagen av slaget. Pupillerna reagerade lite för sakta när han klev åt sidan och lät belysningen från uthuset träffa hans ansikte. Kanske var det därför polisen var så överraskande lugn. Eller så trodde han inte att han var kapabel att döda dem.

"Utryckningsfordon? Bra försök!" sa han till polisen. "Men om det stämmer, så låt dem komma. Härifrån har vi utsikt över hela fjorden, ända bort till Frederikssund", sa han. "Vi kommer att se blåljusen när de kör ut på Kronprins Frederiks Bro. Jag har med andra ord gott om tid att fundera ut vad jag ska göra med er."

"De kommer söderifrån, från Roskilde, så du ser inte ett skit, din idiot", sa polisen. "Släpp loss oss och ge upp frivilligt, så är du ute om femton år. Dödar du oss kan jag lova dig att du är en död man. Det är väl skit samma om mina kolleger skjuter dig här på plats eller man tar hand om dig i fängelset. Det finns ingen plats för polismördare i det här systemet."

Han log. "Du ljuger och pratar en massa skit. Men om du inte svarar på mina frågor kommer du att befinna dig i oljetanken i uthuset, om …" Han tittade på sitt armbandsur. "… låt oss säga tjugo minuter. Du, barnen och din partner. Och vet du vad?"

Han lutade sig så nära att deras näsor nästan möttes. "Vid det laget är jag borta."

Bankandet från båthuset tilltog. Det blev allt hårdare och fick en metallisk klang.

Instinktivt såg han sig omkring efter hammaren, som han kastat ifrån sig när han skulle lyfta upp flickan.

Hans magkänsla svek honom aldrig. Hammaren var borta. Flickan hade tagit den med sig in utan att han märkt något. Han hade själv kastat in den tillsammans med henne. Helvete också! Då hade den lilla sluga slynan inte varit så borta som han trott.

Sakta drog han upp kniven ur byxlinningen och föll på knä. Nu fick det vara nog. Det var dags att avsluta det här.

52

På något konstigt vis var Carl inte rädd. Inte för att han inte hyste några som helst tvivel om att mannen som låg på knä framför honom var sinnessjuk nog att döda honom utan att tveka. Snarare berodde det på att allt verkade så fridfullt. Molnen som smög över himlen och dolde månen, vattnets stilla skvalpande och dofterna. Till och med den surrande generatorn bakom honom hade konstigt nog en lugnande inverkan på honom.

Kanske var det slaget i huvudet som fortfarande gjorde sig gällande. I alla fall dunkade det något vansinnigt, så att han knappt kände den smärtande axeln och armen.

Bakom honom bankade pojken åter på dörren. Den här gången lät slagen hårdare än tidigare.

Han såg på mannen, som just dragit kniven ur bältet.

"Du undrar allt hur vi hittade dig, va?" sa Carl, samtidigt som han kände att de bakbundna händerna inte längre kändes avdomnade. Han spanade upp mot duggregnet. Vätan fick repen att töjas. Då handlade det bara om att vinna tid.

Mannens blick var iskall, men under en flyktig sekund ryckte det till i hans mungipa.

Jodå, han hade haft rätt. Om det var något svinet ville veta, var det just hur de hade hittat honom.

"Det var Poul. Minns du Poul Holt?" frågade han medan han fuktade repen i vattenpölen under sig. "Han var en lite speciell pojke", sa han samtidigt som händerna fortsatte att arbeta.

Carl tystnade och nickade mot mannen. Han hade definitivt inte bråttom med den här berättelsen. Oavsett om han fick loss händerna. Ju mer han drog ut på tiden, desto längre fick de leva. Han log för sig själv. Så ironiskt. Den här förhörsmetoden var ju helt bakvänd.

"Vad är det med den där Poul då?" frågade mannen.

Carl skrattade. Nu dröjde det längre mellan slagen inifrån båthuset, som om de måttades.

"Ja, det var länge sedan, eller hur? Kommer du inte ihåg? Flickan där inne var inte ens född. Du tänker kanske aldrig på dina offer? Nej, såklart att du inte gör. Varför skulle du det?"

Då förändrades mannens ansiktsuttryck på ett sätt som gav Carl kalla kårar.

I en enda rörelse reste sig mannen och satte kniven mot Assads hals. "Nu svarar du snabbt och utan omsvep, annars kommer du om en sekund att få höra den här killen gurgla i sitt eget blod. Förstått?"

Carl nickade och drog i repet. Han menade allvar.

Mannen vände sig mot båthuset. "Samuel! Tro mig, du kommer att få lida innan du dör, om du fortsätter med ditt hamrande", ropade han.

Under en kort sekund upphörde slagen. Man hörde hur flickan grät där inne. Sedan tog slagen vid igen.

"Poul fick iväg en flaskpost. Du borde kanske valt ett annat ställe att spärra in folk på, än ett hus som står på vattnet", sa Carl.

Mannen gjorde en frågande min. En flaskpost?

Nu kunde Carl börja knyta upp repen. En av öglorna hade glidit av. "Den fiskades upp i Skottland för några år sedan och hamnade så småningom på mitt skrivbord", fortsatte han medan han vickade på handlederna.

"Det var ju synd om dig", sa mannen. Men Carl hade fått honom att fundera. Han ville veta. Hur hade en flaskpost kunna komma åt honom? Inget av barnen som suttit inspärrade i huset genom alla åren kunde veta var de befunnit sig. Hur kunde en flaskpost ändra på det?

Carl såg hur det ryckte i Assads ben.

Ligg kvar, Assad. Sov vidare. Du kan ändå inte göra något, tänkte han. Det enda som kunde hjälpa dem nu var om han lyckades töja ut repen så pass mycket att han kom loss. Och inte ens då var utgången säker. Långt därifrån. Killen framför honom var stark och skrupellös och hade en lång, otäck kniv i handen. Slaget i bakhuvudet borde rimligtvis också ha försvagat Carl. Nej, det fanns inte mycket till hopp. Om han istället ringt kollegerna i Roskilde, så att de kommit söderifrån, hade de kanske haft en chans. Men svinet hade rätt, från Frederikssund, som han ju ringt, tog man sig inte hit obemärkt. I den stund utryckningsfordonen var ute på bron skulle de se dem. Det kunde knappast dröja mer än några minuter till innan de syntes, och då var allt slut, det visste han. Repen satt fortfarande för hårt.

"Stick medan du kan. Du hinner fortfarande, Claus Larsen. Men det är kanske inte ens ditt riktiga namn", försökte Carl. Samtidigt antog slagen mot dörren i båthuset plötsligt en djupare klang.

"Du har rätt, Claus Larsen är inte mitt riktiga namn", sa mannen och stod kvar över Assads livlösa kropp. "Och ni skulle bara veta vad jag egentligen heter. Jag misstänker att du och din partner är ute på en solo-turné ikväll. Så varför skulle jag sticka? Vad får dig att tro att jag är rädd för er?"

"Stick medan du kan, vad du nu än heter. Det är inte för sent än. Stick iväg och lev ett annat liv. Vi kommer inte att sluta leta efter dig, men du vet säkert hur du ska förändra dig under tiden. Inte sant?"

Där lossnade ena repänden.

Han såg mannen rakt i ögonen. Bakom honom syntes blinkande blått ljus. Då var utryckningsfordonen på väg över fjorden. Det här var alltså slutet.

När mannen lyfte blicken mot blåljusen, som fick hela landskapet att blinka, rätade Carl på ryggen och drog in benen under sig. Sedan höjde mannen kniven mot Assads försvarslösa kropp. Då kastade Carl sig framåt och körde huvudet i benen på mannen. Utan att släppa kniven föll han omkull och tog sig för höften. Sedan tittade han på Carl med ett ansiktsuttryck som Carl trodde skulle bli det sista han såg i livet.

Då lossnade äntligen repen.

Carl krånglade sig snabbt ur dem och slog ut med armarna. Två händer mot en kniv. Vad räknade han egentligen med att kunna åstadkomma? Han kände hur yr han fortfarande var.

Hur gärna han än ville springa därifrån, så gick det inte. Hur mycket skiftnyckeln på uthusets golv än lockade, fick han inte ordning på sina osammanhängande rörelser. Allt omkring honom drogs liksom inåt och utåt på en och samma gång.

Han vacklade bakåt samtidigt som mannen reste sig med kniven riktad mot honom. Nu började hjärtat bulta och huvudet dunka. Under ett kort ögonblick såg han Monas vackra ögon framför sig.

Han kilade fast fötterna i marken. Trädgårdsgången var hal, han kände hur snigelsörjan kletade under skorna. Sedan stod han stilla och väntade.

Reflektionerna från blåljusen ute på bron hade nu upphört.

Om fem minuter skulle bilarna vara här. Om han bara kunde hålla ut ett tag till kanske han kunde rädda barnens liv.

Han tittade upp mot trädgrenarna som stack ut över gången. Om jag bara kunde nå dem och dra upp mig, tänkte han och tog ännu ett steg bakåt.

Då tog mannen ett språng framåt med kniven riktad mot Carls bröst. Det gick inte att ta miste på hans raseri.

Det blev en liten fot, knappt storlek fyrtio, som fällde honom.

Assads korta ben gled över snigelsörjan och hann nätt och jämnt att sätta krokben för angriparen. Men det var inte det som fick omkull honom. Istället halkade han på den glatta gången med sina bara fötter. Ett smack hördes när hans kind träffade trädgårdsplattorna. Carl ragla-de fram och sparkade honom i skrevet tills han släppte kniven.

Carl slet den åt sig, drog upp mannen med visst besvär och stirrade honom rakt i ögonen samtidigt som han satte kniven mot hans hals-pulsåder. Bakom honom kämpade Assad för att komma upp på sidan, när han plötsligt började kräkas och föll på rygg igen. En ström av ara-biska svordomar for ur hans mun med gallan. Det lät inte vackert. Med andra ord var det inte så illa ställt med honom.

"Hugg, du", sa mannen. "Jag är ändå trött på ditt fula tryne." Plöts-ligt stötte han självdestruktivt fram huvudet, men Carl hann uppfatta den. Han drog kniven åt sig så pass mycket att den endast åstadkom en ytlig rispa mot mannens hals.

"Jag visste det", sa han hånfullt, alltmedan blodet rann längs den regnvåta halsen. "Du kan inte. Du vågar inte."

Men där tog han fel. Försökte han sig på ytterligare ett sådant utfall skulle Carl inte dra kniven åt sig. Assads dimmiga ögon skulle bevittna hur mannen orsakade sin egen död. Han behövde bara försöka igen. Det skulle bespara rättssystemet en hel del.

Då upphörde slagen inifrån båthuset.

Carl tittade över mannens axel och såg hur dörren slogs upp med en våldsam kraft.

Sedan upptog svinet hela hans vy igen.

"Du berättade aldrig hur ni hittade mig. Men det lär jag väl få veta i rätten", sa han. "Vad sa du att du trodde jag skulle få? Femton år? Det överlever jag nog." Han lutade tillbaka huvudet och gapskrattade. Kan-ske var han på väg att igen försöka kasta sig mot kniven. Då fick det bli så.

Carl kramade handen runt skaftet och var inställd på några våldsamma sekunder.

Då hördes ett ljud, som när man knäcker ett ägg. Ett litet, kort ljud som fick mannen att falla på knä och sedan åt sidan utan ett ljud. Carl såg på Samuel, som stod framför honom med strimmor av tårar längs kinderna. I handen höll han hammaren som han slagit sönder låsanordningen med och sedan drämt i huvudet på mannen.

Hur i helvete hade han fått tag i en hammare?

Carl sänkte blicken. Han släppte kniven och böjde sig över mannen, som skakande låg på marken. Han andades ännu, men inte länge till.

Det var en regelrätt avrättning han hade bevittnat. Ett överlagt mord. Han hade ju haft mannen under kontroll. Det måste pojken ha uppfattat.

"Släpp hammaren, Samuel", sa han sedan och vände blicken mot Assad. "Vi är överens om att det var i rent självförsvar, va, Assad?"

Assad tittade upp samtidigt som han sköt fram underläppen.

Hans svar kom stötvis medan han fortsatte att spy. "Vi är väl alltid överens, Carl?"

Carl böjde sig åter över mannen, som låg på de våta stenplattorna med öppen mun och uppspärrade ögon.

"Dra åt helvete", viskade han.

"Du är snart där, kompis", svarade Carl.

Då hördes sirener inifrån skogen.

"Om du erkänner allt du gjort kommer döden att bli lättare", viskade Carl tillbaka. "Hur många har du dödat?"

Han blinkade. "Många."

"Hur många?"

"Många." Hans kropp började ge efter nu och huvudet föll åt sidan, så att man tydligt såg det gapande såret i bakhuvudet. Bakom örat såg han också ett långt och skärt ärr.

Ett bubblande ljud kom från hans mun.

"Var är Benjamin?" sa Carl snabbt.

Hans ögonlock sänktes sakta. "Hos Eva."

"Vem är Eva?"

Mannen blinkade igen med halvslutna ögon, mycket långsamt den här gången. "Min äckliga syster."

"Du måste ge mig ett namn. Jag behöver ett efternamn. Vad heter du på riktigt?"

"Vad jag heter på riktigt?" Han log, och sedan yttrade han sina sista ord: "Jag heter Chaplin."

Epilog

Carl var trött. För fem minuter sedan hade han dängt en akt i högen av fall borta i hörnet.

Löst, färdigt och ute ur systemet.

Sedan Assad hade knockat serben nere i källaren hade det hunnit rinna mycket vatten under broarna. Marcus Jacobsens män hade tagit sig an de tre nya mordbränderna, men den gamla från 1995 i Rødovre slapp avdelning Q inte undan. Gängkriget tog helt enkelt för mycket tid i anspråk uppe på tredje våningen.

Folk hade blivit fängslade i både Serbien och Danmark, och nu saknade de bara ytterligare ett par medgivanden. Som om de någonsin skulle få dem, hade Carl hela tiden sagt. Serberna som de gripit satt hellre femton långa år i ett danskt fängelse än att tjalla på någon.

Men det fick bli riksåklagarens problem.

Han sträckte på sig och funderade på om han skulle ta sig en liten tupplur i skenet från platteven, där TV2 News gick loss om ministrar som klippte kvitton och vägrade betala sin televicens.

Då ringde telefonen. Satans uppfinning.

"Vi har fått besök här uppe, Carl", sa Marcus i telefonen. "Kan ni komma upp en stund. Alla tre."

Trots att det var mitt i juli hade det regnat tio dagar utan uppehåll. Solen verkade ha gått i moln för gott. Varför då behöva masa sig upp till tredje våningen? Det var ju nästan lika mörkt där som nere hos dem.

I trappan sa han inte ett ord till vare sig Rose eller Assad. Jävla semestertider. Jesper gick hemma dagarna i ända, liksom hans flickvän. Morten var ute och cyklade med någon som hette Preben, och det hade dragit ut på tiden, så en distriktssköterska fick se till Hardy. Vigga turnerade i Indien med en man som gömde en och halv meter hår i sin turban.

Och här var han medan Mona och hennes avkomma blev gyllenbruna i Grekland. Om bara Assad och Rose haft förstånd att ta ut sin semester hade han på allvar kunnat lägga upp benen på bordet och tillbringa arbetsdagen framför Tour de France.

Nej, han hatade allt som hade med semester att göra. Speciellt när den inte var hans egen.

*

Väl uppe på tredje våningen såg han att Lis stol stod tom. Hon var väl ute med husbilen igen och sin eldige man. Fru Sørensen hade förmodligen behövt det mer än Lis. Lite rajtantajtan i husbilen borde väl kunna skaka liv till och med i en mumie som hon? Han vinkade glatt till den gamla skatan och fick fingret tillbaka. Mycket sofistikerat. Den sura haggan höll sig i alla fall ajour med ungdomliga vanor.

De öppnade dörren till Marcus Jacobsens kontor, och där inne såg Carl en kvinna han inte kände igen.

"Ja", sa Marcus borta från sin stol. "Mia Larsen och hennes man är här för att få tacka er."

Först då upptäckte Carl mannen, som stod lite avsides. Honom kände han i alla fall igen. Det var killen som befunnit sig utanför det brinnande huset i Roskilde. Kenneth. Han som fick ut kvinnan. Var den stackars krampaktiga varelsen och den här kvinnan, som så förläget betraktade honom, verkligen en och samma person? Rose och Assad skakade hand med dem och efter viss tvekan gjorde Carl detsamma.

"Ja, ursäkta", sa den unga kvinnan. "Jag vet hur mycket ni har att göra, men vi ville gärna tacka er personligen för att ni räddade mitt liv."

De stod en stund och såg på varandra. Carl visste inte vad han skulle säga.

"Det var så lite så, brukar man svara. Men det skulle jag inte vilja säga", kom det från Assad.

"Inte jag heller", sa Rose.

Det skrattade de andra åt.

"Mår du bra nu?" frågade Carl.

Hon suckade tungt och bet sig i läppen. "Jag vill fråga hur det har gått för de två barnen. Var det Samuel och Magdalena de hette?"

Carl höjde lite på ögonbrynen. "Ärligt talat vet jag faktiskt inte så noga. De två äldsta pojkarna flyttade hemifrån, men jag tror att Samuel har det bra. Vad beträffar Magdalena och hennes två andra syskon har jag hört att församlingen tog hand om dem. Jag vet inte, kanske var det också det bästa. Det är svårt för barn att mista sina föräldrar."

Hon nickade. "Ja, det förstår jag. Min exman har gjort mycket ont. Om det finns något jag kan göra för flickan hoppas jag att ni säger till." Hon försökte sig på ett leende, men hann inte riktigt innan nästa mening for ur henne. "Det är svårt för barn att mista sina föräldrar, men det är också svårt för en mamma att mista sitt barn."

Marcus Jacobsen lade en hand på hennes arm. "Vi fortsätter arbeta med fallet, Mia. Våra killar jobbar på med upplysningarna du gav oss, och jag är övertygad om att det ska räcka. Till slut. Det går inte att gömma ett barn i det här landet hur länge som helst."

Hennes huvud föll mot bröstet vid orden "till slut". Carl skulle nog ha valt att uttrycka sig lite annorlunda.

Då tog den unge mannen vid. "Ni ska bara veta hur tacksamma vi är", sa han med blicken fäst på Carl och Assad. "Att ovissheten sedan är mycket jobbig för Mia är en annan sak."

Stackars människor. Varför inte bara vara uppriktiga mot dem? Det hade gått fyra månader utan att pojken hittats. Det fanns helt enkelt inte tillräckligt med resurser, och nu hade det snart gått för lång tid.

"Vi vet inte så mycket", sa Carl. "Din exmans syster heter Eva, det vet vi. Men vad heter hon i efternamn? Och din mans efternamn? Det kan ju vara vad som helst. Vi vet inte ens hans riktiga förnamn. Vi känner faktiskt inte till någonting om din exmans förflutna. Bara att Evas och din exmans pappa var präst. Och Eva är knappast något ovanligt namn på en prästdotter. Visserligen vet vi att kvinnan måste vara i fyrtioårsåldern, men inte mer än så. Benjamins bild finns uppsatt på alla polisstationer, och nu senast har mina kolleger uppdaterat alla sociala myndigheter i landet om att hålla ett extra öga på fallet. Mer än så kan vi inte göra i nuläget."

Hon nickade. Det var tydligt att hon inte ville uppfatta budskapet som ett försök att dämpa hennes förhoppningar. Naturligtvis ville hon inte det.

Då höll den unge mannen fram en bukett rosor och sa att Mia varje dag letade i kyrkotidningar, gamla dagstidningar och på alla andra möjliga ställen efter en bild på hennes exmans pappa. Att det hade blivit en heltidssysselsättning och att om hon fann något skulle de bli de första som informerades.

Sedan gav han blommorna till Carl och sa tack.

När de hade gått stod Carl kvar ett ögonblick med en fadd smak i munnen och buketten i handen. Minst fyrtio blodröda rosor. Han önskade att han inga fått.

Han skakade på huvudet. Nej, de kunde inte stå på hans bord, det gick bara inte, men de skulle minsann inte hem till vare sig Rose eller Yrsa.

Man visste aldrig vad det kunde orsaka.

Han kastade buketten på fru Sørensens skrivbord när de gick förbi. "Som tack för att du håller ställningarna, Sørensen", sa han bara och lämnade henne i ett hav av förvirring och stumma protester.

De såg på varandra på väg nerför trappan.

"Jag vet vad ni tänker", sa han och nickade.

Något måste göras. De fick helt enkelt utfärda en skrivelse till samtliga instanser och myndigheter i Danmark som kunde tänkas hantera information om ett barn i Benjamins ålder och med hans utseende, och som kanske plötsligt dyker upp på ett ställe där han inte hör hemma.

Samma upplysningar som polisen redan hade skickat ut, men den här gången skulle de uppmana ledarna inom de olika förvaltningarna att själva hantera fallet.

På det sättet skulle uppgiften garanterat komma att högprioriteras och omedelbart skickas vidare till rätt personer.

*

De senaste två veckorna hade Benjamin lärt sig minst femtio nya ord, och Eva kunde knappt följa med.

Å andra sidan hade de pratat mycket med varandra, för Eva älskade pojken mer än något annat i livet. De var en hel liten familj nu, och så kände hennes man det också.

"När kommer de?" frågade maken för tionde gången den dagen. I timmar hade han nu haft fullt upp. Dammsugning, brödbakning och alla små göromål kring Benjamin. Allt måste vara perfekt inför mötet.

Hon log. Så mycket detta barn hade förändrat deras tillvaro.

"Nu hör jag dem. Kan du inte sätta upp Benjamin hos mig, Willy?"

Hon kände pojkens mjuka kind mot sin.

"Nu kommer det någon för att kanske berätta att du får stanna hos oss, Benjamin", viskade hon i hans öra. "Det tror jag att du får. Vill du bo kvar hos oss, älskling? Vill du vara här hos Eva och Willy?"

Han tryckte sig mot henne. "Eva", sa han skrattande.

Sedan märkte hon att han pekade ut mot hallen, där rösterna kom ifrån. "Kommer nån", sa han.

Hon kramade honom och rättade till kläderna. Willy tyckte att hon borde blunda, eftersom hennes ögon kunde verka lite skrämmande. Hon tog ett djup andetag, bad en bön och gav pojken en kram till.

"Det ska nog gå bra", viskade hon.

*

Hon kände igen de vänliga rösterna. De var människorna som till sist skulle göra en bedömning av alla omständigheter, människor som varit där tidigare.

De kom båda fram och skakade hand. Goda, varma händer. De sa några ord till Benjamin och satte sig sedan lite på avstånd.

"Ja, Eva. Nu har vi gått igenom era förhållanden, och man får ju säga att ni inte är de mest typiska sökandena vi haft. Vi vill dock nämna meddetsamma att vi har valt att bortse från ditt handikapp. Det har hänt förr att vi godkänt blinda som adoptivföräldrar, och vad funktionsdugligheten och grundinställningen beträffar ser vi inte att det skulle föreligga några hinder."

Hon kände hoppet växa inom sig. Inte föreligga några hinder, sa de. Då hade alla hennes böner hjälpt.

"Man har varit imponerade över hur mycket ni lyckats spara ihop med era blygsamma inkomster, vilket bevisar att ni bättre än många andra har koll på saker och ting. Vi har också noterat att du har gått ner mycket i vikt på kort tid, Eva, vilket är jätteduktigt. Tjugofem kilo på inte mer än tre månader, säger Willy. Det är faktiskt helt enastående. Du ser också ut att må bra, Eva."

Hon blev alldeles varm om kinderna. Huden kittlade. Till och med Benjamin märkte det.

"Eva snäll", sa pojken. Hon märkte att han vinkade till kvinnorna.

Willy hade berättat att det såg otroligt kärt ut när han gjorde det. Gud välsigne detta barn.

"Ni har ett mycket trevligt hem här. Det är inte svårt att se att det kan bli en riktigt bra miljö att växa upp i."

"Vi tar också i beaktande att Willy skaffat sig ett sådant bra arbete", sa den andra, mörkare och något äldre rösten. "Men tror du inte det kan bli problem för dig att han inte kommer att vara hemma så mycket nu, Eva?"

Hon log. "Du menar om jag klarar av att vara ensam med Benjamin?" Hennes leende blev bredare. "Jag har varit blind sedan jag var liten flicka. Ändå tror jag inte att det finns många seende som ser lika bra som jag."

"Hur menar du då?" sa den mörka rösten.

"Handlar det inte om att uppfatta hur dina närmaste har det? Det är jag nämligen mycket bra på. Jag känner av Benjamins behov innan han själv gör det. Jag hör på folks röster vad de egentligen känner. Du är till exempel mycket glad just nu. Du verkar le med hela ditt hjärta. Har du nyligen varit med om något glädjande?"

De log båda. "Ja, nu när du säger det så. Jag blev mormor imorse."

Hon lyckönskade henne och svarade sedan på en massa praktiska frågor. Det rådde ingen tvekan om att de trots hennes handikapp och Willys och hennes relativt höga ålder tänkte rekommendera en fortsatt utredning. Det var egentligen bara det de ville. Kom de bara så långt skulle säkert allt lösa sig.

"Tillsvidare pratar vi ju om ett godkännande som fosterfamilj. Så länge vi inte vet vad som har hänt din bror ligger det i sakens natur att vi inget annat kan göra. Men med er ålder i beaktande bör vi ändå se detta som första steget till en adoption."

"När hörde ni senast från er bror?" frågade den första kvinnan. Det var kanske femte gången under de två intervjuerna som hon frågat det.

"I mars när han lämnade Benjamin. Vi är rädda för att Benjamins mamma har dött på grund av sjukdom. Hon var i alla fall allvarligt sjuk, om jag förstod min bror rätt." Hon gjorde korstecknet. "Han var mörk i sinnet, min bror. Om Benjamins mamma är död är jag rädd för att han har följt efter henne upp dit."

"Vi har inte lyckats ta reda på vem Benjamins mamma är. På födelseattesten ni gav oss går det inte att uttyda hennes personnummer. Kan den ha hamnat i vatten?"

Hon ryckte på axlarna.

"Ja, det är möjligt", sa hennes man borta från hörnet. "Den såg ut så när vi fick den."

"Av allt att döma var Benjamins föräldrar bara sammanboende. Enligt våra upplysningar finns inget som tyder på att han någonsin skulle ha varit gift. Överhuvudtaget är det inte lätt att bli klok på din brors förehavanden. Vi ser att han för en del år sedan sökte in till ett jägarförband, men efter det är det svårt att få fram någon form av information om honom."

"Ja." Hon nickade. "Som jag har sagt tidigare var han en mörksinnad man. Inte ens för oss berättade han något om sitt liv."

"Men han betrodde er med Benjamin."

"Ja."

"Benjamin och Eva", sa pojken, som kröp runt på golvet.

Hon hörde hur han rumsterade på mattan.

"Min bil", sa han. "Den stor. Fin."

"Men vi ser ju hur bra han trivs här", sa den mörkare rösten. "Han är verkligen långt framme för sin ålder."

"Ja, han påminner mycket om sin farfar, som var en väldigt klok man."

"Ja, vi känner ju till din bakgrund, Eva. Du är prästdotter. Jag vet att din far var präst inte så långt härifrån. En mycket gudfruktig man, har jag förstått."

"Evas far var en fantastisk man", sa Willy i bakgrunden. Eva log. Det sa han alltid, fastän att han själv aldrig träffat honom.

"Min nalle", sa Benjamin. "Min nalle fiin. Nalle blå rosett."

De skrattade lite.

"Vår far har gett oss en god kristen uppfostran", fortsatte Eva. "Willy och jag har tänkt uppfostra Benjamin i min fars anda, om myndigheterna alltså godkänner att vi behåller honom. Min fars syn på livet kommer att bli vårt rättesnöre."

Hon kände att detta föll väl ut hos dem. Tystnaden framstod nästan som varm.

"Ni måste båda genomgå en adoptionsförberedande kurs om två helger, innan adoptionsrådet kommer in i bilden och tar ställning till ett eventuellt godkännande. Vi vet förstås inte hur det kommer att gå där, men jag skulle vilja säga att de riktigt stora frågorna i livet tror jag att ni kan redogöra bättre för än många andra, så …"

Plötsligt avbröt kvinnan sig, och det var som om all värme sögs ur rummet. Till och med Benjamin upphörde med sina sysslor.

"Titta", sa han. "Blått ljus. Blått ljus blinkar."

"Jag tror minsann polisen står ute på gården", sa Willy. "Har det inträffat en olycka?"

Eva tänkte att det kanske var något om hennes bror. Så gick hennes tankar, tills hon hörde röster ute i hallen och hur hennes man först protesterade och sedan tycktes bli arg.

Sedan hörde hon steg i vardagsrummet och hur de två kvinnorna reste sig och drog sig bakåt i rummet.

"Är det han, Mia?" frågade en mansröst hon inte kände igen.

Det viskades, om vad hörde hon inte. Det lät som om en man förklarade något för de två kvinnorna hon just pratat med.

Ute i hallen började hennes man att skrika något. Varför kom han inte in hit? Sedan hörde hon en yngre kvinna snyfta. Först på avstånd, sedan närmare och närmare.

"För Guds skull, vad händer?" frågade hon rakt ut i rummet.

Hon kände att Benjamin kom fram till henne. Han tog hennes hand och lade upp sitt ena knä på hennes ben, och hon lyfte upp honom.

"Eva Bremer. Vi kommer från Odensepolisen. Med oss har vi Benjamins mamma, som har kommit för att hämta hem honom igen."

Hon höll andan, bad till Gud att de alla skulle försvinna. Bad honom väcka henne ur den här mardrömmen.

De närmade sig henne, och nu hörde hon kvinnan tala till pojken.

"Hej, Benjamin", lät hennes darrande röst. En röst som inte skulle vara där. Den skulle bara bort. "Känner du inte igen mamma?"

"Mamma", sa Benjamin. Han verkade först rädd och kröp ihop i Evas famn.

"Mamma", sa han och klängde sig fast vid hennes hals. "Benjamin rädd."

Det blev knäpptyst i rummet. Under ett kort ögonblick hörde Eva bara pojkens andhämtning. Denna pojke som hon älskade mer än sitt eget liv.

Plötsligt hörde hon ytterligare någon som andades. Lika tungt och förskrämt. Hon lyssnade och kände hur hennes händer började skaka bakom pojkens rygg.

Till sist hörde hon också sin egen andning.

Tre människor som andades tungt. Chockade och rädda inför det som väntade.

Hon kramade barnet hårdare. Höll andan så att hon inte skulle börja gråta. Höll honom så nära sig att de mer eller mindre blev ett med varandra.

Sedan började hon sakta släppa taget om honom. Hon grep hans lilla hand och höll den. Ett ögonblick kämpade hon med gråten, men så sträckte hon fram sin hand med pojkens lilla hand inuti. Hon satt tyst en kort stund, innan hon hörde sina egna ord, som ur fjärran: "Var det Mia du hette?"

Hon hörde ett tveksamt "ja".

"Kom hit, Mia. Kom hit till oss, så att vi får känna på dig."

Citat s. 192: "Närmare, Gud, till dig", Sarah Adams, 1841.
  Svensk översättning: Emanuel Linderholm, 1912.

Citat s. 193: "Bliv kvar hos mig – se dagens slut är när",
  Henry Francis Lyte, 1847.
  Svensk översättning: Carl Oscar Mannström, 1920.

Tack!

Ett varmt tack till Hanne Adler-Olsen för daglig inspiration och upp-muntran och kloka, insiktsfulla bidrag. Tack också till Elsebeth Wæhrens, Freddy Milton, Eddie Kiran, Hanne Petersen, Micha Schmalstieg och Karlo Andersen för ovärderliga och inträngande kommentarer samt till Anne C. Andersen för din knivskarpa blick och sprudlande energi. Tack till Henrik Gregersen på Lokalavisen, Frederikssund. Tack till Gitte och Peter Q. Rannes och Det Danske Forfatter- og Oversættercenter Hald samt Steve Schein för stor gästfrihet, när det har hettat till som värst. Tack till Bo Thisted Simonsen, biträdande chef på rättsgenetiska avdelningen. Tack till poliskommissarie Leif Christensen för din generositet med erfa-renheter och polisiärt korrektur. Tack till maskiningenjör Jan Andersen och vice poliskommissarie René Kongsgart för lärorika timmar på Politi-gården och till polisassistent Knud V. Nielsen för trevligt mottagande och gästfrihet på Köpenhamnspolisens begravningsförening.

Tack till er fantastiska läsare som besökt min hemsida, www.jussi-adlerolsen.com, och som ständigt uppmuntrar mig på jussi@dbmail.dk.